시뮬레이션 실습
여성건강간호 실무역량
문제해결형 국가시험을 위한

여성건강간호와 비판적 사고

김계숙, 김경원, 김영희, 김현경, 박혜숙, 배경의, 송영아, 이선희, 정금희 지음

Women's

Health

Nursing & Critical

Thinking

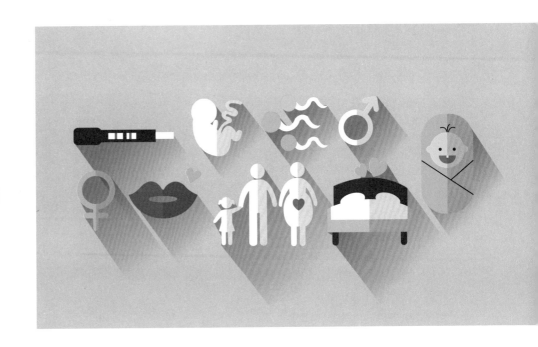

군자출판사

시뮬레이션 실습
여성건강간호 실무역량
문제해결형 국가시험을 위한

여성건강간호와 비판적 사고
Women's health Mursing & Critical thinking

첫째판 1쇄 발행 | 2010년 9월 15일
둘째판 1쇄 인쇄 | 2015년 2월 23일
둘째판 1쇄 발행 | 2015년 2월 27일
둘째판 2쇄 발행 | 2020년 2월 17일
둘째판 3쇄 발행 | 2022년 3월 8일

지 은 이 김계숙·김경원·김영희·김현경·박혜숙·배경의·송영아·이선희·정금희
발 행 인 장주연
출 판 기 획 군자기획부
편집디자인 군자편집부
표지디자인 군자표지부
발 행 처 군자출판사(주)
　　　　　　등록 제4-139호(1991. 6. 24)
　　　　　　본사 (10881) **파주출판단지** 경기도 파주시 회동길 338(서패동 474-1)
　　　　　　전화 (031) 943-1888　　　팩스 (031) 955-9545
　　　　　　홈페이지 | www.koonja.co.kr

ISBN 978-89-6278-965-2

정가 34,000원

저자소개

김 계 숙 | 안산대학교

김 경 원 | 대구한의대학교

김 영 희 | 동국대학교

김 현 경 | 두원공과대학교

박 혜 숙 | 동양대학교

배 경 의 | 동서대학교

송 영 아 | 안산대학교

이 선 희 | 김천대학교

정 금 희 | 한림대학교

서문

여성건강간호현장은 우리에게 비판적 사고를 학습하고 훈련해야 함을 강조한다. 그 이유는 비판적 사고 기술과 태도를 여성건강간호과정에 적용해야 하기 때문이다. 간호과정은 대상자의 간호문제해결을 위해 가장 체계적이고 과학적으로 접근할 수 있는 간호실무로서 간호사의 비판적 사고능력을 향상 시킬 수 있는 비판적 사고의 도구로 사용된다.

비판적 사고란 우리가 일상으로 생각하는 무비판적 사고와는 다르다. 비판적 사고는 신중하고 목적이 있고 사실을 근거로 한 조직적인 인지과정이며 실제적 과정으로 일련의 통합된 능력과 태도를 포함한다.

간호사나 간호학생들이 여성건강간호현장에서 간호과정을 적용할 때에 숙련된 비판적 사고와 자기 성찰적 태도를 갖춘다면 대상자의 문제해결을 위한 간호는 훨씬 효율적일 것이다. 이러한 점에서 간호 과정과 비판적 사고는 두 개의 굴러가는 바퀴처럼 상호조화 및 상호동력이 되어 간호교육의 발전과 간호 실무의 향상을 위해서 또는 새로운 이슈나 동향에 대해 민감하게 반응할 수 있도록 도움을 줄 것이다.

최근 간호사 국가시험은 간호실무역량 지표인 지식, 기술 및 태도를 정확하게 평가하기위해서 다양한 임상상황을 제시하고 비판적 사고에 의해 답을 선택하는 문제해결형 문제로 대거 전환하고 있다. 이는 기억에 의존하는 교과서형 간호사보다는 다양한 상황에서 우선순위별로 문제를 인식하고 해결해 나갈 수 있는 유능한 간호사를 선택하겠다는 의도이다. 이에 여성건강 간호교육과정도 자기주도적 학습, 시뮬 레이션 실습, 임상실습에서의 실무역량이 강화되면서 여기에 비판적 사고를 통합하려는 의지와 능력의 개발을 요구하고 있다.

본 책은 2010년 초판으로 발행된 이래 여러 저자들이 미비한 부분들을 일부 보완하면서 특히 국가 시험을 대비하기위해 문제해결형 예시 문제들과 질문에 대한 해답을 삽입한 개정판이다.

본 책의 특성은 다음과 같다.

1. 급격하게 변화하는 임상상황에서 여성건강간호의 쟁점, 임신기와 임부간호, 출산기와 산부간호, 산욕기와 산모간호에 대한 비판적 사고능력을 확장할 수 있도록 Key point(핵심 개념)과 간호실무를 제시하였다.

2. 비판적 사고 훈련 영역은 자기주도적 학습, 시뮬레이션 실습, 또는 임상실습에서 문제확인과 문제해결을 위한 비판적 사고를 적용할 수 있도록 여성건강문제 상황을 제시하였고 질문에 답하도록 시도하였다.

3. 비판적 사고중심 학습 영역은 개념적 측면을 그리고 비판적 사고중심 간호실무 영역은 개념적 측면과 실무적 측면을 통합적으로 다루었다.

4. 간호실무능력 평가 영역에서는 여성건강간호 주제 별로 제시한 문제들을 풀어보면서 간호실무 역량을 확인하고 평가하도록 하였다.

5. 주제별 관련정보 영역은 재미있고 명료성이 높은 그림을 사용하여 Key point(핵심개념)에 대한 이해와 명료성을 높였고 다양한 정보를 습득함으로써 제시한 문제해결을 위한 비판적 사고능력을 확장시켰다.

앞으로 본 책이 간호학생뿐만 아니라 새로운 정보를 필요로 하는 간호사의 계속교육을 위해서나 안내 책자로 활용되어지길 기대한다. 여러 가지 미비한 점이 많을 것이라 사료되며 계속적으로 보완하도록 할 것이다. 본 책이 출간 될 수 있도록 도와주신 군자출판사의 임직원 여러분께 깊은 감사를 드린다.

2015년 2월

김계숙

목차

I 다문화 간호

II 임신기 임부 간호

Contents

목차

Contents

목차

Contents

목차

Contents

목차

시뮬레이션 실습
여성건강간호 실무역량
문제해결형 국가시험을 위한

여성건강간호와
비판적 사고

I

다문화
간호

01 다문화 출산가족 간호

Key Point

✓ 다문화 출산가족 중심간호란 출산가족들에게 적절한 정보를 제공함으로써 그들의 건강 관리에 대한 결정을 내릴 수 있도록 돕는 간호를 말한다.

✓ 문화적 요구에 따른 간호를 제공하기 위해 문화적 가치와 관습의 차이에 익숙해야 하며, 간호사 자신의 문화 신념을 먼저 확인해야 한다.

✓ 총체적 출산가족 중심간호를 제공하기 위해 간호사는 임산부가 직면한 상황에 대한 법적·윤리적 딜레마에 대처할 수 있는 지식이 풍부해야 한다.

비판적 사고 훈련 ▼

사 례

남인도에서 온 페트라샤 부부는 힌두교도로 8주 후에 첫아기를 출산할 예정이다. 그들은 출산 후 병원에서 제공하는 음식에 대해 의논하려고 산전 클리닉을 방문하였다. 그들은 출산 후 소고기, 생선, 달걀을 먹지 않고 일부의 채식(양파, 마늘)도 피하고 싶다고 하였다. 향신료를 알맞게 섞어서 지은 밥인 풀라우(pulau, pulao)와 부드럽게 삶은 콩에 마살라(혼합향신료)를 가미한 달(dhal)이라는 수프를 먹기를 원하였다. 간호사인 당신은 출산 후 그들이 선택할 수 있는 것을 설명하고 의논해야 한다.

1. 다음은 다문화 출산가족 중심간호의 핵심개념이다. 페트라샤 부부에게 적용할 수 있는 간호계획과 중재를 설명하시오.

개념	간호계획과 중재 시 고려할 사항
선택	출산 후 음식의 선택과 함께 할 보호자에 대한 선택을 의논한다.
협력	이 부부의 지지자의 역할에 대해 논의하고, 산후간호에 도움이 될 수 있는 정보를 제공한다.
격려	부부의 선택사항에 대한 지지와 산후관리 시 선택하는 음식에 대해 편안할 수 있도록 격려한다.
유연성	가족들이 산후관리에 참여하도록 교육하며, 이 가족이 자신들의 지지체계를 세울 수 있도록 격려한다.
정보	가족의 산후 음식풍습을 지킬 수 있도록 정보를 제공힌다.
존중	이 부부의 소망이 적힌 의사소통기록지 등을 참조하여 산후간호계획에 반영되도록 한다.
강점	산욕기 간호사들은 그들의 요구에 대해 준비한다. 수유부의 영양문제, 향신료가 많이 섞인 음식, 채식가의 종교 의식에 대해 안전성을 결정한다.
지지	산욕기병동에 대한 정보를 제공한다. 함께함으로서 격려를 받을 수 있는 가족구성원들의 수, 프라이버시 유지, 출산 후 요구에 대해 어떻게 조정해야 되는지에 대해 정보를 제공하고 지지한다.

비판적 사고 중심 학습

학습목표

- 다문화 출산여성의 건강문제를 설명한다.
- 다문화 출산여성의 신체, 정서, 사회적 간호중재를 계획한다.

개요

사회문화적 요인은 임신기와 출산기 여성의 경험에 영향을 미친다. 특히 중요한 요소들은 첫째, 가족중심 출산관리와 간호관리, 둘째, 대상자의 기대와 행동에 대한 문화적 영향이다. 간호사의 개방적 질문과 적극적 경청은 건강관리를 선택해야 하는 대상자의 결정을 지지한다.

개념 정의

횡문화 간호이론: 1978년 라이닝거(Leininger)는 문화와 돌봄의 긴밀한 관련성에 대해 돌봄 없는 치료가 있을 수 없고, 문화에 따라 돌봄에 대한 가치와 행위가 다르다고 주장하는 횡문화 간호이론을 발표하였다. 횡문화간호의 목표는 특수한 문화에 적용 가능한 간호와 횡문화적으로 통용되는 간호에 대한 지식체를 발전시키는 것이다. 간호사는 특정한 문화적 배경에 대한 특별한 마음가짐과 자세를 가짐으로써 문화적 역량을 높여야 한다.

문화: 특정그룹에 의해서 공유되고 세대 간으로 전해지는 신념, 가치, 역사이다. 미국의 문화적 가치는 민주주의, 개별주의, 청결, 기술에 대한 의존이며 건강은 권리라는 신념과 물질과 부가 상징하는 만능주의 등을 포함한다.

민족성: 인종, 언어, 방언, 종교, 전통, 상징 등을 공유하는 특정집단에 속하는 것이다.

자민족 중심주의: 자신만의 문화적 가치와 행동이 다른 그룹에 비해 우월하다는 신념이다.

도덕: 의무와 본분에 관련된 것 즉, 어떤 것이 옳고, 그른지에 대한 의도와 행위에 적합한 것, 선과 악이라고 서술되어지는 것, 어떠한 의도와 행위들이 지시되어야 하는지에 대한 규정, 사회적 존재로서 인간관계시 나타나는 관행과 예의와 품행, 구성원이 규정을 따르는 옳고 그름에 대한 존경심 등이다.

윤리: 인간의 성격과 품행에 있어서 무엇이 이상적인가 하는 것에 대한 철학이나 규범을 말한다.

합법성: 행위와 행동에 대한 일련의 규정이 통제력 있는 권력에 의해 구속되거나 강화된 것으로 공식적으로 인정되는 것을 말한다.

사회적 요인

- 지지체계
- 수입 수준
- 환경적 요인
- 지정학적 위치(간호의 접근성)

출산가족 중심간호의 원리

- 출산가족 중심간호는 모성과 그녀의 가족에게 필요한 신체적, 정서적, 사회문화적 욕구에 반응하여 안전하며 숙련되고 개별화된 간호를 제공하는 역동적인 과정으로 정의된다.
- 임신과 출산은 정상적이고 건강한 삶의 사건으로 간주되며, 가족중심의 모성과 신생아
- 간호는 가족의 지지와 참여의 중요성을 인식하게 한다.
  - 출산가족중심간호의 목표는 신체적 안전을 유지하면서 가족단위를 돌보는 것이다.
  - 출산은 정상적이며 건강한 사건이다.
  - 출산은 전체 가족에게 영향을 미친다.
  - 다양한 정보와 전문적인 지지로 가족은 그들의 돌봄에 대한 결정을 할 수 있다.
  - 핵심개념: 존중, 강점, 선택, 정보, 지지, 유연성, 협력, 격려
  - 가족: 일정기간동안 함께 하며, 신체적 · 정서적 지지를 제공하는 둘 또는 그 이상의 사람 단위

가족의 유형

- 입양가족
- 동거가족(미혼 남 · 녀)
- 확대가족
- 동성부모 가족(게이, 레즈비언)
- 계부모 가족
- 혼합가족(재혼가정)
- 공동가족
- 핵가족
- 편부모 가족
- 전통적 가족

출산가족의 문화적 맥락

- 출산은 중요한 생활사건의 하나로 흔히 가족의 전통적인 신념과 관습과 관련되기 때문에 간호사는 출산가족을 간호할 때, 특히 가족의 문화적 배경에 대해 깊은 관심을 가져야 한다.

- 간호사는 다양한 문화를 가진 대상자가 생활사건이나 건강관리체계에 대해 어떤 방식으로 지각하는지를 주목해야 한다. 대상자는 그들의 신체적, 정신적 건강관리 요구가 충족되고 그들의 문화적 신념을 존중해 줄 것을 요구하는 권리를 가지고 있다.

- 문화란 세대가 계승하는 보편적인 신념, 상징, 행동, 전통을 말한다. 문화에 대한 지식은 음식, 언어, 종교, 예술, 건강과 치료 관습, 친족관계와 다른 모든 행동체계를 포함한 생활의 모든 면에 대한 신념과 가치를 포함한다.

- 각 문화는 여러 가지 많은 하위문화를 가지고 있다. 예를 들면 미국은 서로 다른 문화가 문화적 다양성에 기여하고 있다. 간호사는 문화에 따라 환자의 반응이나 건강행위에 영향을 미칠 수 있는 신념이나 가치를 미리 예측할 수 있다.

- 문화적 다양성이란 국가나 집단 내에서 다양한 문화가 공존하는 것을 말한다. 다양성은 민족, 성별, 경제적 수준, 교육 배경, 성별 이외에도 많은 요인을 포함한다. 문화적 배경은 환자의 인생이나 건강에 지대한 영향을 미친다. 문화적 인식 또는 문화적 역량은 많은 간호전문가의 교육기준에 포함되어야 한다.

문화적 인식의 장벽

문화적 인식의 장벽으로 간호사와 대상자 간의 의사소통을 방해하는 요소는 자민족 중심주의와 문화적 상대주의, 그리고 고정관념이 있다.

- 첫째로 자민족 중심주의(ethnocentrism)란 자기 민족의 우월성에 대한 신념으로 효과적인 의사소통을 저해하는 주요 요인이다. 비록 세계적인 경향이기는 하지만 자민족 중심주의는 타인에 대한 이해를 방해하며 다른 민족에 대한 편견을 갖게 하기 때문에 위험하다. 편견은 이전 경험에 비추어 다른 사람을 판단하는 것이다. 예를 들면, 똑바로 눈을 마주치는 태도가 무례한 것으로 인식되는 사회에서 온 임신부의 경우, 다른 문화권의 간호사가 환자의 이러한 모습을 보고 집중을 못하거나 불성실한 태도로 인식하여 의사소통이 제한될 수도 있다. 만일 건강관리체계가 간호사에게 판단을 위한 단 하나의 기준만을 제공한다면, 간호사의 판단이나 행동은 자민족 중심적이라 불릴 수 있다. 효과적인 의사소통 및 간호를 하려면 환자의 관점과 환자의 의사소통과 행동에 미치는 문화적 배경을 이해해야 한다.

- 둘째로 자민족 중심주의의 반대 개념인 문화적 상대주의(cultural relativism)는 다른 사람의 문화에 대해, 그리고 문화 기준을 그 문화 내 활동에 적용하는 것을 배우는 것을 의미한다. 따라서 간호사는 문화적 상대주의 입장에서 문화적 배경에 따라 사람들은 같은 사물과 상태에 대해 다르게 인식한다는 것을 이해해야 한다. 건강관리 전문요원으로서의 간호사는 그들의 문화로부터 건강을 유지하거나 질병에 이환되는 방법을 이해하기 때문에 환자를 그들의 문화적 배경에 따라 관리하는 것을 자칫 당연한 의무로 간주할 수 있다. 문화적 상대주의는 간호사에게 다른 문화의 신념이나 가치를 수용하도록 요구하지는 않는다. 그러나 간호사는 다른 문화에서 온 대상자의 신념과 행동을 그들 자신과는 다른 논리체계에 기초한 것이라고 이해할 수 있어야 한다.
- 셋째로 문화적 욕구를 충족시키는 의사소통의 장애요소는 고정관념이다. 즉 상투적으로 사람을 간주하는 것이다. 간호사는 환자 개개인이 가지고 있는 주관에 대해 확인한 후 이를 인정해야 한다. 사회적, 문화적, 경제적인 복잡성을 이해하게 되면 구체적으로 문화적 배경을 고려할 수 있게 되어 개별적인 간호를 제공할 수 있게 된다.

출산에 대한 문화적 조망

- 출산은 문화적 사건으로 출산에 따른 간호행위는 가장 문화적 영향을 많이 받는다. 최근에 이주 노동자와 결혼이주 여성이 증가함에 따라 우리나라도 다문화 국가가 되었다. 특히, 이주 여성들은 결혼과 함께 출산과 육아를 담당하게 된다. 그러나 이들은 각자 출신나라와 문화, 종교, 가치신념이 다르기 때문에 자국의 문화와 우리나라 문화 사이에 문화적 충돌을 갖게 되고 문화 중심적인 행위를 하지 못할 때, 여러 가지 불편을 느끼게 된다. 간호사는 자신의 문화에 따라 간호를 제공하므로 이주 여성들에게 효과적이고 만족한 간호를 제공하지 못하게 된다. 그러므로 간호사는 대상자의 문화를 이해하고 문화 중심적인 간호를 수행하여야 한다.
- 문화는 특정한 집단에서 습득되고 공유하고 전승되는 가치와 신념의 총합으로 세대를 통해 전달된다. 문화적 가치는 한 집단의 사고와 행동을 결정하는 것으로 출산 시에 가장 잘 나타난다. 같은 민족은 같은 언어, 종교, 신념, 전통, 가치, 상징을 가지고 있으며 같은 종류의 음식을 먹고 문자를 쓰고 민속을 가지고 있다. 각 집단에 따라 문화적 신념과 가치는 다양하므로 간호사는 대상자의 행동을 통해 그들의 문화적 신념과 가치를 알 수 있다. 대상자의 이러한 행동은 빙산의 일각으로 그 아래에는 그 민족의 역사, 가치, 신념, 종교가 내포되어 있다. 이에 간호사는 눈에 보이는 문화와 눈에 보이지 않는 문화를 이해하고 숨어 있는 신념이 어떻게 행동으로 나타나는지에 대한 지식을 가지고 총체적으로 접근해야 한다.

출산에 대한 신념과 관습

- 간호사가 문화가 다른 다양한 출산가족의 요구를 충족시키기 위해서는 가족이 중요시하는 문화적 신념과 관습이 무엇인지를 확인할 수 있어야 한다.

- 간호사는 다문화에서 온 출산가족의 의사소통, 공간, 시간 및 가족역할을 포함하는 문화적 측면을 고려해야 한다. 의사소통은 흔히 다양한 문화집단을 대상으로 하는 간호사에게 가장 어려운 문제일 수 있다. 의사소통은 단지 개인의 언어, 다양한 지방 사투리와 언어 방식뿐만 아니라 발음, 접촉과 몸짓을 필요로 한다. 만일 대상자나 가족이 간호사와 같은 언어를 사용하지 않을 때, 간호사는 언제나 가족이 요구하는 건강관리를 위해 그들의 문화를 기초로 자신 있게 설명할 수 있는 통역사를 활용할 수 있다. 만일 통역사를 활용하는 경우에는 통역사에게 질문하지 않고 직접 대상자나 가족에게 질문함으로써 가족의 의견이 존중되고 있음을 느끼게 해야 한다.

- 개인의 공간 필요와 공간에 대한 느낌은 문화시설에 따라 다양하게 표현된다. 즉, 개인의 공간은 개인과 개인 혹은 상황에 따라 다양하지만, 안전하거나 또는 편안한 공간의 범위는 문화와 문화 사이에 차이가 있다. 개인과 개인 간의 접촉, 대상자를 다른 사람에게 근접시키거나 혹은 대상자를 위해 어떤 것을 결정해 주는 것 등은 개인의 안전감을 감소시키거나 불안을 자극할 수 있다. 그러나 만일 대상자가 적당한 거리를 유지하고자 한다면 간호사는 대상자가 자신의 공간을 통해 안전감을 유지하도록 그들의 자율성을 지지해 준다. 예를 들어, 전통적으로 접촉을 꺼리는 집단으로 알려진 미국의 중국계 미국인 중 어떤 사람은 개인 간의 잦은 접촉이나 눈 접촉을 불쾌하거나 무례한 것으로 받아들인다. 간호사는 항상 대상자에게 접근해서 간호를 수행할 때에는 사전에 설명함으로써 오해를 방지할 수 있어야 한다. 간호사는 흔히 분만 중에 있는 산부를 간호할 때 접촉을 사용하게 되는데, 이러한 접촉의 사용과 효율성은 문화적 맥락 내에서 고려되어야 한다.

- 간호사는 시간과 문화를 관련해서 이해할 필요가 있다. 어떤 문화집단의 사람들은 시간을 과거, 현재 혹은 미래에 맞추어서 생각한다. 즉, 과거에 초점을 맞추는 사람은 전통을 유지하려 하지만, 미래의 목적을 명백히 하려는 동기는 거의 가지고 있지 않다. 또한 현재에 초점이 맞춰진 개인은 현재를 소중히 여기고 과거를 돌아보려 하지 않는다. 미래에 맞춰져 있는 사람은 현재를 미래의 목적을 달성하기 위한 것으로 여기며 미래를 위해 현재를 사용한다.

- 출산가족의 시간 결정은 간호에 영향을 미친다. 예를 들어, 현재에 맞춰져 있는 가족에게 추후관리를 위해 영아를 외래로 데려오라고 말하는 것은 그 가족을 곤란하게 만들 수 있다. 그러나 시간이 미래에 맞춰져 있는 가족은 추후관리를 위한 계획에 따라 병원 방문에 잘 응할 수 있다. 그러나 시간 결정에 있어서는 차이가 있을지라도 모든 가족은 그들의 신생아의 건강에 대해서는 똑같이 관심을 나타낸다.

- 가족의 역할은 가족 내 위치 혹은 지위와 관련된 가족구성원의 기대된 행동을 포함한다(예: 어머니, 아버지 혹은 조부모). 사회적 지위와 문화적 규범은 이러한 역할에 영향을 미친다. 이러한 영향에 의해 남성과 여성의 분명한 역할의 차이가 강조될 수 있다. 예를 들어, 문화는 남성이 임신과 출산에 적극적으로 참여할 것인지의 여부를 결정하는데 영향을 미친다. 그런데 이와 같은 가족을 대상으로 하는 간호사의 건강관리 방법은 서구의 건강관리 모델과 이에 대한 지각과 경험에 기초하고 있다. 따라서 여성건강 간호사는 분만 중 아버지가 참여하도록 기대하지만, 분만의 경험을 여성의 단독 사건으로 인식하는 문화(예: Mexican-and-Arab-Americans)와는 갈등을 빚는다.
- 간호사는 대상자인 각 여성과 친숙해져야 하며, 그들의 문화적 신념을 확인해야 한다. 간호사는 대상자의 출산을 위한 신체적 · 정신적 적응을 증진하는 신념을 지지하고 적극 권장해야 한다. 그러나 만일 어떤 신념이 대상자에게 도움이 되지 않을 때에는 상담 또는 교육을 통하여 대상자가 문제의 요점을 올바르게 이해하고 새로운 신념을 받아들이도록 도와주어야 한다.

다문화 출산가족 간호 의사소통법

- 먼저 개인적 특징을 고려한 후 문화적 배경을 고려한다.
- 의사소통이 가능한 언어가 무엇인지 확인한 후, 통역사나 가족 중 통역이 가능한 사람이 있는지 알아본다.
- 대상자에게 차분히 다가가서 존중하는 자세로 인사를 하고 대상자의 이름을 정확하게 발음하거나 어떻게 발음해야 하는지를 물어본다.
- 대상자를 이해시키기 위해 크게 말하지 않는다.
- 여유를 가지고 조용한 환경을 조성한다.
- 편안함을 느낄 수 있는 거리에 앉되, 대상자와 눈높이를 맞춘다.
- 대상자의 말을 경청하고 비언어적 행동을 주의 깊게 관찰한다.
- 대상자를 도와 줄 간호사가 있음을 알려주고, 대상자가 말한 모든 것에 대해 비밀이 보장됨을 설명하여 안심시킨다.
- 대상자의 의사소통 유형이 어떤 문화에 따른 의사소통인지 비추어본다.
- 가능하면 대상자의 언어로 쓰인 책자를 제공한다.
- 질의응답 시간을 갖는다.

가족의 기능과 건강한 가족

- 세계보건기구(World Health Organization, WHO; 1978)는 생물학적, 경제적, 교육적, 심리적 및 사회·문화적으로 5가지 가족기능을 제시하였다. 가족이 이러한 기능을 성공적으로 수행할 수 있는지의 여부는 가족구성원의 신체적, 정신적 건강에 의해 좌우된다.

- 건강한 가족은 간호사가 가족기능의 방식을 평가하는데 다음과 같은 것들을 포함한다. 임신과 출산은 가족 내에 가장 강력한 변화를 일으키는 것이다. 건강하고 생명력이 있는 가족은 스트레스 없이 이러한 변화에 적응할 수 있지만, 변화에 준비되지 않은 가족은 갈등으로 어려움을 겪을 수 있다. 다음은 간호사가 평가요소로 사용할 수 있는 건강한 가족기능의 특성이다.

- 건강한 가족의 구성원들은 각 가족의 관심과 필요를 표현하는데, 서로 개방적인 의사소통을 한다.

- 건강한 가족은 역할분담에 융통성이 있어서, 어느 한 사람이 배정된 과제를 완료할 수 없는 경우에 다른 가족이 도움을 준다.

- 건강한 가족의 성인들은 육아의 기본 원칙에 동의함으로써, 훈육 및 수면 일정 같은 일들에 대한 갈등을 최소화한다.

- 건강한 가족은 출산의 결과나 가정이나 가족관계에서 발생하는 변화에 적응할 수 있으며, 부담감을 갖지 않는다.

- 건강한 가족의 구성원들은 요청받기를 기다리지 않고 자발적으로 조력한다.

비판적 사고중심 간호실무

비판적 사고와 간호과정

사정

대상자 혹은 가족구성원의 건강을 사정 및 관리하기 위해서는 생의 주기별 발달단계에서 가족을 스트레스적 생활사건에 당면하는 하나의 체계로 이해할 필요가 있다. 그러므로 만일 한 가족에게 문제가 있다면 그것은 어떤 한 가족구성원만의 문제가 아니라 전 가족의 문제로 보아야 한다. 그리고 이러한 문제를 해결하기 위한 가장 좋은 방법은 가족이 다함께 참여하여 해결하는 것이다.

자료 수집

간호사는 가족에 대한 건강사정이 대상자의 신체적 건강을 사정하는 것보다 더 어렵고 복잡하다는 것을 알 것이다. 그 이유는 가족의 건강사정은 간호사의 능숙한 의사소통 기술과 가족구성원과의 신뢰관계 형성능력을 필요로 하기 때문이다. 가족구성원은 대부분 여러 가지 방법으로 외부인의 질문을 받아들이지 않는다. 따라서 간호사는 정보 수집의 이유를 분명하게, 또는 위협적이 아닌 문화적으로 수용된 방법으로 가족구성원에게 설명할 수 있어야 한다.

간호사는 정보를 효과적으로 수집하기 위해 다음 세 가지를 염두에 두어야 한다.

- 가족관계, 태도 및 스트레스 반응을 관찰하고 주목한다.
- 가족의 지역사회와의 연계, 희망과 포부에 대한 대화를 경청한다.
- 문화적으로 수용된 적절한 방법으로 질문한다.

다른 문화적 배경을 가진 대상자를 간호할 경우에 발생할 수 있는 의사소통 장애는 방법, 습관 및 언어의 세 가지 수준에서 나타난다.

의사소통 방법: 의사소통 방법은 대인관계에서 고려해야 할 많은 요소를 포함한다. 예를 들어, 미국인은 대부분 문제를 직접 설명함으로써 건강관리와 관련된 쟁점에 접근한다. 또한 미국 여성은 원래 면담을 하는 동안에는 거의 말하지 않으며 또한 건강관리 전문가가 면담 내용을 기록하는 것을 좋아하지 않는다. 그러나 동양문화권 사람들은 보통 심각한 내용의 대화 혹은 설명을 시작하기에 앞서 환담부터 시작한다.

습관: 대상자의 모든 습관적인 행동에는 문화적 이유가 있다는 것을 이해하고 습관적 행동이 무엇을 의미하는지를 알아야 한다. 그 이유는 대상자 자신이 문화적 차이와 논리를 간호사가 이해하도록 돕는 가장 좋은 자원이 될 수 있기 때문이다. 따라서 간호사는 포괄적인 간호 접근을 위해 대상자의 건강에 대한 신념과 습관을 사정하고, 또한 그들의 문화적 유산을 존중함으로써 일관성 있는 간호를 제공할 수 있어야 한다.

언어: 언어는 대상자를 간호하는데 있어 가장 중요한 요소이다. 간호사이지만 모든 문화, 하위문화 및 각 문화집단의 여러 가지 생활양식을 다 이해한다고 기대할 수는 없다. 그러므로 간호사는 대상자들이 믿고 행동하는 이유를 이해하기 위해 우선 그들 자신의 문화에 대해 이해할 수 있어야 한다. 간호사는 면담이나 연구를 통해 그리고 깊은 관심으로 대상자의 문화를 이해하고, 또한 그들의 문화에 적합한 간호를 제공하기 위해 노력해야 한다.

간호진단

자료의 수집 단계를 거친 후 간호사는 수집된 자료를 분석, 종합하고, 문제에 대한 추리 또는 추정을 한다. 다음의 질문은 간호사가 자료를 분석, 종합하는 데 도움이 되는 내용들이다.

- 이 가족에게 영향을 미치는 중요한 스트레스 요인은 무엇인가?
- 가족의 신념은 신체적 또는 정신적 안녕을 증진하는데 도움이 되는가?
  아니면 가족에게 해로운가?
- 이 가족의 지지체계는 출산으로 인한 스트레스 대처에 적합한가?
- 가족의 의사소통은 모든 가족구성원들 간에 원활히 이루어지는가?

추리는 주관적으로 이루어지는 것이므로 간호사의 능력뿐만 아니라 개인의 가치와 신념에 기초한다. 따라서 간호사는 대상자와 함께 자료를 확인해야 한다.

NANDA에 의해 확인된 간호진단은 각각 다음과 같은 요소로 구성되어 있다:

① 제목. 몇몇 건강상태 진단이 긍정적 대상자의 반응에 초점을 맞추고 있다 하더라도 이것은 건강문제에 관한 광범위한 설명을 제공한다.

② 특성 정의하기(defining characteristic). 이것은 징후와 증상 또는 흔히 그 특별한 진단에 함께 보이는 단서(cue)와 관련이 있다.

③ 병인 및 관련 요인들. 문제를 일으키거나 기여할 수 있는 요인들이다. 병인(etiology)은 병태생리학적(pathophysiologic), 상황적(situational) 또는 성숙적(maturational)이다. 간호진단의 대부분이 실제 혹은 잠재적 건강문제를 언급하고 있기는 하지만, 건강상태 진단은 산모, 신생아 및 여성의 건강분야에 적합하다.

진단은 실제적, 잠재적 위험 혹은 안녕상태가 간호진단이 될 수 있다. 실제적 간호진단은 그 진단이 사정 당시에 존재하며 특성이 정의되어 있음으로써 확인될 수 있다는 것을 표시한다. 잠재적 간호진단은 진단이 존재하지만 개인이나 가족의 기여 요인을 토대로 나타날 위험이 있을 때 적합하다. 안녕에 대한 간호진단은 개인이나 가족의 특정 건강수준에서 더욱 좋은 건강상태로 이동할 때 적합하다.

출산가족에 대한 일반적인 간호진단의 예는 다음과 같다.

① 결손 신생아 양육부담과 관련된 가족역동의 장애

② 부모 신생아 간의 빈약한 애착과 관련된 부모역할장애

③ 부모의 역할부담과 관련된 불안

④ 의사소통 장애와 관련된 가족의 비효율적 대처

⑤ 상호작용 결여와 관련된 우울

⑥ 모국어 사용과 관련된 의사소통장애

간호계획과 중재

간호사는 간호진단을 근거로 하여 간호중재를 위한 계획을 세우며, 교육 및 직접적인 간호 제공, 대상자 의뢰 등을 포함하는 여러 가지 간호활동을 확인한다. 즉, 간호사는 가족 구성원이 지지를 받고 있다는 느낌을 갖도록 그리고 정보를 이해할 수 있도록 여러 가지 방법으로 교육하거나 다른 전략을 적용해야 한다. 또한 직접간호를 제공하는데 있어, 간호사는 가족구성원이 스스로 그들 자신을 관리할 수 있는 자가간호 또는 독립적인 활동능력을 증진시킨다.

이 단계 동안 간호사는 우선순위를 정하고, 목표나 결과를 개발하며, 이들 목표를 성취하기 위한 중재를 계획한다.

- 우선순위는
  ① 어떤 문제들이 즉각적인 주의를 필요로 하는지 결정하여(생명을 위협하는 문제) 즉각적인 조치 취하기
  ② 잠재적 문제들이 진단, 모니터링(감시) 혹은 처치를 위한 의사의 처방지시(order)를 요구하는지의 여부 결정하기
  ③ 잠재적 간호진단에 대해 우선순위에 앞서 실제적 간호진단 확인하기 등이 있다.

- 목표설정 및 기대되는 결과는
  - 대상자 중심 용어로 기술되며 목표를 성취할 대상이 누군지 확인한다. 이는 대개 여성, 태아, 신생아, 영아 또는 가족이다.
  - 반드시 측정 가능한 동사가 사용되어야 한다. 예를 들면 확인하다, 시범을 보이다, 표현하다, 걷다, 관련이 있다, 열거하다 등이 관찰 가능하고 측정 가능한 동사이다.
  - 시간의 틀이 필요하다. 언제 그 행위를 수행할 것인가?
  - 목표와 기대되는 결과는 반드시 현실적이어야 하며 성취될 수 있어야 한다.
  - 목표와 기대되는 결과는 대상자와 가족이 간호계획에 참여하는 것을 보장할 수 있도록 대상자와 함께 만들어진다.

- 간호사는 대상자를 도와 수립된 결과를 충족시킬 수 있도록 간호중재를 계획한다.

실제적 간호진단을 위한 계획: 실제적 간호진단을 위한 간호중재는 원인이나 관련 요인을 감소시키거나 제거하는 것을 목표로 한다. 예를 들면, 간호진단은 "애착 행동(시선 맞추기, 잡아주기)의 부재에 의해 나타난 영아의 질병에 속발된 애착장애와 관련된 육아장애"이다. 기대되는 결과는 부모가 접촉, 쓰다듬기, 시선 맞추기 및 1주일 이내에 영아간호에 참여하는 등의 점진적 애착 행동을 보여주는 것이 될 것이다. 간호중재는 부모와 아기 사이에 접촉을 증대시키고 애착 행동을 촉진하는데 초점을 맞춘다.

잠재적 간호진단을 위한 계획: 계획은 ① 문제 시작에 대한 감시 ② 위험 요인의 최소화 및 ③ 문제 방지를 목표로 한다. 예를 들면, 영아에 대한 간호진단은 "잦은, 묽은 변과 관련된 피부 손상(피부 통합성 장애)의 위험성"이다. 기대되는 결과는 피부가 손상되지 않는 것이다. 간호계획에는 피부손상의 징후 동안 처방된 간격으로 피부 상태를 감시하고 피부손상 위험을 감소시키기 위해 피부를 깨끗이 건조된 상태로 유지하는 것 등이 포함된다.

안녕적 간호진단을 위한 계획: 중재는 건강상태의 간호진단을 위한 건강증진에 초점을 맞춘다. 간호는 자가간호 교육을 통해 대상자가 성공적으로 추진하도록 도움을 준다. 건강중재의 예로는 체중 감소와 관련된 교육, 고혈압을 낮추는 운동이나 분만 후 신체 회복 등을 포함한다.

간호중재를 수행함에 있어 간호사는 실제적, 잠재적, 안녕적 간호중재를 한다. 간호계획을 수행하는 것은 기술된 계획이 명확하지 않을 경우 문제가 될 수 있다. 간호계획은 의사의 처방 지시와 같게 명시되어야 하며, 전산화된 간호계획으로 공식화할 수 있다.

평가

간호사는 기대된 결과를 평가하기 위해 정확하게 진술된 결과 기준(outcome criteria)을 사용하여 가족과 함께 평가 작업을 한다. 간호사가 가족의 간호과정을 평가할 때, 고려해야 할 질문 내용은 다음과 같다.

① 가족의 기대는 상대적이고 정확한 용어로 서술되어 있는가?

② 평가에 대하여 가족과 간호사 혹은 다른 건강전문가 간에는 합의가 있는가?

③ 간호과정을 평가하기 위해 추가로 다른 자료를 수집할 필요가 있는가?

④ 간호진단, 기대된 결과 및 접근이 현실적이고 정확한가?

⑤ 만일, 가족의 행동과 지각에 있어 문제가 만족스럽게 해결되지 않았다면 그 이유는 무엇인가?

⑥ 재고할 필요가 있는 예측하지 못한 결과가 있는지, 있다면 그것은 무엇인가?

간호실무능력 평가

1. 다음은 무엇을 하기 위한 질문인가?

   - 가족은 어떤 종족입니까?
   - 출산은 정상적인 과정입니까? 또는 위험한 질병입니까?
   - 임신과 출산 동안의 관습, 의식적 행동, 음식, 활동은 무엇입니까?
   - 임신과 출산 동안 금하거나 고려해야 하는 것은 무엇입니까?
   - 이 시기에 종교적으로 행하는 것은 무엇입니까?

   ① 과학중심 간호　　　　　　　② 문화중심 간호
   ③ 가족중심 간호　　　　　　　④ 근거중심 실무간호
   ⑤ 전통의학중심 간호

2. 다문화 출산가족 간호의 중요 구성요소 중 <u>아닌</u> 것은?

   ① 존중　　　　　　② 선택　　　　　　③ 협력
   ④ 격려　　　　　　⑤ 단호성

3. 다문화 출산가족 간호 의사소통법은?

   ① 대상자를 이해시키기 위해 가능한 큰소리로 이야기 한다.
   ② 말을 할 때는 대상자의 눈높이보다 아래를 보고 이야기 한다.
   ③ 접촉의 선호성을 파악하고 비언어적 행동도 주의 깊게 관찰한다.
   ④ 대상자의 말을 알아들을 수 없기 때문에 듣지않고 가족을 찾는다.
   ⑤ 이름이 발음이 어려워 부르지 않고 남편의 성에다 부인을 부쳐서 부른다.

4. 간호사와 대상자간의 의사소통에 필요한 요소는?

   ① 편견　　　　　　　② 고정관념　　　　　　③ 우월문화 동화
   ④ 문화적 상대주의　　⑤ 자민족 중심주의

5. 다문화 출산가족 간호를 잘 수행하는 간호사의 행동은?

   ① 분만 중에는 남편이 참여하도록 격려한다.
   ② 대상자가 잘못된 건강신념을 가지고 있더라도 일단 존중한다.
   ③ 현재에 초점을 맞추는 대상자에게 추후간호교육을 먼저 한다.
   ④ 대상자의 불안을 감소시키기 위해 잦은 접촉을 부드럽게 시도한다.
   ⑤ 모국어 사용으로 통역사가 있더라도 질문은 대상자나 가족에게 직접한다.

정답　　1. ②　　2. ⑤　　3. ③　　4. ④　　5. ⑤

보완대체요법 간호

보완대체의학(complementary and alternative medicine)은 서양 의학적 측면에서 사용하는 용어로, 우리나라 입장에서는 전통의학과 간호(traditional medicine and nursing)라 용어가 더 적합하다. 전통의학과 간호는 이론, 양상, 적용, 전문성과 수행에 있어 많은 논란이 있고 현대의학에서는 아직 받아들이지 않는 부분이 많지만, 서양에서는 오히려 보완대체의학을 인정하고 있다. 대체로 전통의학은 약품과 식품이 구별되지 않아 전문성이 없는 일반사람들이 사용하고 있으며, 이에 대한 법적인 규정도 없다는 것이 문제가 된다. 이러한 요법 중에는 치료라기보다는 문화적으로 수행되어온 문화적인 행위들이 많으므로 대상자의 문화를 이해하는 것이 중요하다. 여성건강간호학에서는 임신과 출산이 여성의 일생에서 정상과정이고 문화 중심적인 행위이며, 간호의 목적이 건강유지증진의 측면이 더 강하므로 전통의학 및 전통요법을 많이 적용하고 있다. 대표적인 것으로는 임신 중의 태교, 분만 중 통증완화를 위한 기체조, 마사지, 지압(삼음교지압), 침술(이침, 수지침), 아로마 요법, 산후체조(산후운동), 부황, 뜸, 쑥 찜질 등의 요법과 미역국, 호박, 장어 혹은 가물치국을 섭취함으로써 산후회복을 돕는다고 알려져 있는 요법 등이다.

간호사는 전통의학과 현대의학 사이에서 과학적인 근거와 전문적인 가치를 발견하고, 대상자가 스스로 간호하고(self-care) 예방할 수 있도록 지지하고 대상자의 반응에 따라 개별적으로 접근한다. 전통의학에서 건강은 총체적 혹은 신체-정신-영적(body-mind-spirit)인 것으로 인식하므로 간호도 이에 맞추어 접근해야 한다. 간호사가 사용하는 치료적 접촉(therapeutic touch)은 보완대체요법으로 널리 사용되고 있다. 간호사는 보완대체요법을 적용할 기회가 많으므로 연구를 통해 치료방법의 법적인 근거를 제공하는데 일조해야 한다.

비판적 사고

최근 들어, 비판적 사고는 간호에서 광범위한 관심을 받고 있다. 간호사는 급속히 변화하는 임상현장에 잘 대처하기 위해 비판적 사고기술을 통해 문제를 인식하고 해결하며 우선순위를 결정하여 사정, 계획, 수행, 평가 및 재사정을 할 수 있어야 한다. 비판적 사고는 해결책을 찾거나 판단을 하기보다는 간접적으로 또는 직접적으로 조절을 하는 것이며, 비판적 사고를 통해 광대한 자료에서 유용한 것을 빠르게 선택하고 효과적인 간호계획과 임상적 판단과 결정을 할 수 있다.

효과적인 비판적 사고를 하기 위해 간호사는 반드시 자신만의 사고과정에 통찰력을 연계시켜야 하며, 그들 자신만의 생각을 조사나 비판과는 별도로 분석할 수 있어야 한다. 비판적 사고란, 생산적인 사고를 방해할 수 있는 특정 습관과 반응을 인식하고 인정하는 것이다.

비판적 사고를 한다는 것은 선호도나 선입견 보다는 이성에 근거를 둔다. 또한 감정이 사고에 어떻게 영향을 미치며 이해하는 감정을 조사하려고 시도한다. 결국 비판적 사고는 추론이나 결론을 뒷받침하기에 근거가 적합해질 때까지 판단을 중지하는 것이다.

목적

비판적 사고의 목적은 간호사들이 최선의 임상 판단을 내리도록 돕는데 있다. 그 과정은 간호사가 교재 및 강의로부터 지식을 축적하는 것이 충분하지 않다는 사실을 깨닫게 될 때부터 시작된다. 간호사는 이러한 지식을 특정 임상상황에 적용함으로써 각 상황에서 가장 효과적인 간호를 제공한다는 결론에 도달할 수 있어야 한다.

또한, 간호사는 부정확한 결론이나 서투른 판단으로 이끌 수 있는 결함에 대해 자신만의 사고과정을 정직하게 검토해야 한다. 일련의 단계는 비판적 사고과정을 더 쉽게 만든다.

단계

다음의 단계들은 비판적 사고를 학습하는 길을 명확히 하도록 돕는다. 이들 단계는 가정(假定)의 인식, 개인적 선입관의 검토, 종결의 필요성, 자료수집 및 분석 방법, 감정(정서)이 어떻게 비판적 사고를 방해하는지에 대한 평가 등이 포함된다.

가정 인식하기

가정은 사실상 토대나 근거 없이 당연한 일로 생각되는 개념, 신념이나 가치이다. 이러한 가정은 검토되지 않은 생각이나 건전하지 않은 행위로 연결될 수 있다. 간호사가 가정을 인식하기 위해서는 어떠한 특수상황에 대해 알려진 모든 것의 목록을 작성해 보고 확인해 보는 것이다. 목록의 각 항목은 그것이 사실인지, 사실일 것인지, 그리고 그것이 사실이 아니거나 그 진실성을 결정하기에 증거가 불충분한지 여부를 결정하기 위해 분석되어야 한다.

선입관 검토하기

선입관은 개인적 이론이나 고정관념을 토대로 특별한 결론이나 행위의 과정을 향해 마음이 기울게 되는 편견이다. 선입관은 검토되지 않은 신념을 토대로 하고 있다.

간호사는 편견을 피하기 위해서 다음의 질문을 자신이나 동료들에게 할 수 있다.

- "왜 그렇게 생각하시죠?"
- "다른 대상자라면 어떻게 될까요?"
- "다른 상황이라면 어찌될까요?"
- "누군가 의견이 다른 사람은 뭐라고 말할까?"
- "내 생각에 영향을 미치는 것은 무엇인가?"

종결의 필요성 결정하기

많은 사람들은 즉각적인 답을 기대하고 어떤 문제에 대해 해결책을 내리거나 가능한 한 빨리 종결에 이르려는 압박감을 느낀다. 그러나 조기 결정을 내리거나 빠른 해결책을 찾으려는 압박감은 종종 불충분한 자료를 사용하게 되어 잘못된 결정을 내릴 수도 있다.

조기 결론에 도달하려는 압박감을 극복하려면, 반드시 판단을 유보하는 의식적인 노력이 필요하다. 이를 반성적 회의주의(reflective skepticism)라고 부른다. 첫 단계는 지연된 결정에 의해 생긴 불안을 인식하는 것이다. 다음 단계는 결정을 내리기 위해 신중하게 기다리는 것과 관련이 있다.

임상현장에서 결정을 내리는데 실패하면 대상자와 그 가족에게 심각한 결과를 가져올 수 있다. 다음과 같은 몇 가지 질문이 결정을 내리는데 도움을 줄 수 있다.

- "어떤 징후가 있을 시 무엇을 나타내는가?"
- "그것에 관해 내가 무엇을 해야 하는가?"
- "내가 가진 시간은 얼마나 되는가?"
- "이것에 대해 내가 하지 않으면 어떻게 될까?"
- "내가 우선 무엇을 해야 하는가?"
- "어떤 자원이 내게 도움이 될까?"

이 단계는 우선순위 결정단계이며, 그것은 간호에서 비판적 사고의 가장 중요한 부분 중 하나이다.

자료 관리에 능숙해지기

자료를 수집, 체계화 및 분석하는 전문적 기술은 질문하는 태도를 개발하고 "왜?" "…라면 어찌 되는가?" "그 밖에 또 뭐가?" "이것이 타당한가?" "이것은 그것과 어떻게 관련이 있는가?" "그 자료를 어떻게 체계화할 수 있을까?" "그 자료는 패턴을 형성하는가?" "그들 패턴에서 무엇을 추정할 수 있는가?" 등과 같은 질문에 대처하는 방법을 배우는 것이다.

- 자료 수집하기

  완전한 자료를 얻으려면, 간호사는 반드시 언어적 의사소통에서의 기술을 개발해야 한다. 개방형 질문은 단지 한마디 대답만을 요구하는 질문보다, 더 많은 정보를 이끌어낸다. 후속 질문은 정보를 명확히 하거나 특별한 생각을 추구하는 것이 필요하다.

- 데이터 검증하기

  불명확하거나 불완전한 정보는 검증되어야 한다. 이 과정은 신체적 징후 재점검하기, 추 가정보 수집하기, 혹은 인식한 것이 정확한지 여부 결정하기 등을 포함한다. 예를 들면, "불편해 보입니다." 라는 평은 대상자가 부인하거나 불편함을 시인하게 할 수 있다.

- 데이터 체계화 및 분석하기(organizing and analyzing data)

  데이터는 양상이나 집단으로 체계화될 때 보다 유용하다. 첫 단계는 해당 관련 데이터가 관심이 가기는 하지만, 현재 상황과 관련이 없는 데이터이기에 분리시키는 것이다. 다음 단계는 데이터의 정상유무를 결정하기 위해 예기된 기준과 비교하는 것이다.

감정 및 환경요인 인식하기

여러 가지 감정과 환경요인들은 비판적 사고에 영향을 미칠 수 있다. 비판적 사고를 촉진하기 위해서는 우선적으로 사고(思考)를 방해하는 요인이나 감정(정서)을 제대로 인식하고 인정하는 것이다. 비판적 사고 기술을 개발하려면, 간호사는 반드시 실수를 인정하고 "내가 잘못했습니다."라고 편하게 말하는 것을 배워야 한다. 피로가 문제이거나 자신감 결여가 불안을 야기할 때는 지지나 검증 및 확인을 요청하는 것이 현명하다.

또한 극도의 좌절이나 분노를 경험하는 사람은 반드시 이들 감정과 그것들이 합리적 사고에 미치는 영향을 인식해야 한다. 어떤 사람들은 가능한 한 재촉하는 상황으로부터 시각화, 호흡 운동 및 짧은 통제 방법, 스스로 "잠깐 중지" 시간을 가지는 등 다른 통제 방법을 사용하기도 한다.

1. 간호사로서 다음의 가족중심간호의 핵심개념 중 한 가지 이상의 핵심개념을 포함한 간호계획가 중재를 연결시킨다.

개념	간호계획과 중재
선택	출산에 대한 통증관리와 함께 옆에서 지지해줄 보호자에 대한 선택을 의논한다.
협력	분만실 간호사는 그들의 요구에 대해 준비한다. 분만실에서 향모초를 태울 때의 안전성과 화재의 위험성을 결정한다.
격려	가족들이 출산 시 향모초를 태움으로써 그들의 전통의식을 행할 수 있도록 격려한다.
유연성	가족들의 선택사항에 대해 그리고 출산 시 그들이 선택하는 의식에 대해 편안할 수 있도록 격려한다.
정보	분만실에 대한 정보를 제공한다. 옆에서 지지할 수 있는 가족구성원의 수, 출산과 관련해서 산부와 가족들의 요구들을 어떻게 조정하는지에 대한 정보를 제공한다.
존중	부부의 요구와 간호사들과의 의사소통 기록지 등을 참조하여 출산계획에 포함한다.
강점	가족이 출산 참여할 때 교육에 포함시킴으로써 가족 스스로가 지지체계를 세울 수 있도록 격려한다.
지지	부부와 함께 하는 지지자의 역할에 대해 의논하고 출산 시 도움을 줄 수 있는 것에 대한 정보를 제공한다.

시뮬레이션 실습
여성건강간호 실무역량
문제해결형 국가시험을 위한

**여성건강간호와
비판적 사고**

II

임신기
임부 간호

01 월경주기

Key Point

✓ 월경주기는 평균 28일이며 4~7일간 지속된다.

✓ 난소 호르몬의 변화는 자궁내막을 증식 비후시키며 혈액성 분비물을 분비한다.

✓ 월경은 임신 시 중지된다.

비판적 사고 훈련 ▼

사 례

15세인 수연씨는 월경주기가 몹시 불규칙해서 어떤 때는 24~25일 주기이다가 32일 주기일 때도 있고 양도 많아서 하루에 5~6개의 생리대를 사용한다고 한다. 생리통도 심한데 특히 첫 날은 더 심하다고 한다. 수연씨가 "나의 월경주기는 정상인가요?" 라고 물었다.

1. 간호사는 수연씨에게 무엇이라고 설명해야 하는가?
   그녀에게 권할 수 있는 자가 간호는 무엇인가?

2. 수연씨가 "저는 얼마나 따뜻하게 해야 생리통에 도움이 되는지 잘 모르겠어요(온열요법 적용 시) 어떤 작용을 하나요?" 라고 할 때 어떻게 설명해야 하는가?

비판적 사고중심 학습

학습목표

- 월경과 월경주기를 설명한다
- 월경주기에 따른 자궁내막의 변화를 설명한다.

개요

성적으로 성숙한 여성의 월경주기는 임신을 위해 신체를 준비하는 호르몬의 상태에 따라 주기적으로 발생한다. 난소 호르몬의 변화는 자궁내막을 비후, 증식시키고 혈액성 분비를 초래한다. 월경주기는 마지막 월경 시작 일에서 다음 월경개시 전날까지를 계산한다. 정상적인 28일 월경주기에서 배란은 월경 시작 후 14일 경에 발생한다.

월경주기는 다음의 두 가지 주요 주기에 의해 영향을 받는다.

- 난소주기
  - 난포기와 황체기: 난포자극 호르몬은 난소주기를 시작한다. 14일째에 성숙난자가 되면 난포기는 끝난다.
- 자궁내막주기
  - 증식기, 분비기, 허혈기와 월경기로 구성된다. 자궁내막을 준비시키고 수정란을 수용하려고 준비한다.

월경의 특징

- 평균 월경주기는 28일이다(22~34일동안 나타난다).
- 4~7일간 지속한다.
- 다양한 불편감: 복통, 가슴압통, 피로감

치료적 간호관리

- 월경관련 불편감에 대한 진통제 투여
- 복부에 온습포 적용
- 휴식
- 운동

합병증

- 월경 주기의 다양성은
  - 경구 피임약에 의한 월경량 감소
  - 자궁내 삽입기구로 인한 월경량 증가
- **월경전증후군(PMS)**: 두통, 다리·하복부의 팽만감, 무거운 느낌, 유방압통, 유방팽대, 식욕증가, 우울감, 예민함 등으로 특징 지워지는 다수의 증상들이 월경 전부터 동반되는 것
- **무월경**: 월경의 중단. 임신의 조기 증상이거나 갱년기(폐경기) 혹은 속발성(합병증) 무월경
- **월경통**: 월경시 복부와 하부 요통, 오심과 구토 증상

간호실무능력 평가

1. 개인에 따라 나타나는 22일에서 34일간의 월경기간의 차이는 월경주기중 어느 기간의 변화 때문인가?

　　① 난포기　　　　　② 황체기　　　　　③ 분비기
　　④ 월경기　　　　　⑤ 월경전기

2. 생리 직전이나 생리 시작 후 발생하는 복부와 허리의 통증, 어지럼증, 구토 증상 등을 나타내는 질환과 관련되는 것은?

　　① 모든 여성이 경험한다.　　　　　② 일상생활과 관계가 없다.
　　③ 대부분 초경 때부터 나타난다.　　④ 대부분 배란되지 않을 때 나타난다.
　　⑤ 월경 전에 심하고 월경 후 증상이 해소된다.

3. 생리적 무월경의 원인은?

　　① 폐경　　　　　　② 영양결핍　　　　③ 자궁적출술
　　④ 방사선 치료　　　⑤ 난소기능부전

4. 2차 성징의 발현이 있으면서 무월경인 여성에게 프로게스테론 부하검사를 하는 목적은 무엇을 파악하기 위한 것인가?

　　① 티록신(thyroxine)　　　　　　　② 안드로겐(androgen)
　　③ 프롤락틴(prolactin)　　　　　　④ 적정 체지방(adequate body fat)
　　⑤ 내인성 에스트로겐(endogenous estrogen)

5. 15세된 은수씨가 간호사에게 "월경혈이 적을 때도 있고 많을 때도 있는데 어느 것이 정상인 가요?"라고 물을 때 정상 월경혈의 양에 대한 답변은?

　　① 평균 80cc는 되어야 정상이다.
　　② shock에 빠지지 않을 정도면 정상이다.
　　③ 각 주기마다 10cc 정도가 정상이다.
　　④ 각 주기마다 50cc 정도의 실혈이 정상이다.
　　⑤ 개인마다 다양하기 때문에 소량도 정상이고 다량으로 많이 나올 때도 정상이다.

관련정보

월경주기와 호르몬 분비

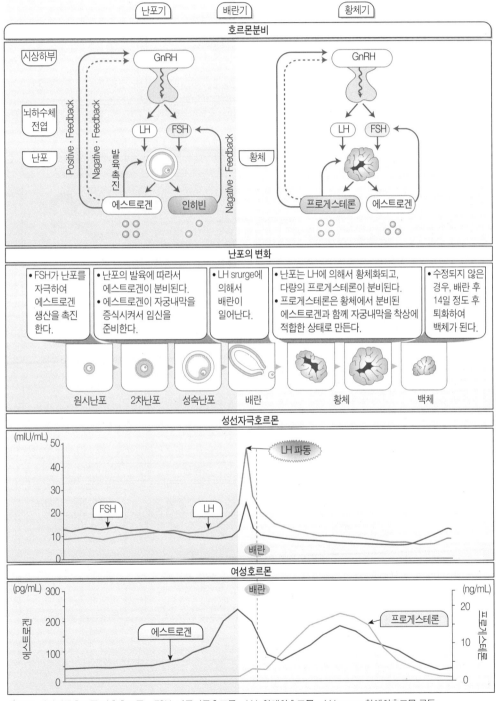

GnRH: 성선자극호르몬 방출호르몬   FSH: 난포자극호르몬   LH: 황체화호르몬   LH surge: 황체화호르몬 급등

월경주기

• 월경은 약 4주 간격으로 나타나며, 2~8일 만에 자연히 멈추는 자궁내막에서의 주기적인 출혈을 말한다.

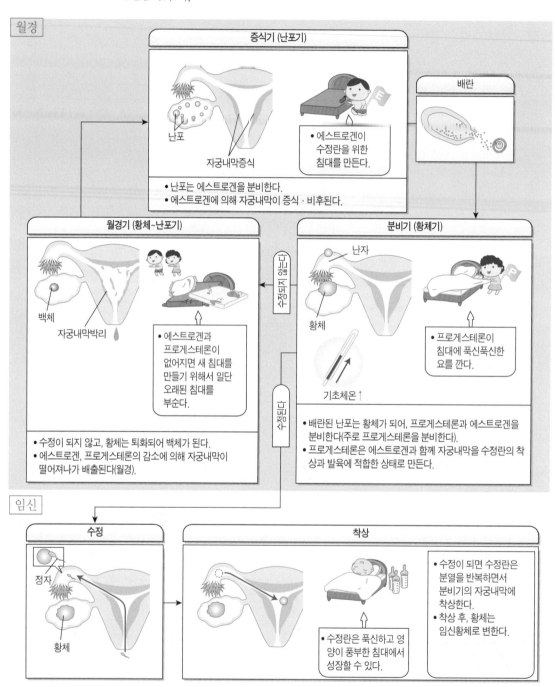

증식기 (난포기)
• 에스트로겐이 수정란을 위한 침대를 만든다.
난포
자궁내막증식
• 난포는 에스트로겐을 분비한다.
• 에스트로겐에 의해 자궁내막이 증식 · 비후된다.

배란

월경기 (황체~난포기)
백체
자궁내막박리
• 에스트로겐과 프로게스테론이 없어지면 새 침대를 만들기 위해서 일단 오래된 침대를 부순다.
• 수정이 되지 않고, 황체는 퇴화되어 백체가 된다.
• 에스트로겐, 프로게스테론의 감소에 의해 자궁내막이 떨어져나가 배출된다(월경).

분비기 (황체기)
난자
황체
기초체온↑
• 프로게스테론이 침대에 푹신푹신한 요를 깐다.
• 배란된 난포는 황체가 되어, 프로게스테론과 에스트로겐을 분비한다(주로 프로게스테론을 분비한다).
• 프로게스테론은 에스트로겐과 함께 자궁내막을 수정란의 착상과 발육에 적합한 상태로 만든다.

수정
정자
황체

착상
• 수정란은 푹신하고 영양이 풍부한 침대에서 성장할 수 있다.
• 수정이 되면 수정란은 분열을 반복하면서 분비기의 자궁내막에 착상한다.
• 착상 후, 황체는 임신황체로 변한다.

월경의 주기(자궁내막과 난소의 주기적인 변화)

- 월경개시일부터 계산하여, 다음 월경개시 전날까지를 월경주기라고 한다.
- 월경주기는 28~30일인 경우가 가장 많아서, 여기에서는 28일형을 이용한다.
- 월경주기는 자궁내막에서의 변화와 난소에서의 변화로 나눈다.

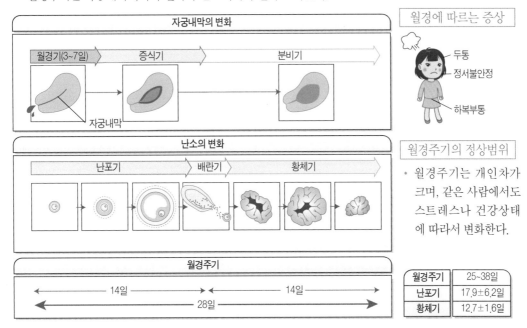

월경주기	25~38일
난포기	17.9±6.2일
황체기	12.7±1.6일

월경주기의 정상범위

- 월경주기는 개인차가 크며, 같은 사람에서도 스트레스나 건강상태에 따라서 변화한다.

자궁내막의 변화(임신준비나 유지)

- 자궁내막의 기능층이 여성호르몬의 주기적 변화에 따라서 변화한다.
- 자궁내막선에서의 분비물은 정자나 수정란의 에너지로 사용된다.

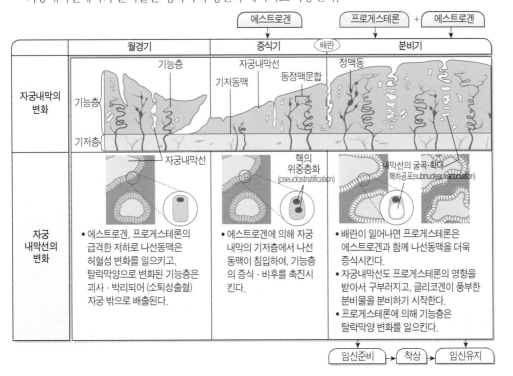

경관점액의 변화(임신준비나 유지)

- 경관점액의 분비는 경관내막상피세포에서 난포호르몬에 반응하여 주기적으로 변화한다.
- 배란 직전의 에스트로겐 분비량이 가장 많은 시기에 경관점액의 변화가 가장 현저하다.

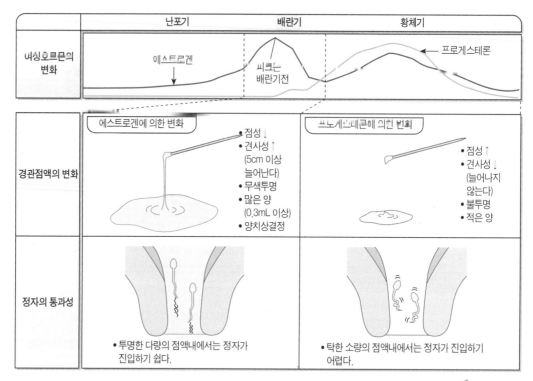

- 배란기의 경관점액을 슬라이드글라스에 채취하여, 건조시켜서 보면 양치상결정이 관찰된다.
- 프로게스테론의 작용으로 경관점액이 저하되는 분비기에는 양치상결정이 보이지 않는다.

(fern test 결과)

월경전증후군(premenstrual syndrome, PMS)

증상

- 월경 3~10일 전에 정신적 · 신체적 증상을 보이다가 월경의 시작과 함께 점차적으로 감퇴 · 소실된다.
- 전체 여성의 약 40%는 월경 전에 약간의 증상이 있으며, 2~10%가 일상생활에 지장을 초래한다.
- 원인은 불분명하지만, 에스트로겐과 프로게스테론의 불균형설, 중추호르몬이상설, 정신적 갈등설 등이 있다.

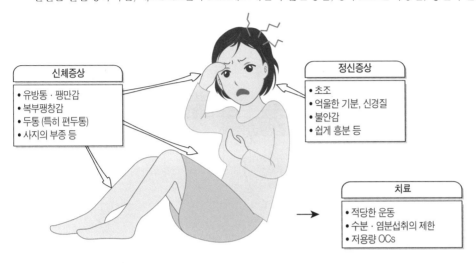

월경통의 기전

- 월경통은 다음과 같은 순서로 발생한다.
- 자궁내막에서의 프로스타글란딘 합성은 프로게스테론에 의해 조절되며, 증식기에 가장 낮고 월경기에 가장 높다

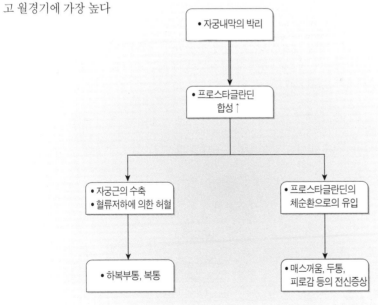

월경곤란증(Dysmenorrhea)

분류와 비교(기능성은 진통과 같은 심한 통증)

- 월경곤란증은 기능성(원발성)과 기질성(속발성)으로 나누어진다.
- 초경부터는 무배란성 월경으로, 10대 후반경부터는 배란성 월경이 된다. 이 때문에 배란성 월경에 수반하여 일어나는 기능성 월경곤란증의 호발연령은 10대 후반부터 20대이다.

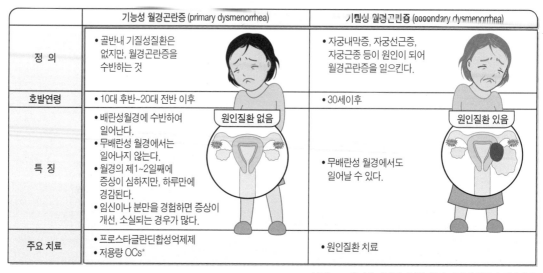

	기능성 월경곤란증 (primary dysmenorrhea)	기질성 월경곤란증 (secondary dysmenorrhea)
정 의	• 골반내 기질성질환은 없지만, 월경곤란증을 수반하는 것	• 자궁내막증, 자궁선근증, 자궁근종 등이 원인이 되어 월경곤란증을 일으킨다.
호발연령	• 10대 후반~20대 전반 이후	• 30세이후
특 징	• 배란성월경에 수반하여 일어난다. • 무배란성 월경에서는 일어나지 않는다. • 월경의 제1~2일째에 증상이 심하지만, 하루만에 경감된다. • 임신이나 분만을 경험하면 증상이 개선, 소실되는 경우가 많다.	• 무배란성 월경에서도 일어날 수 있다.
주요 치료	• 프로스타글란딘합성억제제 • 저용량 OCs*	• 원인질환 치료

* 저용량 OCs에 의한 배란억제작용 등에 의해서 통증이 개선된다.

참고

프로스타글란딘(prostaglandin, PG)

염증증상의 발현시에 사이토카인과 함께 방출되는 액성인자로 통증을 유발하는 물질이다. PGE1, PGE2, PGF1α PGF2 α등의 종류가 있다. 통증을 유발하는 액성인자에는 그 밖에 히스타민, 세로토닌, 브라디키닌 등이 있다.

무월경

- 무월경이란 3개월 이상 월경이 없는 상태를 말한다.

무월경의 분류

- 무월경은 원발성과 속발성으로 구분한다.

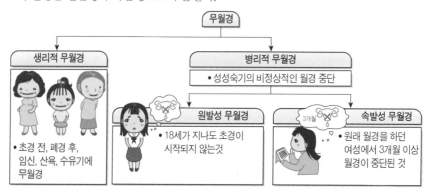

원인 부위에 따른 무월경의 분류(여러 요인으로 무월경 발생)

- 속발성 무월경은 매우 빈도가 높은 병태이지만, 원발성 무월경은 드물다.
- 속발성 무월경의 원인은 시상하부성이 대부분이다.

		원발성	속발성
	시상 하부성	• Kallmann 증후군	• 시상하부의 기능장애 　(심인성 포함) • 신경성 식욕부진 • 체중감소성 무월경 등
	뇌하수체성	• 선천성 고나도트로빈 　결손증 등	• Sheehan 증후군 • 뇌하수체선종(고프로락틴혈증) 　등
	난소성	• Turner 증후군 등	• 다낭성 난소증후군 (PCOS) • 조기난소부전 • 수술에 의한 난소적출 등
	자궁성	• 자궁기형 등	• Asherman 증후군 • 자궁내막염 등
	질 성	• 처녀막폐쇄증 • 질폐쇄증	-

참고 ▶

Kallmann 증후군

무후각증을 합병하는 저성선자극호르몬성 성선기능저하증. 성선기능저하는 시상하부에서의
GnRH 생산장애에 의한다.

Asherman 증후군

외상성 자궁강유착증. 자궁강내의 수술조작 등에 의한 자궁내막기저층의 파괴나 박리가 원인
이 되어, 자궁강내의 유착을 초래한 것. 일반적으로 과소월경, 과다월경, 무월경, 불임이 된
다.

게스타겐

난소의 황체에서 분비되는 황체호르몬과 같은 작용이 있는 합성물질의 총칭. 프로게스토겐인 경우
도 있다. 천연 황체호르몬으로 프로게스테론이 있으며, 게스타겐과 프로게스테론을 합하여
프로게스틴이라고 한다.

소퇴성출혈과 자궁출혈

- 호르몬작용에 의한 자궁출혈을 소퇴성출혈이라 한다.
- 프로게스테론이나 에스트로겐이 급속하게 감소되면 에스트로겐이나 프로게스테론의 작용에 의해 증식되어 있던 자궁내막과 나선동맥이 호르몬감소로 인해 유지할 수 없게 된다.
  이로 인해 혈행장애가 생겨 자궁내막이 괴사·박리되어, 자궁출혈이 일어난다. 이것을 소퇴성출혈이라고 한다.
- 소퇴성출혈에는 프로게스테론의 저하, 에스트로겐의 저하, 에스트로겐과 프로게스테론 모두의 저하에 의한 것이 있다.
- 정상월경은 프로게스테론의 저하가 중심이 되고, 여기에 에스트로겐 저하도 추가되어 소퇴성출혈을 초래한다.

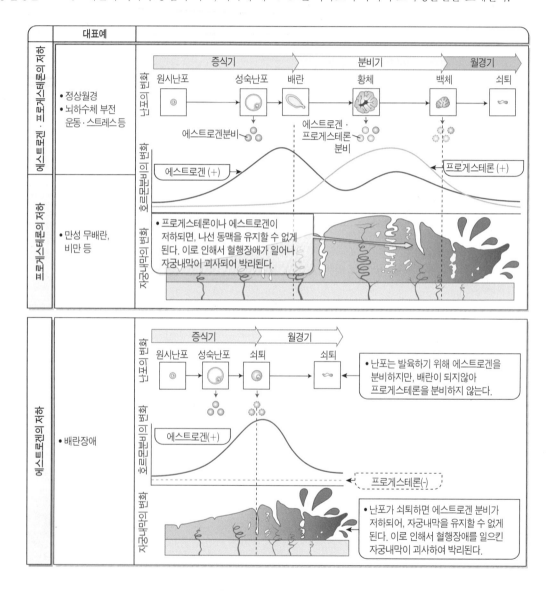

속발성 무월경(호르몬검사 등으로 이상 원인 추정)

- 속발성 무월경은 배란장애와 많이 관련되어 있다.
- 진단으로는 처음에 혈중호르몬(LH, FSH, PRL)을 측정한다.

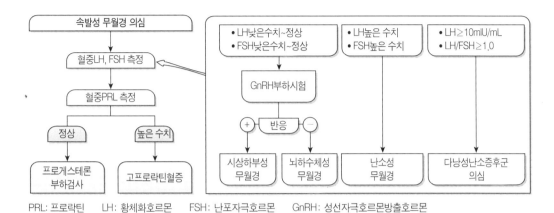

PRL: 프로락틴   LH: 황체화호르몬   FSH: 난포자극호르몬   GnRH: 성선자극호르몬방출호르몬

1. 수연씨의 증상은 정상이다. 10대 소녀들이 불규칙한 월경주기를 갖는 것은 흔한 일이다. 생리통 또한 너무도 정상적이며 수연씨의 난소주기를 나타낸다.

간호사는 수연씨에게 잘못된 것은 아무것도 없다고 안심시켜야 한다. 생리통 경감을 위해 prostaglandin 억제제(ibuprofen)를 권할 수 있다. 뜨거운 욕조목욕, 온찜질, 따뜻한 차 등 따뜻한 것이 생리통을 완화할 수 있다고 말한다. 또한 매일 매일 수영이나 걷기 등과 같은 유산소 운동이 생리통과 다른 생리로 인한 문제 예방에 도움을 준다고 말한다. 충분한 영양섭취 또한 중요하다.

2. 일반적으로 따뜻한 것은 진정시키는 효과가 있으며 복부의 혈류를 증가시키고 긴장완화를 증진시킨다고 말한다.

02 임신생리

비판적 사고 훈련 ▼

사 례 ①

은숙씨는 간호사에게 자연피임 방법으로 가족계획을 하고 싶다고 하였다. 그녀는 배란 발생기전에 대해 알고 있으나 어떻게 확인할 수 있는지에 대해 상담하고자 한다. 그녀는 월경주기 중반기에는 질 분비물의 증가가 있으며, 이때 질 분비액은 "엷고 미끌미끌하다." 고 말한다.

1. 만약 은숙씨가 자연 피임법으로 가족계획을 하고자 한다면, 배란증상을 교육해야 한다. 교육해야 할 배란증상은 무엇인가?

사 례 ②

초산부인 연수씨는 "친정 엄마는 이 아기가 사내아이가 되게 하기 위해서 고기를 많이 먹어야 한다고 했어요. 또 제가 아들을 낳기 위해 할 수 있는 방법은 무엇인지 알고 싶어요. 남편은 아들을 낳아주지 못하는 아내는 원하지 않는데요. 그래서 저는 그를 실망시킬까봐 두려워요." 라고 말한다.

1. 연수씨의 생식생리에 대한 이해는 정확한 것인가? 그녀의 상황에 대해서 알고 있는 정보에 대한 결정과 대처보다 먼저 그녀에게 교육해야 할 내용은 무엇인가?

비판적 사고 중심 학습

학습목표

- 성세포 형성과정을 기술한다.
- 수정과 착상과정을 기술한다.
- 태아의 초기배엽에서 생성되는 각 기관과 조직을 구분한다.

개요

임신은 정자와 난자의 수정으로 시작된다. 수정은 정자가 난자의 핵에 들어가면서 발생한다. 난자는 난소에서 배출된 후 24~48시간 동안 수정에 반응한다. 정자는 사정 후 24~72시간 동안 생명력을 갖는다. 수정은 주로 난관의 팽대부 삼분의 일부분에서 발생한다. 배란시기에 분비되는 고농도의 에스트로겐은 자궁쪽으로 수정란이 움직일 수 있도록 난관의 연동운동을 증가시킨다. 수정란이 자궁강에 도달하기까지 최소한 3일이 걸린다. 수정란의 성별은 수정시에 결정된다. 성숙한 난자는 새로운 핵을 구성하기 위해 X염색체만을 가지고 있다. 정자는 X 또는 Y의 염색체를 갖고 있다. X 정자의 수정란은 여아가 될 것이고, Y 정자 수정란은 남아가 될 것이다.

세포 증식: 수정란이 자궁 쪽으로 이동하면서 발생한다. 수정란은 급격하게 보다 많은 세포로 분열된다. 수정란이 자궁으로 진입할때, 나팔관에서 12~16개의 단단한 공모양의 형태가 되며, 이를 상실배라고 한다.

착상: 수정한지 일주일 경에 발생하며, 배아가 자궁내막의 상부에 묻히는 현상이다.

임신: 여성의 자궁내에서 수정된 난자가 성숙하고 성장하는 것을 말하며 수태기간은 대략 280일(40주)이다.

간호실무능력 평가

1. 자궁관(난관)의 팽대부에서 나타나는 여성생식관련 현상은?

   ① 난포의 성장   ② 난자의 배란

   ③ 수정란의 착상   ④ 난자와 정자의 수정

   ⑤ 100여개의 분할구를 가진 배포 형성

2. 남성의 수정준비 중 다른 정자가 난자로 들어오지 못하도록 하는 자체방어 현상은?

   ① 첨단반응   ② 구역반응   ③ 난할과정

   ④ 삼배엽분화   ⑤ 수정능력획득

3. 난자발생과정에서 이루어지는 분열은?

   ① 무사분열   ② 유사분열   ③ 감수분열

   ④ 등수분열   ⑤ 체세포분열

4. 정자가 생성되는 곳은?

   ① 정낭   ② 정관

   ③ 전립샘   ④ 리디히 세포(Leydig cell)

   ⑤ 세르톨리 세포(Sertoli's cell)

5. 남녀의 생식세포 발생(gametogenesis) 과정동안 생식세포가 나뉘며 각각 남녀의 성숙 정자와 성숙난자의 핵에 포함되는 것은?

   ① 23쌍의 상염색체(Twenty-three pairs of autosomes)

   ② 46쌍의 상염색체(Forty-six pairs of autosomes)

   ③ 22쌍의 상염색체(Twenty-two pairs of autosomes)

   ④ 23개의 반수성 염색체(A haploid number of chromosomes)

   ⑤ 46개의 2배수성 염색체(A diploid number of chromosomes)

정답   1.④   2.②   3.③   4.⑤   5.④

관련정보

임신의 과정

- 남성으로부터 사정된 정자와 난소에서부터 배란된 난자는 난관에서 융합하여 수정란이 된다(수정).
- 수정란은 분열을 반복하며 난관을 통해 수송되어(분열, 수송) 자궁내막에 도착하고, 태아와 그 부속물로 발육한다.

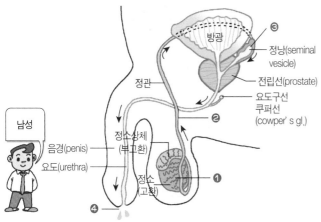
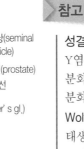

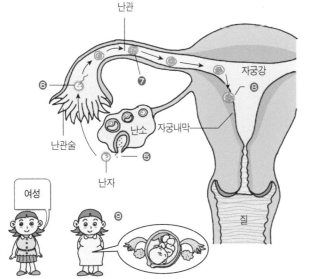

참고 ▶

성결정유전자Y(SRY)

Y염색체 상에 존재하는 정소결정인자. 태아기의 미분화성기가 정소로 분화하도록 결정짓는다. 남성화 분화를 촉진시키는 스위치 역할을 한다.

Wolff 관

태생기에 한해 남·녀 모두에서 볼 수 있는 구조로, 중신에서 발생하여, 중간중배엽의 바깥쪽을 타고 내려가, 총배출강까지 이른다. 남성에서는 테스토스테론의 영향으로 정소상체, 정관, 정소, 정낭, 사정관으로 분화하지만, 여성에서는 퇴화한다.

Muller관

태생기에 한해 남·녀 모두에서 볼 수 있는 구조로, 요생식융기의 외측 부위의 체강상피가 함입하여 생긴다. 여성에서는 난관, 자궁, 질상부로 분화하지만, 남성에서는 정소에서 분비되는 MIS의 작용에 의해 퇴화한다.

Muller관 억제물질(MIS)

태아 정소의 Sertoli 세포에서 분비되어, Muller관의 퇴축을 일으키는 인자로 Muller관 억제인자(MIF)라고도 한다.

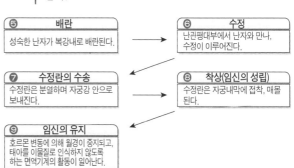

❺ 배란	❻ 수정
성숙한 난자가 복강내로 배란된다.	난관팽대부에서 난자와 만나, 수정이 이루어진다.

❼ 수정란의 수송	❽ 착상(임신의 성립)
수정란은 분열하며 자궁강 안으로 보내진다.	수정란은 자궁내막에 접착, 매몰된다.

❾ 임신의 유지
호르몬 변동에 의해 월경이 중지되고, 태아를 이물질로 인식하지 않도록 하는 면역기계의 활동이 일어난다.

원시생식세포와 성의 분화(SRY가 없으면 미분화성선은 난소로 분화)

- 발생 제3주말에, 난황낭 후벽에 원시생식세포가 출현한다.
- 원시생식세포는 아메바형 운동으로 등쪽으로 이동하여, 발생 제4주말~5주초에 생식기에 도달하여 성기를 형성한다.
- 유전자의 성은 성염색체의 구성에 의해 수정시에 결정되지만, 구조상의 성별은 발생 7주 이전에는 확인할 수 없다(미분화성기).

성숙 난자와 성숙 정자의 발달

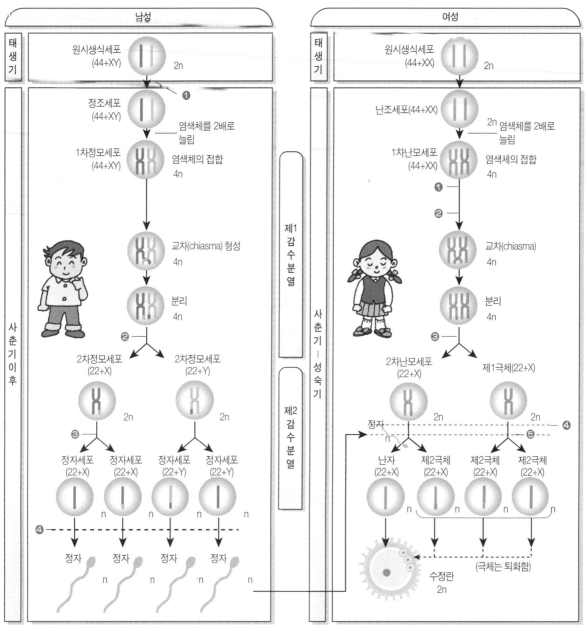

① 태생기에 있어서의 원시생식세포의 정조세포로의 분화는 일시적으로
　휴지한다. 사춘기가 되면, 분화가 재개되고 정조세포가 된다.
② 일차정모세포는 제1감수분열에 들어가, 2개의 2차정모세포가 된다.
③ 2개의 2차정모세포는 제2감수분열에 들어가, 4개의 정자세포가 된다.
④ 4개의 정자세포는 정자완성이라고 불리는 일련의 분화과정을 통해
　4개의 정자가 된다.

① 1차난모세포는 제1감수분열에 들어가고 도중에 휴지한다.
② 중지된 제1감수분열은 사춘기의 LH surge에 의해 재개된다.
③ 배란 직전에 제1감수분열이 끝나고, 2차난모세포와 제1극체가 된다.
④ 계속해서 제2감수분열이 일어나지만, 제2감수분열은 도중에 휴지한다.
⑤ 중지되어있던 제2감수분열은 정자의 진입에 의해 재개되고,
　2차난모세포는 1개의 난자와 1개의 제2극체가 되고, 제1극체는
　2개의 제2극체가 된다(극체는 총3개).

수정

수정의 과정

- 난자는 난소에서 복강으로 배란된 후, 난관술에 잡혀 난관팽대부로 간다.
- 정자는 질내로 사정된 후에 자궁강, 난관을 통과하고, 난관팽대부에서 난자와 만난다.

정자의 수와 수정능력 획득(정자는 이동 중 수정능력 획득)

- 사정된 정자는 질, 자궁강, 난관을 지나며 그 수가 점차 감소하여, 난관팽대부에서는 약 60~200개의 정자가 난자주변에 집합한다.
- 사정 직후의 정자는 수정능력이 없지만, 자궁강을 지나며 수정능력을 획득해간다.

	질	자궁강	난관	난관팽대부	
정자의 수(개)					수정
	4~2억	2~1만	600~400	200~60	1
정자의 성능	전진에 한함	수정능력 획득	운동이 활발해짐		
정자의 위치					

선체반응과 투명막반응(정자가 2차 난모세포에 진입하는 과정)

- 수정능을 획득한 정자는 두부의 선체에서 효소(hyaluronidase, acrotin 등)를 방출하여 2차 난모세포를 둘러 싸고 있는 방선관(과립막세포층)과 투명막을 분해하여 뚫고 들어간다(선체반응).
- 1개의 정자가 2차난모세포의 세포막에 접촉하면 투명막의 성상이 변하고, 다른 정자의 진입을 방지한다(투명막반응).

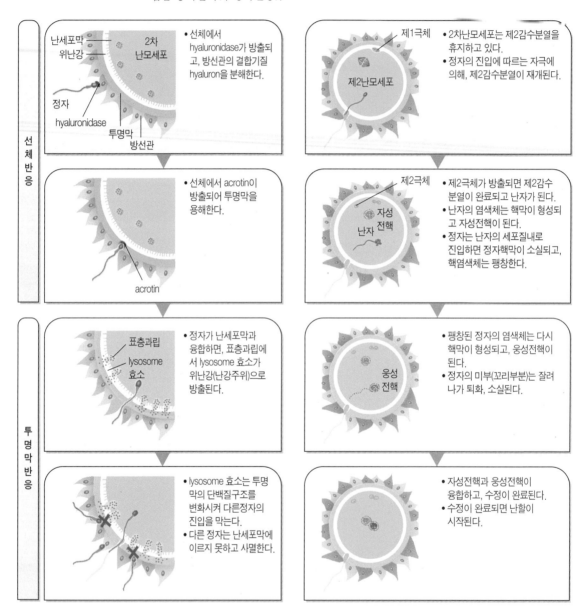

수정란의 난할·수송

- 수정란의 초기 세포 분열을 난할(분할, cleavage)이라고 하며, 각각의 세포를 할구(blastomere)라고 한다.
- 난할 중에는 수정란의 전체 세포질 양은 일정하며 세포수만이 증가한다.
- 난관팽대부에서 수정된 수정란은 분열을 거듭하며 난관을 통과하고, 자궁강에 도착하여 착상한다.
- 수정란은 난관상피의 섬모운동과 난관벽의 연동운동에 의해 자궁강으로 수송된다.
- 수정란은 상실배(morula)의 상태로 자궁강에 도착하고, 배포(lastula)의 상태로 자궁내막에 접착한다(착상).

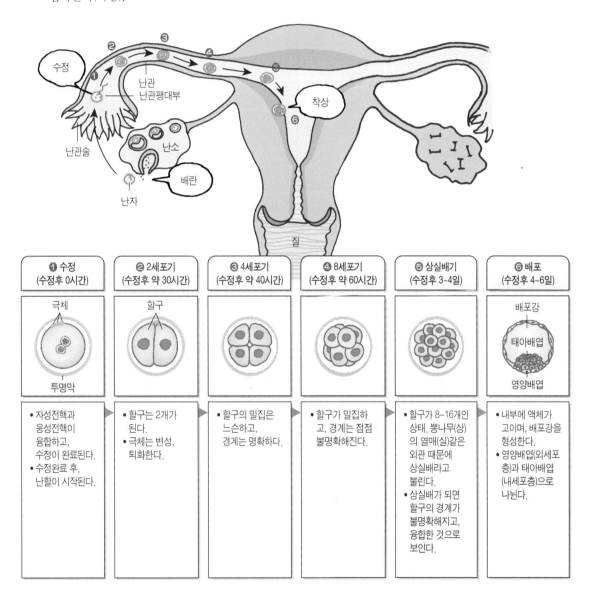

❶ 수정 (수정후 0시간)	❷ 2세포기 (수정후 약 30시간)	❸ 4세포기 (수정후 약 40시간)	❹ 8세포기 (수정후 약 60시간)	❺ 상실배기 (수정후 3~4일)	❻ 배포 (수정후 4~6일)
• 자성전핵과 웅성전핵이 융합하고, 수정이 완료된다. • 수정완료 후, 난할이 시작된다.	• 할구는 2개가 된다. • 극체는 변성, 퇴화한다.	• 할구의 밀집은 느슨하고, 경계는 명확하다.	• 할구가 밀집하고, 경계는 점점 불명확해진다.	• 할구가 8~16개인 상태. 뽕나무(상)의 열매(실)같은 외관 때문에 상실배라고 불린다. • 상실배가 되면 할구의 경계가 불명확해지고, 융합한 것으로 보인다.	• 내부에 액체가 고이며, 배포강을 형성한다. • 영양배엽(외세포층)과 태아배엽(내세포층)으로 나뉜다.

착상

착상

- 착상은 수정(발생) 후 6 7일 무렵부터 시작되어, 발생 12일 무렵에 완료된다.
- 수정란이 착상하는 시기의 자궁내막은 분비기이고, 탈락막양 변화가 일어난다.
- 탈락막에서 착상에 필요한 수분, 영양(glycogen 등)이 분비된다.
- 착상완료까지는 태아배엽의 발생은 이층배반까지 진행된다.

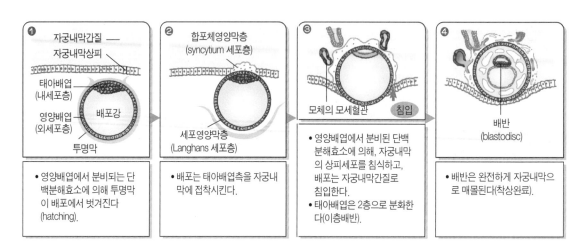

❶
- 자궁내막간질
- 자궁내막상피
- 태아배엽 (내세포층)
- 영양배엽 (외세포층)
- 배포강
- 투명막

- 영양배엽에서 분비되는 단백분해효소에 의해 투명막이 배포에서 벗겨진다 (hatching).

❷
- 합포체영양막층 (syncytium 세포층)
- 세포영양막층 (Langhans 세포층)

- 배포는 태아배엽측을 자궁내막에 접착시킨다.

❸
- 모체의 모세혈관
- 침입

- 영양배엽에서 분비된 단백분해효소에 의해, 자궁내막의 상피세포를 침식하고, 배포는 자궁내막간질로 침입한다.
- 태아배엽은 2층으로 분화한다(이층배반).

❹
- 배반 (blastodisc)

- 배반은 완전하게 자궁내막으로 매몰된다(착상완료).

▶ **참고** ▶

투명막
난자의 외층에 있는 구조가 없는 막으로, 난자와의 사이에 위난강이라고 불리는 빈틈이 만들어진다.
수정란의 난관내 이동을 도우며, 자궁내에 다다른 수정란은 투명막에서 탈출하여 착상한다.

탈락막
임신이 성립되면, 황체는 퇴행하지 않아서 임신황체가 되고, 프로게스테론 분비가 유지된다. 그로 인해 자궁내막의 기능층이 글리코겐(glycogen), 지질을 축적하여 탈락막화 된다. 탈락막은 착상란에 영양을 공급하는 역할을 갖는다.

초기 분화

이층배반(발생 제2주에 이층배반이 형성)

- 배포가 발생 제2주에 들어서면, 태아배엽(내세포층)이 배반엽하층과 배반엽상층의 두층으로 분화하고, 이층배반을 형성한다.
- 태아의 대부분은 배반엽상층이 분화하여 형성된다.

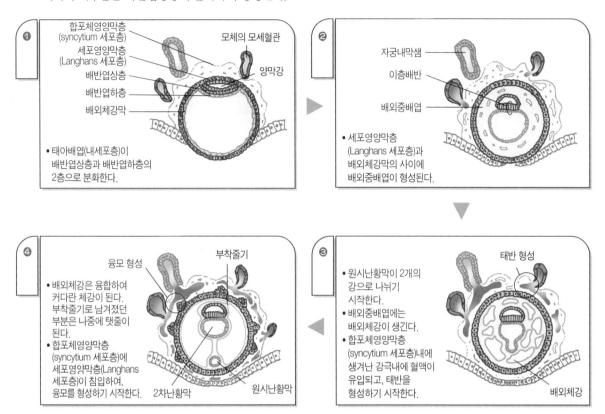

①
- 합포체영양막층 (syncytium 세포층)
- 세포영양막층 (Langhans 세포층)
- 배반엽상층
- 배반엽하층
- 배외체강막
- 모체의 모세혈관
- 양막강

• 태아배엽(내세포층)이 배반엽상층과 배반엽하층의 2층으로 분화한다.

②
- 자궁내막샘
- 이층배반
- 배외중배엽

• 세포영양막층 (Langhans 세포층)과 배외체강막의 사이에 배외중배엽이 형성된다.

④
- 융모 형성
- 부착줄기

• 배외체강은 융합하여 커다란 체강이 된다. 부착줄기로 남겨졌던 부분은 나중에 탯줄이 된다.
• 합포체영양막층 (syncytium 세포층)에 세포영양막층(Langhans 세포층)이 침입하여, 융모를 형성하기 시작한다.
- 2차난황막
- 원시난황막

③
- 태반 형성

• 원시난황막이 2개의 강으로 나뉘기 시작한다.
• 배외중배엽에는 배외체강이 생긴다.
• 합포체영양막층 (syncytium 세포층)내에 생겨난 강극내에 혈액이 유입되고, 태반을 형성하기 시작한다.
- 배외체강

삼층배반(trilaminar blastodisk) (발생 제3주에 외·중·내배엽으로 나뉨)

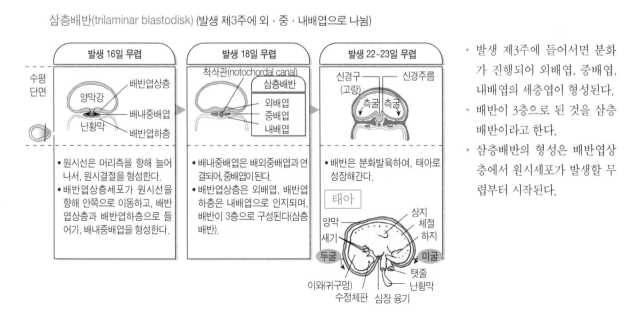

수평 단면

발생 16일 무렵
- 양막강
- 배반엽상층
- 배내중배엽
- 난황막
- 배반엽하층

• 원시선은 머리측을 향해 늘어나서, 원시결절을 형성한다.
• 배반엽상층세포가 원시선을 향해 안쪽으로 이동하고, 배반엽상층과 배반엽하층으로 들어가, 배내중배엽을 형성한다.

발생 18일 무렵
- 척삭관(notochordal canal)
- 삼층배반
  - 외배엽
  - 중배엽
  - 내배엽

• 배내중배엽은 배외중배엽과 연결되어, 중배엽이 된다.
• 배반엽상층은 외배엽, 배반엽하층은 내배엽으로 인지되며, 배반이 3층으로 구성된다(삼층배반).

발생 22~23일 무렵
- 신경구 (고랑)
- 신경주름
- 측굴 측굴

• 배반은 분화발육하여, 태아로 성장해간다.

- 태아
- 양막
- 새기
- 상지
- 체절
- 하지
- 두굴
- 미굴
- 탯줄
- 난황막
- 이와(귀구멍)
- 수정체판
- 심장 융기

• 발생 제3주에 들어서면 분화가 진행되어 외배엽, 중배엽, 내배엽의 세층엽이 형성된다.
• 배반이 3층으로 된 것을 삼층배반이라고 한다.
• 삼층배반의 형성은 배반엽상층에서 원시세포가 발생할 무렵부터 시작된다.

삼배엽 분화(발생 제3주 이후 기관 분화)

- 발생 제3주 이후, 삼층배엽의 각 배엽은 분화하여 각각의 장기와 조직이 형성된다.
- 태아기의 끝(발생 10주)에는 전체 주요 장기의 형성이 시작된다.

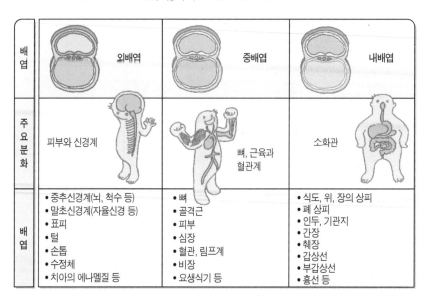

배엽	외배엽	중배엽	내배엽
주요분화	피부와 신경계	뼈, 근육과 혈관계	소화관
배엽	• 중추신경계(뇌, 척수 등) • 말초신경계(자율신경 등) • 표피 • 털 • 손톱 • 수정체 • 치아의 에나멜질 등	• 뼈 • 골격근 • 피부 • 심장 • 혈관, 림프계 • 비장 • 요생식기 등	• 식도, 위, 장의 상피 • 폐 상피 • 인두, 기관지 • 간장 • 췌장 • 갑상선 • 부갑상선 • 흉선 등

임신유지기간(착상에서 분만까지)

- 임신이 된 후, 모체는 태아를 체내에서 성장시키기 위해 임신을 유지한다.
  이러한 임신유지기간에는 내분비계와 면역계가 크게 관여한다.

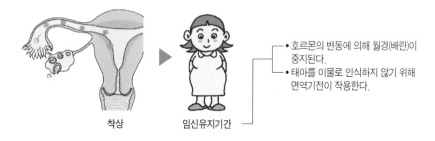

착상   임신유지기간

- 호르몬의 변동에 의해 월경(배란)이 중지된다.
- 태아를 이물로 인식하지 않기 위해 면역기전이 작용한다.

사례 ①

1. 배란으로 인한 온도상승을 알아보기 위해 체온을 재고 기록한다. 또한 이전의 배란주기 양상을 파악하기 위해 정확한 생리주기를 기록한다.

사례 ②

1. 임산부는 염색체에 의해 아기의 성별이 결정된다는 사실을 알지 못하고 있다. 명백하게 식이섭취가 특정 성별의 아기를 임신할 가능성을 증대시키지는 않는다. 연수씨의 산전간호 계획에 다음의 내용이 포함되어야 한다.

① 아기의 성별은 수정시 결정된다

② 정자의 X, Y 염색체가 아기의 성별을 결정한다

덧붙여 연수씨에게는 정서적인 문제와 가족관계에 있어서 문제가 있음이 명백하다.

이번 기회에 다루어야 할 것은 간호사가 연수씨 자신만의 느낌을 진술하고 임신사실에 대처하는데 도움이 되는 적극적인 경청과 치료적 의사소통 기술을 사용해야한다는 것이다.

그러나 이러한 부분의 검토에 있어서 범위를 넘어서는 매우 중대한 인간관계적, 사회문화적인 요인이 있을 수 있다.

03 태아발달

비판적 사고 훈련 ▼

1. 소희씨의 두려움을 덜어주기 위해, 약물이 태아 발달에 미치는 영향에 관하여 간호사는 어떻게
   설명해주어야 하는가?

비판적 사고 중심 학습

학습목표

- 태아의 성장발달단계를 구분한다.
- 태아의 주요기관의 발달과 성숙과정을 기술한다.
- 태아 부속기관(태반, 난막, 양수, 탯줄)의 구조와 기능을 설명한다.

개요

태아성장발달은 난자와 정자가 수정되어 수정란이 신생아로 성숙해가는 과정이다.

태아성장발달은 3기, 즉 수정란기(수정직후 부터 2주간), 배아기(3~8주까지), 태아기(9주부터 출생 시 또는 40주까지)로 구분된다. 배아기는 태아의 모든 주요 장기가 발달하는 가장 중요한 시기이다.

수정 후 2주가 지나면 배포는 3개의 내 세포층으로 분화된다.

- **외배엽**: 피부계(피부, 머리털, 손톱), 신경계(중추신경계, 말초신경계), 눈의 수정체, 이의 에나멜층 등
- **중배엽**: 골근육계(뼈, 근육, 골수, 결체조직), 순환계(심근, 혈관, 림프조직), 생식기계(성선, 자궁), 비뇨기계(신장) 등
- **내배엽**: 소화기계(위, 간, 췌장), 호흡기계, 비뇨기계(방광) 등

태아의 부속기관

- 태반
- 난막(탈락막, 융모막, 양막)
- 양수
- 탯줄(제대)

태아 순환의 특징

- 태아는 태아 순환으로 자궁 내 환경에 적응한다.
- 태아는 태반과 탯줄(1개의 탯줄정맥과 2개의 탯줄동맥)을 통해서 산소를 공급받고 노폐물을 배출한다. 아래의 구조물은 효과적인 태아순환을 위해 활용된다.
  - 정맥관: 태반의 신선한 혈액이 탯줄정맥을 통해 태아혈관의 하대정맥으로 이동하도록 하는 주요 연결통로(간으로의 혈류 차단).
  - 동맥관: 대동맥과 폐동맥을 연결해 주는 태아 혈관

- **난원공**: 태아 심장의 심방 사이의 구멍으로 좌·우심방에 혈류를 공급(폐로의 혈류 차단)

• 태아 순환은 출생 후 수분 이내에 신생아 순환으로 변화되어야 한다.

   신생아 순환은 분만 직후 신생아의 탯줄을 결찰하면서 시작되며, 혈액은 즉시 신생아의 폐와 간으로 흘러 들어간다. 태아 순환이 자궁 밖에서도 지속되면 간혹, 신생아 폐동맥고혈압(PPHN)이 발생한다. 이는 생명을 위협하는 상태로 부적절하게 산화된 혈액이 각 기관과 세포를 순환하여 결국 산증을 초래한다. 이때는 기계 환기와 혈압의 안정을 위한 약물치료를 포함한 신생아 집중치료를 해야 한다. 간호사의 역할은 신생아의 생리적, 지지적 간호 및 가족교육이다.

간호실무능력 평가

1. 약물, 방사선, 감염 같은 외부 영향요인으로 인해 선천성 기형이 유발되기 쉬운 태아발달의
   시기는?

   ① 접합체   ② 배포기   ③ 상실배기

   ④ 배아기   ⑤ 태아기

2. 태반을 통해 태아로 전달된다고 확신할 수 없는 물질은?

   ① 바이러스   ② 박테리아   ③ 카페인

   ④ 마취제   ⑤ 수용성 비타민

3. 태아순환에서 태아로부터 태반 쪽으로 정맥혈을 운반하는 혈관은?

   ① 탯줄동맥   ② 탯줄정맥   ③ 자궁동맥

   ④ 자궁정맥   ⑤ 정맥관

4. 분만 후 태아의 자연생존능력이 높을 것으로 예상되는 검사결과는?

   ① L/S ratio = 0.2:1   ② L/S ratio = 0.5:1   ③ L/S ratio = 1:1

   ④ L/S ratio = 1.2:1   ⑤ L/S ratio = 2:1

5. 양수는 태아의 건강과 밀접한 관련이 있다. 양수의 기능으로 볼 수 없는 것은?

   ① 폐 성숙   ② 외부충격의 완충작용

   ③ 근골격계 발달   ④ 가스교환

   ⑤ 체온유지

정답   1.④   2.②   3.①   4.⑤   5.④

관련정보

발생주수와 임신주수

- 발생주수는 수정된 날로부터 세기 시작하지만, 임신주수는 수정 전의 최종월경일(LMP)부터 세기 시작한다.
- 배란은 최종월경일로부터 약 2주 후 일어나므로, 발생주수는 임신주수보다 약 2주가 적다.

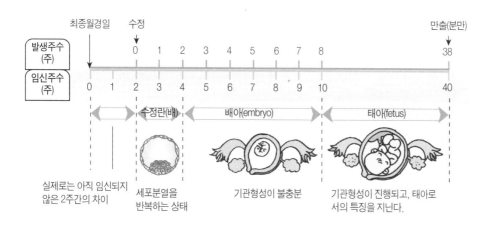

기형발생인자

- 태아에서 형태이상을 일으키는 인자를 기형발생인자(teratogen)라고 한다.
- 기관이 형성되는 시기에 모체가 약물, 방사선, 고혈당, 풍진감염 등의 영향을 받을 경우, 태아의 형태이상이 일어나기 쉽다.
- 임신 가능한 여성은 하복부를 포함한 X-ray 조사를 시행할 때 반드시 임신 여부를 확인해야 한다.

약물

임신부 금기 약물
- Tetracyclin
- Chloramphenicol
- Aminoglycoside
- Warfarin

방사선

- 방사선 조사로 인해 기형발생, 발육부전

고혈당

- 당뇨병 합병임신에 의한다.

풍진

- 풍진바이러스가 태아에 감작되면, 선천성풍진증후군이 발생할 수 있다.

Tetracyclin

항생제의 일종. 임신부에게 사용하면 태아의 치아 및 뼈의 변색, 모체의 간 기능 손상 등을 일으키므로 사용을 금한다.

Chloramphenicol

항생제의 일종. 임신부에게 사용하면 모체의 재생불량성 빈혈, 태아사망 등을 일으키기 때문에 사용을 금한다. 또한 신생아에게 사용 시 gray 증후군을 일으킬 수 있다.

Gray 증후군

클로람페니콜을 투여 받은 신생아가 급성 말초순환부전에 빠져서 피부가 회백색으로 변한 상태를 말한다.

Aminoglycoside

항생제의 일종. 임신부에게 사용하면 모체, 태아의 내이신경(8차 뇌신경)의 손상을 가져오므로 사용을 금한다.

Warfarin

항응고제. 비타민 K 의존성 혈액응고인자의 합성을 억제하여 혈액의 응고를 방지한다. 임신부에게 사용하면 태아의 연골형성부전과 신경계의 이상 등을 일으키므로 사용을 금한다.

이분척추

신경관의 폐쇄부전에 의해 생기는 선천기형. 좌우 신경 주름이 만나지 않고 신경관이 그대로 드러나며, 이를 덮는 척추뼈도 형성되지 않기 때문에 태아의 등 부위로 수막, 척수가 빠져나온다.

호흡부전증후군(RDS)

폐의 미성숙과 동반한 폐포계면활성물질(surfactant)의 부족 때문에 일어나는 질환. 호흡부전, 쇼크를 일으키는 조산아의 주요 사망원인이지만, 최근 인공 폐포 계면활성물질의 보급에 의해 치료가 가능해졌으며 예후도 개선되고 있다.

엽산

엽산은 DNA 합성에 필요한 수용성 비타민으로 임신초기의 태아의 발육(세포분열)에 필수적인 영양소이다. 임신초기에 엽산이 부족하면, 신경계 이상(이분척추 등)의 발생 위험이 높아진다. 엽산은 임신 전부터 섭취하지 않으면 효과가 없으므로, 임신 가능한 여성은 평상시에 엽산을 함유한 식품을 섭취하는 것이 바람직하다(임신 3개월 전~임신 3개월).

엽산의 과도한 섭취는 비타민 B_{12} 결핍증의 진단을 어렵게 하므로, 1일 1,000mg 이상 섭취하지 않도록 한다(비타민 B_{12}도 DNA 합성 시 작용함).

엽산이 많이 함유된 식품

소 간
시금치
아보카도
딸기
엽산 보충제

용량
400μg/일

(임신 전 3개월~임신 3개월)

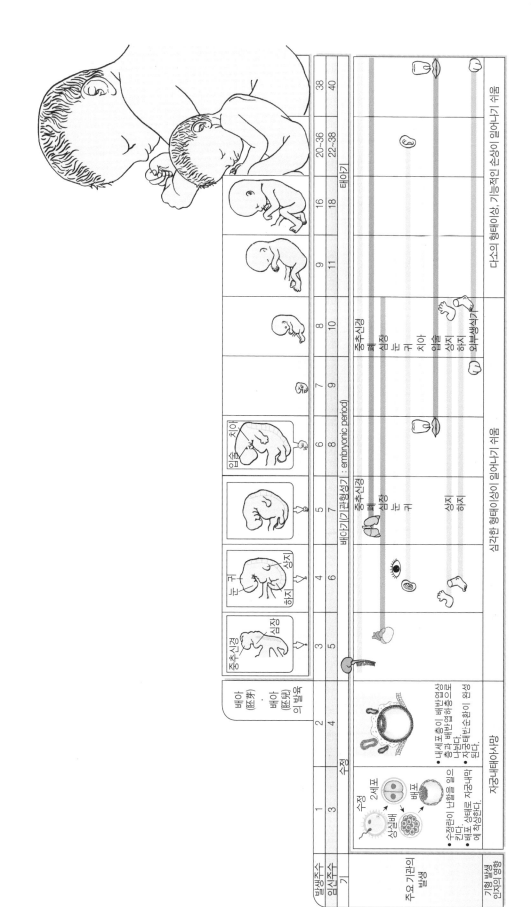

태아의 정상발달과정

• 배아기(embryonic period)는 순환기계·호흡기계·소화기계·신경계 등의 각 장기가 형성되는 시기이다. 따라서 기형발생인자에 의한 형태상이 생기기 쉽다.

태아 주요기관의 형성

호흡기관

- 가스교환은 출생 전은 태반에서, 출생 후에는 폐에서 일어난다
- 태아의 폐는 임신 7주경부터 형성되어 26주 무렵에는 폐 구조가 거의 완성된다.
  그 후, 구강으로 양수를 삼키며 폐포 계면활성물질(surfactant)을 생산하여 임신 35주경 기능적으로 성숙한다.
- 원칙적으로 폐가 성숙되기를 기다렸다가 분만한다. 그러나 자궁 내에서 태아의 상태가 나쁠 경우에는 자궁 내에 남아있을 경우의 위험도와 폐성숙도를 고려하여 분만할지 여부를 결정한다.

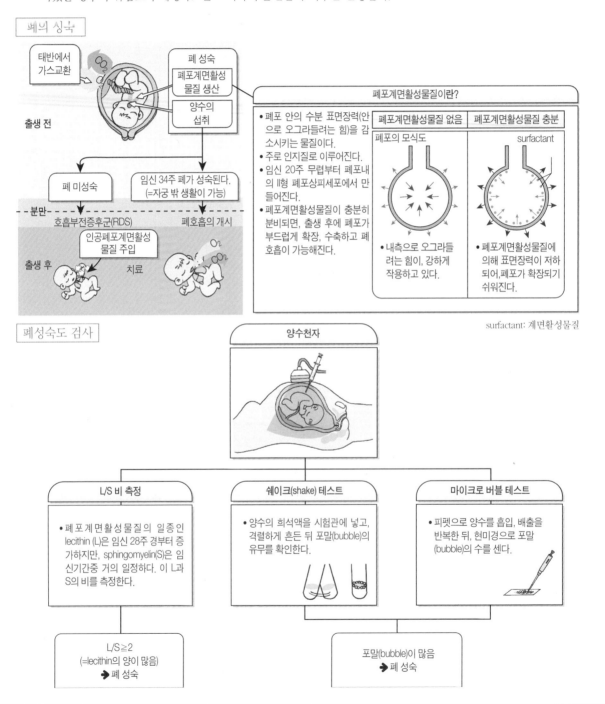

폐의 성숙

태반에서 가스교환

폐 성숙
폐포계면활성물질 생산
양수의 섭취

출생 전

폐 미성숙

임신 34주 폐가 성숙된다.
(=자궁 밖 생활이 가능)

--- 분만 ---

호흡부전증후군(RDS)

인공폐포계면활성물질 주입

폐호흡의 개시

출생 후   치료

폐포계면활성물질이란?

- 폐포 안의 수분 표면장력(안으로 오그라들려는 힘)을 감소시키는 물질이다.
- 주로 인지질로 이루어진다.
- 임신 20주 무렵부터 폐포내의 II형 폐포상피세포에서 만들어진다.
- 폐포계면활성물질이 충분히 분비되면, 출생 후에 폐포가 부드럽게 확장, 수축하고 폐호흡이 가능해진다.

폐포계면활성물질 없음	폐포계면활성물질 충분
폐포의 모식도	surfactant
- 내측으로 오그라들려는 힘이, 강하게 작용하고 있다.	- 폐포계면활성물질에 의해 표면장력이 저하되어, 폐포가 확장되기 쉬워진다.

surfactant: 계면활성물질

폐성숙도 검사

양수천자

L/S 비 측정	쉐이크(shake) 테스트	마이크로 버블 테스트
- 폐포 계면활성물질의 일종인 lecithin (L)은 임신 28주 경부터 증가하지만, sphingomyelin(S)은 임신기간중 거의 일정하다. 이 L과 S의 비를 측정한다.	- 양수의 희석액을 시험관에 넣고, 격렬하게 흔든 뒤 포말(bubble)의 유무를 확인한다.	- 피펫으로 양수를 흡입, 배출을 반복한 뒤, 현미경으로 포말(bubble)의 수를 센다.
L/S≧2 (=lecithin의 양이 많음) ➔ 폐 성숙	포말(bubble)이 많음 ➔ 폐 성숙	

조혈기관

- 태아의 조혈이 이루어지는 곳은 난황막으로부터 간, 골수로 이동해 간다(비장·림프절도 조혈에 관여).
- 태아기 적혈구의 혈색소(Hb F)는 성인의 혈색소(Hb A)보다 산소친화도가 높지만, 출생 후에 혈색소는 Hb A로 치환되고, Hb F는 파괴된다. 이 때 나오는 빌리루빈이 신생아 황달의 한 원인이 된다.

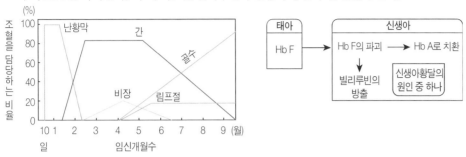

태아순환

- 출생 전의 태아는 폐가 아닌 태반에서 가스교환이 이루어지므로 폐로 혈액이 거의 흐르지 않는 특수한 순환경로를 갖는다.
- 출생 후 폐호흡이 시작됨에 따라 정맥관(ductus venosus), 난원공(foramen ovale), 동맥관(ductus arteriosus) 등 태아에서만 볼 수 있는 특이구조물은 퇴축한다.

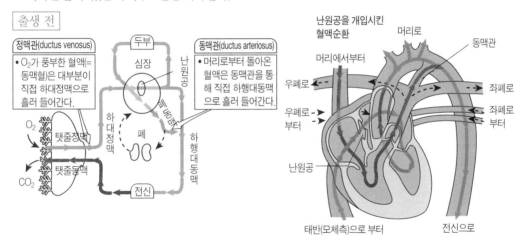

- O_2가 풍부한 혈액은 태아의 폐로 흐를 필요가 없다. 따라서 난원공을 통해 직접 머리로 보내진다.
- 동맥관은 프로스타글란딘(prostaglandin) 등의 작용에 의해 열려있다.
- 출생 후에는 프로스타글란딘에 대한 감수성이 저하되고, PaO_2의 상승으로 동맥관 벽의 마디가 수축하여 폐쇄된다.

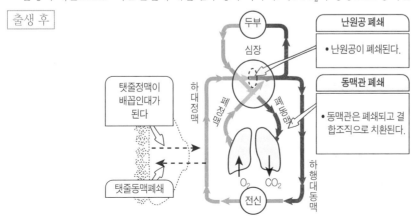

태아의 부속기관

태반

- 태반은 태아의 생명유지를 위해서 호흡기·소화기·내분비·배설기의 역할을 수행하는 중요한 장기이다.
- 태반은 임신 7주 무렵부터 형성이 시작되고, 임신 4개월 말까지 기능적·형태적으로 완성된다. 그 후 임신 10개월까지 계속 증대된다.
- 임신 말기 무게는 약 500g(태아 체중의 약 6분의 1)이 되고, 태아만출 후에 배출된다
- 태아의 가스교환은 폐가 아닌 태반에서 일어난다.
- 탯줄동맥을 통해 태아로부터 운반된 CO_2는 태반에서 모체로 보내지고, 대신 받아들인 O_2가 탯줄정맥을 통해 태아로 보내진다.
- 태반은 태아의 융모가 모체혈의 풀(pool)에 담겨있는 듯한 구조로 되어 있으므로, 모체혈과 태아혈액이 직접 섞이는 일은 없다.

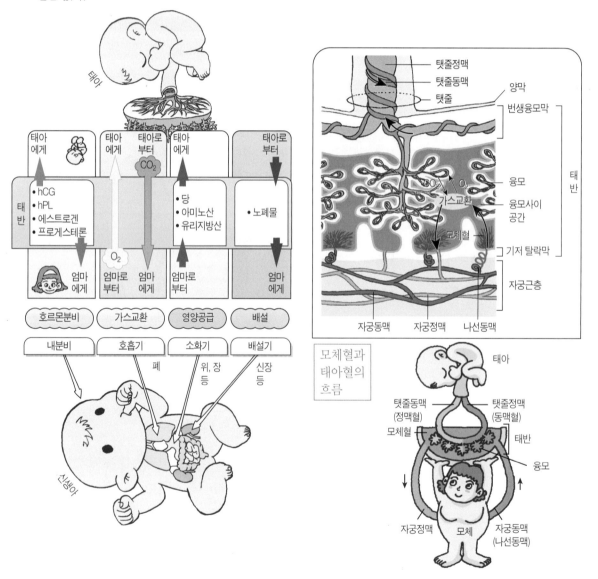

탯줄(제대)

- 탯줄은 태아의 배꼽에서 나와 태반의 태아면에 이르고, 태아와 태반을 잇는 끈의 형태를 하고 있다.
- 탯줄 내에는 2개의 탯줄동맥과 1개의 탯줄정맥이 있고, 그 사이를 Wharton 젤리(jelly)가 메우고 있다.
- 태아의 자궁 내 회전운동의 결과로 탯줄은 꼬여있고, 때때로 결절을 만드는 경우가 있다.

탯줄의 구조

직경 : 1~2cm
태아측   모체측
전체길이 : 약 50cm

태아의 자궁내 회전운동의 결과, 나선형으로 꼬여있다. 좌측으로 꼬여있는 경우가 많다.

탯줄의 태반부착 부위는 대부분이 측방부착이다.

*직경, 전체길이는 임신말기의 것

탯줄의 단면도

탯줄동맥
- 태아로부터 태반측으로 정맥혈을 운반한다.
- 벽이 두껍다.
- 태아의 좌·우내장골동맥에서 1개씩 분지되므로, 총 2개가 존재한다.

흔적   난황관 흔적

탯줄정맥
- 1개만 존재하며, 벽은 얇고 구경이 크다.
- 융모사이공간에서 동맥혈화된 혈액을 태아측으로 운반한다.

Wharton 간질
- 혈관을 둘러싸며, 탯줄압박으로부터 혈관을 보호한다.

양막
- 주위는 양막으로 덮여 있다.

난막

- 난막은 자궁에서 태아·탯줄·양수를 담는 막으로 양막·융모막·탈락막의 3층으로 이루어진다.
- 태반은 모체의 기저탈락막과 태아의 번생융모막에서 생겨난다. 따라서 태반은 모체와 태아의 합작품이라고 말할 수 있다.

난막의 형성

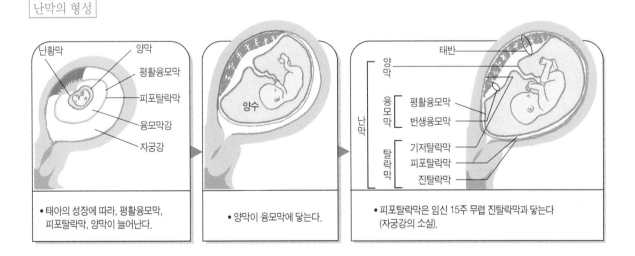

난황막 양막
평활융모막
피포탈락막
융모막강
자궁강

- 태아의 성장에 따라, 평활융모막, 피포탈락막, 양막이 늘어난다.

양수

- 양막이 융모막에 닿는다.

태반
양막
난막
융모막 { 평활융모막 / 번생융모막 }
탈락막 { 기저탈락막 / 피포탈락막 / 진탈락막 }

- 피포탈락막은 임신 15주 무렵 진탈락막과 닿는다 (자궁강의 소실).

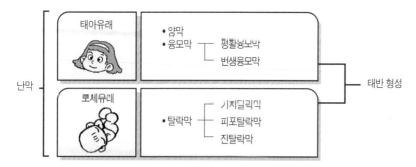

난막 ─ 태아유래 ─ • 양막
• 융모막 ┬ 평활융모막
└ 번생융모막
로세유래 ─ • 탈락막 ┬ 기지딜릭막
├ 피포탈락막
└ 진탈락막

태반 형성

양수

- 양수는 양막강을 채우고 있는 약 알칼리성의 액체로 태아의 발육에 중요한 역할을 한다.
- 양수 안에는 태아에서 유래된 물질이 포함되어 있으므로 양수천자 등으로 태아의 상태를 평가하는 지표가 된다.
- 양수량은 임신 3기인 30~35주 무렵에 최대 약 1,000mL(800~1,300mL) 정도가 된다. 그 후 양수량은 점차 감소하여 임신 말에 500mL 정도가 된다.
- 양수는 태아의 폐 성숙, 외부 충격의 완충작용, 운동공간의 확보로 근골격계 발달, 태아의 체온유지, 노폐물의 저장고, 구강액의 근원, 분만 시 분만진행 촉진 등의 중요한 역할을 한다.
- 양수는 끊임없이 생산, 흡수되며 교체된다.
- 태아가 삼킨 양수는 소장에서 흡수되어 태아의 혈액순환에 포함된 뒤 신장을 통해 소변으로 배출된다.
- 임신중기 이후에 양수의 대부분은 태아에서 유래한다.
- 양수 안의 노폐물은 탯줄을 통해 모체로 배출되므로 태아 소변에는 노폐물이 함유되어 있지 않다(태아의 신장이 노폐물의 여과작용을 갖는 것은 출생 후부터이다).

양수의 작용

폐의 성숙
• 태아는 호흡운동으로, 양수를 폐로 섭취하였다 배출하기를 반복한다.

충격의 완충작용
• 외부로부터의 충격을 완충시킨다.

운동공간의 확보
• 태아가 움직일 수 있는 공간을 확보하여, 근육과 골격의 발달을 돕는다.

1. 태아의 장기는 대부분 수정 후 3~8주(배아기) 사이에 형성된다. 임신 3기는 태아의 장기가 대부분 형성되어, 기능 발달 및 성숙이 주로 이루어지는 시기이다. 따라서 임신 3기의 약물복용이 태아 기형을 유발할 가능성은 비교적 낮다. 또한 Ampicillin은 임부에게 비교적 안전한 항생제로 알려져 있다.

04 임신의 생리적 변화

> ## Key Point
>
> ✔ 임산부는 임신의 확정 징후로 임신을 확인할 수 있다. 확정 징후는 태아의 심음 청취, 태아의 움직임 촉지, 초음파 상의 태아 가시화 등을 포함한다.
>
> ✔ 임신의 생리적 반응은 대부분 호르몬 농도의 변화로 나타난다.
> - human chorionic gonadotropin (hCG), estrogen, progesteron, Human placental lactogen (HPL), relaxin
> - hCG를 제외하고, 태반은 임신기간 동안 모든 전구 호르몬을 생산한다.
> - 증가된 프로게스테론 농도는 자궁, 신장 및 말초 혈관 등을 포함하여 모든 평활근의 이완을 초래한다.
>
> ✔ 주요 기관별 생리적 변화
> - 생식기계: 모든 장기는 혈관 충만으로 울혈 상태이다.
> - 배란은 멈춘다.
> - 심맥관계: 심박출량은 극적으로 증가하며 혈액량은 1,200~1,600mL 이상 증가한다.
> - 소화기계: 프로게스테론은 분문 조임근을 이완시켜 식도 역류를 유발한다. 증가된 프로게스테론은 장 운동을 저하시켜 임신 중 변비를 유발한다.
> - 신장계: 빈뇨, 요정체, 신장의 혈액량이 증가한다.
> - 내분비계: 인슐린의 감수성이 감소한다. 뇌하수체는 옥시토신(oxytocin)과 프롤락틴(prolactin)을 분비한다.

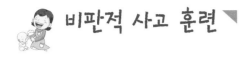

비판적 사고 훈련

순애씨는 9월 10일에 산전간호 클리닉을 방문하였다. 그녀는 마지막 월경 시작일이 6월 10일이라고 한다. 순애씨는 집에서 임신 진단검사를 했으며, 결과는 양성반응이었다. 그녀는 "제 생각에 임신인 것 같아요. 아침마다 오심을 느꼈고 일주일에 두세 번은 구토증상이 있어요."라고 말하였다. 또한 18세에 인공 유산을 했으며, 작년에는 11주차에 아기를 유산했다고 한다. 검진을 해보니 Chadwick과 Hegar's sign이 나타나고 있다. 그녀는 또한 자주 피곤하고 지난 3개월간 빈뇨 증상이 있다고 말한다.

1. 이러한 자료는 순애씨의 임신을 확진할 수 있는 근거가 되는가?

2. 순애씨의 임신을 확진하기 위해서 어떤 정보가 더 필요한가?

3. 임신기간 동안 오심과 구토에 대해 순애씨에게 어떤 정보를 줄 수 있을까?

4. 순애씨의 분만예정일은?

5. "gravida" 와 "para" "TPAL" 이라는 용어를 사용해서 순애씨의 TPAL (gravida3, para0 TPAL: 30020)일때 산과력을 기술하면?

비판적 사고 중심 학습

학습목표

- 임신 동안 발생하는 생리적 변화를 기술한다.
- 임신의 추정적, 가정적, 확정적 징후의 차이점을 말한다.
- 임부, 산부 묘사 용어와 분만예정일 추측방법을 이해한다.

개요

임신기간동안, 여성의 신체는 중대한 변화를 겪는다. 다음과 같은 태반호르몬의 농도변화에 의해 영향을 받는다.

융모성선자극호르몬(hCG): 임신 초기에 태반의 영양막에서 분비되며, 이 hCG가 프로게스테론을 생산할 수 있도록 황체를 자극한다.

에스트로겐: 임신 초기의 황체와 월경주기 동안은 난소에서 생산된다. 태반에서는 6~7주 이후 생산을 시작한다. 임신기간 동안 고농도로 체내에 잔류한다.

프로게스테론: 황체와 태반에 의해서 생산되며 임신기 동안 고농도로 체내에 잔류한다. 임신 중 가장 중요한 호르몬이며, 자궁내막을 유지시켜주고 자궁근을 이완함으로써, 유산을 예방한다. 또한 모든 평활근을 이완시킨다.

태반락토겐(human placental lactogen): 태아 당의 가용성을 증가시킨다. 농도는 임신기 동안 꾸준히 증가한다.

릴랙신(relaxin): 자궁수축을 억제하며 결체조직을 연화시키고, 골반 관절을 이완시킨다.

네겔레 법칙

네겔레 법칙은 분만예정일을 산출하기 위해서 사용한다. 이 방법은 여성의 월경주기에 근거한다. 분만예정일을 알아보기 위해서, 마지막 월경기간의 첫 날을 알아야 한다. 마지막 달에 9달을 더하거나 또는 3달을 뺀다. 그리고 나서 마지막 월경기간의 첫 날에 7일을 더하면 분만예정일이 된다. 만약 임신의 추정 날짜가 해를 넘기면 분만 예정일의 연도는 다시 고려해야 한다. 네겔레의 법칙은 배란이 14일 만에 일어나는 28일 주기에서 좀 더 정확하다.

임신력의 기록(공통용어)

- 임부 혹은 임신횟수(gravida): 임신 중이거나 임신을 한 경험이 있는 여성
- 출산력(para): 20주 이상의 생명력이 있는 태아를 임신한 횟수
- 첫(primi)
- 두번 이상(multi)
- 전혀 없음(nulli)

- 초임부(primigravida): 처음으로 임신한 여성

- 경임부(multigravida): 이전에 임신한 적이 있는 여성

- 미임부(nulligravida): 임신한 적이 없는 여성

- 초산부(primipara): 20주 이상의 생명력 있는 태아를 1명 분만한 적이 있는 여성

- 경산부(multipara): 20주 이상의 생명력 있는 태아를 2명 이상 분만한 적이 있는 여성

- 미산부(nullipara): 생명력 있는(20주 이하 태아 유산 포함) 태아를 분만한 적이 없는 여성

약어: GTPALM(TPAL)은 태아의 상태를 분류하기 위한 가장 포괄적인 방법이다.

G = 임신 횟수

T = 37주 이상의 임신

P = 조산(20~37주)

A = 유산(자연적이거나 인공적으로)

L = 살아 있는 아이들의 횟수

M = 다태임신과 출산

임신의 증상

- 추정적 징후(presumptive sign: 임신을 추측할 수 있는 징후)

  - 무월경: 월경의 중단

  - 오심/구토: 대사작용과 호르몬 변화와 관련됨

  - 유방의 변화: 증대, 찌릿찌릿한 느낌, 접촉에 대한 민감성 증가, 유두와 유륜의 색깔이 짙어짐

  - 빈뇨: 자궁 증대로 인한 방광의 압박

  - 피로감: 늘어난 대사 작용으로 인해 나타남

  - Goodell's sign: 정상적으로 단단한 자궁경부가 연화되는 현상

- 가정적 징후(probable sign: 임신의 보다 강력한 징후로 두가지 이상의 임신을 강하게 추측할 수 있는 증상들이다. 대략 12주부터 감지)

  - 색소 침착: 복부의 흑선과 얼굴의 기미

  - 복부 증대: 12주 이후 자궁이 골반 위로 상승

  - Chadwick's sign: 외음부와 질의 짙은 보라빛 착색

  - Hegar's sign: 자궁 협부의 연화

- 부구감: 양수에서 둥둥 떠다니는 태아 감지

- Braxton Hicks contractions: 불규칙하고 통증이 없는 자궁 수축

- 태아의 윤곽의 촉지: 26~28주 사이에 복부 촉진자에 의해서 촉지

- 첫태동(태동감): 16~20주의 태아가 움직일때 임신한 여성에 의해 느껴짐

- 임신검사: 모체의 혈액이나 소변으로 hCG 반응검사, 수정 후 8~10일 후부터 시행

- 확정적 증상(positive sign)

  - 태아 심박동의 감지

  - 태아 움직임의 촉진

  - 태아에 대한 초음파 결과

임신의 생리적 변화

- 생식기계

  - 자궁: 증대, 불규칙하고 통증이 없는 자궁수축의 발생

  - 난소: 고농도의 태반 에스트로겐과 프로게스테론에 의해 배란이 멈춤

  - 질: 모세혈관의 증가, 질벽의 부드러움 증가, 점액성 분비물 증가, 질 분비물의 증가와 산성화

  - 유방: 크기의 증대와 풍만감과 부드러워지며, 유륜의 색이 짙어지고 초유가 분비됨

  - 자궁 경부: 연화(Goodell's sign), 혈액으로 충만해지며(Chadwick's sign) 경관내강에 점액마개 형성

- 근골격계

  - 관절의 이완

  - 치골 결합이 넓어짐

  - 뒤뚱거리는듯한 걸음걸이

  - 척추 전만증

  - 허리통증의 증가

- 심맥관계

  - 심근의 증대

  - 심장 위치가 좌상부로 이동

- 1회 박출량의 증가
- 심박출량이 증가·증가된 정맥 혈량의 결과로서 나타남
- 맥박은 분당 10~15회 정도 증가
- 말초혈관의 저항이 프로게스테론과 프로스타글란딘의 영향으로 떨어짐
- 대퇴정맥의 압력이 증가
- 혈압은 혈량이 증가하더라도 기본적으로는 같다
- 혈량은 임신 전 수치에 비해 1,200~1,600mL 이상 증가
- 총 적혈구의 증가에 비해 혈장량이 훨씬 더 증가함으로 적혈구의 희석과 헤마토크릿의 감소를 초래하게 된다(생리적 빈혈).
- 백혈구는 평균 10,000/mm³까지 증가한다.
- 혈액응고인자 증가로 출혈에 방어능력을 갖지만, 혈전성 정맥염의 위험성은 증가한다.

- 호흡기계
  - 산소 소비량이 20% 정도 증가한다.
  - 호흡곤란은 흔하게 있을 수 있다.
  - 코피와 비충혈은 흔한 증상이다.
  - 흉곽이 넓어진다.
  - 호흡의 깊이가 증가한다.

- 소화기계
  소화기계의 변화는 임신 중에 불편감을 일으킨다.
  프로게스테론의 상승은 위와 장관의 근육을 이완시킨다.
  - 에스트로겐의 상승으로 잇몸이 붉어지고 부종이 있을 수 있으며 쉽게 출혈할 수 있다.
  - 오심과 구토가 일어날 수 있다.
  - 위가 비는 시간이 지연되며 식도측 분문괄약근의 강도가 감소되어 위의 산성내용물이 식도 쪽으로 역류한다(가슴앓이).
  - 대장의 연동운동의 감소로 보다 많은 수분이 흡수되어 변비와 치질을 일으킬 수 있다.
  - 증가된 갈증과 식욕

- 비뇨기계
  - 빈뇨는 흔한 증세이며, 특히 임신 1기와 3기에 나타날 수 있다.
  - 요정체는 요로 감염의 소인이 될 수 있다.
  - 신장의 혈류량이 증가한다.

- 내분비계
  - 태반은 다량의 에스트로겐과 프로게스테론, 글루코코티코이드(glucocorticoid)를 분비하는 내분비 기관이다.
  - 임신 1기 이후, 췌장은 인슐린 생산을 증가시키지만 임신 말기가 되면 인슐린에 조직 감수성 저항에 따라 80%까지 감소한다.
  - 옥시토신과 프로락틴이 뇌하수체에서 분비된다.
  - 갑상선이 증대되며 기초신진대사량이 증가한다.

비판적 사고중심 간호실무

임부사정

- 집에서 임신 진단검사 수행 결과 양성 반응
  마지막 월경 시작일이 6월 10일이며 9월 10일 산전간호 클리닉 방문
- 아침마다 오심과 일주일에 두세 번 구토 경험
- Chadwick과 Hegar's sign이 나타남
- 자주 피곤하고 지난 3개월간 빈뇨 증상

간호중재

- 임신 확진: 임신 증상과 징후를 확인한다
  - 검진자의 태아심박동 청진, 촉진과 태아초음파의 가시적 결과로 확진한다
- 혈액과 소변에서의 융모생식샘자극호르몬(HCG) 검출
  - 방사선 면역학적 검사(Radioimmunoassay (RIA) test)
  - 효소연결성 면역흡착검사(Enzyme-linked immunosorbent assay (Elisa) test)
  - 자가임신 테스트(Home pregnancy test)
- 분만예정일 계산
  - 네겔레 법칙을 사용한다

1. 임신 황체에서 프로게스테론 분비를 하도록 자극하는 호르몬은?

   ① 옥시토신　　　　　　② 프롤락틴　　　　　　③ 에스트로겐
   ④ 난포자극호르몬　　　⑤ 융모성샘자극호르몬

2. 임신 중 심혈관계의 변화는?

   ① 분만과 산후 혈액소실에 대비하여 혈액량이 증가한다
   ② 혈액량증가로 적혈구수가 증가하고 백혈구수는 감소한다
   ③ 혈색소와 적혈구용적률이 정상보다 저하되어 병리적 빈혈을 나타낸다
   ④ 임신 중 섬유소원 용해작용이 증가하여 산후에 출혈 가능성이 높다
   ⑤ 혈압은 체위에 따라 다르며 바로누움자세(앙와위)는 고혈압을 초래한다

3. 임신 시 포도당 대사의 변화가 초래되는 이유는?

   ① 식사량 증가　　　　　　　　　② 급격한 체중증가
   ③ 태반락토젠의 증가　　　　　　④ 신사구체 여과율 감소
   ⑤ 포도당 분해 속도증가

4. 임신 중 생리적 빈혈의 기준은?

   ① Hb 5gm/dl 이하, Hct 35% 이하
   ② Hb 8gm/dl 이하, Hct 35% 이하
   ③ Hb 10gm/dl 이하, Hct 35% 이하
   ④ Hb 12gm/dl 이하, Hct 40% 이하
   ⑤ Hb 14gm/dl 이하, Hct 40% 이하

정답　　1. ⑤　　2. ①　　3. ③　　4. ③

> 28세의 영희씨는 마지막 월경이 2014년 2월 18일에 시작해서 5일간 있은 후 오늘(4월 23일)
> 까지 없었으며 평소 28일 주기로 월경을 하였다. 요즈음은 피곤함을 자주 느꼈고 가끔 구역
> (오심)이 있어 임신유무를 확인하기 위해 산부인과 외래를 처음으로 방문하였다. 가족은 남편과
> 5살 된 아들이 하나 있으며 1년 전 임신 8주 만에 자연유산이 되었다. 아들은 40주 3.2kg의
> 정상 질분만으로 건강하게 태어났으며 6개월간 모유수유를 하였다.

5. 영희씨의 산과력을 GTPAL(임신횟수gravida, 만삭분만term birth, 조산preterm birth, 유산 abortion, 생존아living children) 5자리 체계로 나타낸다면?

   ① 3-1-0-0-1   ② 3-1-0-1-1   ③ 2-0-0-1-1
   ④ 2-1-0-1-1   ⑤ 2-1-0-0-1

6. 네겔레의 법칙에 의한 분만예정일은?

   ① 2014년 9월 27일   ② 2014년 12월 25일
   ③ 2014년 11월 27일   ④ 2014년 11월 25일
   ⑤ 2014년 9월 25일

정답   5. ②   6. ④

관련정보

임신 관련 호르몬

태반호르몬

- 임신경과에 따른 호르몬의 변화(hCG가 가장 먼저 증가)
- 태반은 단백호르몬(융모성선자극호르몬(hCG), 태반락토겐(hPL)과 스테로이드 호르몬(에스트로겐, 프로게스테론)을 생산한다.

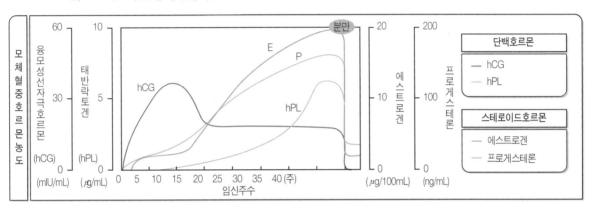

호르몬의 생성장소

- 임신중 호르몬이 주로 생성되는 장소는 난소의 임신황체에서 점차 태반으로 옮겨간다.

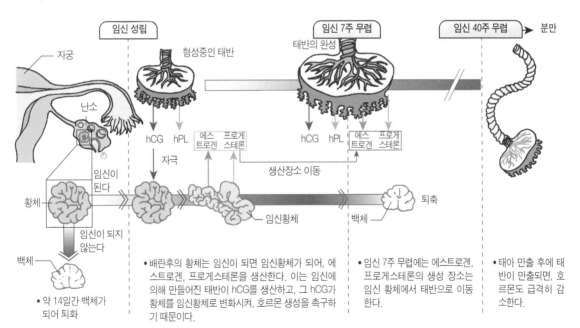

- 배란후의 황체는 임신이 되면 임신황체가 되어, 에스트로겐, 프로게스테론을 생산한다. 이는 임신에 의해 만들어진 태반이 hCG를 생산하고, 그 hCG가 황체를 임신황체로 변화시켜, 호르몬 생성을 촉구하기 때문이다.

- 임신 7주 무렵에는 에스트로겐, 프로게스테론의 생성 장소는 임신 황체에서 태반으로 이동한다.

- 태아 만출 후에 태반이 만출되면, 호르몬도 급격히 감소한다.

융모성선자극호르몬(hCG) (임신검사의 지표)

- hCG는 태반의 합포체영양막(syncytium 세포층)에서 만들어지는 당단백호르몬이다.
- 통상적으로 비임신시와 남성에서는 만들어지지 않는다.
- hCG는 황체형성호르몬(LH), 갑상선자극호르몬(TSH)과 공통의 α-subunit라는 구조를 갖는다. 따라서 LH와 마찬가지로 황체를 자극하여 에스트로겐, 프로게스테론을 분비시키는 한편, TSH 같은 갑상선자극작용도 한다.
- 임신과 융모성 질환에서는 중요한 지표가 된다.

hCG의 변화

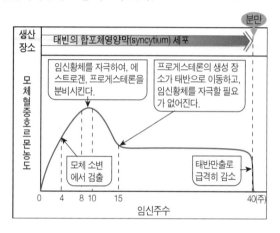

hCG의 주요 작용

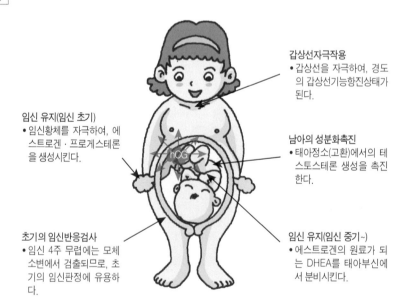

태반락토겐(hPL) (태아의 발육 · 성장 촉진)

- hPL은 태반의 태반 합포체영양막(syncytium 세포층)에서 생성되는 단백호르몬이다.
- 태아에게 우선적으로 글루코스(glucose)를 보내기 때문에, 모체의 글루코스(glucose) 섭취를 억세하는 항인슐린 작용과 모체로의 영양공급을 위한 지질분해작용을 지닌다.

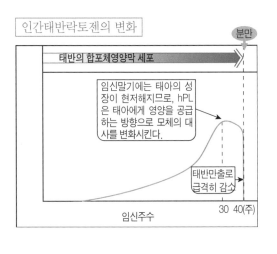

인간태반락토겐의 변화

태반의 합포체영양막 세포

임신말기에는 태아의 성장이 현저해지므로, hPL은 태아에게 영양을 공급하는 방향으로 모체의 대사를 변화시킨다.

태반만출로 급격히 감소

임신주수   30 40(주)

분만

hPL의 주요 작용

태아의 성장촉진
- 항인슐린 작용에 의해 모체에 글루코스(glucose)가 섭취되기 어려워진다. 그만큼 글루코스(glucose)는 태아에게 보내져 성장원이 된다.

모체로의 에너지 공급
- 임신 말기에 들어서 태아에게 글루코스(glucose)가 공급되는 만큼, 지질을 FFA와 글리세롤(glycerol)로 분해하여 모체의 영양원이 된다.

에스트로겐(임신 유지와 분만 준비)

- 에스트로겐은 스테로이드 호르몬으로 에스트론(E_1), 에스트라디올(E_2), 에스트리올(E_3)의 총체이다.
- 유즙분비의 준비와 임신 중의 유즙분비억제, 임신유지와 분만의 준비 등, 상반되는 작용을 동시에 수행한다.
- 비임신시의 에스트로겐은 사춘기의 2차 성징 발현과 성숙한 여성에서의 성주기 성립 등에 관여한다.

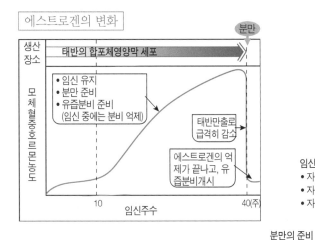

에스트로겐의 변화

생산장소   태반의 합포체영양막 세포

모체혈중호르몬농도

- 임신 유지
- 분만 준비
- 유즙분비 준비
(임신 중에는 분비 억제)

태반만출로 급격히 감소

에스트로겐의 억제가 끝나고, 유즙분비개시

10   임신주수   40(주)

분만

에스트로겐의 주요작용

유즙분비 준비
- 뇌하수체전엽에서 프로락틴을 생성한다.
- 유선을 비대시킨다.

임신유지
- 자궁근이완
- 자궁근비대
- 자궁혈류량↑

분만의 준비
- 임신말기에 경관(자궁목관)의 숙화를 일으키고, 점점 부드럽게 해서 분만을 준비한다.

임신중의 유즙분비억제
- 유선조직의 프로락틴수용체를 감소시킨다.

분만

유즙분비개시
- 에스트로겐의 감소로 억제가 없어지면 유즙분비가 개시된다.

프로게스테론(progesterone) (임신중 배란억제)

- 프로게스테론은 스테로이드 호르몬이다.
- 에스트로겐과 마찬가지로 유즙분비 준비와 임신유지의 작용이 있다. 또, 뇌하수체전엽에 작용하여 황체화호르몬(LH)의 분비를 억제하여 배란을 방지하므로, 임신 중에는 월경이 중단되고 새로운 수정(임신)이 일어나지 않는다.

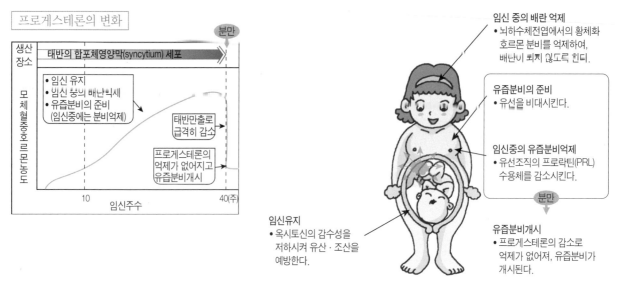

프로게스테론의 변화

생산 장소
태반의 합포체영양막(syncytium) 세포
분만

모체 혈중 호르몬 농도
- 임신 유지
- 임신 중의 배란억제
- 유즙분비의 준비
  (임신중에는 분비억제)
태반만출로 급격히 감소
프로게스테론의 억제가 없어지고 유즙분비개시

10   임신주수   40(주)

임신 중의 배란 억제
- 뇌하수체전엽에서의 황체화 호르몬 분비를 억제하여, 배란이 되지 않도록 한다.

유즙분비의 준비
- 유선을 비대시킨다.

임신중의 유즙분비억제
- 유선조직의 프로락틴(PRL) 수용체를 감소시킨다.

분만

임신유지
- 옥시토신의 감수성을 저하시켜 유산·조산을 예방한다.

유즙분비개시
- 프로게스테론의 감소로 억제가 없어져, 유즙분비가 개시된다.

스테로이드호르몬의 대사(E₃는 태아가 엄마에게 보내는 신호)

- 임신 중의 에스트로겐(E₁, E₂, E₃)과 프로게스테론은 7주 무렵부터 태반에서 생성되기 시작하고, 12주 무렵부터 거의 태반에서 만들어진다.
- 에스트로겐은 E₁, E₂, E₃ 세 종류가 있고, 그 중 E₃는 태아에서 유래한 물질인 DHEAS를 주원료로 하여 태반에서 생성한다. 그 때문에 모체 소변 속의 E₃는 태아-태반의 기능평가에 이용한다.

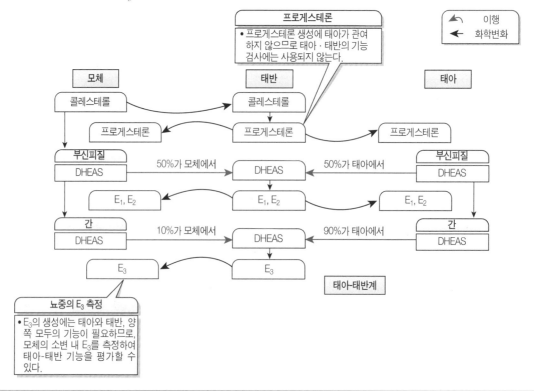

1. 아니다. 임신을 확진할 수 없다. 임신의 어떠한 양성반응도 나타나지 않았다.
   모든 증상은 단지 추정적이거나 가정적 증상일 뿐이다. 이러한 증상들은 임신이외의 다른 것에 의해서도
   나타날 수 있다.

2. 태아심박동의 청진과 촉진, 태아초음파(sonogram)의 결과

3. 아무 것도 없다. 모든 것은 임신의 정상적인 변화이다

4. LMP - 6월 10일. 3개월을 빼면 3월 10일, 7일을 더하면 3월 17일
   그러므로 EDC는 3월 17일

5. 총임신 횟수 - 3회, 만삭임신 - 0, 조산 - 0, 유산 -2회, 생존아수 - 0

05 영양관리

Key Point

✓ 이상적인 영양관리는 임신이 시작되기 전부터 시작한다.

✓ 임신기의 영양관리는 아기의 크기와 신생아 영양소 저장에 영향을 미친다.

✓ 임신기 동안 신생아의 신경관 결손을 예방하기 위해 엽산제제를 추천한다.

✓ 철분제제는 빈혈을 예방하고 적절한 태아의 저장을 위해 처방한다.

✓ 임신기간 동안 300Kcal/일 섭취를 증가시켜야 한다.

✓ 수유부는 2700~2800Kcal/일 섭취한다.

✓ 수유부는 하루 3000mL의 수분을 섭취한다.

✓ 일반적으로 권장하는 임신 시 체중 증가는 9~16kg이다.

✓ 체중 증가 양상은 임신 1기에 약 1.6kg 정도이며, 임신의 나머지 기간 동안에는 0.45kg/주 정도이다.

✓ 조직이 회복되는 산욕기까지 체중 감량 조절식이를 시작해서는 안 된다.

비판적 사고 훈련 ▼

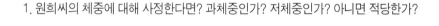 사 례 ①

원희씨는 임신 1기 말이다. 그녀의 임신 전 체중은 55kg이었으나 지금 57kg이며 조금 뚱뚱해졌다고 걱정하고 있다. 원희씨는 유제품과 철분 함유 음식을 제외하고는 제법 균형 잡힌 음식을 섭취하고 있다. "저는 우유를 마시지 않아요. 전혀 좋아하지 않거든요"라고 말한다. 원희씨는 처방받은 대로 철분 제제를 먹고 있다고 한다.

1. 원희씨의 체중에 대해 사정한다면? 과체중인가? 저체중인가? 아니면 적당한가?

2. 원희씨의 체중에 대해 간호사가 가장 먼저 관심을 두어야 할 문제는 무엇인가?

3. 그녀가 우유를 좋아하지 않는다는 말에 간호사는 어떻게 대답해야 하는가?

4. 원희씨의 철분 섭취가 낮다면 어떤 의학적 합병증이 발생할 수 있는가?

5. 원희씨의 주치의가 철분제제를 처방하였다. 왜 이러한 조치가 필요하다고 생각하는가? 왜 간호사는 유제품 섭취와 같은 방식으로 철분이 풍부한 식품을 권하지 않았을까?

6. 만약, 원희씨가 엄격한 채식주의자라면 그녀의 영양상태는 어떻게 악화될 수 있는가?

7. 만약에 원희씨가 흡연자라면 그녀의 영양상태는 어떻게 악화될 수 있을까?

사 례 ②

정희씨는 충분한 칼로리와 영양가가 포함된 식품을 먹고자 한다. 아래의 열거된 각각의 영양소를 섭취하고자 할 때 임부가 섭취해야 하는 두 종류의 식품들과 적절한 양을 선택하시오.

영양소			양	음식물
칼슘			1. 15㎎	8. 갈색 빵
엽산			2. 1300㎎	9. 브로콜리
철분			3. 30 ㎎	10. 달걀, 치즈
단백질			4. 60g	11. 마가린, 과일
비타민 A			5. 600ug	12. 오렌지, 아스파라거스
비타민 C			6. 70㎎	13. 시금치, 튀긴 콩
아연			7. 800ug	14. 시금치, 마른 과일

비판적 사고중심 학습

학습목표

- 임신 동안 적절한 영양과 체중 증가의 중요성을 설명한다.
- 여성의 영양학적 상태와 선택에 영향을 주는 일반적인 요인을 설명한다.
- 임신 동안 영양요구량에서 일반적 영양의 위험요인을 설명한다.
- 모유수유 여성과 모유수유를 하지 않는 산욕기 여성의 영양학적 요구를 비교하다

개요

영양은 유기체의 동화작용으로 유기체가 음식을 사용하는 과정이다. 영양은 특히 임신기에 중요하다. 모성의 식이 섭취는 그녀 자신의 신체뿐만 아니라 태아를 성장시키는 영양공급원이 된다. 영양은 아기의 체중과 출생 후 신생아의 적절한 영양소 저장여부에 영향을 미친다. 몇몇 미네랄 영양소의 부족은 아기의 결함을 초래한다.

영양 교육은 식품피라미드에 따라 다음과 같은 영양군을 포함한다. 콩, 곡류, 정제곡류, 쌀, 파스타, 과일, 야채, 유제품, 고기와 기타 단백질류, 지방, 당류 등이다.

임신기 동안 거의 모든 영양소(칼로리, 탄수화물, 단백질, 지방, 비타민, 미네랄, 수분)의 필요량이 증가하며, 대부분의 경우 식품을 통해 충족될 수 있다. 그러나 철과 엽산 제재는 일반적으로 처방되는데, 이는 적절한 양을 식이로 섭취하기가 어렵기 때문이다.

임신기동안의 체중 증가는 태아 성장의 중요한 결정지표이다. 권장 체중증가량은 여성의 정상적인 임신 전 체중에 비해 11.3~15.9kg 정도이나, 체중 증가 양상은 전반적인 증가만큼 중요한 의미를 띤다. 일반적인 권장량은 임신 1기에 1.6kg(3.5lb) 정도이며, 나머지 임신기간 동안 주당 0.45kg(1lb) 이하로 증가하는 것이다.

위험요소

- 비정상적인 임신 전 체중
  - 빈곤하거나 식이 장애가 있는 체중 저하 여성
  - 체중 증가를 원하지 않을 수도 있는 비만 여성
- 임신 전 빈혈
- 안전하지 않은 식이 양상: 식욕부진, 폭식증
- 부적절한 약물 남용
- 부적절한 섭취: 이미증(pica)
- 흡연
- 극단적인 채식주의
- 오심과 구토

- 다산
- 청소년
- 낮은 사회경제적 상태
- 식이에 대한 금기(문화적 영향요소)

임신 산욕기의 영양요구

임신기

- 비타민, 미네랄, 단백질(예: 붉은 살고기, 생선, 계란, 가금류, 콩, 두류, 견과류 및 땅콩류, 우유 및 유제품의 단백질류)의 매일 섭취량을 증가시킨다.
- 하루 300Kcal 증가가 요구된다.
- 비타민과 미네랄은 처방을 통해서 부가된다.
- 엽산은 신생아 신경관 결손을 방지하기 위해 일상적으로 처방된다.
- 빈혈을 예방하고 적절한 태아의 영양소 저장을 위해 30mg/일의 철분 제재를 처방한다.

산욕기

- 2,200~2,300Kcal의 균형잡힌 식이가 이상적이다.
- 고단백질, 비타민, 미네랄 등이 소직의 회복을 증진시킨다.
- 수유부는 일상적으로 하루 2,700~2,800Kcal가 요구된다.
- 최소한 2,000cc/일 이상의 수분 섭취는 산후기간 중 필수적이다.
  수유부에게는 3,000cc/일까지 증가해야 한다.
- 산후 4주까지 체중조절 식이는 연기해야 한다.

영양장애 시 합병증

- 임신기의 과도한 체중 증가
- 임신기의 비효율적인 체중 증가
- 빈혈
- 태아 성장의 둔화
- 저체중아

비판적 사고중심 간호실무

임부의 영양교육

원칙

1. 임부는 영양소 권장량 및 규정 식사량이 증가한다.

2. 임신 전 정상체중의 여성들은 11~16kg 정도의 체중 증가가 적당하다.

3. 체중증가 양상
   - 임신 1기: 1.6~2.3kg
   - 임신 2기~임신 3기: 대략 주당 0.5kg
   - 칼로리 증가: 하루에 300kcal 정도가 적합하다.

4. 과체중의 여성이라 할지라도, 임신기간 동안 체중 감량을 해서는 안 된다.

5. 임신 2기와 임신 3기에 다음과 같은 증상이 나타난다면 추가적인 평가가 필요하다.
   - 불충분한 체중 증가(1kg/1개월 미만)
   - 과도한 체중 증가(3kg/1개월 이상)

식품권장 피라미드

1. 식품권장 피라미드(Food Guide Pyramid) (2,000kcal 영양섭취 시 각 식품군의 분량)를 사용한다.
   - 곡류: 임부는 6~11단위의 음식을 필요로 한다(1단위 분량=쌀 1/2컵, 밀 1/2컵, 빵 1조각, 마른 시리얼 1oz). 곡류의 절반은 정제되지 않은 것으로 섭취한다. 임부는 최소 7단위를 섭취한다.
   - 야채: 임부는 3~5단위를 필요로 한다(1단위 분량=조리된 야채, 1/2컵; 생야채 1컵). 다양한 야채를 섭취한다. 매일 5단위를 섭취한다.
   - 과일: 임부는 2~4단위를 필요로 한다(1단위=중간 사이즈 과일 1개, 주스 1/2컵). 1회의 섭취로 비타민 C가 충분한 과일이어야 한다. 매일 4단위를 섭취한다.
   - 유제품: 임부는 2~3단위를 필요로 한다(1단위 분량=우유나 요거트 1컵, 고형 치즈 1.5oz, 부드러운 치즈 2컵, 우유로 만든 푸딩 1컵). 칼슘이 풍부한 유제품을 섭취한다. 저지방 또는 무지방 제품을 선택한다. 매일 3단위를 섭취한다.
   - 고기와 기타 단백질류: 임부는 2~3단위의 분량을 필요로 한다(1단위 분량=조리된 살코기, 가금류 또는 생선 2oz, 달걀 2개, 1/2컵의 조리된 콩류(강남콩, 라마, 대두, 완두콩 등) 두부 6oz, 땅콩이나 씨앗류 2oz, 땅콩버터 4 Table spoon). 저지방이나 포화도가 낮은 육류와 가금류를 선택한다. 매일 165g을 먹는다.
   - 지방, 당류: 가능한 자제함

2. 300kcal을 증가시키기 위해, 우유 2단위와 한단위 분량의 고기나 대체 식품을 섭취해야 한다.

3. 추가되는 칼로리없이 최대의 효과를 얻기 위해서 저지방 유제품, 살코기, 튀김 대신 삶거나 구운 저지방 조리법을 사용한다.

4. 영양적 가치가 거의 없는 도너츠, 과자, 사탕, 마요네즈 등과 같은 설탕이나 지방의 함량이 높은 음식물은 특별히 제한한다.

대상자별 영양교육

10대 임부

- 임부의 나이가 초경 후 4년 미만인 10대 임부라면, 영양 요구량은 임신시 증가량 300kcal 외에 그녀의 성장발달을 위해 필요한 섭취를 더 해야 한다.
- 철과 칼슘이 부족한 경향이 있다. 철분제를 복용하고 철분이 풍부한 음식들을 권장한다. 칼슘 보충제가 필요할 수도 있다. 보통 하루에 칼슘 1,200mg이 매일 필요하다.
- 엽산 보충제가 제공되어야 한다.
- 10대 임부들은 영양이 풍부한 식사를 해야 한다. 그래서 그들의 음식 섭취 패턴을 2~3일에 걸쳐서 평가하여야 한다.

채식주의 임부

- Lacto-ovovegetarian은 우유, 유제품, 달걀을 식단에 포함할 수 있다. 때때로 생선과 가금류도 포함된다.
- Lacto-vegetarian은 유제품은 먹되 달걀은 먹지 않는다.
- Vegan은 동물로부터 나온 것은 어떤 것도 먹지 않는 순수 채식주의자이다.
- 만약, 그녀의 식단이 허용한다면 여성은 단백질을 유제품과 달걀로 부터 보완할 수 있다. 순수 채식주의자는 정제되지 않은 곡물(현미, 통밀), 콩류(대두, 완두콩) 그리고 땅콩이나 씨앗류와 같은 것으로부터 단백질을 보완하여 섭취해야만 한다.
- 순수 채식주의자는 비타민 B_{12}, 4g을 매일 보충해 주어야 한다. 채식주의자들의 식단은 철과 아연이 낮은 경향이 있어 보충제가 종종 필요하다.

빈혈 임부

- 철 결핍성 빈혈을 보완하기 위해 여성은 철분제제를 복용해야 한다.
- 간호사는 다음의 내용을 스스로 적용할 수 있도록 교육한다.
  - 규칙적으로 철분을 제공해 줄 수 있는 고기와 가금류, 생선 섭취
  - 철분 강화 시리얼과 빵 섭취
  - 철분의 흡수율을 높이기 위해 식사와 함께 비타민 C를 많이 함유하고 있는 과일(딸기, 토마토, 멜론류), 브로콜리, 고추, 감자를 섭취할 수 있도록 교육한다.
  - 철분이 풍부한 시금치나 브로콜리, 민들레 잎, 그리고 다른 초록잎 야채를 추천한다.

☞ 상황 1~3번

> 경희씨는 5년 전 35주된 생존 애기를 분만하였고 2년 전에는 인공유산을 하였다. 4개월 전 초음파 검사결과 임신 5개월로 판명되었다. 현재 37주로 밤에 가끔 다리에 쥐가 나고 요통이 심해 외래를 방문하였다.

1. 경희씨를 위해 필요한 열량 증가량은?

   ① 100Kcal   ② 300Kcal   ③ 500Kcal
   ④ 700Kcal   ⑤ 1,000Kcal

2. 경희씨에게 임신 중에는 비임신 시보다 철분이 더 필요하다고 영양상담을 하였다. 그 이유는?

   ① 분만 시 실혈로 철분이 더 필요하다.
   ② 임신 3기에는 적혈구 생성이 감소한다.
   ③ 임신 24주와 32주 사이에 혈구농도가 증가한다.
   ④ 임신 중 전체 혈구량과 헤모글로빈치가 약 25-50%까지 증가한다.
   ⑤ 임신 동안 철분흡수율이 감소하고 태아도 무 기질 흡수율이 감소한다.

3. 임신 중 매일 요구되는 영양소와 이를 함유한 식품과 필요량은?

   ① 철분-곡류-1000mg   ② 단백질-유제품-70g   ③ 수분-물-3컵
   ④ 엽산-콩류-1200μg   ⑤ 칼슘-계란 노른자-400mg

4. 임신 중 적절한 양의 수분섭취는?

   ① 커피와 홍차 등을 포함한 3000cc 이상
   ② 임부자신의 기호에 따라 2500~3000cc 정도
   ③ 과일 쥬스와 우유 등을 포함한 3000cc 이상
   ④ 다이어트 음료 등을 포함한 2500~3000cc 정도
   ⑤ 1000~1500cc의 수분을 포함한 2500~3000cc 정도

5. 키 150cm, 체중 65kg인 임부의 비정상적인 체중증가 예방법은?

   ① 운동격려   ② 수분섭취 제한
   ③ 음식물섭취 제한   ④ 수분과 음식물섭취 제한
   ⑤ 칼로리와 염분의 과다섭취 제한

정답   1. ②   2. ④   3. ②   4. ⑤   5. ⑤

사례 ①

1. 임신 1기의 평균적인 체중증가는 약 1.6Kg이다. 약간 과체중이긴 하나 건강 관점에서 염려할 만큼은 아니다.

2. 원희씨는 자신이 뚱뚱하다고 생각하기 때문에 칼로리 섭취를 줄이려고 할지도 모른다. 이것은 본인과 태아에게 부정적인 결과를 가져올 수 있다.

3. 간호사는 태아발달에 필요한 칼슘과 단백질을 제공하는 유제품의 중요성과 우유를 대체할 수 있는 다른 유제품(치즈, 요구르트, 커스터드 푸딩, 아이스크림 등)에 대해 교육해야 한다. 만일 이러한 것들이 받아들여지지 않으면 단백질의 다른 자원(고기, 계란 등)을 권하며 칼슘제제가 필수적임을 알려주어야 한다.

4. 빈혈
- 빈혈 임부 : 철 결핍성 빈혈을 보완하기 위해 여성은 철분 제제를 복용해야 한다. 간호사는 다음의 내용을 스스로 적용할 수 있도록 교육한다.
  - 규칙적으로 철분을 제공해 줄 수 있는 고기와 가금류, 생선 섭취
  - 철분 강화 시리얼과 빵 섭취
  - 철분의 흡수율을 높이기 위해 식사와 함께 비타민 C를 많이 함유하고 있는 과일(딸기, 토마토, 멜론류), 브로콜리, 고추, 감자를 섭취할 수 있도록 교육한다.
  - 철분이 풍부한 시금치나 브로콜리, 민들레 잎, 그리고 다른 초록잎 야채를 추천한다.

5. 임신기간 동안 필요한 추가적인 양을 조달하기에는 철분함유 음식만으로는 불가능하기 때문이다.

6. 이미 원희씨의 현재 식이로 인해 단백질과 철분이 부족할 수 있다.
  채식주의 식이는 그녀가 고기와 계란으로부터 단백질과 철분을 얻을 수 없음을 의미한다.
- 채식주의 임부: Lacto-ovovegetarian은 우유, 유제품, 달걀을 식단에 포함할 수 있다. 때때로 생선과 가금류도 포함된다. Lacto-vegetarian은 유제품은 먹되 달걀은 먹지 않는다. Vegan은 동물로부터 나온 것은 어떤 것도 먹지 않는 순수 채식주의자이다. 만약, 그녀의 식단이 허용한다면 여성은 단백질을 유제품과 달걀로부터 보완할 수 있다. 순수 채식주의자는 정제되지 않은 곡물(현미, 통밀), 콩류(대두, 완두콩) 그리고 땅콩이나 씨앗류와 같은 것으로부터 단백질을 보완하여 섭취해야만 한다.
  순수 채식주의자는 비타민 B12, 4g을 매일 보충해 주어야 한다. 채식주의자들의 식단은 철과 아연이 낮은 경향이 있어 보충제가 종종 필요하다.

7. 아주 심하게 철분 부족 상태가 될 수도 있다. 흡연은 비타민 C 흡수 능력을 감소시킨다. 비타민 C는 철분 흡수에 필수적이다.

사례 ②

영양소			양	음식물
칼슘	2	13	1. 15㎎	8. 갈색 빵
엽산	5	12	2. 1300㎎	9. 브로콜리
철분	3	14	3. 30 ㎎	10. 달걀, 치즈
단백질	4	10	4. 60g	11. 마가린, 과일
비타민 A	7	11	5. 600ug	12. 오렌지, 아스파라거스
비타민 C	6	9	6. 70㎎	13. 시금치, 튀긴 콩
아연	1	8	7. 800ug	14.시금치, 마른 과일

06 고위험 임부 산전간호

비판적 사고 훈련

사 례

임부인 정숙씨는 24주에 예약된 산전 간호를 받기 위해 여성병원 외래를 방문했고 소변을 볼 때 작열감을 느끼지는 않지만 빈뇨가 있고 점액성 질 분비물이 있어 불편하다고 이야기한다. 정숙씨의 체온은 섭씨 37.3°이다.

1. 간호사는 어떤 추가적 사정과 문진을 해야 할까?

2. 간호사는 정숙씨의 질 분비물이 정상이라는 확신을 갖기 위해 무엇을 더 알아야 하는가?

3. 28주에 정숙씨는 또 다시 정기 산전관리를 받기 위해 병원을 내원하였다. 이번 산전교육에 포함해야 할 내용은? 정숙씨가 대처할 수 있도록 우선순위의 3가지 주제를 선택하고 교육하시오.

비판적 사고 중심 학습

학습목표

- 고위험 임신을 정의한다.
- 산전관리를 통해 임부의 고위험요인을 검사한다.

개요

비록 임신이 정상적이고 건강한 상태라 할지라도 합병증은 발생할 수 있다. 그러므로 흔한 임신 중 불편감(정맥류, 가슴앓이, 변비)과 위험한 합병증 사이의 차이점을 임산부에게 교육하는 것은 중요하다. 의료진에게 다음과 같은 위험징후와 증상은 즉시 보고하도록 교육한다.

위험 징후

- 일정량의 선홍색이거나 갈색의 질 출혈
- 양막의 파열
- 심각하고 지속적인 두통
- 시야장애
- 손과 얼굴의 부종
- 복통
- 상복부 통증
- 섭씨 38°이상의 열과 오한
- 배뇨시 통증
- 하루 이상 지속된 구토
- 태동의 변화와 부재(예: 6~8시간 이상 태동이 없음)

대상자 교육

- 질 출혈이나 다른 물과 같은 분비물이 있다고 할 때는 색, 냄새, 양에 대해서 설명하도록 한다.
- 소변량 및 잠혈, 불쾌한 냄새의 여부를 감시하도록 한다.
- 지난 산전 방문 시 보다 2.5kg 이상의 체중이 증가했거나, 손과 얼굴의 부종, 지속적인 두통, 가벼운 어지러움, 시야 장애 및 상복부 통증 등의 임신성 고혈압의 증상과 징후를 인지하고 보고하도록 교육한다.
- 이상 증상이 있을 경우, 체온을 재확인하도록 한다.
- 36주 이전의 요통이나 쥐어짜는 듯 한 복통과 같은 조기 진통 증상을 교육한다.

합병증

위험징후로 임신성 고혈압, 전치태반, 조기 진통, 감염 등의 합병증을 볼 수 있다. 모체와 태아의 이환율과 사망률에 영향을 미친다.

비판적 사고 중심 간호실무

정기적 산전간호

정상 임부의 병원 방문 횟수

- 처음 28주 동안은 4주에 한번
- 29~36주까지 2주에 한번
- 36주 이후부터 출산까지 매주 한번

초기 심리 · 사회적 사정

심리 · 사회적 사정은 임신에 대한 여성의 태도, 모성과업에 대한 교육, 모성에 대한 지원시스템, 문화적 종교적 성향, 경제적 위치, 생활 여건을 사정하고 결정하는데 도움이 된다. 간호사정에서 다음의 문제를 확인했다면 더 많은 분석과 계획, 중재를 필요로 한다.

- 불안, 무감정, 두려움, 임신에 대한 분노 표시
- 지원시스템이 없는 고립된 가정 환경
- 언어적 장벽
- 어린이를 위협할 수 있는 문화적 관습
- 장기간의 가족 문제
- 불안정하고 제한이 있는 경제적 상황, 제한적인 산전관리
- 복잡하고 의문점이 있는 생활여건

임부 간호중재

체중 측정

임신 1기동안 여성은 체중이 1.5~2kg 늘어난다. 임신 2기와 임신 3기에는 대략 일주일에 0.5kg씩 늘어난다. 그러므로, 4주마다 2kg씩 늘어나는 것이 정상이다. 주의해야 할 경우는

- 불충분한 체중 증가: 원인을 평가하고 영양에 대해 상담한다.
- 과도한 체중 증가: 종종 자간전증을 발병시키는 첫 번째 증상이며, 주된 임신 합병증의 증상이다.

활력징후 확인

맥박은 약간 상승될 수 있고, 혈압은 보통 임신 중기로 갈수록 조금 낮아지나 점차 정상 수치로 돌아간다. 체온과 호흡은 이상 징후가 나타나지 않는 한 생략하기도 한다. 수의해야 할 경우는

- 빠른 맥박: 불안이나 심장의 문제를 나타낼 수 있다. 발견되는 점을 기록한다.
- 높아진 혈압: 자간전증의 기본 증상

부 종

발목 부분의 약간의 부종은 정상이며, 특히 임신 3기에는 더 심할 수 있다.
주의해야 할 경우는

- 손, 얼굴, 다리의 부종: 보통 체중 증가와 관련되지만 자간전증을 나타낼 수도 있다.

요 검사물

주의해야 할 경우는

- 단백뇨 1+: 자간전증을 의심할 수 있다.
- 당뇨: 약간의 당뇨는 정상일 수 있으나, 추가적 검사가 요구된다. 임신성 당뇨를 나타낼 수도 있다(GDM).

혈당검사

임신 24주에서 임신 28주 사이에 50g 검사(포도당 50gm을 섭취)를 하여 결과가 130~140mg/dl 이상이면 당뇨 유무를 확인하기 위해 3시간 oral glucose tolerance test(GTT) 검사를 받아야 한다(1시간 단위로 하되 식 전, 식 후, 1시간, 2시간, 3시간에 함). 위험인자를 가진 대상자들(40세 이상; 당뇨병 가족력; 과숙아 출산의 경험이 있거나 기형 또는 사산아 출산; 비만; 고혈압 또는 당뇨)은 임신 시 더 일찍 검사해야 한다.

위험 증상

임신의 위험증상들이 있는지 여부를 물어 본다.

위험증상과 관련요인

표 2-1은 임신의 위험 증상들과 그것의 가능한 원인들을 보여준다. 이들 증상들은 심각한 문제들을 나타내고 추가적 검사들을 필요로 한다. 간호사는 대상자에게 다음의 증상이 발생하면 즉시 보고할 것을 강조하며 매회 산전관리 방문 시 위험증상에 대해 논의하여야 한다.

표 2-1. **임신 시 위험 증상**

다음과 같은 위험 증상들이 있을 시에는 즉시 보고해야 한다.

위험 증상	가능한 원인
1. 질에서 갑작스러운 액체 누출	조기양막파열
2. 질 출혈	태반조기박리, 전치태반, 자궁이나 질 손상, "이슬"
3. 복부 통증	조기진통, 태반조기박리
4. 38°이상 고열과 오한	감염
5. 어지러움, 시야가 흐려짐, 물체가 두개로 보임, 시야에 점	고혈압, 임신성 고혈압
6. 계속되는 구토	임신 오조
7. 극심한 두통	고혈압, 임신성 고혈압
8. 손, 얼굴, 다리, 발의 부종	임신성 고혈압
9. 근육 떨림, 경련	임신성 고혈압, 자간증
10. 상복부의 통증	임신성 고혈압, 주요 복부혈관의 허혈
11. 핍뇨	신장 장애, 수분섭취 감소
12. 배뇨 장애	요로 감염
13. 태아 움직임 없음	임부의 약물 복용, 비만, 태아사망

불편감

임신과 관련된 일반적 불편감을 물어보고 적당한 정보를 제공한다.

간호사는 검진 시 다음 사항들을 포함한다.

- 병력과 기록들을 다시 검토한다.
- 자궁 크기의 측정과 자궁저부의 높이를 측정한다.
- 태아의 심박동수(보통 110~160bpm)와 위치를 측정한다.
- 심부건반사(DTRs)와 간헐성 경련을 검사한다.
- 임신 마지막 주까지 질 검사는 반복하지 않는다.

☞ 사례 1~4번

> 26세의 영숙씨는 갑작스럽고 날카로운 좌측 하복부 통증과 약간의 질출혈로 응급실을 방문하
> 였고 임신반응검사 결과 양성반응으로 확인되어 산부인과 병동에 입원하였다. 입원 시 활력징
> 후는 BP 75/50mmHg, 체온 36.7℃, 맥박 120회/분, 호흡 20회/분이었다.

1. 의심이 가는 합병증은?

   ① 전치태반   ② 포상기태   ③ 완전유산

   ④ 자궁외임신   ⑤ 태반조기박리

2. 입원 시 증상과 활력징후로 알 수 있는 임부의 상태는?

   ① 감염   ② 불안   ③ 진통

   ④ 내출혈   ⑤ 다태임신

3. 자궁 초음파 검사 결과는?

   ① 재태낭이 보이지 않는다.

   ② 태반이 자궁목을 덮고 있다.

   ③ 태아의 심장이 잘 뛰고 있다.

   ④ 태반의 중앙부위가 박리되어 있다.

   ⑤ 눈보라(snow storm) 양상을 보인다.

4. 응급수술 후 잔류조직을 용해시키기 위해 처방된 약물은?

   ① 바리움(Valium)   ② 유토파(Yutopar)

   ③ 베타메타손(Betamethasone)   ④ 메토트랙세이트(Methotrexate)

   ⑤ 프로스타글란딘(Prostaglandin)

정답   1. ④   2. ④   3. ①   4. ④

관련정보

정기적인 산전관리

- 임산부와 아기 모두 건강한 상태로 분만을 마칠 수 있도록 정기적인 산전관리를 받아야 한다.
- 모자보건법에 의거하여 모든 임신부에게 산전관리를 받도록 권장하고 있다.

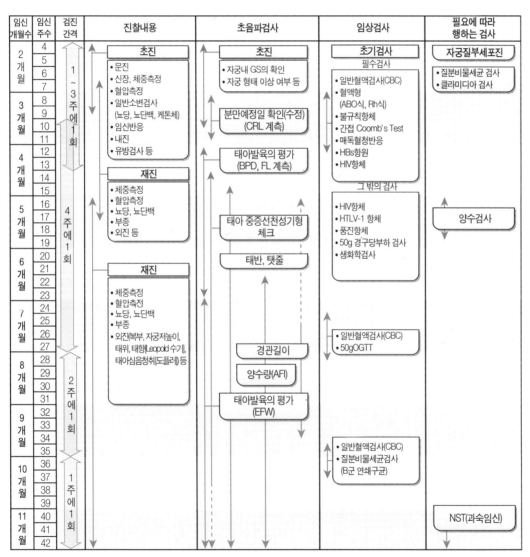

*중증선천성기형: 주요기형. 의학적·미용상 문제가 되는 중증기형. **양수검사는 희망자에 한하여 실시한다.

임신반응(소변내 hCG의 검출로 임신 진단)

- 소변내의 융모성선자극호르몬(hCG)을 측정하여 임신을 진단한다.
- hCG에 의한 임신의 진단은 임신 4주 이후에 가능해진다.
- hCG는 a와 b, 2개의 subunit으로 이루어진다.
- 위와 같은 임신반응은 단순히 hCG가 소변 내에 존재하는 것만을 보이는 것이므로, 정상 임신 이외에도 자궁외임신과 융모성질환, 융모상피세포암 등이 있을 경우 양성으로 나타난다.

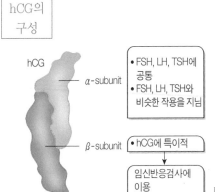

hCG의 구성

hCG

α-subunit
- FSH, LH, TSH에 공통
- FSH, LH, TSH와 비슷한 작용을 지님

β-subunit
- hCG에 특이적 → 임신반응검사에 이용

FSH: 난포자극호르몬   LH: 황체화호르몬   TSH: 갑상선자극호르몬

임신시기의 진단

- 다음과 같은 방법으로 임신시기를 진단하고, 임신주수와 분만예정일을 산출한다.
- 최근에는 초음파검사의 신뢰성이 높다. 그 외의 방법으로 산출시 오차가 크므로, 어디까지나 보조진단으로만 생각하고, 반드시 초음파검사에 의한 진단을 병용한다.

진단방법	월경력	기초 체온	초음파검사	자궁 크기
임신시기	• 최종월경일의 첫날을 임신시작점으로 계산한다.	• 기초체온에서 체온상승전날을 배란일로 한다.	• 태아의 주수에 따라 부위를 측정하여, 임신주수를 산출한다.	• 자궁의 크기로 임신주수를 유추한다.
분만예정일	최종월경일의 시작일 + 280일	배란일 + 266일	만 280일을 분만예정일로해서 거꾸로 계산한다.	만 280일을 분만예정일로해서 거꾸로 계산한다.

기본적인 검진 항목

- 검진 목적은 고위험임신의 선별검사를 하는 것이다.
- 아래의 7가지는 모자건강수첩에 기재된 항목으로, 검진시 반드시 체크한다.

1. 자궁저부 높이
- 치골결합 위에서 자궁저부까지의 거리
- 태아의 크기와 양수량의 기준이 된다.

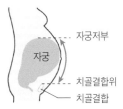

2. 복부둘레
- 태아의 크기와 양수량의 기준이 된다.
- 배꼽을 기준으로 가장 높은 부위를 측정한다.
- 임신후반기 정상 복부 둘레는 임신주수보다 2인치 적다(예: 36주=34인치)

3. 혈압
- 자간전증의 조기 발견

4. 부종
- 현재로서는 자간전증의 진단기준에서는 제외되고 있다.

5. 요단백
- 다음의 질환. 병태의 조기발견
  - 자간전증
  - 신기능저하
  - 임신성당뇨(GDM)

6. 요당
- GDM의 조기발견

7. 체중
- 임신 중에는 9~16kg의 증가가 적절하다.
- ※임신 전의 BMI에 따라 적정체중은 달라진다.

※자궁저높이, 복부둘레는 16주 이후에 계측한다.

임신시기별 검사

- 기본적인 검진항목이외에도 시기별로 다양한 검사를 행하고, 그 결과에 따라 노체와 태아의 관리가 이루어진다.
- 초음파검사는 임신의 전기간을 통해 시행되지만, 그 내용은 기간에 따라 달라진다.

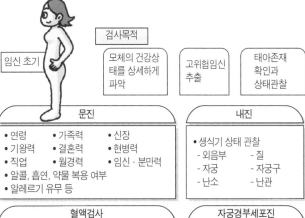

임신 초기

검사목적

| 모체의 건강상태를 상세하게 파악 | 고위험임신 추출 | 태아존재 확인과 상태관찰 |

문진
- 연령
- 기왕력
- 직업
- 알콜, 흡연, 약물 복용 여부
- 알레르기 유무 등
- 가족력
- 결혼력
- 월경력
- 신장
- 현병력
- 임신·분만력

내진
- 생식기 상태 관찰
  - 외음부   - 질
  - 자궁   - 자궁구
  - 난소   - 난관

혈액검사
- 혈액형(ABO식, Rh식)
- 혈구측정(RBC, Hb, Ht, WBC, 혈소판)
- 감염증(매독, HBs 항원, HCV 항체, HIV 항체, HTLV-1 항체, 풍진항체)
- 50g 경구 당 부하검사
- 불규칙항체
- 간접 Coomb's test

자궁경부세포진
- 자궁경부암검사를 목적으로 행하는 비침습적 검사
- 내진을 하는 기회에 젊은 연령층을 대상으로 한 자궁경부암의 조기발견이라는 데에 의미가 크다.

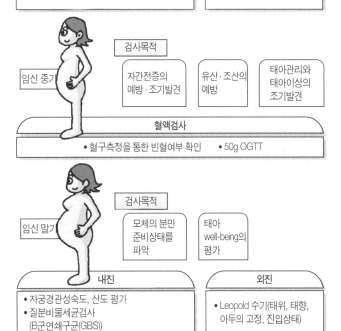

임신 중기

검사목적

| 자간전증의 예방·조기발견 | 유산·조산의 예방 | 태아관리와 태아이상의 조기발견 |

혈액검사
- 혈구측정을 통한 빈혈여부 확인   · 50g OGTT

임신 말기

검사목적

| 모체의 분만 준비상태를 파악 | 태아 well-being의 평가 |

내진
- 자궁경관성숙도, 산도 평가
- 질분비물세균검사 (B군연쇄구균(GBS))

외진
- Leopold 수기(태위, 태향, 아두의 고정, 진입상태)

1. ① 소변의 빈도, 색깔, 수분 섭취량, 건강과 관련된 총체적 증상과 징후, 열 이외의 다른 감염증상 유무, 질출혈 유무

② 확진을 위해 간호사는 소변샘플을 채취하여 백혈구, 단백질, 당 유무를 점검해야 한다(만약, 백혈구가 있다면 소변배양 및 민감성 검사를 의뢰해야 한다).

2. 질분비물의 색깔, 분비물이 맑거나 혹은 탁한가?
질분비물에 혈액이 섞이지 않았는지, 냄새와 양

3. ① 태아심박동수 계산: 만약 하루에 2시간을 주기로 2번 심박동수를 세어서 최소한 10회 이상 심박동이 없다면 즉시 병원을 방문하도록 말한다.

② 조산: 10~15분마다 복통이나 허리통증이 나타났다 사라졌다 하면서 통증이 점차 증가한다면 즉시 병원에 연락해야 한다.

③ 질분비물(태반조기박리나 출혈): 질분비물이 증가하고 자궁근 수축이나 출혈이 멈추지 않는다면 즉시 병원에 연락해야 한다.

07 임신오조증 임부 간호

Key Point

✓ 경증의 오심과 구토는 임신의 정상적인 불편감이며 보통 임신 3개월 후 사라진다.

✓ 임신오조증은 구토가 지속적이거나 조절할 수 없을 때 의심할 수 있다.

✓ 임신오조증 임부는 수액요법과 영양대체요법을 위해 입원할 수도 있다.

✓ 심하고 지속적인 구토는 태아와 임부에게 수분과 전해질 불균형을 초래할 수 있다.

비판적 사고 훈련

사 례

임신 9주째인 미영씨는 임신오조증으로 병원에 입원하였다. 임신 전보다 체중이 5% 정도 감소하였으며 구강으로 음식이나 물을 먹을 수 없어 정맥주사로 수액을 공급받고 있다.

1. 미영씨에게 내려질 수 있는 간호진단은 무엇인가?

2. 미영씨는 영양결핍의 가능성이 있다. 특히 어떤 자료를 근거로 영양결핍이란 진단을 내릴 수 있는가?

3. 미영씨가 정맥으로 수액공급을 받아야 하는 이유는?

비판적 사고 중심 학습

학습목표

- 임신오조증의 정의, 원인, 증상과 징후를 설명한다.
- 임신오조증의 치료방법을 설명하고 간호과정을 적용한다.

개요

경미한 오심과 구토는 임부의 70%가 겪을 수 있는 임신 초기의 흔한 증상이다. 일상적으로 "morning sickness"라고 불리며 프로게스테론, 에스트로겐, hCG 등 호르몬의 증가와 비타민 B 결핍, 유전인자, 임부의 연령이 낮은 경우, 흡연 등과 관련이 있다. 증상은 피로감, 음식 냄새, 정서적 스트레스에 의해 악화될 수 있다. 오심과 구토는 정상적이며 보통 3개월 후에 사라진다.

임신오조증은 의학적 중재가 필요한 보다 심각한 상태이다. 임신오조증은 임신 초기에 시작되며 임신기간 내내 지속될 수 있다. 원인은 불분명하지만 가장 높은 소인은 초임부, 다태임신, 정신질환관련 요인이 있는 경우이다. 만약 증상을 집에서 조절할 수 없다면 입원이 권유된다.

진단검사

- 헤마토크릿, 헤모글로빈
- 단백뇨와 아세톤 검사
- 전해질 검사

증상과 징후

- 지속적이고 조절할 수 없는 구토
- 빈맥
- 체중 감소
- 소변량 감소
- 미열

치료적 간호관리

- 통상적인 오심 · 구토의 간호중재
  - 적은 양을 자주 먹을 수 있도록 한다; 염분이 함유된 음식을 포함시킨다.
  - 일어나기 전에 마른 과자를 권한다.
  - 맵고 튀긴 음식을 금한다.
  - 식후 30분간 일어나 있도록 한다.
  - 비타민 B제재와 생강이 효과적일 수 있다.
  - 의료팀과 제산제의 사용을 논의한다.

- 입원 대상자의 치료와 목표

  - 금시
  - 구토 조절
  - 조용한 환경
  - I/O check
  - IV 수액 공급
  - 필요시에는 적절한 영양 섭취를 위해 TPN이나 비위관 삽입 고려
  - 증상이 호전되어 먹을 수 있으면 2~3시간마다 적은 양을 경구 투여

약물 관리

- 안정제
- 수분과 전해질 교정
- 항구토제
- 수액요법

합병증

- 탈수
- 심각한 체중 감소
- 대사성 알카리혈증
- 뇌병증(wernicke)
- 전해질 불균형
- 케톤혈증(ketosis)
- 대사성 산혈증

참고 ▶

ketosis
생체가 당을 에너지원으로 이용하지 못하면 대신 체내의 지질을 분해하여(β산화) 에너지를 얻는다. 그 결과 생겨난 케톤체(아세톤, 아세토초산, 3-하이드로겐 젖산)의 혈중농도가 상승하는 것을 케토시스(ketosis, 케톤혈증)라고 한다. 정상에서는 케톤체는 소변에 출현하지 않지만 신장 배설치를 넘어서면 소변에서도 검출된다.

대사성 산혈증(acidosis)
대사이상에 의해 체내의 HCO_3가 과도하게 감소하고, 혈액 pH가 산성으로 바뀌는 병태. 혈중에 산성대사물이 축적되거나 신장에서 염기의 재섭취가 이루어지지 않으면 혈액 pH가 산성으로 변해 대사성 산혈증이 된다.

뇌병증(wernicke)
뇌질환의 일종으로 수용성 비타민 B_1인 티아민의 결핍으로 인해 생기며, 시상과 유두체 등의 불완전괴사와 소혈관의 증식을 특징으로 한다. 급성기에는 의식장애와 안구떨림을 보이는 난치성 질환이다.

간호실무능력 평가

1. 임신오조증이 심하여 입원한 임부에게 제공한 간호로 옳은 것은?

① 금식하고 정맥으로 영양을 공급한다.

② 임신중절이 최선의 방법임을 교육한다.

③ 열량이 높은 고지방의 식사를 제공한다.

④ 경구, 비경구적으로 수분섭취를 제한한다.

⑤ 규칙적으로 하루 세끼 식사를 하도록 한다.

2. 임신오조증의 발생 원인에 해당되는 것을 모두 고르시오.

① 에스트로겐의 감소　　　② hCG의 증가　　　③ 비타민 B 결핍

④ 위 운동의 증가　　　⑤ 임신에 대한 스트레스

3. 악성 임신오조증의 임부에서 나타날 수 있는 혈액검사결과는?

① 헤마토크릿 감소　　　② WBC 증가　　　③ 고나트륨혈증

④ 고단백혈증　　　⑤ 고칼륨혈증

4. 임신오조증으로 진단받은 임부에게서 나타날 수 있는 소변검사결과는?

① 혈뇨　　　② 세균뇨　　　③ 아세톤뇨

④ 소변의 비중 감소　　　⑤ 악취가 심한 소변

5. 오심, 구토가 심각한 임부에게서 중요하게 관찰해야 할 사항은?

① 두통 증가　　　② 피로 증가　　　③ 식욕 부진

④ 타액량 증가　　　⑤ 탈수와 기아상태

정답　1. ①　2. ②③⑤　3. ①　4. ③　5. ⑤

관련정보

입덧과 임신오조

- 입덧과 임신오조를 명확히 구별하는 기준은 없으나 증상에 따라 아래와 같이 구분한다.

	입덧	임신오조
주요증상	• 오심, 구토 • 타액량의 증가 • 전신권태감(피로) • 두통 • 졸림 • 식욕부진 • 식성의 변화	• 하루 종일 지속되는 수차례의 구토 • 식사섭취곤란 • 5kg 이상의 체중 감소 • 탈수, 기아상태
증상의 경과	일과성	불가역성으로 되는 경우가 있다
빈도	50~80%	1~2%
증상의 출현시기	아침 공복시	하루 종일
치료·관리	필요없음	필요함

치료와 관리

- 임신오조가 진단되면 원칙적으로 입원 후에 안정을 취한다.
- 가정 내의 문제 등의 심리적 스트레스가 원인일 경우에는 주변으로부터 격리하고, 안정을 취할 수 있도록 입원시키면 증상이 호전되는 경우가 있다.
- 포도당의 대사경로에서 비타민 B_1은 조효소로서 소비되므로 비타민 B_1의 보충이 충분하지 않을 경우, 비타민 B_1이 결핍되어 Wernicke 뇌병증이 발생할 수 있다. 따라서 수액에 비타민 B_1을 포함시킨다.

치료법	내용	비고	임신오조의 정도
식사요법	• 좋아하는 음식을 조금씩 여러 차례로 나눠 먹는다.	• 오심·구토가 심해, 식사요법이 여의치 않을 경우에는, 금식하고 수액요법으로 바꾼다.	경증
수액요법	• 5~10% 포도당 수액을 하루 1,000~3,000mL 투여한다.	• ketosis가 개선될 때까지 시행한다. • Wernicke 뇌병증의 발생을 예방하기 위한, 비타민 B_1의 투여는 필수 • 금식하고 있을 경우에는 고칼로리 수액을 투여하는 경우가 있다.	
약물요법	• 항구토제(metoclopramide)	• 임신오조의 발병시기(임신 5~16주 무렵)는 태아의 기관형성기와 맞아떨어져, 약제에 의한 태아에 영향이 있을 수 있으므로, 약제의 사용은 가능한 한 최소화한다.	
인공임신중절	• 임신 중절	• 여러 가지 치료법에 의해서도, 치료효과가 보이지 않고, 발열, 황달, 의식장애 등 전신상태가 악화된 경우에 고려한다.	중증

병태생리

- 오심·구토가 지속되면 식사섭취가 곤란해지고, 영양·대사장애를 일으킨다. 이에 따라 체중 감소 등 여러 가지 증상이 생긴다.
- 병태의 핵심은 구토에 따른 탈수와 섭식 장애에 따른 기아상태이다.
- 임신오조는 초기에 위액의 소실에 의해 대사성 알칼리혈증을 보이지만, 기아상태가 계속되면 오히려 지질의 이용이 항진되고 케톤체가 축적되어 대사성 산혈증을 보인다.

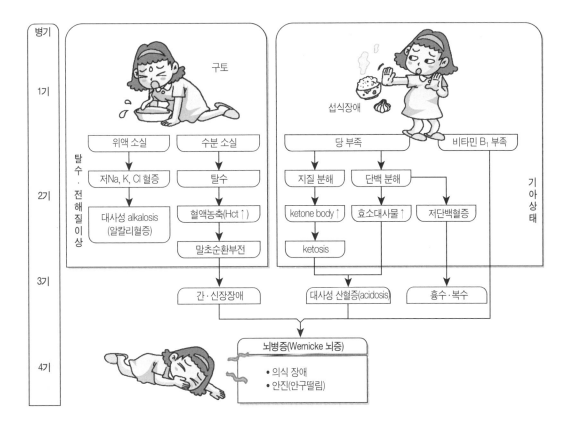

1. 구강섭취 제한과 관련된 체액부족 위험성
   구강섭취 제한, 심각한 오심·구토와 관련된 영양결핍

2. 체중이 5%가량 감소

3. 탈수 예방

08 임신성 고혈압 임부 간호

Key Point

✓ 경증 자간전증의 증상: 혈압 상승, 얼굴과 손의 부종, 갑작스런 체중 증가, 1+~2+의 단백뇨

✓ 중증 자간전증의 증상: 혈압 상승, 두통, 흐릿한 시야, 상복부 통증, 단백뇨 증가, 오심과 구토

✓ 자간증의 증상: 경련 발작이나 혼수

✓ 황산마그네슘은 경련 발작을 조절하는데 사용된다.
황산마그네슘의 독성반응은 반사억압, 호흡억압, 과다진정, 혈액순환계의 허탈 등이다.
길항제는 칼슘 글루코네이트이다.

✓ 임신성 고혈압은 태아와 모성 사망률의 주된 요인이다.

✓ 모성 사망은 폐부종, 심부전증, 다른 장기의 기능부전증 또는 뇌출혈의 결과로 발생한다.

비판적 사고 훈련 ▼

사 례

지영씨는 38세이며, 임신 32주된 초임부이다. 스트레스를 많이 받는 식당 종업원으로 일을 하고 있으며, 식사를 제때 할 수 없을 정도로 바쁘다고 한다. 가정에서는 식사를 준비할 시간이 없이 고기반, 고염분의 배달음식이나 인스턴트 음식으로 해결하고 있다. 신장은 159cm이며, 체중은 약 81kg이다. 발과 발목, 손 등에 부종이 있다.

1. 지영씨의 임신성 고혈압의 위험인자는 무엇인가?

2. 간호사가 중요하게 사정해야 할 vital sign은?

3. 지영씨의 부종을 더 자세히 사정하기 위해 간호사가 질문해야 할 내용은?

4. 지영씨의 혈압은 146/90mmHg로 측정되었다. 산부인과 외래 산전관리실에서 혈압과 단백뇨 확인 방법을 교육받은 후 체중과 단백뇨, 혈압과 태아심박동을 매일 점검해서 기록할 것을 요청 받았다. 그 외에 어떤 권고가 필요한가?

학습목표

- 임신성 고혈압의 정의와 분류 기준을 설명한다.
- 임신성 고혈압의 원인, 위험요인, 증상과 징후, 병태생리, 치료방법을 설명한다.
- 임신성 고혈압이 모체와 태아에 미치는 영향을 설명한다.
- 임신성 고혈압에 동반되는 합병증을 열거한다.
- 임신성 고혈압 여성에게 간호과정을 적용한다.

개요

임신성 고혈압은 임신 20주 이후에 발생하는 140/90mmHg 이상의 고혈압을 말한다. 흔히 임신성 고혈압은 1⁺ 이상의 단백뇨와 부종이 동반되나, 부종은 확진의 증거는 아니다. 임신의 6~8%에서 일어나며 모성사망의 주된 원인이다. 만성 고혈압은 임신 20주 이전에 140/90 mmHg 이상의 고혈압으로 정의된다.

임신성 고혈압은 증상의 심각성에 따라 자간전증(preeclampsia), 자간증(eclampsia)으로 분류된다. 자간전증은 임신 20주 이후에 고혈압, 단백뇨와 부종이 특징적으로 나타나며, 자간증은 자간전증의 연속선상에서 상복부 통증, 대발작, 혼수 등의 특징이 나타난다.

치료법은 분만을 하거나 임신을 종결하는 것이다. 소동맥혈관의 수축, 전신 혈관의 경련, 혈관의 변화 때문에 심각하다. 혈관의 경련은 수분과다를 초래하며 수분 정체로 이어진다.

위험요소

- 고혈압의 가족력
- PIH의 과거력
- 당뇨병
- 다태임신
- 부적절한 산전관리
- 20세 미만, 35세 이상의 연령
- 만성 고혈압
- 급격한 체중 증가
- 만성 신장질환, 신부전증
- Rh 부적합증
- 초임부
- 사회 경제적으로 저소득층

진단검사

- 헤모글로빈/헤마토크릿
- 간효소
- CBC
- 혈소판
- 파종성혈관내응고장애(DIC)에 대한 기왕력, 혈액응고검사
- BUN, Creatine, 당 및 요산검사가 포함된 혈액화학검사

증상과 징후

자간전증과 자간증은 임신 중 고혈압을 유발하는 장애이다. 임신 20주 이후 고혈압과 단백뇨가 특징적으로 나타난다. 과거에는 부종이 주요 증상에 포함되었으나 보통 임신 시에도 나타날 수 있으므로 제외되고 있다. 그러나 갑작스런 부종은 평가의 근거가 되기도 한다.

- **자간전증**
  - 혈압이 정상이었던 여성이 임신 2기 동안 혈압이 140/90mmHg 이상 또는 수축기압 30mmHg 이상 또는 이완기압 15mmHg 이상의 상승

- **경증 자간전증**
  - 140/90mmHg 이상의 혈압이 6시간 간격으로 적어도 두 번 나타남.
  - 단백뇨(1⁺~2⁺ 또는 24시간 소변에서 30mg/dl ~ 100mg/dl)
  - 발, 손, 얼굴의 부종이 12시간 침상 안정 후에도 개선되지 않음(1⁺의 요흔성 부종) 부종은 보통 주당 0.45kg(1lb) 이상의 체중 증가와 연관됨.

- **중증 자간전증**
  - 160/110mmHg 이상의 혈압이 6시간 간격으로 적어도 두 번 나타남.
  - 단백뇨(3⁺~4⁺ 또는 24시간 소변에서 300mg/dl~1,000mg 이상/dl)
  - 감소된 소변량(소변배출량 500mL 이하/24시간)
  - 두통
  - 시야가 흐려짐, 암점, 안저 검사 시 망막의 부종
  - 폐부종
  - 과반사
  - 과민성
  - 오른쪽 상복부 통증
  - 청색증
  - 주당 0.9kg(2lb) 이상의 지속적인 체중 증가
  - 오심과 구토
  - 증가된 헤마토크릿(혈액 농축)
  - 간효소(ALT 또는 AST)의 증가

- 자간증
  - 대발작 또는 혼수(더 악화된 혈압의 상승, 두통, 흐릿한 시야, 상복부 통증 및 오심과 구토)
  - 대발작에 앞서 38.4℃ 정도의 체온 상승이 먼저 나타나거나 체온은 정상일 수도 있다.
  - 여성은 1회의 발작을 이기니 2~20번의 발작을 일으킬 수도 있다.
  - 증상들은 위중해 질 수 있다. 혈압 180/110mmHg 이상, 4+ 단백뇨, 요량 감소증, 무뇨증 그리고 감소된 중추 감각기능 또는 혼수와 같은 신경계 증상들이 나타날 수 있다.

모체와 태아에 미치는 영향

- 모체
  - 망막 박리
  - 과반사나 발작을 포함하는 중추신경계 변화들
  - HELLP 증후군(용혈 현상, 상승된 간효소 수치들, 낮은 혈소판 수치)
  - HELLP, 복합기관장애 증후군을 겪는 대상자의 태아는 높은 사망률을 나타낼 수 있다.

- 태아와 신생아
  - 조산
  - 자궁내성장지연(IUGR)
  - 산모의 투약으로 인한 출생 시 과다한 진정상태
  - 자간전증의 10%, 자간증의 20%의 사망률

치료적 간호관리

일반적인 간호관리
- 자주 활력징후를 점검한다(특히 혈압).
- 부종을 사정하고 기록한다(1+, 2+, 3+, 4+).
- 매일 체중을 재고 기록한다.
- 고단백질 식이를 격려한다.
- 좌측위를 취하도록 한다.
- 8시간마다 단백뇨와 요비중을 점검한다.
- I/O를 측정하고 기록한다.
- 2~4시간마다 심부건 반사를 사정한다.

- 유치 도뇨관을 삽입한다(처방이 있을시).
- 경련 시 주의지침을 시행한다.
- 증상의 악화여부에 대한 사정을 한다.
- 침상 옆에 기도 유지, 흡입 및 산소요법 장비를 구비한다.
- 태아의 심박동과 태동을 관찰한다.
- 침상안정과 활동제한을 장려한다.
- 환경적 자극을 줄인다.
- 태아의 안녕 상태를 사정하기 위해 무자극검사(NST)를 준비한다.
- 만약, 상황이 긴박해지면 즉시 C/S 준비를 한다.

경증 자간전증

- 집에서 관리할 수 있다(통원치료).
- 건강한 태반과 신장 관류를 촉진한다.
  - 낮 시간 동안 옆으로 누운 자세를 취하고 자주 쉬도록 한다.
  - 낮 시간 동안 휴식 시간의 양과 횟수 등 권장하고, 피해야 하는 활동들에 대해 교육한다.
  - 교육의 내용이 구체적일수록 임부는 더 명확하게 이해할 것이다.
- 식사를 조절한다.
  - 식사는 단백질이 많아야 한다(80~100g/24시간 또는 1.5g/kg/24시간).
  - 나트륨 섭취를 제한한다(6g/24시간을 넘어서는 안 된다).
- 태아상태를 평가한다.
  - 무자극검사(NST)를 주별 또는 격주로 받는다.
  - 추가적 검사를 받을 수 있다.
    태아성장평가와 양수천자를 위한 초음파검사, 태아의 성숙도를 사정하기 위한 생물리학적 계수, 태아건강평가를 위한 NST, CST 검사.
- 임부의 건강 평가를 주기적으로 한다.
  - 임부는 1~2주마다 외모의 변화를 확인한다(부종 확인).
  - 악화된 징후를 확인한다.
  - 매일 집에서 혈압, 체중, 단백뇨를 확인한다.

중증 자간전증

- 입원이 필요함을 설명한다.

- 대동맥에 압력을 줄임으로써 정맥 관류를 승가시킬 수 있는 피측 외료 휴식을 취한다. 향상된 신장 혈액 흐름은 엔지오텐신(Angiotension II) 수준을 저하시키고, 이뇨를 촉진시키며 혈압을 서하시킬 수 있다.

- 고단백질과 나트륨이 제한된 식사를 유지한다.

- 임부는 매일 체중을 측정하여 부종여부를 확인하며, 혈압, 활력징후, 심부건반사 그리고 요혼부종, 두통, 시력 장애, 상복부 통증을 평가하고 상태의 변화 증상에 대해 확인한다.

- 검사결과를 평가한다.

  - 적혈구 용적 수치(상승은 혈액량 저하와 관계가 있을 수 있다)

  - AST, ALT, LDH, 빌리루빈 DMF 포함하는 일별 간 효소 검사(상승은 악화 상태와 관계가 있다)

  - 요산과 BUN 수치(신장상태를 반영한다)

  - 혈소판 수치($100,000/mm^3$ 이상이면 2~3일에 한번씩, 그 이하면 매일 측정한다). 혈소판 측정은 자간전증 또는 파종성혈관내응고(DIC) 때 시행된다. 또한 프로트롬빈 시간, 부분적 트롬보플라스틴 시간, 그리고 섬유소원과 섬유소 분해 생성물을 결정한다. 혈소판 수혈은 혈소판 수가 $20,000/mm^3$ 이하일 때 지시된다.

- 약물치료: 아래 약물 관리 참조

자간증

- 경련을 예방하기 위해서 황산마그네슘을 투여할 수 있다.

- 필요시 진정제나 경련예방을 위해 딜란틴을 투여한다.

- 기도 내 튜브는 유지된다.

- 폐부종 유무를 관찰하며, 이때 푸로세미드(Lasix)를 투약할 수 있다.

- 혈액순환의 감소로 강심제인 디기탈리스가 주어지기도 한다.

- 강도 높은 집중치료를 할 수도 있다.

약물 관리

- 경련 예방을 위해서 황산마그네슘($MgSO_4$, Magnesium sulfate)을 사용한다.

- 항경련제의 독성과 Mg 수치, 호흡마비, 반사소실, 순환허탈, 근육약화, 과다진정, 의식혼란, 심한 갈증이나 저혈압을 관찰한다.

- MgSO$_4$ 독성이 나타날 경우 이용 가능한 길항제(해독제)는 칼슘 글루코네이트(calcium gluconate)이다.
- 진정제가 투여될 수 있다: 페노바비탈(30~60ml, po, q6h)과 디아제팜(Valium)
- 혈관 확장제(아프레졸린, 하이드랄라진)나 라베탈롤(노르모다인)과 같은 항고혈압제는 혈압이 110mmHg 이상인 경우 사용할 수 있다.
- 베타메타손 또는 덱사메타손은 종종 미성숙 폐를 가진 태아를 위해 산모에게 투여할 수 있다.
- Corticosteroid는 HELLP 증후군을 가진 여성을 안정시키는데 효과가 있다.

 황산마그네슘(Magnesium Sulfate, MgSO$_4$)

작용	황산마그네슘(MgSO$_4$)은 운동신경 자극에 의해 방출된 아세틸콜린의 양을 감소시켜 신경근육 전달을 방해하는 중추신경계 진정제로 작용한다. 이 작용은 경련의 발생 가능성을 줄여줌으로 자간전증 치료에 사용된다. 황산마그네슘은 2차적으로 근육을 이완시키고, 항고혈압제는 아니지만 혈압을 낮출 수도 있다. 황산마그네슘은 또한 자궁수축의 빈도와 강도를 낮출 수 있다. 조기진통의 치료를 위해 조신방지제로 사용한다.
투여 방법	MgSO$_4$는 일반적으로 정확한 투여량을 조절하고, 초과 투여를 예방하기 위해 정맥내로 투여한다. 근육주사로 투여하는 경우 주사부위 통증과 조직을 자극하고 세밀한 용량 조절을 할 수 없다. 정맥투여는 반응이 즉시 나타난다. 정확한 투여량을 위해 주입 펌프를 사용할 수 있다.
조기 진통 임부	초회 투여량: 15~20분에 걸쳐 주입된 100mL 용액 내 4~6g 황산마그네슘 투여 유지 투여량: 주입 펌프를 통한 1~4g/시간 투여
자간전증 임부	초회 투여량: 20분에 걸쳐 6g, MgSO$_4$ 투여 유지 투여량: 주입 펌프를 통한 2g/시간 투여

주의: MgSO$_4$는 신장을 통해 배출된다. 조기진통 임부는 전형적으로 정상 신장 기능을 갖고 있기 때문에 자간전증이나 혹은 신장 기능에 손상이 있는 여성의 경우보다 치료적 마그네슘 수치가 더 높게 요구된다. 유지 투여량은 혈청 마그네슘 수치에 근거하여 조절한다.

임산부의 금기	중증 근무력증인 임산부에게는 투여해서는 안 된다. 심근 손상 또는 심장의 병력은 신경 전달의 영향과 근육수축 때문에 사용해서는 안 된다. 신장기능부전인 경우는 투여 시에 집중적 간호가 필요하다.

임산부의 부작용	임산부의 부작용은 투여량과 연관된다. 신경근육 차단 기능에 연관된 기면과 쇠약이 일반적이다. 발한, 열감 그리고 코피는 말초혈관 확장과 연관된다. 다른 일반적 부작용은 메스꺼움과 구토, 변비, 시각 흐려짐, 두통 그리고 어눌한 언어가 있으며, 독성의 징후들은 반사소실, 핍뇨, 혼란, 호흡기능 저하, 맥박 및 혈압 하강, 호흡기계 마비가 있다. 과량의 급속 투여는 심장마비를 일으킬 수 있다.
태아/ 신생아에 대한 영향	약물은 쉽게 태반을 통과한다. 순간적으로 심박동수 감소가 일어날 수도 있다. 일반적으로 MgSO₄ 치료는 태아에게 위험성을 주지 않는다. 때때로 신생아가 신경계 저하 또는 호흡기능 저하, 반사 손실, 근육의 이완을 보여줄 수는 있다.
고려사항	1. 투여 중 혈압을 면밀히 관찰한다. 2. 임산부의 혈청 마그네슘 수치를 지시대로 관찰한다(보통 6~8시간마다). 치료적 수치는 4~8mg/dl의 범위이다. 종종 혈청 마그네슘 수치 9~12mg/dl에서 반응이 없어진다. 호흡기능 저하가 15~17mg/dl에서 발생한다. 심장마비가 30mg/dl 이상에서 일어난다. 3. 호흡을 면밀히 관찰한다. 호흡수가 12회/분 보다 낮다면, 마그네슘 독성일 경우가 높기 때문에 더 자세한 사정이 지시되며 약물의 투여를 멈춘다. 4. 신경반사의 부재 또는 약화를 확인하기 위해 무릎반사(슬개건반사)를 사정한다. 반사의 소실은 종종 독성 발달의 첫 번째 징후이다. 또한 기면 또는 의식수준 저하, 저혈압을 주의한다. 5. 소변량을 확인한다. 30mL/시간 보다 적은 소변량은 마그네슘의 독성 수치의 축적을 의미할 수 있다. 6. 호흡 또는 소변량이 특정 수치보다 낮아지거나 반응이 희미해지거나 악화된다면 마그네슘을 투여해서는 안 된다. 7. 마그네슘 설페이트의 길항제는 칼슘이다. 그러므로 Calcium Gluconate의 1 앰플을 침상 옆에 준비한다. 일반적인 투여량은 대략 3분 동안 IV로 1g을 투여한다. 8. 태아심박동수를 IV 투여와 함께 계속 관찰한다. 9. 자간전증이 있는 경우, 산후경련을 예방하기 위해 출산 이후에도 24시간 동안은 MgSO₄ 주입을 유지한다. 10. 산부가 MgSO₄를 출산 직전까지도 투여 받았다면, 신생아를 24~48시간 동안 마그네슘 독성의 징후가 있는지에 대해 면밀히 관찰한다.

합병증

- 임신성 고혈압은 모성과 태아사망의 주된 원인이다.
- 임신성 고혈압의 태아 합병증은 저산소증으로 인한 자궁 내 성장 지연, 태아가사 등 이다.
- 모성의 합병증으로는 출혈, 심장기능부전증, 파종성혈관내응고(DIC)가 있다.
- HELLP syndrome의 심각성을 나타내는 증상은 다음과 같다.
  - Hemolysis(용혈)
  - Elevated Liver enzymes(간효소 수치의 증가)
  - Low Platelets(혈소판 수치의 감소)
- 자간증은 폐부종, 장기기능부전, 심기능부전, 뇌출혈과 관련된 모성사망의 위험성이 높은 질환이다.

비판적 사고중심 간호실무

간호 사정

- 혈압, 호흡을 1~4시간마다 평가하고, 이상 징후가 나타나면 더 자주 확인한다.
- 체온 상승이 없으면 체온은 4시간마다 검사한다.
- 산모의 활력징후를 확인하고 전자태아감시기로 태아심박동수를 평가한다.
- 섭취와 배설은 시간 별로 또는 4시간마다 평가한다. 배설양은 700mL/24시간 또는 적어도 30mL/시간 이상은 되어야 한다.
- 유치 도뇨관에 의한 소변검사에서 단백뇨 유무를 사정한다.
- 정확하게 소변의 양을 측정한다.
- 부종을 확인한다.
  - 뼈대가 있는 정강이 위를 눌러봄으로써 부종의 정도를 평가한다.
    한 손가락으로 3~5초 정도 누른 후에 움푹 파인 정도를 측정한다(예: 1inch 깊이는 4$^+$).
- 매일 체중을 측정한다.
  - 매일 같은 체중기를 사용한다. 비슷한 옷을 입고 비슷한 시간에 체중을 잰다.
- 심부건 반사를 평가한다.
- 간헐성 경련을 검사한다.
- 호흡소리를 평가한다. 부종이 있다면 수포음이 들릴 것이다.
- 검사결과를 사정 · 확인한다.
- 임부의 대처 반응들을 평가한다(이해도, 감정적 상태).
- 황산마그네슘으로 치료를 한다면, 황산마그네슘 투여 시 중독증상을 확인한다.
- 악화되는 증상들을 주의한다(상승하는 혈압, 두통, 암점, 손과 얼굴의 부종, 방향감각 상실, 상복부 통증, 의존성 부종 등).
- 황산마그네슘 독성의 증후들(호흡 수<12-14회/분, 감소되거나 소실되는 반사들, 소변 량<100mL/4시간, 맥박수 감소, 급격한 혈압하강, 기면상태, 운동실조, 부정확한 발음 등)을 관찰한다.

간호 진단

- 혈관경련으로 인한 부종과 관련된 체액량 부족
- 뇌혈관 경련 또는 부종과 관련된 상해의 위험성
- 추후 건강상태 및 건강증진과 관련된 지식 부족

간호중재

- 가정간호를 수행한다.
  - 혈압측정법을 대상자와 보호자에게 교육한다.
  - 의사에게 반드시 보고해야 하는 증상에 대해 알려준다.
  - 임신기간 동안 일반 섭생에 관한 기타 교육을 제공한다.
  - 좌측위의 중요성과 목적을 설명한다.
- 입원 시 간호를 수행한다.
  - 산모의 혈압, 맥박, 호흡, 심부건반사(DTR), 간헐성 경련, 태아심박동수를 2~4시간마다 확인한다.
  - 매일 체중을 측정한다.
  - 섭취와 배설을 관찰한다. 소변은 적어도 30mL/시간 이상은 되어야 한다. 비중이 1.040 이상인 경우 핍뇨증을 나타낸다.
  - 단백뇨와 요비중 확인을 해야 하며 유치 도뇨관이 제자리에 있는지 시간마다 확인한다.
  - 두통이나 눈에 띄는 불안, 상복부 통증, 적어도 4시간마다 의식 정도의 변화를 포함하는 악화되는 증상들을 관찰한다.
  - 옆으로 누운 자세를 유지할 것을 권한다.
  - 감정적 지원 상태와 치료 계획에 대한 교육을 제공한다.
  - 지시된 대로 다른 약물과 황산마그네슘을 투여하고 효과와 유독성 여부를 관찰한다.
  - 방문하는 사람 수를 제한하고, 조용하고 편안한 환경을 제공한다.
  - 침대에 보호막을 설치하고 경련 예방을 한다.
  - 간호수행 시 다음 사항들을 다시 확인한다.
    ① 약물에 대한 환자의 반응은 어떠했나? 어떤 잠재적인 부작용을 나타내고 있는가?
    ② 대상자의 말하는 능력에 변화가 있는가? 대상자는 더 짜증나 보이고 혼란스러워하는가?
    ③ 악화된 상태를 나타내는 두통이나 다른 증상들에 대해 불평하고 있는가?
    ④ 이전과 같이 태아가 움직이고 있는가? 태아심박동수가 정상 범위(120~160bpm)에 있는가?
    ⑤ 옆으로 누운 자세에서 가장 좋은 태아심박동수를 나타내는가? 소변 배설은? 치료적 자세를 환자에게 유지시키기 위해 도움을 줄 수 있는 것은? 마사지하는 것이 편안감을 주는가? 베개를 대주는 것은 편안했는가?

⑥ 침대 안전보호대, 조용한 환경, 칼슘 글루코네이트(마그네슘설페이트 길항제)를 포함하여 필요한 안전 예방책을 취하고 있는가?

간호기록(예)

16:00 : BP 142/96에 안정적, P 88, R 18, T 36.8℃, FHR 138, 청진상 폐소리는 깨끗함, 심부건 반사 슬개골과 팔 2+, 경련 없음, 다리 부종 1+, 약간의 손가락 부종, 반지가 꼭 맞음, 가벼운 눈가 부종이 있음, 소변 비중 1.034, 삽입된 도뇨관을 통해 요배설이 시간당 40mL/시간, 2+ 단백뇨, 2g/시간의 황산마그네슘이 주입 펌프로 투여함, IV 주입부위에 부종, 주입 부위에 불편함과 붉어짐 없음.

간호평가

• 대상자는 자간전증, 임신에 대한 자간전증의 의미, 치료 방법, 발생 가능한 문제들을 설명할 수 있다.
• 대상자는 자간성 경련 증상이 없다.
• 대상자와 가족은 산전관리를 통해 질병의 심각한 증상은 조기에 검사하여 치료를 한다.
• 대상자는 건강한 신생아를 출산한다.

간호실무능력 평가

상황

순희씨는 임신 22주인 36세의 초임부로 현재 쌍둥이를 임신 중이다. 친정 부모님 모두 고혈압 환자이다. 정기산전관리를 받기 위해 외래를 방문하여 혈압을 측정한 결과, 150/95mmHg 이었다. 최근 들어 체중이 1kg씩 증가하고 있다고 말한다. 얼굴이 많이 부어있고, 손과 팔 등에 요흔부종이 심하다. 소변검사결과 단백뇨가 검출되었다.

1. 순희씨의 임신성 고혈압 발생과 관련되지 <u>않는</u> 요인은?

   ① 고혈압의 가족력　　　② 연령 36세　　　③ 초임부

   ④ 쌍둥이 임신　　　⑤ 주기적인 산전관리

2. 임신성 고혈압 임부에게 급격한 체중증가가 나타날 경우, 가장 흔한 원인은?

   ① 부종　　　② 고혈당　　　③ 체지방 증가

   ④ 양수과다증　　　⑤ 급격한 태아성장

3. 1주일 후 순희씨가 병원을 방문하여, 머리가 계속 아프고, 눈앞이 흐려 잘 안보이며, 얼굴과 손이 많이 붓는다고 호소하였다. 이때 간호의 목표는?

   ① 조산 예방　　　② 경련 예방　　　③ 감염 예방

   ④ 전치태반 예방　　　⑤ 태반조기박리 예방

4. 순희씨에게 항경련제로 투여할 수 있는 약물은?

   ① 라식스　　　② 메덜진　　　③ 옥시토신

   ④ 황산마그네슘　　　⑤ 칼슘 글루코네이트

5. 황산마그네슘 투여 시 간호사가 보고해야 할 사항은? (모두 고르시오)

   ① 저혈압　　　② 기면상태　　　③ 호흡수 분당 16회

   ④ 슬개건 반사 소실　　　⑤ 시간 당 소변량 50mL

정답　1. ⑤　2. ①　3. ②　4. ④　5. ① ② ④

관련정보

임신성 고혈압과 정상임신과의 비교

- 임신 시에는 순환혈액량이 증가한다.
- 정상임신에서는 전신의 말초혈관이 확장되기 때문에, 순환혈액량이 증가해도 혈압은 비임신 시와 비슷하게 유지되거나 오히려 저하된다.
- 임신성 고혈압(PIH)에서는 혈관경련(vasospasm)이 일어나므로 혈압이 상승한다.

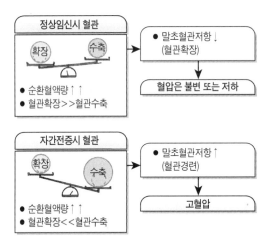

원인

- 임신성 고혈압의 원인은 태반형성 장애와 모체의 요인이 있다.
- 두 경우 모두 서로 영향을 미쳐 임신성 고혈압의 병태가 형성된다.
- 원인에 따라 병의 발생시기와 태아발육상태에서 차이를 나타낸다.
- 태반형성 장애에 모체의 요인이 더해지는 경우가 있다(혈전 형성 소인 등).

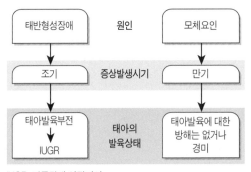

IUGR: 자궁강내 성장지연

병태생리

- 여러 가지 병태가 복합적으로 나타나지만, 그 중 기본은 혈관내피세포 손상을 기본으로 한 혈관경련(vasospasm)이다.
- 비만, 당뇨병 등 교감신경활성화의 항진이 임신성고혈압의 발생에 관여한다고 한다.

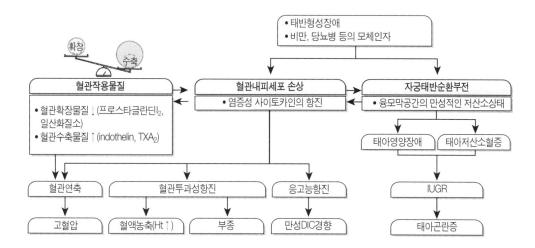

프로스타글란딘 I_2(PGI_2)
혈관 내피세포에서 생성되며, 강력한 혈관 평활근 이완작용과 혈소판 응집억제작용이 있다 (프로스타사이클린이라고도 불림).

트롬복산 A_2 (Thromboxane A_2(TXA_2))
혈소판에서 생성되며, 혈관 평활근 수축작용과 혈소판 응집작용이 있다.
자간전증에서는 PGI_2와 TXA_2의 균형은 TXA_2가 우위를 차지한다.

프로테인 S (Protein S) 결손증
혈액응고억제 단백질인 protein S의 이상에 의한 결손증으로 선천성 혈전성 소인 중 하나이다.

합병증

- 혈관내피세포 손상에 의한 혈관경련과 혈관투과성의 항진은 전신의 혈관에서 나타나며, 여러 가지 합병증을 일으킨다.
- 중증에서는 치명적인 증상을 일으킬 수 있으므로 주의가 필요하다.

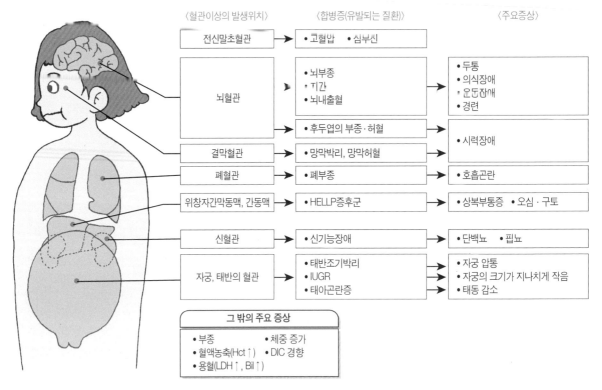

*부종은 이 질환의 증상으로 발현하는 경우가 많으나, 부종 만을 보이는 임신에서는 태아의 예후는 정상임신과 다르지 않다. 따라서 부종의 병태적 의미는 없으며, 이 질환의 진단기준은 아니다.

증상

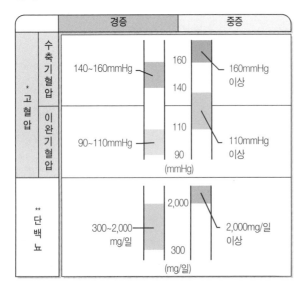

* 수축기혈압/이완기혈압 양쪽 모두 해당되는 경우
** 24시간 뇨를 통한 정량법. 반복 뇨검사를 통해 연속해서 3+(300mg/dl 이상)인 경우도 중증으로 간주한다.

위험인자

	위험인자
연령	20세 미만, 35세 이상
체중	비만(BMI 25 이상)
기왕력	• 고혈압 • 당뇨병 • 자간전증 • 갑상선기능저하증 • 혈전을 형성하기 쉬운 경우 (항인지질항체증후군, Protein S 결핍증, Protein C 결핍증 등)
유전적소인	본태성고혈압
출산횟수	초산부
합병증	• 다태임신 • 포상기태

치료 및 간호

- 근본적인 치료는 임신의 종결(termination)이다.
- 모체의 안정을 우선시하며, 적절한 분만 시기를 결정하는 것이 치료의 원칙이다.
- 임신을 지속하기 위해서는 상세하고, 연속적인 모체의 관찰 및 중재가 요구된다.

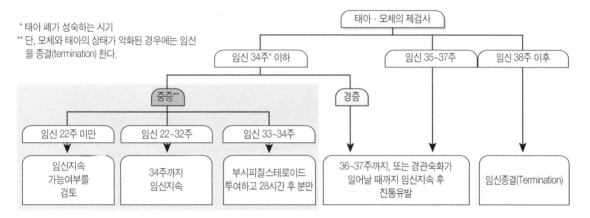

* 태아 폐가 성숙하는 시기
** 단, 모체와 태아의 상태가 악화된 경우에는 임신을 종결(termination) 한다.

- 임신을 지속시키기 위해서는 아래의 대증요법에 따라 모체의 장기손상과 자간발작을 방지하고, 동시에 자궁태반순환을 유지할 수 있도록 노력한다.
- 혈액농축상태가 지속되기 때문에 과도한 염분섭취 제한, 이뇨제의 사용은 순환혈액량을 감소시켜 상태를 악화시킬 수 있다.

비약물요법	안정	• 입원 여부에 관계없이 안정을 취한다. • 자간발작 예방을 위해 침실을 어둡게 한다.
	식사	• 소금의 섭취는 1일 7~8g 정도로 한다.
약물요법	항고혈압제 (Hydralazine, Methyldopa)	• 모체의 고혈압성뇌증과 두개내출혈의 예방에 이용한다.
	황산마그네슘(MgSO₄)	• 경련의 발생, 재발 예방에 이용한다.

자간증(eclampsia)

* 발생원인은 불명이지만, 자간발작은 뇌혈관의 경련과 뇌부종에 의해 발생한다.
* 혼수상태인 채로 발작이 계속 반복되는 경우에는 의식이 회복되지 않고 사망에 이를 수 있다.

〈자간증 이행과정〉

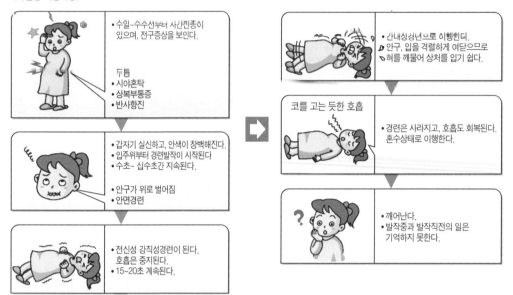

헬프(HELLP) 증후군

* 위창자간막동맥과 간동맥의 경련과 혈관내피 손상이 주요 병태생리이다.
* 모성 사망률은 0~24.2%, 주산기 사망률은 5~37%로 높으며, 적절한 관리가 이루어지지 않으면 예후는 불량하다.
* 합병증으로 자간, 파종성혈관내응고(DIC), 태반조기박리, 신부전, 폐부종 등이 있다.
* 태아곤란증(fetal distress)의 빈도가 높으므로 응급분만(흔히 제왕절개분만)이 필요한 경우가 많다.
* 이 질환의 약 10%는 자간전증과 동반되지 않고 발생한다.

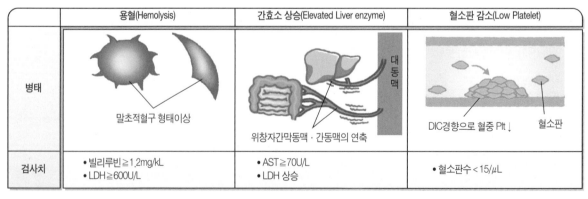

	용혈(Hemolysis)	간효소 상승(Elevated Liver enzyme)	혈소판 감소(Low Platelet)
병태	말초적혈구 형태이상	위창자간막동맥·간동맥의 연축	DIC경향으로 혈중 Plt↓ 혈소판
검사치	• 빌리루빈≧1.2mg/kL • LDH≧600U/L	• AST≧70U/L • LDH 상승	• 혈소판수 <15/μL

AST(SGOT): ASpartate aminoTransferase   ALT(SGPT): ALanine aminoTransferase

간효소(LDH): lactate dehydrogenase   DIC: Disseminated Intravascular Coagulation

산욕기 자간증

- 출산 후 목표는 자간성 경련과 신경학적 후유증을 예방하는 것이다.

표 2-2. 산욕 자간증과 간호중재

자간전증으로 인한 산후 영향	주요 간호중재
출산 후 이뇨는 혈청 마그네슘 설페이트 수치를 낮추기 때문에 경련 발생가능성을 증가시킨다.	• 출산 이후 활력징후를 48시간 동안 관찰한다. (활력징후는 안정적으로 유지되고, 점차 낮아지기 시작한다). • 소변 배출(<30mL/시간)과 심부건 반사를 관찰한다. • IV로 마그네슘 설페이트를 출산 후 24시간 동안 투여한다. • 소변의 단백질과 요비중을 매시간 확인한다. • 지시대로 이뇨제를 투여한다. • 고혈압을 일으킬 수 있는 자궁수축제의 투여를 금한다. • 상태가 개선될 때까지 외부의 환경적 자극을 최소화한다.
마그네슘 설페이트가 자궁이완을 초래한다; 임신성 고혈압(자간전증, 자간증)은 혈액량을 낮추고, 백혈구 수치를 낮게 하며 이는 산후출혈을 일으킬 수 있다.	• 산후 출혈의 징후를 관찰한다. • 자궁을 조심스럽게 마사지 하는 것이 중요하다. • 방광을 비우고 자궁의 이완을 피하기 위해 빈번한 배뇨를 권장한다. • 심각한 상태일수록 정신적 격려가 필수적이다.

1. 35세 이상의 고령 임부
부적절한 영양섭취
스트레스가 높은 직업
과체중
초임부

2. 혈압

3. 침대에 누워있을 때 증상이 나아지는 지 질문한다. 즉, 아침에는 부종이 감소하였다가 저녁이나 밤에 더 악화되는지 질문한다.

4. 정기적인 산전방문을 강조
증상이 악화될 때 연락할 병원 전화번호를 알아둘 것
활동 제한 권고
충분한 영양섭취(고단백질, 저염식, 규칙적으로 식사시간에 적절한 영양섭취하기)
자간전증의 악화증상에 관하여 교육하고, 다음의 증상이 나타날 경우 즉시 병원에 연락할 것을 권고
(혈압 160/110mmHg 이상, 얼굴의 부종, 소변량 감소, 단백뇨 증가, 두통, 상복부 통증, 오심과 구토, 시야의 변화 등)

09 임신성 당뇨 임부간호

Key Point

✓ 임신성 당뇨는 당뇨병의 한 유형이다. 임신기에 처음으로 발병하거나 발견되는 당뇨병을 임신성 당뇨라고 한다.

✓ 당뇨병은 인슐린의 생산 저하, 인슐린의 길항작용에 의해 초래되는 탄수화물 대사장애이다.

✓ 임신은 모체의 세포내 인슐린 저항상태를 발생시킨다. 만약 췌장이 그것을 보상할 만큼 충분한 인슐린을 생산하지 못하면 모체의 고혈당증을 초래한다.

✓ 임신성 당뇨는 2형 당뇨병의 가족력, 이전에 혈당치 상승, 4kg 이상의 신생아 출산 경험, 임신성 당뇨의 과거력, 유산 또는 설명할 수 없는 사산 등의 고위험 요소가 있을 경우, 임신 24~28주에 50g 경구당부하 검사로 감별 진단내린다.

✓ 치료는 식이, 운동, 혈당치 모니터링과 태아 상태에 대한 평가 등을 포함한다.

✓ 만약 혈당치가 식이나 운동으로 유지될 수 없다면 인슐린이 처방될 수 있다.

✓ 경구 혈당 강하제는 임신기에 사용하지 않는다.

✓ 주된 태아의 합병증은 출산 시 상해(거대아)와 신생아의 저혈당증이다.

✓ 주된 모체의 합병증은 고혈당증, 난산, 양수과다증과 임신성 고혈압이다.

비판적 사고 훈련 ▼

사 례

자영씨는 36세로 두 번째 임신 중이다. 첫 번째 임신은 사산하였다. 첫 산전관리병문 시에 행한 당뇨 선별검사 결과는 음성이었으나 임신 2기에 임신성 당뇨로 진단받았다. 현재 자영씨는 정상체중이며, 임신 시 예상되는 정상적인 체중의 증가를 보이고 있다.

1. 자영씨는 임신성 당뇨의 위험요인이 있는가?

2. 임신성 당뇨의 유무를 진단하기 위한 검사는?

3. 자영씨는 첫 산전관리 방문 시 행한 당뇨 검사에서 당뇨 음성반응이 나왔으나 임신 2기에 당뇨 선별 검사에서는 양성반응이 나왔다. 그 이유는 무엇인가?

4. 자영씨의 당부하검사는 초기에 95mg 이었고, 1시간 이후에는 180mg 이었다. 이 결과를 어떻게 해석해야 하는가? 간호 계획을 세워보시오.

5. 진통 시 자영씨는 혈당수치를 1~2시간마다 점검받아야 한다. 이유를 설명하시오.

6. 자영씨는 모유수유를 결정했다. 이 결정에 대해 어떻게 도움을 줄 수 있는가?

비판적 사고 중심 학습

학습목표

- 임신건 당뇨와 일시성 당뇨를 구분한다.
- 당뇨가 모체와 태아에 미치는 영향을 설명한다.
- 임신이 당뇨에 미치는 영향을 설명한다.
- 당뇨 임부를 위한 치료방법을 설명하고, 간호과정을 적용한다.

개요

임신성 당뇨는 임신기에 처음으로 발견되는 심각한 탄수화물대사 장애이다.
이것은 다음과 같은 원인으로 나타난다.

- 이전에도 존재했지만 발견되지 않았던 당뇨병(취약) 상태
- 이전에는 보상되고 있던 탄수화물대사의 문제가 임신으로 인한 요구량 때문에 더 이상 보상될 수 없을 때
- 호르몬의 변화로 인한 탄수화물대사 작용의 변화

진단은 태아의 영양학적 요구량이 증가하는 임신 2기 중반기에 이루어진다. 임신성 당뇨의 고위험군 임부는 24~28주에 임신성 당뇨의 감별진단을 받아야 한다. 임신성 당뇨의 첫번째 지표는 첫 산전방문의 소변검사에서 당뇨가 검출되는 것이다.

임신성 당뇨의 증상은 분만 후 몇 주가 지나면 사라진다. 산욕기에 임신성 당뇨 산모는 공복 시 혈당검사를 하고, 식이와 운동 같은 생활양식의 변화에 대한 교육과 6주 동안 추후 관리를 받아야 한다. 임신성 당뇨가 유발된 여성의 절반 정도는 나중에 당뇨병을 앓게 되므로 향후 10년 동안 2형 당뇨병 발병의 위험성에 대한 건강교육을 받아야 한다.

위험요소

- 4kg 이상의 거대아 출산력
- 당뇨병의 가족력
- 소변검사에서 두 번의 연속적인 당뇨 검출
- 비만
- 자연유산과 사산
- 다산
- 양수의 양
- 이전의 기형아 출산 경험
- 고혈압
- 40세 이상의 임부

진단검사

- 당부하검사
- 규칙적인 소변검사
- 혈당검사 및 소변검사 결과에서 당수치가 높을 경우

증상과 징후

- 임신 24~28주의 규칙적인 당부하검사에서 140mg/dl 이상을 초래하는 고혈당증
- 케토산증
- 당뇨의 전형적 증상: 다식, 다갈, 다뇨, 당뇨

치료적 간호관리

- 하루 2,000~2,400Kcal의 식이 교육
- 자가간호 교육
- 혈당치와 케톤뇨의 검사
- 운동 장려
- 고혈당증과 케톤산증의 증상에 관한 교육
- 태아상태의 감시, 특히 임신 3기에 초음파, 태동, NST를 통한 지속적인 모니터링

약물 관리

- 인슐린은 태반을 통과하지 않는다.

합병증

- 임신성 고혈압
- 감염(예: 요로감염, 산후감염)
- 사산율 증가
- 자연유신
- 조기진통
- 자궁내태아성장지연
- 거대아
- 양수과다증
- 태아 저혈당증(가장 흔한 증상)
- 모체 저혈당증

- 태아 기형(예: 심맥관계, 중추신경계 등)
- 거대아의 겸자분만, 흡인분만, 제왕절개
- 태아 질식
- 난산(태아크기와 관련)
- 출산 시 외상
- 신생아 호흡곤란
- 신생아 저혈당증, 저칼슘혈증, 다혈구증, 과빌리루빈혈증

비판적 사고중심 간호실무

간호 사정

- 산전방문 때마다 소변검사를 통해 당뇨와 케톤뇨를 검사한다.
- 임신성 당뇨로 진단되었거나 임신 전 당뇨병을 가진 여성의 혈당 검사결과를 사정한다.
- 비뇨기계 감염(배뇨장애: 절박감, 빈뇨, 혈뇨)의 모든 징후 또는 모닐리아성 질염(심한 가려움, 흰 응고물 같은 질분비물, 성교통)을 사정한다.
- 임신성 당뇨에 대한 대상자의 이해정도를 사정한다.
- 고혈당, 저혈당, 감염 증상, 혈관 문제(사지의 궤양, 시력의 변화)를 인식한다.

간호진단

- 모아위험성과 관련된 정보부족에 대한 지식부족
- 임부 입원과 관련된 가족 역동의 변화

간호중재

- 특정한 시간에 혈당검사를 기록한다.
- 처방대로 인슐린을 투여한다. 인슐린을 투여하기 전에 투여량을 확인한다.
- 저혈당(너무 많은 인슐린 또는 너무 적은 음식에 의해 발생) 징후를 관찰한다.
  갑작스런 발병(수분에서 30분), 땀, 주기적 두근거림, 지남력 상실, 떨림, 창백함, 차고 끈끈한 피부, 짜증, 배고픔, 두통 그리고 시야가 흐려짐을 관찰한다.
  - 조절되지 않으면, 경련과 의식 불명이 발생할 수 있다.
  - 증상들이 나타나면, 즉시 혈당 측정치를 확인한다.
  - 혈당 60mg/dl 이하의 저혈당을 완화하기 위해서는 다음의 지시사항을 따른다.
    ① 탄수화물 20g을 주사하고, 20분 동안 기다린 후 혈당을 다시 확인한다.
    ② 필요한 탄수화물은 우유 한잔, 오렌지나 사과 쥬스 반 컵 또는 반 잔의 콜라로 채워질 수 있다.
    ③ 만약 여성이 삼킬 수 있을 만큼 깨어있지 않다면 1mg 글루카곤을 피하 또는 근육 주사하고 의사에게 알린다.

- 고혈당(너무 많은 음식이나 너무 적은 인슐린에 의해 발생) 징후를 관찰한다.

  전형적으로 느리게 발병, 다뇨증, 조갈증, 마른 입, 증가된 식욕, 피로, 메쓰꺼움, 열감이 있는 피부, 빠르고 깊은 호흡, 복부 경련, 호흡 시 아세톤 냄새, 두통, 졸리움, 약한 반사작용, 요량 감소 또는 무뇨 그리고 혼수나 의식불명을 관찰한다.

  - 고혈당이 의심되면, 혈당치를 자주 측정한다
  - 아세톤뇨의 유무를 확인하기 위해 소변검사를 한다.
  - 처방된 양의 인슐린을 규칙적으로 피하나 근육 혹은 주사경로를 확인한 후 주사한다.
  - 수액요법이 적용된다(섭취량과 배설량 측정).
- 태아 심박동수를 포함한 태아의 상태를 4시간마다 관찰한다.
- 매일 태동을 기록하는 임부를 보조한다.
- 임부가 입원한 동안 처방대로 NST 검사를 시행한다.
- 적절한 식이요법과 열량 교육을 위해서 영양사와 함께 상호 협조한다.
- 혈당수준의 자가 검사 과정에 대해 시범을 보여준다.
  - 손가락을 찌르기 전에 철저히 손을 씻는다.
  - 손가락 옆면에서 혈액이 추출 되어야 한다(끝부분은 통증에 예민한 신경들이 분포되어 있다).
  - 손가락을 찌르기 전에 팔을 30초 동안 내려서 손가락 순환을 확인한다.

  스프링이 들어간 장치는 손가락 찌르기를 용이하게 해준다.

  - 알코올 패드로 먼저 손가락을 깨끗하게 한 뒤 공기중에 알코올이 날아가게 한다.
  - 손가락의 혈액을 채취하여 검사용 띠 위에 떨어뜨린다. 시약면적 전체에 혈액을 묻힌다.
  - 시각적 방법을 사용한다면 칼라차트의 색을 비교한다. 혈당 반사 측정기를 사용한다면 정확한 사용 지시사항을 따른다.
  - 결과를 기록하고 병원 방문 시마다 기록지를 가져간다.
- 산모 교육을 철저히 한다.
  - 가정에서 혈당수준의 자가검사와 인슐린 주입에 대한 절차
  - 저혈당의 증상과 간호
  - 고혈당의 증상과 간호
  - 당뇨식단

- 다음과 같은 중요한 간호사항은 다시 검토한다.

  - 첫 번째 혈당수준을 측정한 뒤 특정한 시간에 정확한 인슐린 양을 주입하는가?
  - 고혈당이나 저혈당의 모든 증상에 대해 인식하고 있는가?
  - 태아심박동수와 태동에 대해 신중히 관찰했으며, 산모의 태동 인식에 대해 의견을 나눴는가?
  - 임부의 당뇨병에 대한 이해도를 평가하고 그녀의 질문에 대답하였는가?
    요구되는 필요한 술기를 연습하도록 기회를 제공하였는가?
  - 임부가 적절한 식사를 하고 있는지 확인하였는가?

간호평가

- 임부는 자신의 상태와 당뇨병이 임신에 미치는 영향에 대해 말할 수 있다.
- 임부는 산전기간 동안 자신에게 필요한 건강증진 활동에 참여한다.
- 임부는 저혈당증 또는 고혈당증이 나타나지 않도록 하며 만약 발생 시 즉각적으로 합병증없이 대처하도록 한다.
- 임부는 만삭의 건강한 태아를 출산한다.

간호실무능력 평가

> 지은씨는 35세로 임신 28주의 초임부이다. 직업은 요리사이다. 검진결과 혈압이 130/80 mmHg로 측정되었으며, 임신 중 체중이 18kg 증가하여 비만상태, 그리고 당뇨병의 과거력은 없으나 이번에 임신성 당뇨로 진단을 받았다.

1. 지은씨의 태아에게 나타날 수 있는 건강문제가 <u>아닌</u> 것은?

   ① 거대아   ② 고칼슘혈증   ③ 태아곤란증
   ④ 선천성 기형   ⑤ 고빌리루빈혈증

2. 지은씨에게 나타날 수 있는 건강문제가 <u>아닌</u> 것은?

   ① 자간전증   ② 양수과다증   ③ 전치태반
   ④ 난산   ⑤ 모닐리아성 질염

3. 지은씨는 임신했는데 당뇨병이 왜 생기냐고 질문하였다. 그 이유에 대한 설명으로 옳은 것은?

   ① "임부의 급격한 체중증가 때문입니다"
   ② "임부의 식사량이 증가하기 때문입니다"
   ③ "유즙분비호르몬의 분비증가 때문입니다"
   ④ "태반호르몬의 인슐린 길항작용 때문입니다"
   ⑤ "신장에서 사구체 여과율이 감소하기 때문입니다"

4. 지은씨에게 경구용 혈당강하제를 처방하지 <u>않는</u> 이유는?

   ① 태아 기형 유발   ② 오심, 구토 유발   ③ 태반을 통과하지 않음
   ④ 혈당 강하 효과가 미미함   ⑤ 위장관 운동 저하로 흡수가 더딤

5. 지은씨의 올바른 당뇨 관리방법은?

   ① 매일 무자극검사(NST)를 시행한다.
   ② 혈당수준을 매일 규칙적으로 측정한다.
   ③ 체중감소를 위해 저열량 식사를 제공한다.
   ④ 인슐린 투여가 필요한 경우 경구용 혈당강하제를 복용한다.
   ⑤ 가능한 운동을 제한하여 태아호흡곤란증 발생을 감소시킨다.

정답   1. ②   2. ③   3. ④   4. ①   5. ②

관련정보

당뇨병(Diabetes Mellitus)

- 췌장이 탄수화물 대사에 필요한 인슐린을 제대로 생산하지 못하는 상태로 포도당이 세포에 공급되지 못하기 때문에 세포는 고갈된다.
- 임신과 관련된 신체적 변화가 인슐린 요구를 변화시킬 수 있다.
  - 임신 중반까지 임부의 호르몬이 췌장의 인슐린 생성을 증가시키고, 인슐린에 대한 민감성을 증가시킨다.
  - 임신 중반기 이후에는 임부의 호르몬이 인슐린 저항을 증가시켜 임부의 증가된 포도당이 태아에게 전달되도록 한다.
  - 잠재되어 있는 당뇨병 소인이 임신 시 증가된 췌장의 베타 세포의 자극에 의해 영향받을 수 있다.
- 분류
  - 약물 치료 유무에 기초한 분류: 유형 1(인슐린 의존성 당뇨)과 유형 2(인슐린 비의존성 당뇨)
  - 발병에 기초한 4가지 유형 분류: 유형 1(인슐린 의존성 당뇨), 유형 2(인슐린 비의존성 당뇨), 유형 3(다른 특수 형태들) 그리고 유형 4(임신성 당뇨)

당뇨병 합병임신과 임신성 당뇨의 차이

- 진단시기가 임신 전인가, 임신 중인가에 따라 다르다.
- 소아기의 1형 당뇨병 합병임신에서는 이미 망막증, 신증 등의 합병증을 일으킨 경우가 많다. 이들은 임신에 의해 악화되기 쉽다.
- 임신성 당뇨는 기본적으로는 임신의 영향에 따른 2형 당뇨병과 같은 양상의 병태이다.

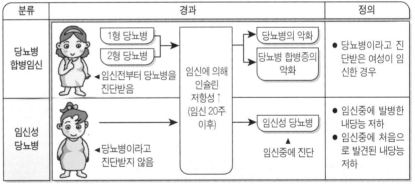

분류	경과		정의
당뇨병 합병임신	1형 당뇨병 / 2형 당뇨병 → 임신에 의해 인슐린 저항성↑ (임신 20주 이후)	당뇨병의 악화 / 당뇨병 합병증의 악화	● 당뇨병이라고 진단받은 여성이 임신한 경우
	임신전부터 당뇨병을 진단받음		
임신성 당뇨병	당뇨병이라고 진단받지 않음	임신성 당뇨병 ← 임신중에 진단	● 임신중에 발병한 내당능 저하 ● 임신중에 처음으로 발견된 내당능 저하

참고

내당능력
혈당치의 상승에 대해, 혈당치를 일정 범위 내로 유지하는 능력

경구 당부하검사(OGTT)
포도당을 경구부하하고, 혈당지와 인슐린 변화를 보고 내당능을 조사하는 검사

인슐린
간, 근육, 지방세포 등에서 혈중 포도당을 에너지로 취하게 하여 혈당치를 낮추는 작용을 지닌 호르몬

인슐린 저항성
간장·근육·지방세포 등에서 인슐린이 작용하기 어렵게 되는 상태

1형 당뇨병
자가면역학적 기전과 원인불명의 기전으로 췌장 β 세포가 파괴되어 발생한다.

2형 당뇨병
인슐린 분비이상과 인슐린 저항성의 증대가 여러 가지 정도로 관여하여 발병하며 생활습관이 깊이 관련된다.

아디포싸이토킨(Adipocytokine)
지방세포에서 분비된 생리활성물질의 총칭. Adiponectin은 인슐린 감수성 상승 등에 관여하고, TNF-a는 인슐린 저항성을 높인다.

모체와 당대사의 관계(임신이 되면 인슐린 저항성이 생김)

- 태아는 발육에 필요한 에너지의 대부분을 포도당(Glucose)에 의존하고 있다. 모체는 포도당을 태아에게 우선적으로 공급할 수 있는 구조를 만들게 된다.
- 임신 시 인슐린 저항성을 일으키는 원인으로 태반호르몬 외에 adipocytokine 분비이상(adiponectin 저하)이 수복받고 있다.

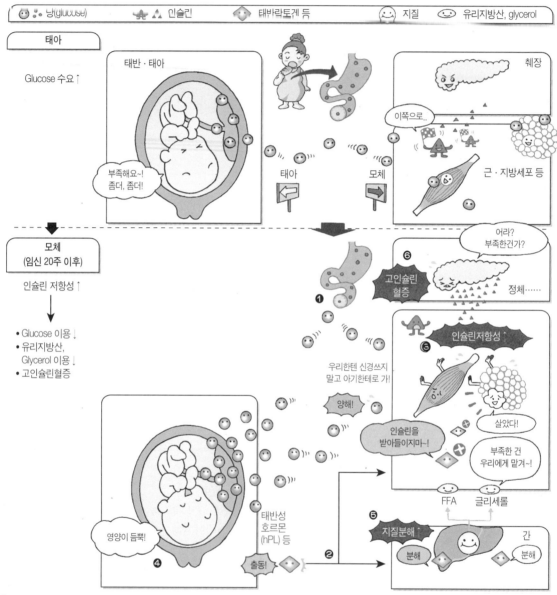

❶ 식사로 섭취한 포도당이 유입된다.
❷ 태반락토겐(hPL)이 증가하고, 모체의 근육 및 지방세포에서 인슐린 저항성을 일으키게 된다(특히 임신 20주 이후).
❸ 인슐린 저항성에 의해 모체는 포도당을 이용하기 어렵게 된다.
❹ 모체에서 포도당을 이용하기 어려워진 만큼, 포도당은 태아쪽으로 공급되게 된다.
❺ 태반성 호르몬은 지질 분해를 촉진하고 이에 따라 모체는 포도당을 이용하기 어려워진 만큼의 에너지를 유리지방산(FFA)과 Glycerol에서 조달하게 된다.
❻ 인슐린 저항성에 따라, 모체의 포도당 이용이 저하되는 것에 대해, 모체의 췌장에서는 포도당 이용을 촉진시키기 위해 인슐린 분비를 항진시키고 이에 따라 고인슐린혈증이 생긴다.

병태생리

- 당뇨병 합병임신은 모체와 태아 모두에서 여러 가지 합병증을 유발한다.
- 당뇨병 합병임신의 경우, 태어난 아기는 장래에 비만, 당뇨병, 고지혈증, 고혈압을 일으킬 위험이 정상아 보다 높다.

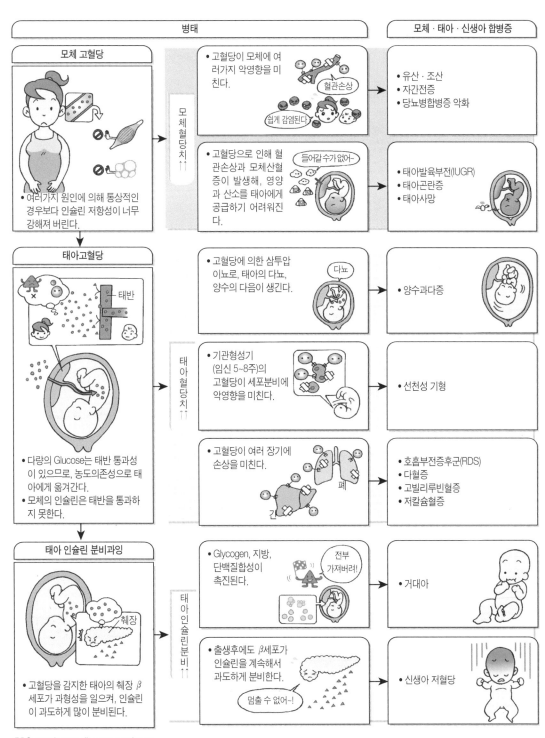

RDS: respiratory distress syndrome

거대아와 어깨난산(shoulder dystocia)

- 태아는 어깨를 앞으로 접고 있는 듯한 자세를 취하므로 어깨의 너비는 양쪽머리뼈지름(BPD)보다 좁다.
- 당뇨병 합병임신에서는 태아의 췌장에서 인슐린이 과다 분비됨에 따라 몸통의 콜라겐, 지방, 단백질 합성, 동화가 촉진되어, 태아는 거대아가 된다.
- 아두에는 기본적으로 지방이 축적되기 어렵다. 따라서 어깨너비가 BPD 보다도 넓어지고, 어깨난산이 일어나기 쉬워진다.
- 어깨난산의 경우, 분만지연 · 정지장애, 태아곤란증(fetal distress) 등으로 이어지기 쉽다.

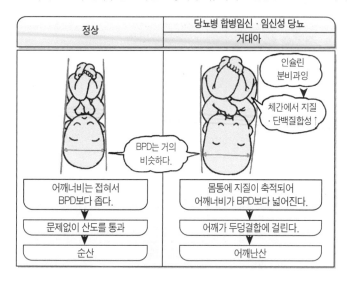

BPD: 양쪽머리뼈(두정골) 지름

당뇨병 합병임신

- 당뇨병 합병임신의 경우, 당연히 출산 후에도 당뇨병의 관리가 필요하다.
- 임신성 당뇨의 경우, 분만 후에는 내당능이 정상으로 회복될 수 있으나 회복된다 해도 2형 당뇨병이 발병되기 쉽고, 분만 후에도 내당능은 회복되지 않은 채 경계형 혹은 당뇨병으로 진단되는 경우도 있다.
- 당뇨병 합병임신, 임신성 당뇨의 환자에서는 출산 후에도 당뇨병의 진행과 발병을 방지하기 위한 지속적인 관리가 필요하다.

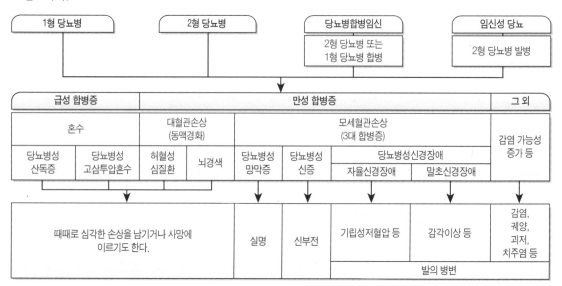

임신 전 당뇨병(Pregestational Diabetes Mellitus)

- 임신 전부터 당뇨병이 있다.
- 임신은 당뇨병을 악화시킬 수 있고, 혈관성 질환을 촉진시킬 가능성이 있다.
- 당뇨를 가진 임부의 태아는 정상 임부의 태아에 비해 사망률이나 유병율이 더 높다.
- 치료: 인슐린요법이 유일하다. 경구용혈당저하제는 태아에게 기형 발생 가능성이 있다.
- 산모측 위험: 양수 과다, 자간전증, 케톤산증, 거대아, 난산, 빈혈, 모닐리아성 질염, 요도감염, 망막병증 등
- 태아측 위험: 자궁내성장지연, 거대아, 저혈당, 태아질식, 고빌리루빈혈증, 선천성 기형 등

임신성 당뇨병(Gestational Diabetes Mellitus, GDM)

- 임신성 당뇨(GDM)는 임신 기간 중에 발생한 당뇨병을 일컫는다.

임신성 당뇨병 진단(통상적인 당뇨병보다도 엄격한 기준을 적용)

선별검사
- 일반 대상자에서 임신성 당뇨를 파악하기 위한 혈당검사
  - 임신 24~28주 사이에 시행한다.
  - 50g의 포도당을 경구적으로 투여하고, 1시간 후에 혈장 포도당을 측정한다(1시간 경구혈당 내성검사).
  - 만일 혈당치가 130~140mg/dl이면, 다시 3시간 후 경구혈당내성 검사를 실시한다.
- 임신성 당뇨의 위험요소가 있는 대상자(40세 이상의 임부, 당뇨병의 가족력, 거대아 출산력, 사산, 기형아 분만 경험, 비만, 고혈압 등)의 경우 GDM을 파악하기 위한 선별 혈당 검사
  - 초기 산전 방문 시 검사한다.
  - 만일 혈당치가 130~140mg/dl이면, 다시 3시간후 경구혈당내성 검사를 실시한다.
  - 초기 혈당 검사가 정상이더라도 임신 24~28주에는 재검사 한다.

확진 검사
- 임신성 당뇨의 확진 진단기준은 100g 경구 당부하검사(100g OGTT)를 한다.
- 전체 임신부에서 100g OGTT를 시행하기 이전에 선별검사를 임신 초·중기에 시행하는 것이 권장되고 있다.
- 임신성 당뇨의 진단에서 OGTT의 기준은 위의 당뇨병 진단기준 보다 더욱 엄격하다.

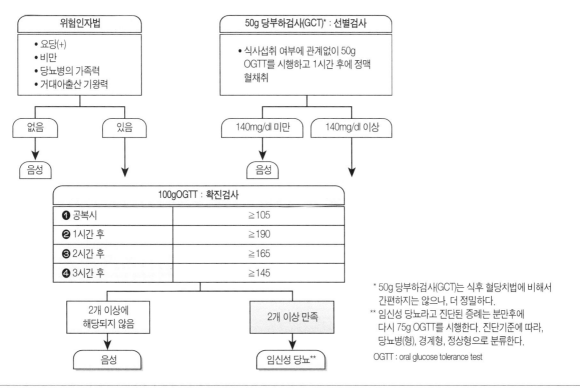

* 50g 당부하검사(GCT)는 식후 혈당치법에 비해서 간편하지는 않으나, 더 정밀하다.

** 임신성 당뇨라고 진단된 증례는 분만후에 다시 75g OGTT를 시행한다. 진단기준에 따라, 당뇨병(형), 경계형, 정상형으로 분류한다.

OGTT : oral glucose tolerance test

임신성 당뇨 모체 관리

- 혈당검사
  - 일반적으로 금식 후 혈당과 식후 2시간 혈당을 측정한다.
  - 가정에서 혈당수준을 매일 4~6회 규칙적으로 측정한다.
  - 당뇨병 임부의 치료 목표는 정상 혈당범위보다 낮게 유지하는 것이다.
    주 공복 시: 70~100mg/dl; 식후 2시간: 〈120mg/dl
- 임신성 당뇨는 식이요법으로 조절이 가능하지만 인슐린 투여가 필요하기도 하다.
- 식이요법
  - 임산부에게 필요한 칼로리는 섭취해야 하며 당뇨가 있다고 해서 제한하지는 않는다.
    대략 임신 1기 동안의 열량섭취는 30kcal/kg이고, 2기와 3기는 35~36kcal/kg이다.
  - 전체 열량의 40~50%는 복합 탄수화물, 15~20%는 단백질 그리고 30%는 지방에서 섭취해야 한다.
  - 열량섭취는 3회의 식사와 3번의 간식으로 고루 분배한다.
  - 단백질과 복합 탄수화물로 구성된 간식을 취침 전 섭취하도록 한다. 취침 시 나타날 수 있는 저혈당증의 위험성을 예방하기 위해서이다.
- 경구용 혈당강하제는 선천성 기형유발 등과 관련하여 태아에 대한 안전성이 확인되지 않았으며, 태반을 통과하므로 임신부에게 투여는 절대 금기이다. 수유 중에도 경구용 혈당강하제가 유즙으로 이동하므로 사용하지 않는다.
- 당뇨병의 진단을 받은 여성이 임신을 희망하는 경우 엄격한 혈당 조절을 행하고, 이것이 달성된 후에 임신을 허가한다. 임신 전의 혈당관리라고 해도 경구용 혈당강하제는 사용하지 않는다.
- 인슐린 치료
  - 일반적으로 인간의 인슐린을 사용하는 경우 여러 번 주사로 주입되는 인슐린이나 Lispro(humalog)라고 불리는 단기 효과형 인슐린이 유용하다.
  - 4회 주사하는데 종종 규칙적 인슐린과 함께 사용하거나 매 식사 전에 Lispro, NPH 또는 Lente 인슐린이 취침 시 주입된다.
  - 인슐린은 지속적으로 피하 주입기(인슐린 펌프)로 투여할 수도 있다.

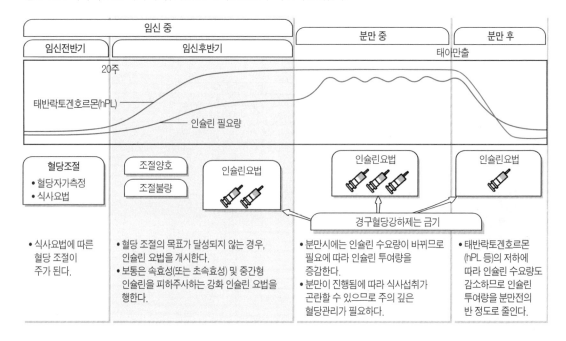

임신 중의 모체관리

- 당뇨병 합병임신, 임신성 당뇨에서는 모체에 인슐린 저항성이 생기므로 식후에 고혈당이 일어나기 쉽다.
- 따라서 식사는 전체량을 일정하게 하여 하루 4~6회로 나누어 섭취하는 분할식사가 효과가 있을 수 있다.

혈당조절목표	혈당치	식전	• 70~100mg/dl
		식후 2시간	• 120mg/dl 이하
	Hb$_{A1c}$		• 4.3~5.8%(정상범위)
혈당자가측정(SMBG)			• 내당능의 정도에 따라 하루 4~7회 측정한다 (매식전 30분, 매식후 2시간, 취침 전).
식사요법			• 적정한 영양섭취(식사제한은 하지 않는다.) 〈1일 섭취 총 에너지량〉 비임신시 표준체중(kg)×30kcal + 부가량(임신 300kcal, 모유수유중인 산모 500kcal)

양은 같아…….

태아 감시

- 임부에게 매일 태아의 움직임(태동)을 측정할 것을 교육한다.
- 모체 혈청을 통해 태아단백검사(Maternal serum alpha fetoprotein, MSAFP)를 임신 16~20주에 행한다. 이유는 당뇨병 임부에서 태아의 신경계 결함의 위험이 크기 때문이다.
- 무자극검사(NST)를 28주부터 매주 시행된다. 만약 자궁강내성장지연, 자간전증, 양수과다증, 또는 조절이 잘 안되는 고혈당의 증상이 나타난다면, 검사는 임신 26주경부터 빨리 시작할 수 있다.
- 검사 횟수는 임신 32주부터 주당 2회로 증가한다. 어떤 의사들은 임신성 당뇨 임부의 무자극검사를 만삭에 가까워 질때까지 시작을 미루기도 한다.
- 초음파는 재태기간을 확인하고, 다태임신이나 선천적 기형을 검사하기 위해 18주에 행해진다. 28주에 자궁강내 성장지연의 유무, 태아성장이나 거대아를 감시하기 위해 반복검사를 한다.
- 생물리학적계수(BPP)는 태아의 건강을 평가하기 위해 임신 3기에 행한다.

산욕기 당뇨병

- 간호 목표는 출산 후 대상자의 정상 혈당치를 유지하고 출산 후 합병증(자간증, 출혈, 감염)을 예방하며 부모-아기 상호작용을 증진하는데 있다

표 2-3. 산욕기 당뇨와 간호중재

당뇨로 인한 산후 영향	주요 간호중재
태반 인슐린 억제 호르몬의 저하(HPL, 프로게스테론)는 인슐린 수요를 급격히 저하시킨다. 산욕기 여성은 첫날 또는 이후에 인슐린을 요구하지 않는다.	· 혈액을 출산 후 긴급하게 채취해 혈당을 측정한다. 당과 케톤의 유무를 확인하기 위해 24시간 동안 2시간마다 관찰한다. · 의사의 처방대로 혈당, 당뇨 검사를 시행한다. · 저혈당에 대해 관찰한다. 출산 후 IV 글루코스를 24시간 동안 유지한 다음, 당뇨식을 다시 시작한다.
자궁의 이완과 양수 과다(자궁의 과다 팽창) 경력에 의한 출혈	· 자궁 퇴축을 관찰한다.
감염은 당뇨병 조절을 어렵게 하고 산증의 위험을 높인다.	· 철저한 손씻기를 유지한다. 감염을 예방하기 위해 개인위생을 강조한다.
아기는 특별한 관찰을 요구하므로 부모와 아기의 상호작용을 지연시킨다.	· 융통성있게 면회를 하도록 돕는다. 아기의 발달과 상태에 대해 부모에게 지속적으로 정보를 제공한다. · 산모가 모유수유 중이라면, 칼로리 섭취를 400~500kcal/24시간(20% 단백질) 정도 늘리도록 한다. · 의사의 처방에 따라 필요시에 인슐린 복용량을 조절한다. · 24시간 동안 2~4시간마다 유축기 또는 수유 기회를 제공한다.

1. 사산의 과거력
36세

2. 경구 당부하 검사

3. 임신 2기 동안 태아의 영양요구량이 증가함에 따라 임부는 칼로리 섭취량이 더 요구되고 이러한 상황이 혈당 검사치를 증가시킨다.
임신 2기에는 인슐린 길항작용을 하는 태반호르몬으로 인하여 인슐린 저항상태가 된다. 이에 따라 임부의 인슐린 요구량이 이 시기에 매우 증가한다. 대부분의 임부들은 인슐린 저항상태를 충분히 보상할 수 있는 인슐린을 생산할 수 있으나, 어떤 임부들은 그렇지 못하여 임신성 당뇨가 초래된다.

4. 임신성 당뇨를 확진할 수 있다.
영양사에게 당뇨식이에 대한 자문을 받아 식이교육을 수행한다.
임신 기간과 산후기간동안 지속적인 혈당관리의 중요성을 교육한다.
(혈당관리가 제대로 되지 않을 경우, 태아 사망, 기형아 출산, 거대아 출산으로 인한 난산, 신생아 저혈당, 신생아 호흡곤란증후군, 저칼슘혈증, 고빌리루빈혈증의 위험성이 높다.)

5. 진통 시에는 대사량 증가가 동반되어 저혈당이 올 수 있으므로 자주 혈당치를 모니터링하는 것이 중요하다.
특히 진통 중에는 금식으로 섭취량이 감소하고 IV를 통한 수액요법이 시행될 수 있으므로 자주 혈당치를 모니터링 하도록 한다.

6. 모유수유의 장점을 설명하고, 모유수유를 격려한다.
- 신생아, 영유아의 안정적인 혈당치 유지
- 모아애착관계 증진
- 모유수유로 인해 아기에게 면역물질전달이 되어 감염 예방
- 산모의 체중 감량에 도움을 줌 등

10 빈혈 임부 간호

Key Point

✓ 모체의 헤모글로빈 증가와 태아의 요구량 증가로 철분이 필요하다.

✓ 임신동안 식이만으로 철분 요구량을 충족하는 것은 어렵다.

✓ 임신 12주부터 매일 30mg의 철분제재를 섭취해야 한다.

✓ 철분결핍성 빈혈이면 매일 60~120mg의 철분제를 섭취해야 한다.

✓ 빈혈 합병증은 조산, 조직회복의 지연, 감염, 분만시 심부전증 등이 있다.

비판적 사고 훈련

사 례

임신 26주째인 미영씨는 헤모글로빈 수치는 9.5mL/dl이며 헤마토크릿 수치는 30%이다. 미영씨는 "제 여동생도 임신했을 때 헤모글로빈 수치가 낮았는데, 주위에서 임신하면 혈액이 묽어지기 때문에 걱정할 필요가 없고 정상이라고 했대요. 저도 어지럽지도 않고 특별한 이상이 없으니 빈혈은 아닌 것 같아요" 라고 말했다.

1. 간호사는 미영씨의 말에 어떻게 대답해야 할까?

2. 의사는 미영씨에게 철분제재를 처방하였다. 간호사는 비타민 C 함량이 높은 음식으로 오렌지, 포도, 토마토, 멜론, 딸기 등과 함께 먹어야 한다고 설명한다. 그 이유는?

3. 간호사는 철분제재를 복용할 때는 통밀, 계란 노른자, 시금치, 커피, 차, 우유 같은 음식을 피하고, 식사 사이에 철분제재를 먹으라고 교육하였다. 그 이유는?

4. 미영씨는 철분약을 일주일 정도 먹고 나서 복부 불편감이 있다고 전화로 문의하였다. 간호사는 어떻게 설명해야 하는가?

5. 미영씨가 전화로 문의하면서 변비는 없는데, 변의 색깔이 검다고 말했다. 간호사가 설명해주어야 할 것은 무엇인가?

비판적 사고중심 학습

학습목표

- 빈혈이 임부와 태아에 미치는 영향을 설명한다.
- 빈혈이 있는 임부에게 간호과정을 적용한다.

개요

철분결핍성 빈혈은 임신기에 가장 흔한 혈액장애이다. 임신동안 모체 혈량이 약 1,500mL 증가하면서 적혈구도 증가하고 임신 3기에 태아의 철분 요구량이 크게 증가한다. 이는 모체의 저장된 철분이 고갈되면서 식이만으로는 철분 손실을 대체할 수 없다. 영양상태가 좋은 임부도 임신동안 철분제를 복용하지 않으면 철분 부족으로 조산 등 합병증이 초래될 수 있다.

위험요소

- 임신 이전 빈혈 과거력
- 영양불량
- 다태 임신
- 임신 이전 혹은 임신 중에 과도한 질 출혈

진단검사

- 헤모글로빈과 헤마토크릿 혈액검사
- 영양 관련 문진
- 혈청철분 검사

증상과 징후

- 헤모글로빈 10mL/dl 이하
- 헤마토크릿 35% 이하
- 피로, 창백한 피부
- 감염에 대한 감수성
- 분만 후 출혈에 대한 대응능력의 저하

치료적 간호관리

- 철분이 많이 포함된 음식을 교육한다(푸른잎 채소: 깻잎, 견과류:호도, 땅콩, 아몬드, 해초류:미역, 김, 다시마, 계란노른자, 굴, 대합, 고등어, 꽁치, 장어 등).
- 변비예방을 위해서 수분 섭취와 고섬유질 식이의 필요성을 교육한다.
- 철분제 복용 방법을 교육한다.
- 철분제를 먹으면 변 색깔이 검을 수 있고, 가스나 오심 등 불편감이 있을 수 있다.
- 철분은 공복때 가장 잘 흡수된다.
- 우유는 철분의 흡수를 방해한다.

약물 관리

- 임신동안 식이를 통한 철분 섭취만으로 철분 요구량을 충족하는 것은 불가능하다.
- 모든 임산부는 임신 12주부터 매일 30mg의 철분제재를 섭취해야 한다(철분결핍성 빈혈은 하루 60~120mg의 철분을 섭취해야 한다).
- 경구 철분제재: Ferrous Sulfate, Ferrous Gluconate
- 비경구 철분제재(구강섭취가 어려운 경우): Iron-Dextran 복합제재(Imferon)

합병증

- 진통 시 울혈성 심부전증
- 조직 회복의 지연
- 산후 출혈과 감염의 위험
- 조산
- 재태연령 보다 작은 아기

간호실무능력 평가

1. 철분 결핍성 빈혈인 임부의 교육 내용은?

　① 엽산섭취 부족으로 올 수 있다.

　② 철분제는 위장장애가 있어서 식후에 먹는다.

　③ 임신 중 생리적 빈혈은 정상으로 특별한 처치가 필요 없다.

　④ 철분이 많은 음식을 충분히 섭취하면 철분제를 먹지 않아도 된다.

　⑤ 오렌지 쥬스나 과일 등 비타민 C 섭취는 철분흡수를 돕는다.

2. 철분 섭취를 돕는 음식이 <u>아닌</u> 것은?

　① 시금치, 깻잎　　　　② 다시마, 김　　　　③ 콩, 호두

　④ 소고기, 닭고기　　　⑤ 녹차, 홍차

3. 임신 중 빈혈에 대한 바른 설명은?

　① 태아의 철분 요구량 증가로 나타납니다.

　② 임신 4주가 지나면 모체 혈량의 급격한 증가로 올 수 있습니다.

　③ 임신 중 혈량 보다 적혈구 증가가 높아서 나타납니다.

　④ 임신 전 영양상태가 좋으면 임신 중 빈혈은 문제가 되지 않습니다.

　⑤ 빈혈 증상을 느끼지 못하면 엄마와 아기의 건강에 영향을 주지 않습니다.

정답　1.⑤　2.⑤　3.①

관련정보

생리적 빈혈과 철분 결핍성 빈혈

- 임신한 여성은 생리적으로 철분 결핍성 빈혈이 되기 쉽다.
- 대부분은 무증상이지만 중증 빈혈인 경우 모체와 태아에 영향을 미칠 수 있다.
- 임신 동안 정기적 혈액검사가 필요하다.
- 빈혈은 임신 합병증이라기보다 임신의 생리적 반응이다.
- 중증 빈혈에서는 조산과 자궁강내 성장지연을 일으킬 수 있다.
- 임신에 따른 생리적 변화로 혈중 수분(혈장량)이 지나치게 늘어나 혈액희석을 초래한다.
- 임신 동안 태아의 혈량을 확보하고, 출산시 출혈에 대비하기 위해 혈장·적혈구가 함께 증가하지만 혈장량의 증가가 훨씬 많아 상대적으로 적혈구의 비율이 감소하여 빈혈처럼 보인다(생리적 빈혈).

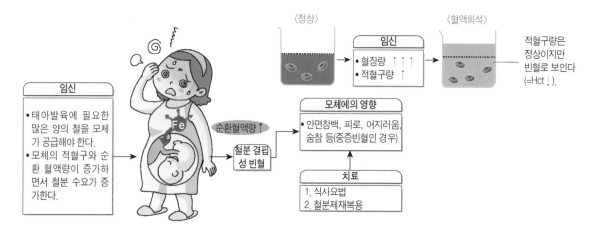

1. 임신하면 혈액희석작용(혈장량이 혈구세포량 보다 더 많이 증가하는 현상)으로 헤모글로빈 수치가 다소 낮아진다. 그러나 김씨의 헤모글로빈과 헤마토크릿 수치는 정상범주의 최저치 보다 낮기 때문에 빈혈이다.

2. 비타민 C는 철분 흡수를 돕는다.

3. 철분 흡수를 방해하는 음식을 피하고, 철분은 공복에 먹으면 흡수가 잘된다.

4. 철분제를 자기 전에 복용하거나 적은 양의 음식과 함께 먹으면 불편감을 줄일 수 있다.

5. 철분 제제를 먹으면 나타날 수 있는 정상 작용이다.

11 유산 임부 간호

Key Point

✓ 유산은 임신 20주 이전에 임신이 종결되는 것이다.

✓ 주요 증상은 복부 통증과 질 출혈이다.

✓ 주요 합병증은 출혈과 감염이다.

✓ 간호중재는 출혈 관찰과 정서 지지이다.

비판적 사고 훈련

사 례

임신 14주째인 경아씨는 쥐어짜는 듯이 배가 아프고 심한 질 출혈이 있어서 병원에 왔다.
자궁경관 개대된 상태로 불가피유산으로 진단받고 지금 입원하였다.

1. 간호사가 경아씨를 초기 사정할 때 무엇을 사정해야 하며, 그 이유는 무엇인가?

2. 위의 상황에 근거하여, 경아씨에게 내려질 수 있는 간호진단은 무엇인가?

3. 간호사가 사정해야 하는 다른 간호진단으로 무엇이 있을까?

4. 경아씨에게 기대되는 결과(간호목표)는 무엇인가?

5. 경아씨가 상실감을 느낀다면 입원동안 경아씨와 남편을 위한 간호계획은 무엇인가?
   퇴원 후 추후관리로 무엇이 적절한가?

비판적 사고 중심 학습

학습목표

- 유산의 종류를 구분한다.
- 유산의 종류에 따른 원인, 증상과 징후를 설명한다.
- 유산의 종류에 따라 치료방법을 설명하고 간호과정을 적용한다.

개요

태아가 자궁 밖에서 생존할 수 있는 능력을 갖기 이전에 종결되는 임신을 유산이라고 한다. 유산은 20주(혹은 22주) 이전 또는 임신 1, 2기에 발생하며, 자연유산과 인공유산이 있다. 자연유산은 외부의 개입 없이 자연적으로 발생한다. 인공유산은 임신을 의도적으로 종결하는 것으로 의도적 유산 또는 선택적 유산이라고도 한다.

위험요소

- 난자와 정자의 결함
- 부적절한 자궁내 환경, 결함이 있는 착상
- 모체 질병: 감염, 당뇨, 호르몬 부족, 무력한 자궁경부
- 태아나 태반의 발달 결함, 유전적 결함

진단검사

- 임신검사: hCG수치 사정
- CBC, 헤마토크릿, 헤모글로빈 혈액검사: 빈혈 사정

증상과 징후

- 질 출혈
- 복부나 자궁의 쥐어짜는 듯한 통증
- 허리 아랫쪽 통증
- 양수파막, 자궁경부개대

치료적 간호관리

- 긴장력을 조사한다.
- 출혈 발생 시간, 지속기간, 양과 특징을 관찰하고 기록한다.
- 활력증후를 사정한다.
- 임신 1기에 자연 유산이 되면 소파술을 준비한다.
- 정서적으로 안정되도록 지지한다.
- 침상안정을 권유한다.
- 질 출혈이 멈출 때까지 성관계를 금하도록 교육한다.

합병증

- 주요 합병증은 출혈과 감염이다.
- 계류유산이 오랫동안 지속되면, 파종성 혈관내응고질환이 발생한다.

간호실무능력 평가

1. 유산의 유형에 따른 사정 내용으로 옳은 것은?

   ① 절박유산: 다량의 출혈- 동통 없음- 자궁경부 닫힘

   ② 불가피 유산: 다량의 출혈- 동통 있음- 자궁경부 열림

   ③ 불완전 유산: 태아와 태아부속물의 일부 배출- 동통 있음- 자궁경부 닫힘

   ④ 계류유산: 태아와 태아부속물의 완전 배출- 동통 심함- 자궁경부 닫힘

   ⑤ 완전유산: 다량의 출혈- 통증 심함- 자궁경부 열림

2. 초기 유산의 가장 흔한 원인은?

   ① 생식기 기형   ② 비정상적 태반   ③ 영양실조

   ④ 골반감염   ⑤ 유전적 결함

3. 임신 8주된 여성이 전화로 어제부터 통증은 없고 속옷에 약간의 혈액이 묻는다고 한다.
   간호사가 의심할 수 있는 것은?

   ① 완전유산   ② 절박유산   ③ 불완전유산

   ④ 불가피유산   ⑤ 패혈유산

4. 불가피유산으로 출혈이 심하고 계속될 때 치료는? (모두 고르시오)

   ① 자궁수축제 투여   ② 정서적 안정   ③ 소파술

   ④ 프로게스테론제재 투여 ⑤ 근육이완제 투여

정답   1.②   2.⑤   3.②   4.①②③

관련정보

발병 시기에 따른 유산의 분류

- 임신 22(20)주, 출생 시 체중 500gm 미만에 임신이 종결된다.
- 발생 시기에 따라 조기유산은 임신 12주 미만 후기유산은 임신 12주 이후로 나뉜다.

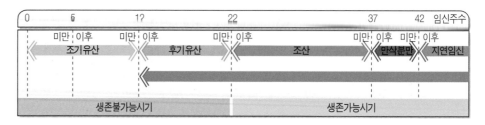

조기과 후기유산의 비교

- 자연유산은 전체 임신 중 약 15%이며, 조기유산은 13.3%, 후기유산은 1.6%를 차지한다.
- 조기유산은 주로 태아측 원인으로 나타나고, 염색체이상이 가장 흔하다.
- 후기유산은 주로 모체측 원인으로 경관무력증과 융모양막염 등으로 나타난다.

	조기유산	후기유산
빈도	13.3%	1.6%
주요 원인	주로 태아측의 원인	주로 모체측의 원인
	• 태아의 염색체이상 • 태아의 유전병 • 다태임신	• 융모양막염 • 경관무력증 • 자궁기형

유산의 분류

- 자연유산 가운데 불완전유산이 가장 많이 나타난다.
- 절박유산은 유산된 상태가 아니라 임신초기 자궁에서 출혈이 있는 상태이다.
- 불완전유산은 임신으로 인한 수태물이 밖으로 모두 배출되지 않은 경우이다.
- 계류유산은 태아가 사망하고 나서도 4~6주 이상 수태물이 자궁내 존재하는 경우이다.

	절박유산	불가피유산	완전유산	불완전유산	계류유산
병태	• 유산 발생의 위험이 있는 상태	• 유산을 피할 수 없는 상태 유산이 진행되고 있는 상태	• 태아와 부속물이 완전히 배출된 상태	• 태아와 부속물이 완전히 배출되지 않고 일부가 잔존하는 상태	• 태아가 자궁내에서 사망하여 자궁내에 남아있으나, 모체의 자각증상이 없는 상태
내진(자궁목개대)	닫힘	열림	닫힘	열림	닫힘
증상	• 소량의 질출혈 • 약간의 하복통, 하복부 당김, 요통	• 절박유산보다 많은 질출혈 • 진통과 같은 양상의 하복통	• 지금까지 있었던 출혈과 복통이 완화되거나 사라짐.	• 출혈, 하복통이 지속된다.	• 무증상
초음파검사	• 태아, 심박동을 확인할 수 있다.	• 태아를 확인할 수 없거나 태아는 확인이 되어도 심박동이 없다.	• 태아를 확인할 수 없다. • 임신낭의 소실이 확인된다.	• 태아를 확인할 수 없거나 태아는 확인되나, 심박동이 없다.	• 고사난자*를 확인할 수 있다.
임신의 유지	가능	불가능			
치료	1. 침상안정 2. 자궁수축억제제 (ritodrine)	소파술	자연적으로 자궁수축이 일어나 복구되므로 불필요	소파술	소파술

* 고사난자

- 고사난자(blighted ovum)는 임신낭은 있으나 낭속에 태아나 부속물이 확인되지 않은 것을 말한다.
- 고사난자는 계류유산을 의심할 수 있는 소견이다.
- 초음파검사에서 임신 6주가 지났는데 태아와 태아심박동이 없을 경우 의심할 수 있다.

습관성 유산의 원인

• 자연유산이 3회 이상 연속되면 습관성 유산이라고 하는데, 원인은 다음과 같다.

		빈도	주요원인	치료
면역학적이상		약 15%	• 항인지질항체증후군	• 저용량아스피린 · 헤파린 병용요법
내분비이상		약 20%	• 황체기 결함 • 고프로락틴혈증 • 갑상선기능이상 • 당뇨병	• 원인열 치료
자궁의 기질적이상		약 10%	• 경관무력증	• 경관결찰술(Shrodkar 법, McDonald 법)
			• 자궁기형	• 기형 종류에 따라 수술법은 달라진다
			• Asherman 증후군	• 자궁수술
염색체 이상	부부	약 6%	• 전좌(translocation)	• 착상전 진단 등
	태아		• 염색체이상	
원인불명		약 50%	-	-

항인지질항체증후군

• 습관성 유산의 주요 원인으로 모체혈에서 항인지질항체가 혈전형성을 촉진하여 태아성장을 방해하는 자가면역질환이다.
• 태반 형성되기 전에는 유산, 태반 형성된 후에는 사산될 수 있다.

증상과 합병증

임신과 관계없이 일어나는 증상 / 임신합병증

임신10주 미만 습관성유산

임신10주 이후 원인불명의 자궁내 태아사망

임신 34주 이전 자간전증

동정맥혈전증

순서

태반형성 이전 (임신 10주 미만)
• 항인지질항체가 임신초기에 융모조직의 증식 · 분화를 직접적으로 방해한다.
• hCG의 분비저하
유산

태반형성 이후 (임신 10주 이후)
• 항인지질항체가 융모양막강에서의 혈전형성을 촉진시킨다. 태반괴사가 일어난다.
• 태반경색
• 태반기능부전
자궁내태아사망 (사산) 등

1. - 통증: 통증완화와 안위를 위한 적절한 간호중재를 결정하기 위해서
 - 출혈량: 출혈의 조기 발견과 치료를 위해서
 - 체온: 감염 여부를 확인하고, 기준지침에 맞는 적절한 간호중재 제공을 위해서
 - 맥박과 혈압: 출혈 지표로 기준지침을 마련하기 위해서
 - 정서 상태: 대상자와 배우자 모두 임부와 태아에게 일어날 상황에 불안하고 두려워할 수 있으므로
 - 과거 임신력과 상실 경험: 대상자의 정서 상태에 대한 정보를 제공하므로
 - 알러지 반응 여부: 투약 준비를 위해서

2. - 자궁수축과 관련된 통증
 - 출혈과 관련된 수분결핍 위험성
 - 경관개대와 관련된 감염 위험성

3. - 치료, 절차, 예후와 관련된 지식부족/ 불안/ 두려움
 - 예상하지 못한 임신결과와 관련된 슬픔
 - 임신유지 실패와 관련된 상황적 자존감 저하

4. - 통증이 완화되고 사라졌다고 말할 수 있다.
 - 출혈과 감염증상과 징후가 나타나지 않을 것이다(정상범주의 활력증후, 과도하지 않은 출혈).
 - 대상자와 가족들과 상실의 영향에 대해서 이야기할 수 있다.
 - 유산은 자기 탓이 아니라는 것을 이해하고 표현할 수 있다.

5. - 퇴원 후 안정을 취하며 머물 곳을 선택하게 한다.
 - 의료진은 상실과 슬픔을 표현할 수 있도록 공감을 나타낸다.
 - 자조집단을 소개하고 참여하도록 돕는다.
 - 병원이나 보건소의 추후관리에 대해 안내하고 의뢰한다.

12 전치태반 임부 간호

Key Point

✓ 전치태반은 비정상적으로 태반이 자궁경부와 자궁하부에 위치한 것이다.

✓ 주요 증상은 무통성 질 출혈이다.

✓ 태반의 천공이나 출혈을 초래할 수 있으므로 내진은 금한다.

✓ 출혈과 진통 여부를 사정한다.

✓ 침상안정과 수액요법을 시행한다.

✓ 제왕절개 수술을 일반적으로 시행한다.

비판적 사고 훈련

임신 33주째인 경화씨가 전치태반으로 입원하였다. 진통은 없고 경미한 질 출혈과 점적 출혈이 있다. 태아 심박동은 속도와 양상 모두 정상범위에 있다. 경화씨는 입원해서 제왕절개수술하기 전에 "지속적 관찰과 침상안정"으로 보존적 관리를 받는 상태이다. 의사처방은 다음과 같다.

1. 의사 처방은 아래 표와 같다. 각 치료적 간호수행에 대한 합리적 근거와 교육할 내용은 무엇인가?

치료적 간호수행 내용	합리적 근거	교육 내용
• 생물리학계수 (BPP, biophysical profile) 매주 사정		
• 매일 NST 시행		
• 매주 CBC 검사		
• 물리치료 요법 의뢰		
• 식이요법 의뢰		
• 6시간마다 활력징후 측정 (혈압, 맥박, 태아심박동수)		
• 정맥 라인 확보		
• Betamethasone 12mg IM 투여 (12시간 마다)		

2. 경화씨는 집에 2살짜리 딸이 있고 남편은 교대 근무제로 일을 한다. 병원에 입원해서 계속 침상 안정하는 동안 집에있는 딸 걱정을 많이 한다. 간호중재는?

비판적 사고중심 학습

학습목표

- 신치태빈의 정의 및 유형을 구분한다.
- 전치태반의 원인, 증상 및 징후를 설명한다.
- 건치태반의 치료방법을 설명하고 간호과정을 적용한다.

개요

태반은 정상적으로 자궁저부에 착상되어야 하는데 전치태반은 자궁하부 특히 자궁내구에 태반이 착상한 것이다. 변연전치태반은 태반의 가장자리가 자궁경부 내부에 착상한 것으로 경증이지만 분만동안 자궁이 개대되면서 태반의 가장자리가 자궁경관 쪽으로 확장되므로 위험하다. 부분 전치태반은 태반이 자궁내구를 부분적으로 덮은 상태이고, 완전 전치태반은 태반이 자궁내구를 완전히 덮었을 때 발생한다. 부분이나 완전 전치태반은 분만할 때 경관이 개대되었을 경우 다량 출혈과 태아곤란증과 태아사망이 초래될 수 있다. 전치태반은 임신의 1:200의 비율로 발생한다. 질 내진은 출혈 위험으로 금지된다.

위험요소

- 자궁내막의 반흔(자궁수술, 소파술, 과거 제왕절개)
- 다태임신
- 전치태반 과거력
- 좁은 자궁강 내 임신(쌍각자궁)
- 자궁근종
- 고령 임신
- 자궁내막증

진단검사

- 복부초음파: 태반의 위치와 태위 확진
- NST 검사: 태아 사정

증상과 징후

- 무통성 질 출혈(간헐적 또는 분출하듯이), 대부분 임신 3기에 나타남
- 출산이 가까워질수록 질 출혈이 심해짐
- 소변량 감소
- 불안과 공포
- 비정상 태향과 높은 선진부

치료적 간호관리

- 출혈의 특징과 양을 사정한다.
- 활력징후를 사정한다.
- 소변량을 관찰한다.
- 태아 심박동과 태동을 지속적으로 감시한다.
- 출혈이 있으면 쇼크증후를 평가한다(혈압저하, 맥박상승, 창백한 피부, Hb과 Hct 하강, 핍뇨< 30mL/시간).
- 질 내진을 금한다(태반의 천공이나 출혈을 초래할 수 있기 때문).
- 관장, 질 세척, 성관계를 금하도록 교육한다.
- 임신 36주 이전에 전치태반인 경우 침상안정을 하도록 한다.
- 지속적인 출혈과 진통의 발생을 관찰한다.
- 정맥수액요법을 실시한다.
- 제왕절개 수술을 일반적으로 시행한다.
- 하부 전치태반인 경우 자연분만을 시도할 수도 있다.
- 대상자와 가족에게 치료와 처치에 대해 설명하고 정서적 간호를 한다.

약물 관리

- 34주 이전 조기진통으로 분만해야할 경우 태아 폐성숙을 돕기 위해 메타메타존을 투여한다.
- 심한 빈혈, 태반조기박리, 전치태반 경우 수혈이 필요할 수도 있다.

합병증

- 출혈
- 자궁내 저산소증과 관련된 태아가사/사망
- 자궁내 성장지연
- 제왕절개 분만
- 조산
- 조기 파막
- 수혈에 대한 과민성 반응

전치태반 임부

- 전치태반은 태반이 자궁 하부에 형성된 것으로, 완전전치태반은 태반이 자궁 내구 경부를 모두 덮으며 부분전치태반은 일부분을 덮는다.
- 산모는 대량출혈과 태아건강에 대한 걱정과 관련되어 스트레스를 받는다.
- 태아 위험은 자궁내구를 덮고 있는 전치태반의 크기와 관련되어 있다.
  심각한 출혈은 태아 곤란증이나 태아사망의 위험성을 가져온다.

간호관리

- 임신 3기 무통성, 선홍색 질 출혈에 따라 진단한다. 최초 출혈은 가벼울 수 있으나 종종 심각한 출혈로 이어진다. 진단은 초음파로 태반위치를 확인하고 확정한다.
- 출산예정일에 임박한 시기의 관리: 임신 37주라면, 태아가 성장할 수 있도록 출산을 지연시키고 다음 사항을 포함한다;
  - 누워서 휴식한다.
  - 직장이나 질 검사는 하지 않는다.
  - 출혈을 관찰한다.
  - 외부 모니터로 태아상태를 지속적으로 확인한다.
  - 활력증후를 확인한다.
  - 검사결과를 확인한다(헤모글로빈 헤마토크리트, Rh 인자, 요검사).
  - 수혈을 준비해둔다.
- 하부 전치태반인 경우 자연분만이 시도될 수도 있다.
- 심각한 출혈이나 태아 곤란증 증후가 나타나면 응급 제왕절개한다.

간호사정

- 임산부의 질 출혈 징후를 규칙적으로 확인한다.
- 출혈이 있다면 쇼크 징후들을 평가한다(혈압 저하, 맥박 상승, 차고 끈적끈적한 피부, 창백, 낮아진 헤마토크릿, 핍뇨⟨30ml/시간⟩.
- 자궁수축과 진통의 증후들을 평가한다.
- 질검사는 심각한 출혈 상황을 일으킬 수 있으므로 금기이다.
- 대상자에게 현재 상태, 문제점들 치료법 선택에 대해 설명하고 이해도를 평가한다.
- 태아상태를 평가한다. 출혈이 있을 때는 전자태아감시장치를 지속해서 적용하고 출혈이 없을 때도 4시간마다 모니터링한다.
- 분만진행을 사정한다.

간호진단

- 혈액 손실과 관련된 조직내 관류(태반의)의 변화
- 임부와 태아 건강과 관련된 두려움
- 태아의 안전과 관련된 불안

간호중재

- 활력증상, 출혈징후, 소변 배출, 전자 모니터기록, 진통의 증후를 포함한 산모와 태아 상태를 계속 관찰한다.
- 혈액검사 결과들을 관찰한다: Hb. Hct 저하에 주의한다.
- 여성과 가족에게 과정들을 설명한다.
- IV 수액이나 혈액을 관찰하고 투여한다.
- 절대 안정을 취한다.
- 산소상태를 관찰한다. 맥박이 증가하고 산소포화도가 95% 이하이면 안면마스크로 7~10L/분으로 산소를 공급한다.
- 대상자와 가족에게 정서적 지지를 한다.
- 간호의 중요한 요소들을 다시 확인한다.
  - 출혈에 대해 물어봤는 지, 출혈이 있다면 신중하게 양을 평가했는가?
  - 태아심박동수와 양상 징후 등 태아상태를 주의깊게 관찰했는 지?
  - 진통증상이나 대상자의 다른 상태 변화를 주의깊게 관찰하였는 지?
  - 침상안정 중인 대상자의 안위증진을 위해서 베개로 지지하거나 마사지나 전환요법 등을 적용했는 지?

평 가

- 임부 상태는 안정적이며 출혈 원인을 확인하는 검사와 치료적 간호를 하였다.
- 임부와 태아는 안전한 진통과 출산을 하게 되었다.
- 추가적 합병증 증상이 나타나지 않았다.
- 임부 출혈이 멈추고 혈액검사결과는 정상이고 저혈량이 교정되고 활력징후가 정상이다.

상황

> 찬영씨는 OC세로 산과력은 G4 P(TPAL) 1-0-2-1, 3년 전 정상 질식분만으로 딸을 낳았고, 2년 전 자궁근종절제수술을 받았다. 3일전 임신 32주로 진통은 없지만 질 출혈이 있어서 완선 전치태반을 진단받고 입원하였다. 현재 혈압 120/70 mmHg, 맥박 68회/분, 체온 36.8℃ 이다. 태아심박동은 정상이다. 찬영씨는 간호사에게 언제 분만하게 되는 지와 자연 분만할 수 있는 지 물어보았다.

1. 찬영씨의 전치태반 발생과 관련된 요인은? (모두 고르시오)

   ① 36세 나이   ② 임신 3회   ③ 유산 2회
   ④ 자궁근종절제수술   ⑤ 정상질식분만

2. 전치태반과 관련 없는 것은?

   ① 조산   ② 태아성장지연   ③ 조기파막
   ④ 자궁내 태아 저산소증   ⑤ 출생직후 무산소증

3. 찬영씨에게 필요한 우선적 치료는?

   ① 내진을 통한 분만진행 사정   ② 양수천자를 통한 태아폐성숙 측정
   ③ 자궁수축의 빈도, 강도, 시간 사정   ④ 질 출혈의 양상과 태아상태 사정
   ⑤ nitrazine paper 검사 시행

4. 간호사의 분만에 대한 설명은?

   ① "질 출혈이 없으면 정상 분만할 수 있습니다."
   ② "임신 36주가 지나면 정상 분만의 확률이 높습니다."
   ③ "태아가 저산소증이 없으면 정상 분만할 수 있습니다."
   ④ "과거 정상 분만했어도 출혈위험으로 제왕절개 분만해야 합니다."
   ⑤ "출혈과 태아상태, 임신주수에 따라서 분만방법을 최종 결정하게 됩니다."

5. 찬영씨의 검사결과에서 정상인 것은? (모두 선택)

   ① 생물리학적검사(biophysical profile): 8점
   ② NST(Non Stress Test): Reactive
   ③ 태아심박동수 142회/분
   ④ 30분간 태동 3회
   ⑤ L/S비 (레시틴/스핑고마이에린 비율) 1.4 : 1

정답   1. ①③④   2. ⑤   3. ④   4. ④   5. ①②③④

관련정보

정상임신과 전치태반

- 정상임신은 태반이 자궁체부에 위치하고, 임신 38주 이후에 태반하연과 내자궁구는 5cm 이상 떨어져있다.
- 전치태반은 태반이 정상보다 자궁의 하부에 위치하고, 태반이 내자궁구를 덮는다.

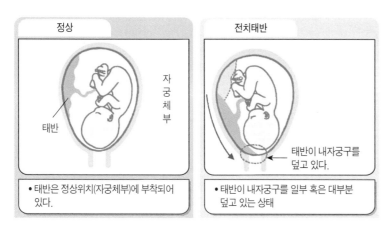

전치태반의 위험인자

- 전치태반의 주요 합병증은 유착태반이다.
- 제왕절개술 과거력이 있는 대상사는 수술 반흔으로 주위에 순환부전이 생겨 태반 형성 부전으로 인한 유착태반이 되기 쉽다.

전치태반의 분류

- 태반이 내자궁구를 덮고 있는 정도에 따라 3유형으로 분류한다.
- 부분전치태반이 가장 많고, 변연전치태반이 많다.
- 완전 전치태반은 대량 출혈로 가장 위험하다.

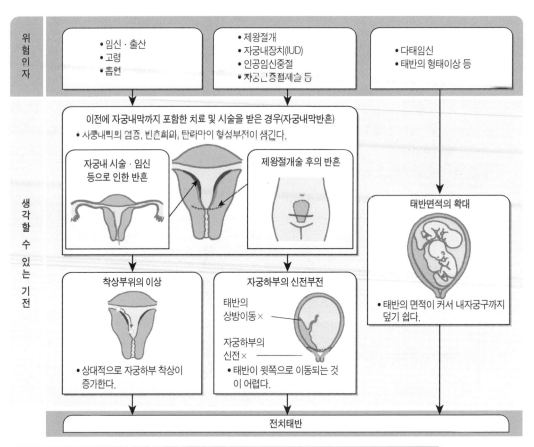

위험인자	• 임신 · 출산 • 고령 • 흡연	• 제왕절개 • 자궁내장치(IUD) • 인공임신중절 • 자궁근종절제술 등	• 다태임신 • 태반의 형태이상 등

생각할 수 있는 기전

이전에 자궁내막까지 포함한 치료 및 시술을 받은 경우(자궁내막반흔)
• 자궁내막의 염증, 반흔회복, 탈락막이 형성부전이 생긴다.

자궁내 시술 · 임신 등으로 인한 반흔

제왕절개술 후의 반흔

착상부위의 이상
• 상대적으로 자궁하부 착상이 증가한다.

자궁하부의 신전부전
태반의 상방이동×
자궁하부의 신전×
• 태반이 윗쪽으로 이동되는 것이 어렵다.

태반면적의 확대
• 태반의 면적이 커서 내자궁구까지 덮기 쉽다.

전치태반

	변연전치태반	부분전치태반	전전치태반
정의	태반하연이 내자궁구연에 닿아 있는 것	태반이 내자궁구를 일부 덮은 것	태반이 내자궁구를 완전히 덮은 것
태반의 위치 자궁내구의 상태	태반 / 난막		

전치태반의 시기별 출혈 양상

* 전치태반의 주요 증상은 무통성 외출혈(질출혈)이며 시간에 따라서 변화한다.

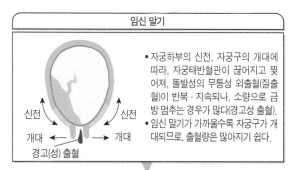

임신 말기

* 자궁하부의 신전, 자궁구의 개대에 따라, 자궁태반혈관이 끊어지고 찢어져, 돌발성의 무통성 외출혈(질출혈)이 반복·지속되나, 소량으로 금방 멈추는 경우가 많다(경고성 출혈).
* 임신 말기가 가까울수록 자궁구가 개대되므로, 출혈량은 많아지기 쉽다.

신전 / 신전
개대 ← → 개대
경고(성) 출혈

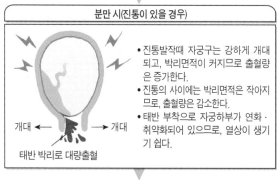

분만 시(진통이 있을 경우)

* 진통발작때 자궁구는 강하게 개대되고, 박리면적이 커지므로 출혈량은 증가한다.
* 진통의 사이에는 박리면적은 작아지므로, 출혈량은 감소한다.
* 태반 부착으로 자궁하부가 연화·취약화되어 있으므로, 열상이 생기기 쉽다.

개대 ← → 개대
태반 박리로 대량출혈

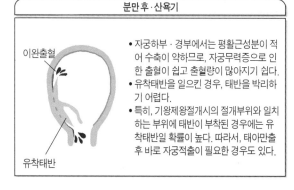

분만 후·산욕기

* 자궁하부·경부에서는 평활근성분이 적어 수축이 약하므로, 자궁무력증으로 인한 출혈이 쉽고 출혈량이 많아지기 쉽다.
* 유착태반을 일으킨 경우, 태반을 박리하기 어렵다.
* 특히, 기왕제왕절개시의 절개부위와 일치하는 부위에 태반이 부착된 경우에는 유착태반일 확률이 높다. 따라서, 태아만출 후 바로 자궁적출이 필요한 경우도 있다.

이완출혈
유착태반

전치태반의 관리와 중재

- 전치태반은 다량의 출혈로, 대부분 모체와 태아 모두 위험하다.
- 출혈이 있으면 입원치료를 원칙으로 한다.
- 변연전치태반 이외에는 제왕절개분만을 한다.
- 제왕절개술 실행시기는 임신 37주이후를 목표로 한다(대량 출혈 경우는 응급 제왕절개).
- 임신 34주 미만에 분만할 경우, 태아의 미성숙으로 문제가 있다.
- 제왕절개수술 중에 지혈이 어려운 경우, 전자궁적출술을 시행하는 경우도 있다.
- 태아가 파열된 태반변연의 출혈부위를 압박할 수 있는 경우 질식분만을 한다.
- 다음은 관리 및 중재과정이다.

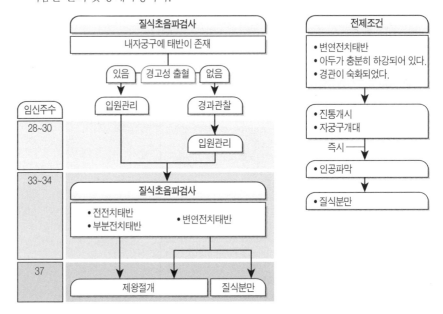

> **참고**

약물투여와 간호: 베타메타손 Betamethasone(Celestone)

- **산모-태아에게 미치는 영향**

  메타메타손은 부신피질호르몬제제(glucocorticoid)로 조산아의 폐성숙을 유도하여 호흡곤란증후군을 줄인다. 부신피질호르몬은 계면활성제 합성에 필요한 효소활동을 자극한다. 계면활성제는 폐포의 표면장력을 줄여서 적절한 폐기능을 유지한다. 부신피질호르몬은 글리코겐의 소모율을 높여서 폐포 간 중격을 얇게 하고 폐포의 크기를 증가시킨다. 상피가 얇아져서 모세혈관이 공기와 더 가까워지므로 산소교환이 증진된다.

- **투여방법**

  임부에게 메타메타손은 2일간 매일 1회 12mg을 근육내 주사한다. 약물은 투여후 적어도 24시간 지나서 출산해야 효과가 있다.

- **금기**

  지연분만, 충분한 L/S 비율(2:1), 긴급 분만이 불가피한 상태(예: 산모 출혈), 산모의 감염, 당뇨병, 35주 이상인 재태기간

1.

치료적 간호수행 내용	합리적 근거	교육 내용
• 생물리학계수 (BPP, biophysical profile) 매주사정	태아의 성장 발달 사정 (초음파로 태아의 운동, 호흡운동, 긴장도, 양수의 양, NST 등으로 태아상태 평가)	임신주수별 태아의 정상 성장발달 양상을 교육한다.
• 매일 NST 시행	태아의 성장을 지속적 사정	태아심박동수와 변화의 의미를 설명한다.
• 매주 CBC 검사	잠복 출혈 사정	현 상태 사정을 위해서 검사 필요성을 교육한다.
• 물리치료 요법 의뢰	침상안정으로 심부정맥혈전증의 위험과 근육 약화 예방	운동의 필요성과 침상 운동방법을 교육한다.
• 식이요법 의뢰	임신 주수에 맞는 적절한 식이 필요성	임신동안 영양 요구량을 알려준다.
• 6시간마다 활력징후 측정 (혈압, 맥박, 태아심박동수)	모체와 태아의 지속적 사정	모체와 태아의 건강을 사정하기 위해 필요하다고 교육한다.
• 정맥 라인 확보	필요시 즉시 정맥을 통한 혈액과 수분공급	치료와 현 건강상태를 이해하도록 교육한다.
• Betamethasone 12mg IM 투여 (12시간 마다)	태아 폐 성숙을 도와줌	투약의 목적과 효과를 교육한다.

2. - 지역사회내 공동체 자원을 확인한다.
  - 도와줄 가족이 있는 지를 의논한다.
  - 자녀, 남편과 전화나 인터넷 등을 통해서 연락할 수 있게 한다.

13 태반조기박리 임부 간호

Key Point

✓ 태반조기박리는 모체의 출혈과 태아사망을 초래하는 의학적 응급상황이다.

✓ 태반조기박리의 10~30%는 혈액응고장애(파종성혈관내응고)를 초래한다.

✓ 주요 증상은 급작스럽고 강렬하며 국소적인 자궁 통증이 있다.

✓ 질 출혈은 있을 수도 있고 없을 수도 있다.

✓ 태반 박리가 진행될 수 있으므로 입원치료가 필수적이다.

✓ 질식분만이 가능하다.

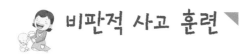

비판적 사고 훈련

1. 선영씨에게 태반조기박리의 원인이 될 수 있는 위험요인은 무엇인가?

2. 의사가 유치도뇨관 삽입 처방을 한 이유는?

3. 정맥수액요법 처방이 내려진 이유는?

4. 분만실 간호사는 선영씨의 산과력과 활력증후를 사정하고 통증으로 호흡곤란이 나타나는 것을 관찰하였다. 복부 촉진에서 팽팽하게 긴장감이 있고 압통이 있었다. 태아 심박동은 120/108회/분이다. 선영씨와 가족을 위한 간호계획은 무엇인가?

5. 선영씨와 가족에게 간호계획을 어떻게 설명할 것인가?

6. 지금 선영씨 상황에서 고려할 수 있는 의학적 진단은?

비판적 사고 중심 학습

학습목표

- 태반조기박리를 정의, 원인, 증상과 징후를 설명한다.
- 태반조기박리가 모체와 태아에 미치는 영향을 설명한다.
- 태반조기박리의 치료방법을 설명하고 간호과정을 적용한다.

개요

태반조기박리는 자궁벽에서 태반의 전체 또는 일부가 조기에 박리되는 증상이다. 보통 임신 3기에 발생한다. 태반조기박리는 모든 분만의 1% 정도에서 발생한다. 태반조기박리의 10%정도는 모체 출혈과 태아 생명을 위협하는 심각한 의학적 응급상황이다. 경증에서 중정도의 복부 통증과 자궁경직이 나타난다. 치료는 출혈 손실량과 태아의 상태와 성숙도에 따라 결정된다. 질식분만을 시도할 수 있지만 태아가 가사에 빠진 경우 응급 제왕절개 분만을 시행한다. 질 출혈은 70~80% 정도에서 나타나며 출혈이 은폐될 수도 있다. 임상적 증상은 박리의 정도에 따라 다양하다.

- 경증(1도): 약한 정도의 질 출혈, 자궁 압통, 자궁경련, 10~20% 정도의 태반이 박리됨. 모체와 태아는 아직 가사상태는 아님.
- 중등도(2도): 자궁압통과 경련, 외부 출혈이 있을 수 있지만 없을 수 있음. 모체는 쇼크 상태는 아니고 태아는 가사 상태에 있음. 20~50% 정도의 태반이 박리됨.
- 중증(3도): 심각한 자궁 경련, 모체는 외부 출혈은 없지만 쇼크상태, 태아 사산상태, 모체는 혈액응고질환이 발생하고, 50% 이상의 태반이 박리됨.

위험요소

- 자궁의 외부충격(둔탁한 충격)
- 임신성 고혈압
- 엽산 결핍
- 조기파막
- 다태임신
- 임신동안 약물남용(특히, 코카인)
- 태반조기박리 과거력
- 흡연
- 모체의 고혈압
- 짧은 제대

진단검사

- 헤모글로빈, 헤마토크릿
- 혈액형 적합검사
- 전치태반과의 감별진단을 위한 초음파검사
- 복부 초음파
- 혈액응고 검사

증상과 징후

- 싣고 붉은 색 길 출혈 가능성
- 갑작스럽고 강렬한 복부 통증
- 지궁 강직
- 자궁 수축
- 태아가사

치료적 간호관리

- 출혈의 특성과 양을 사정한다.
- 복부 통증의 정도를 사정한다.
- 자궁수축의 특성과 수축사이 자궁이완상태를 사정한다.
- 자궁 강직의 정도를 사정한다.
- 전자태아감시 장치로 태아 활동과 심음을 사정한다.
- 은닉성 출혈이 의심되는 경우, 자궁저부의 높이를 측정한다.
- 쇼크(활력증후, 소변량, 신체사정)의 증상을 관찰한다.
- 위중한 질병과 태아손실의 위험과 관련되어 대상자와 가족 정서적 지지를 한다.
- 응급 제왕절개 분만을 준비한다.
- 처방이 내려지면 수혈요법을 적용한다.

약물 관리

합병증

- 태아 안녕 위험
- 태반분리 정도가 50% 이상이면 태아사망 가능성 높음
- 태아의 산소결핍, 저산소증, 조산
- 모체의 파종성혈관내응고(DIC)
- 은닉성 태반 출혈
- 쇼크, 신부전증

비판적 사고 중심 간호실무

분만 중 태반조기박리

- 태반이 자궁벽에서 일찍 박리되는 것이다.
- 전치태반과 태반조기박리의 특성을 구별한다.

참고 ▶ 전치태반과 태반조기박리의 특징

전치태반	태반조기박리
· 선홍색 출혈이 있다.	· 선홍색, 어두운 붉은색 출혈이 있다. · 은익성이면 출혈이 없을 수 있다.
· 통증이 없다.	· 태반 가장자리 박리일 경우 통증이 없을 수 있다
· 통증은 없고 이전에 선홍색 출혈이 있을 수 있다.	· 태반 뒤 중심부에서 박리가 있으면 통증이 있다. · 수축이 있으면 자궁긴장도 증가와 수축사이의 이완이 약하다. 자궁은 판자처럼 딱딱하다.

치료적 관리

- 경증박리(질출혈 없거나 100mL 미만 외출혈): 진통이 계속되고 자연분만 할 수도 있다.
- 중등도박리(질출혈 없거나 100~500mL 출혈)/중증박리(질출혈 없거나 500mL 이상 출혈)
  - 지속적 산모와 태아 관찰
  - 쇼크의 관찰과 치료
  - 혈액응고의 평가
  - 수혈 가능
  - 유도분만을 위한 양막절개와 옥시토신 주입
- 다음 경우에 제왕절개가 지시될 수 있다.
  - 불안정한 태아상태이거나 자연분만이 어려울 때
  - 태아가 살아있고 심각한 박리가 일어날 때
  - 출혈이 심하고 산모생명이 위태로울 때
  - 진통이 진행되지 않을 때

간호사정

- 위험요인 관련 산모의 과거력 사정한다.
  : 자간전증, 만성 고혈압, 많은 출산 경험, 외상, 코카인 등 불법약물 복용
- 출혈의 양과 형태를 사정한다.
- 정확한 혈액손실을 사정하기 위해 패드무게를 측정한다: 500mL 이상 출혈은 태아 사망의 위험성이 커진다.
- 통증의 유무를 사정한다.
  - 태반조기박리 산부 대부분이 통증을 호소한다.
  - 통증은 보통 갑자기 시작되고, 계속되며, 자궁이나 등 아래쪽이 아프다.
  - 통증이 자궁 수축과 연관되어 있는지를 결정한다: 수축 사이에 동통이 있는 지, 자궁이 계속 수축되어 이완이 안되는 지 등
  - 자궁 위쪽에 부드러운 부분이 있는지
- 자궁 수축의 빈도, 기간, 강도, 수축 사이 이완상태를 사정한다.
- 자궁 크기를 사정한다: 출혈이 보이지 않는다면 자궁은 혈액으로 채워질 수 있고 자궁 저부는 상승할 것이다. 경부의 개대, 소실, 선진부 하강, 자궁수축의 진행을 사정한다.
- 산모의 활력징후를 사정한다.
- 전자태아 감시 장치로 태아 상태를 사정한다.
- 혈액 검사결과를 사정한다(헤모글로빈, 헤마토크릿, 파종성혈관내응고 검사).

간호진단

- 과도한 혈액 손실에 따른 저혈량과 관련된 체액량 부족
- 산부와 태아의 안전과 관련된 불안

간호중재

- 산모의 상태를 관찰하고 쇼크 징후의 증상을 주의한다(혈압 저하, 빈맥, 빈호흡).
- 태아 상태를 관찰한다(태아심박동수의 가변성 저하와 만기 하강).
- 혈액 손실양을 관찰한다.
  - 혈액 손실량을 측정한다.
  - 혈액이 묻은 물건을 만지거나 산부의 혈액을 제거할 때는 일회용 장갑을 착용한다.

- 조심스럽게 진통 상황을 관찰한다. 특히 증가되는 자궁의 강직상태를 주의한다.
  - 수축 빈도의 증가(2분 이상)
  - 증가된 강도
  - 수축 사이 자궁이완 지속기간 감소
  - 자궁 저부가 물렁함
  - 태아전자 감시 장치로 태아심박동수와 양상을 감시

- 배뇨를 관찰한다: 요의 배출은 순환계 상태를 반영한다.
  - 요 배출은 최소 30mL/시간 이상이어야 한다.
  - 유치카테터는 배출량을 정확하게 사정할 수 있다.
  - 요의 배출량은 매 1~4시간마다 출혈의 양에 따라 측정한다.

- 복부 크기를 사정한다.
  - 측정 테이프를 등 아래쪽에 두고 배꼽 위쪽으로 측정한다.
  - 측정할 때 마다 같은 자리에서 측정 테이프로 잴 수 있도록 수성펜으로 산모 복부 위
    에 표시해서 배꼽 위쪽이나 아래쪽 언저리에 일정하게 측정한다.

- 옥시토신을 투여하고 있다면 주의깊게 관찰한다.
- 혈액검사 결과를 관찰한다. 혈소판과 피브리노겐의 감소 응고물질의 증가로 나타나는
  파종성혈관내응고(DIC) 발생을 주의한다.
- 산소포화도 검사를 관찰한다(95% 이상의 산소포화도를 유지한다).
  95% 이하이면 안면 마스크로 7~10L/분으로 산소를 주입한다.
- 수액과 수혈요법을 관찰한다.
- 자반, 점상, 멍, 토혈, 직장 출혈 등 혈소판 저하 증상을 관찰한다.
- 자연분만이 촉진되지 않으면 제왕절개를 준비한다.
- 임부와 가족들에게 정서적 지지를 해준다.

- 수행한 간호 중 다음을 다시 살핀다.
  - 활력증후는 안정적인가?
  - 의학적 치료에 따른 활력증후의 반응은?
  - 산부가 자기 상태를 어떻게 말하는가?
  - 산부가 걱정하는가?
  - 출혈양이 증가하는가?

- 측정된 혈액 손실양은 얼마인가?

  다른 부분에서 출혈이 있는가?

- 자궁이 더 유연해지고 예민해졌는가?

- 이완하는 상태에서 자궁이 올라가는가?

- 산부가 순환을 돕고 가능한 편안한 자세를 취하려면 어떻게 해야 하는가?

- 산부와 가족들이 필요로 하는 정보는 무엇인가?

- 의식 수준에 변화가 있었는가?

간호기록 예

자궁수축 매 3분, 자궁수축기간 60초, 강한 강도, 수축 사이에 자궁 이완 있음.

FHR 140~146회/분, 낮아진 변이성 하강, 태아 움직임과 함께 감속 없음.

15초 지속되는 15회/분의 감속이 각 수축의 절정 이후에 시작됨.

안면 마스크 착용, 산소는 8l/분, 대상자 왼쪽 옆으로 체위변경.

BP는 114/72mmHg, 맥박은 80회/분 규칙적.

패드에 어두운 붉은색 질 출혈이 1시간 동안 100cc 있음.

대상자의 호흡상태가 양호함. 남편의 계속적인 격려. 주치의가 계속 곁에서 관찰중.

평 가

• 산부와 아기는 합병증 없이 안전한 진통과 출산을 한다.

• 산부와 가족은 의학적 치료와 위험의 이유를 이해한다고 표현한다.

간호실무능력 평가

☞ 상황

영희씨는 32세로 쇼핑몰 전화상담원으로 일하고 있다.

영희씨는 임신 34주째로 밤에 자궁이 단단하게 뭉치면서 심하게 배가 아프고 질 출혈량이 많아서 남편과 함께 응급실로 왔다. 산과력은 3-0-0-2-0, 임신 24주에 임신성 고혈압으로 관리 받고 있었다. 현재 활력징후는 혈압 150/100 mmHg, 맥박 84회/분, 체온 37.0℃였다.

초음파 검사에서 지속적 출혈이 예상되고, 태아모니터에서 불규칙적 자궁수축과 함께 태아 심음이 96회/분로 나타났다.

1. 영희씨의 태아에게 나타날 수 있는 건강문제가 <u>아닌</u> 것은?

① 조산   ② 저산소증

③ 파종성혈액응고장애(DIC)   ④ 태아사망

⑤ 재태기간 보다 작은 아기(SGA)

2. 영희씨에게 나타날 수 있는 건강문제는?

① 임신성 당뇨   ② 전치태반   ③ 파종성 혈액응고장애

④ 자궁내막염   ⑤ 자궁이완

3. 영희씨가 현재 건강문제와 관계있는 위험요인은?

① 과거 2번의 유산   ② 임신성 고혈압   ③ 32세 연령

④ 초산모   ⑤ 직업관련 운동부족

4. 영희씨에게 우선적인 치료는?

① 수액과 혈액 보충과 함께 바로 응급분만준비를 한다.

② 가능한 임신을 지속하여 37주 이후 정상 분만을 시도한다.

③ 자궁이완을 위해서 자궁수축억제제를 투여한다.

④ 태아 폐성숙을 위해 베타메타존을 투여한다.

⑤ 정확한 태아상태 사정을 위해서 즉시 초음파 검사를 다시 한다.

정답   1. ③   2. ③   3. ②   4. ①

관련정보

태반조기박리 유발인자

- 태반조기박리의 직접적 원인은 모르지만 중요한 발병의 유발인자는 자간전증이다.
- 기계적 외압(외상, 외회전술 등), 탯줄이 지나치게 짧은 경우 등이다.

자간전증	• 모체에서 태반으로의 혈관형성 부전과 혈관연축에 의해 태반이 허혈상태가 되기 쉽다. • 자간전증과 동반된 태반조기박리는 심각해질 가능성이 크고 산과적 DIC가 발생할 가능성이 크다.
태반조기박리의 과거력	• 다음 임신에서 재발률은 5~15%이다(과거력이 없는 경우의 약 10배). • 재발은 이전 임신에서 발생시기 보다 조기에 일어난다.
융모양막염	• 감염으로 태반부착부위가 박리될 수 있다.
태아기형	• 태반의 형성으로 이상이 동반할 수 있다.
중증 IUGR	• 자간전증과 유사한 병태가 원인이라고 보고 있다.
급격한 자궁내압의 감소	• 양수과다증에서 조기양막파수가 발생한 경우, 자궁내압이 급격히 감소하면서 태반이 박리된다.
자궁근종	• 자궁태반순환부전을 일으킬 수 있다.
흡연(니코틴)	• PGI_2 생성의 억제, 태반혈관의 연축을 일으킨다.
약물(코카인 등)	• 코카인에 의한 태반혈관연축과 태반의 순환부전이 일어난다.

병태생리(태아와 모체의 혈액, 순환에 손상)

* 태반과 자궁벽에 생긴 출혈로 혈종이 되어서 태반이 자궁벽에서 떨어진다.
* 태아와 모체의 혈액과 순환에 손상을 준다.

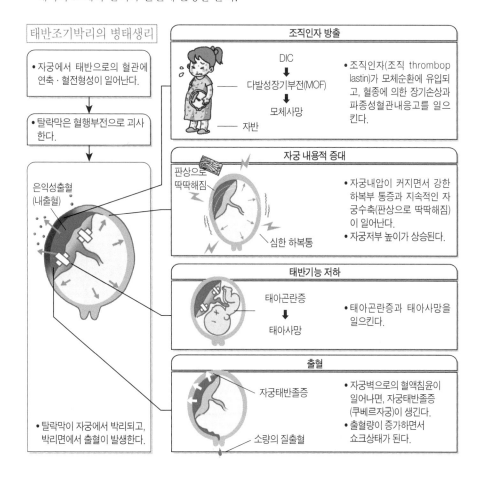

태반조기박리의 병태생리

* 자궁에서 태반으로의 혈관에 연축·혈전형성이 일어난다.

* 탈락막은 혈행부전으로 괴사한다.

은익성출혈
(내출혈)

* 탈락막이 자궁에서 박리되고, 박리면에서 출혈이 발생한다.

조직인자 방출

DIC

다발성장기부전(MOF)

모체사망

자반

* 조직인자(조직 thrombop lastin)가 모체순환에 유입되고, 혈종에 의한 장기손상과 파종성혈관내응고를 일으킨다.

자궁 내용적 증대

판상으로 딱딱해짐

심한 하복통

* 자궁내압이 커지면서 강한 하복부 통증과 지속적인 자궁수축(판상으로 딱딱해짐)이 일어난다.
* 자궁저부 높이가 상승된다.

태반기능 저하

태아곤란증

태아사망

* 태아곤란증과 태아사망을 일으킨다.

출혈

자궁태반졸증

소량의 질출혈

* 자궁벽으로의 혈액침윤이 일어나면, 자궁태반졸증(쿠베르자궁)이 생긴다.
* 출혈량이 증가하면서 쇼크상태가 된다.

임상증상

- 외출혈은 은닉성 출혈 보다 출혈량이 적은 경우가 많고 외출혈이 없는 경우도 있으므로, 외출혈량에만 집중하면 출혈성 쇼크 확인이 늦어질 수 있다.
- 대상자의 10~30%가 혈액 응고장애로 파종성혈관내응고(DIC)가 발생한다.
- 파종성혈관내응고는 출혈성 쇼크가 악화된 것이다.

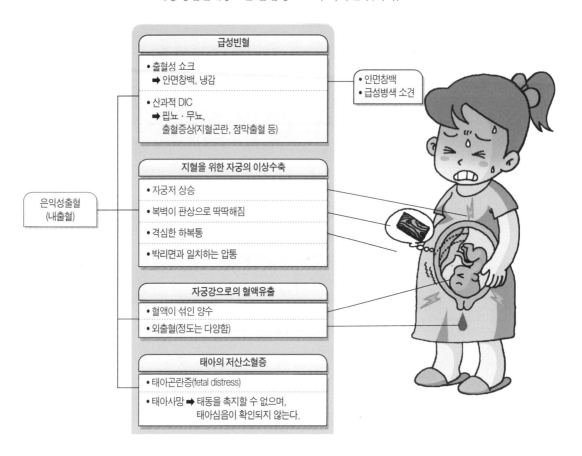

급성빈혈

- 출혈성 쇼크
  ➡ 안면창백, 냉감

- 산과적 DIC
  ➡ 핍뇨·무뇨,
    출혈증상(지혈곤란, 점막출혈 등)

- 인면창백
- 급성병색 소견

은익성출혈
(내출혈)

지혈을 위한 자궁의 이상수축

- 자궁저 상승
- 복벽이 판상으로 딱딱해짐
- 격심한 하복통
- 박리면과 일치하는 압통

자궁강으로의 혈액유출

- 혈액이 섞인 양수
- 외출혈(정도는 다양함)

태아의 저산소혈증

- 태아곤란증(fetal distress)
- 태아사망 ➡ 태동을 촉지할 수 없으며,
    태아심음이 확인되지 않는다.

치료적 관리

- 태반박리가 진행될 수 있어서 입원해야 한다.
- 태반조기박리의 경증, 중등도, 중증에 따라서 치료적 관리가 다르다.
- 중증(3도)인 경우에 자궁태반졸중(쿠베르자궁) → 자궁근층 괴사 → 자궁수축부전으로 이완성 출혈로 전자궁적출술이 필요하다.
- 태아가 사망한 경우에 모체 상태에 따라서 제왕절개나 질식분만을 선택한다.

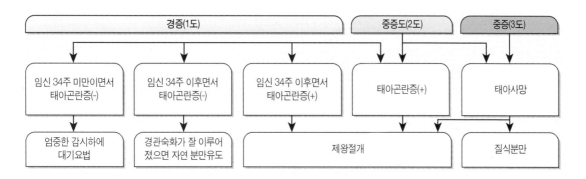

경증(1도)			중등도(2도)	중증(3도)
임신 34주 미만이면서 태아곤란증(-)	임신 34주 이후면서 태아곤란증(-)	임신 34주 이후면서 태아곤란증(+)	태아곤란증(+)	태아사망
엄중한 감시하에 대기요법	경관숙화가 잘 이루어 졌으면 자연 분만유도	제왕절개		질식분만

태반조기박리와 전치태반과의 감별

- 태반조기박리와 전치태반은 임신 20주 이후 질출혈이 있다.
- 다음은 임상 증상에 따른 감별법이다.
- 최근 초음파로 확진한다.

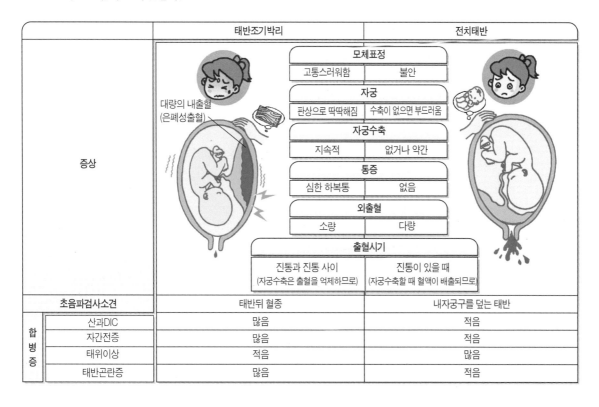

		태반조기박리	전치태반
증상	모체표정	고통스러워함	불안
	자궁	판상으로 딱딱해짐	수축이 없으면 부드러움
	자궁수축	지속적	없거나 약간
	통증	심한 하복통	없음
	외출혈	소량	다량
	출혈시기	진통과 진통 사이 (자궁수축은 출혈을 억제하므로)	진통이 있을 때 (자궁수축할 때 혈액이 배출되므로)
초음파검사소견		태반뒤 혈종	내자궁구를 덮는 태반
합병증	산과DIC	많음	적음
	자간전증	많음	적음
	태위이상	적음	많음
	태반곤란증	많음	적음

1. - 혈압 상승, 흡연, 불량한 식이

2. - 모체의 체액량과 장기 관류를 사정하기 위한 방법

3. - 체액량을 유지하고 필요시 즉시 수혈하기 위해서

4. - 즉각적으로 수혈하기 위해서 혈액형을 확인하고 의료진에 보고한다.
- 정맥 수액 주입 속도를 빠르게 하여 많은 양이 주입되도록 한다.
- 활력증후, FHR을 지속적으로 감시한다.

5. - 진행 과정을 설명하고 곁에 함께 있다는 것을 알려주어서 안심시킨다.
- 치료와 대상자 상태 등 상황에 대해서 설명해준다.

6. - 태반조기박리

14 태아감염 임부 간호

Key Point

✓ TORCH 감염은 태반을 통과한다(Toxoplasmosis, Other agents, Rubella, Cytomegalovirus, Herpes simplex).

✓ TORCH 감염증상은 없거나 감기증상 정도이지만 태아와 신생아에게 심각한 영향을 주므로 예방이 우선적이고 산전 감별진단으로 조기치료가 중요하고 감염별로 치료한다.

✓ TORCH 감염은 조기진통, 조기파막 등 고위험 임신과 아기의 심장결함, 정신지체, 뇌염 등 합병증을 가져온다.

비판적 사고 훈련

경화씨가 첫 산전 간호를 받으러 와서 다음과 같이 물었다. "제 친구는 임신해서 토치 (TORCH) 감염으로 아기를 잃었다고 했는데, 예방할 수 있는 방법은 없나?"

1. 간호사는 어떻게 대답해야 할까?

2. 경화씨가 "그런 감염을 예방할 수 있다면 태아가 안전할 텐데요, 태아에게 감염되지 않도록 제가 할 수 있는 방법은 없나요?" 라고 물었다. 어떤 교육을 할 수 있나?

3. TORCH 감염 중 면역이 가능한 것은?

비판적 사고중심 학습

학습목표

- 태아감염이 임부와 태아에 미치는 영향을 설명한다.
- 태아감염이 있는 임부에게 간호과정을 적용한다.

개요

모체감염은 임신, 분만, 수유로 태아와 신생아에게 감염될 수 있다. 자궁내 감염으로 태아에게 기형 등 심각한 질병을 가져오는 감염을 묶어서 TORCH 감염이라 한다. TORCH 감염은 Toxoplasmosis(톡소플라즈마), Other agents(임질, 매독, 수두, B형 간염, B군 연쇄상구균, HIV), Rubella(풍진), Cytomegalovirus(거대세포바이러스), Herpes(단순헤르페스)이다.

위험요소

- 임신과 관련된 생리적 증상(예: 요로감염 등)
- 기형원인에 노출
- 성전파성 질환(임질, 매독, 클라미디아, 단순포진, HIV/AIDS, B형 간염, 결핵 등)
- 거대세포바이러스: 유아탁아시설, 특정 의료시설 등
- 톡소플라즈마: 고양이 분변이나 털, 설익은 음식(날고기, 씻지 않은 채소와 과일)
- 임신 중 풍진예방접종: 풍진 감염 발생 위험성 큼

진단검사

- 임신 중 감염 감별진단(TORCH 역가, IgM, IgG)
- 감염 유형에 따라 진단검사 다름: 클라미디아(ELISA; Enzyme Linked Immuno-Sorbent Assay), 매독(VDRL, FTA-ABS) 등
- 풍진: 혈청검사(풍진항체역가: 1:16 이상 면역화됨, 1:8 이하 감염 감수성 있음), Hemagglutination inhibition test(HAI), Radioimmunoassay test(RIA)

증상과 징후

- 무증상
- 피로감
- 발열
- 자궁경부 염증
- 비특정 증상(감기증상)
- 림프절 증대
- 생식기 감염
- 발적

치료적 간호관리

- 미리 대비하여 조기발견한다.
- 감염에 따라 치료한다: 톡소플라즈마(설파메타진, 피리메타민, 스피라마이신), 클라미디아(Erythromycin, Amoxicillin), 매독(penicillin), 임질(Erythromycin)
- 임신 초기 감염 진단되면 치료적 유산을 권고하기도 한다(톡소플라즈마, 풍진 등).
- 풍진바이러스에 노출되었거나 풍진백신을 맞은 여성은 1달 이상 피임해야 하는 것을 교육하고, 면역이 없는 산모는 산후 풍진예방접종을 할 수 있다.
- B형 간염: 모체항원감별진단(HBsAg) 양성이면 생후 12시간 이내 신생아 예방접종한다.
- 태아상태를 관찰한다.
- 활력증후를 사정한다.

합병증

- 고위험 임신 초래
  - 유산
  - 조기진통, 조기파막, 조산
  - 사산, 태아사망 등

- 태아와 신생아 합병증
  - 칸디다(Candida Albicans): 아구창(질 분만때 모체 질감염 통해 전파)
  - 톡소플라즈마(Toxoplasmosis): 소두증, 실명, 난청, 정신지체 등
  - 클라미디아(Chlamydia): 안염, 폐렴, 만성 중이염 등
  - 매독(Syphilis): 선천성 매독, 중추신경계장애, 각막장애 등
  - 임질(Gonorrea): 안염, 실명
  - B군 연쇄상구균(Streptococcus Group B): 호흡곤란, 무호흡, 쇼크 등
  - 풍진(Rubella): 심장기형, 백내장, 실명, 사지 기형 등
  - 거대세포바이러스(Cytomegalovirus): 정신지체, 난청, 수두증, 소두증, 정신지체 등
  - 헤르페스(Herpes simple virus): 국소(피부, 눈, 코), 전신(간, 중추신경, 장기) 감염
  - B형 간염(Hepatitis B): 발열, 황달, 간비대 등
  - HIV/AIDS: 항체 관련 면역체계의 파괴

간호실무능력 평가

1. 은진씨는 방금 병원에서 만삭아를 정상 분만하였고, 2일후 퇴원할 예정이다. 임신 전에 풍진 예방접종을 받은 적이 없으며, 임신 중 혈청검사에서 풍진항체역가는 1:6의 결과로 나왔다. 은진씨가 풍진검사 결과와 예방접종에 대해 물었을 때 간호사의 설명은?

   ① "혈청검사를 다시 실시해서 풍진감염을 확인할 필요가 있습니다"
   ② "풍진 감염여부를 확인하기 위한 정밀 진단검사가 필요합니다"
   ③ "다음 임신을 위해서 풍진예방접종을 받는 것이 좋겠습니다"
   ④ "풍진 면역력을 갖고 있으므로 풍진예방접종은 하지 않아도 됩니다"
   ⑤ "지금 심각한 풍진 감염 상태로 치료가 필요합니다"

2. 임신과 관련되어 풍진감염에 대한 설명으로 <u>틀린</u> 것은?

   ① 풍진 예방접종을 받고나서 최소 1달 동안 피임을 해야한다.
   ② 풍진항체역가치가 1:16 이면 감염상태로 치료가 필요하다.
   ③ 풍진감염으로 백내장, 난청 등 선천성 태아 기형이 초래된다.
   ④ 모든 임부는 풍진감별진단을 받아야 한다.
   ⑤ 풍진은 비말로 전파되는 바이러스성 감염이다.

3. 임신중 자궁내 감염으로 태아 기형 등 심각한 질병을 초래하는 것은? (모두 고르시오)

   ① 임질   ② 매독   ③ 단순 헤르페스
   ④ 거대세포바이러스   ⑤ 풍진

관련정보

모자감염 경로

- 모자감염은 모체에 감염된 병원체가 임신, 분만, 수유를 통해 태아/아기에게 감염되는 것으로, 수직감염과 수평감염이 있다.

감염 방식	수직감염		수평감염
	자궁내 감염	분만시 감염	수유시 감염
감염 경로	❶ 태반을 통한 감염 태반을 통해, 병원체가 태아 혈액내로 유입 ❷ 상행성 감염 자궁경부, 질에 존재하는 병원체가 양수등을 통해 태아에게로 감염	❸ 태반을 통한 감염 분만시 자궁수축으로 병원체가 모체혈액에서 태아혈내로 이동 ❹ 산도감염 산도에 존재하는 병원체와 모체혈중 병원체가 태아에게로 감염.	❺ 모유 감염 모유에 있는 모체혈중 병원체가 태아에게로 감염

병원체의 감염 경로

- 병원체의 감염 방식은 아래와 같다.

◉ 주요 감염 경로
● 볼 수 있다
▲ 때때로 볼 수 있다
× 거의 볼 수 없다

	병원체	자궁내감염	분만시감염	수유시감염
진균	Candida Albicans	●	●	×
원충	톡소플라즈마(Toxoplasma)	×	●	×
클라미디아	Chlamydia Trachomatis	×	●	×
세균	매독(Treponema)	×	●	×
	임균(Gonorrhea)	●	×	×
	B군 연쇄상구균(GBS)	×	●	×
바이러스	풍진 바이러스	●	×	×
	거대세포 바이러스(CMV)	◉	●	●
	전염성 홍반 바이러스(Parvovirus)	◉	×	×
	수두 · 대상포진 바이러스(VZV)	▲	●	×
	단순 헤르페스 바이러스(HSV)	▲	●	×
	B형 간염 바이러스(HBV)	▲	●	×
	C형 간염 바이러스(HCV)	×	▲	×
	인간면역결핍바이러스(HIV)	▲	●	●
	인간 T 세포 백혈병 바이러스 I형(HTLV-1)	▲	▲	●

GBS: group B streptococcus   CMV: cytomegalovirus   VZV : varicella-zoster virus
HSV : herpers simplex virus   HBV : hepatitis B virus   HCV : hepatitis C virus
HIV : human immunodeficiency virus   HTLV-1 : human T-cell leukamia virus type 1

감염후 항체의 작용

- 감염 증상이 나타나면 보통 발병 2~3주후 2번 채혈하여 혈중항체가를 측정한다.
- 항원(병원체)이 유입되면 형질세포에서 생성된 IgM이 항원에 대응한다.
- IgM은 크기가 커서 태반을 통과하지 못하므로, 태아가 만든 것으로 볼 수 있다.
- 모체에서 생성된 IgG는 크기가 작아 태반을 통과하여 태아에게 전달된다.
- IgG의 상승은 태아감염이 있다고 진단할 수 있다.

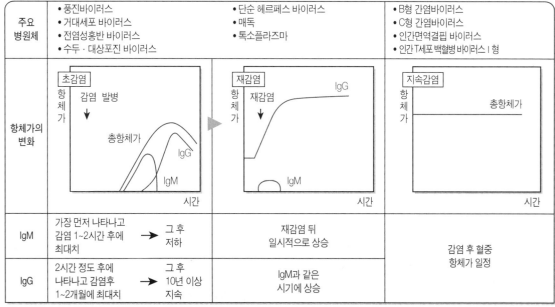

주요 병원체	• 풍진바이러스 • 거대세포 바이러스 • 전염성홍반 바이러스 • 수두 · 대상포진 바이러스	• 단순 헤르페스 바이러스 • 매독 • 톡소플라즈마	• B형 간염바이러스 • C형 간염바이러스 • 인간면역결핍 바이러스 • 인간T세포 백혈병 바이러스 I 형
항체가의 변화	초감염	재감염	지속감염
IgM	가장 먼저 나타나고 감염 1~2시간 후에 최대치 → 그후 저하	재감염 뒤 일시적으로 상승	감염 후 혈중 항체가 일정
IgG	2시간 정도 후에 나타나고 감염후 1~2개월에 최대치 → 그후 10년 이상 지속	IgM과 같은 시기에 상승	

선천성 풍진증후군(Congenital Rubella Syndrome, CSR)

CRS의 3대증상

❶ 백내장
❷ 실기형
　(동맥관개존증 등)
❸ 난청

- 모체가 임신중 풍진바이러스에 이환되면 자궁내감염으로 태반을 통해 태아가 감염될 수 있다.
- 태아가 감염되어 선천성이상이 생기면 선천성 풍진증후군(CSR)이라고 한다.

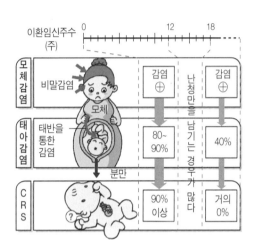

▶ 풍진감염 시기와 합병증
- 임신 12주미만: 태아기관형성기로 모체가 풍진감염되면 태아감염률은 80~90%이고, 90% 이상이 선천성 풍진증후군이 나타난다.
- 임신 18주이후: 모체가 풍진감염이 되어도, 태아의 감염률은 40% 정도로 감소하고, 선천성 풍진증후군 발병확률은 거의 없다.
- 임신중 풍진감염의 증상은 발열, 림프절 종창, 발진 등이 있지만 25%정도는 증상이 없다.

- 임신 전 풍진백신 접종으로 감염예방하는 것이 효과적이며, 임신 중 선천성 풍진증후군에 대한 효과적 치료법은 없다.

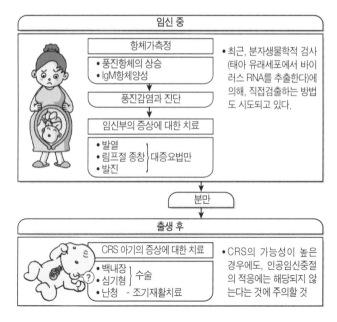

단순헤르페스감염 (Herpes simplex virus, HSV)

- 임부가 생식기 헤르페스에 감염되면 수직감염을 일으킬 수 있어서 제왕절개를 시행한다.
- 질식분만할 때 산도감염이 특히 문제가 되는데, 모체의 외음부 궤양에서 바이러스가 배출되어서 약 50%의 신생아 헤르페스가 발병된다.

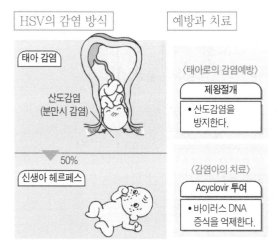

- **신생아 헤르페스**는 치료하지 않으면 약 80%가 사망한다.
- 신생아 헤르페스는 3가지 유형으로 분류하는데, 산도감염인 경우 전신형이 흔하다.

형	증상	비고	예후
표재형	•피부, 입술, 눈에 국한된 수포	•비교적 경증이며 예후는 좋다.	좋음
중추신경형	•염증에 따른 중추신경증상 (경련, 무욕상태 등)	•치명적이지는 않지만 신경학적 후유증이 남는다.	↓
전신형	•발열, 수유력의 저하 •패혈증 증상 •DIC, 다발성장기부전	•생후 7일째부터 증상을 보이며, 흔히 DIC, 다발성장기부전으로로 사망하는 경우가 많다.	나쁨

B형 간염

- B형 간염의 약 90%가 산도 감염이다.

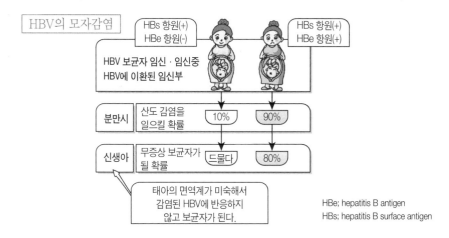

HBe; hepatitis B antigen
HBs; hepatitis B surface antigen

인간면역결핍 바이러스(HIV, human immunodaficiancy virus)

* HIV는 태반, 산도, 모유로 감염될 수 있는데, 산도를 통한 수직감염이 가장 많다.

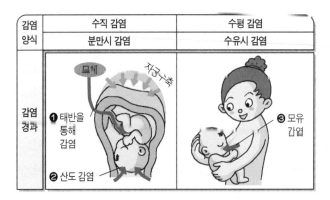

* HIV 감염예방을 하지않고 분만이 시작되면, 태아의 수직 감염률은 20~40%이다.

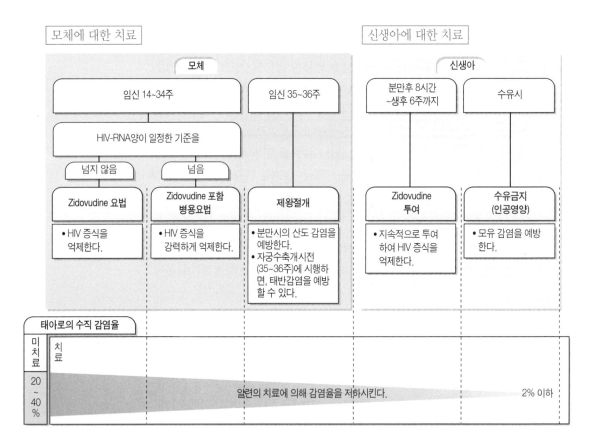

모체감염이 태아에 미치는 영향

진균 · 원충 · 클라미디아

		진균	원충	클라미디아
질환		질 캔디다	톡소플라즈마	클라미디아
병원체		Candida albicans	Toxoplasma	Chlamydia Trachomatis

모체의 감염경로		• 질로부터 상행성감염
		• 내인성 감염(면역저하)
		• 성행위를 통한 감염
			• 경구 · 기도 감염
			  (감염된 동물의 날고기 섭취와
			  분뇨 접촉)
				• 성행위를 통한 감염

태아로의 감염방식	자궁내감염	✕	●	✕
	분만시감염	●	✕	●
	수유시감염	✕	✕	✕
태아의 영향		• 신생아 구내 캔디다증 ※ 임신중에 치료하므로 거의 볼 수 없다.	• 발육장애 • 뇌내석회화 • 망막염 • 정신운동장애 • 수두증	• 유산 · 조산 • 신생아 폐렴 • 신생아 결막염
태아의 감염예방		• miconazole 젤 도포	• acetylspiramycin 투여	• macrolide계 항생제 투여

세균

		매독	임질	B군 연쇄구균 감염
질환		매독	임질	B군 연쇄구균 감염
병원체		Treponema pallidum	Gonorrhea	Group B Streptococcus
모체의 감염경로		• 성행위를 통한 감염 • 혈액감염	• 성행위를 통한 감염	• 질 · 대장으로부터의 상행성 감염
태아로의 감염방식	자궁내감염	●	✕	✕
	분만시감염	●	●	●
	수유시감염	✕	✕	✕
태아의 영향		• 태아수종 • 유산 · 조산 • IUGR • 태반조기박리 • 선천성 매독	• 유산 · 조산 • IUGR • 신생아결막염 • 신생아농루안	• 융모양막염 • 호흡곤란 • 패혈증
태아의 감염예방		• 임신 18주 이전 모체에 페니실린 투여	• spectinomycin, ceftriaxone 투여	• 모체에 페니실린 투여

● 주요 감염경로
● 볼 수 있다
▲ 드물게 있다
× 거의 없다

바이러스

질환		풍진	거대세포 바이러스 감염	전염성홍반	수두
병원체		풍진 바이러스	Cystomegalovirus	Parvovirus	수두 · 대상포진 바이러스
모체의 감염경로		• 비말감염	• 비말감염 • 접촉감염 • 성행위로 인한 감염	• 비말감염	• 비말감염 • 공기감염
태아로의 감염방식	자궁내감염	●	●	●	▲
	분만시감염	×	●	×	●
	수유시감염	×	●	×	×
태아의 영향		• 선천성풍진증후군	• 세포거대성봉입체병 • 정신지체	• 비면역성 태아수종 • 태아사망	• 선천성수두증후군 • 신생아수두

태아의 감염예방		• 임신전 풍진백신 예방
		  접종
			• 임신중의 초감염예방
			  (손씻기 등)
				• 유행할때 소아과,
				  보육원, 초등학교에
				  가지 않는다.
				• 임신중기 수혈은
				  신중하게 판단한다.
					• 수두환자에 가까이
					  가지 않는다.
					• 면역글로불린 투여

질환		단순 헤르페스 바이러스 감염	B형 간염	C형 간염	인간면역결핍 바이러스 감염	성인 T 세포 백혈구
병원체		단순 헤르페스 바이러스	B형 간염바이러스	C형 간염바이러스	인간면역결핍 바이러스	성인 T 세포 백혈병 바이러스 I 형(HTLV-1)
모체의 감염경로		• 성행위를 통한 감염	• 혈액감염 • 성행위를 통한 감염	• 혈액감염 • 성행위를 통한 감염	• 혈액감염 • 성행위를 통한 감염	• 모자감염
태아로의 감염방식	자궁내감염	▲	▲	×	▲	▲
	분만시감염	●	●	▲	●	▲
	수유시감염	×	×	×	●	●
태아의 영향		• 신생아 헤르페스	• 보균	• 보균	• 신생아 AIDS • AIDS 보균	• 보균

태아의 감염예방		• 외음부 궤양이 있을
		  경우, 제왕절개
			• B형 간염 백신 및
			  HBIG 투여
				• 유효한 대책이 없음
				※ 진통이 오기 전에
				  예방적 제왕절개술
				  을 시행하여 모자감
				  염률을 낮춘다는 보
				  고가 있다.
					• 모체 · 신생아에
					  Zidovudine
					• 제왕절개
					• 모유수유금지
						• 모유수유금지

1. 여러 질환을 함께 묶은 질병으로 대부분 바이러스 감염으로 대부분은 백신이 없어서 면역을 통해서 예방할 수 없다. TORCH 감염 선별검사로 미리 대비하여 적절한 관리를 받아야 한다고 설명한다.

2. 감기 증상이나 감염증상이 있으면 바로 알리고 어떤 감염이라도 조기진단하고 치료받으면 아기에 미치는 영향을 최소화할 수 있다. 감염예방법으로 톡소플라즈마는 손을 깨끗이 씻고 날고기를 먹지 않으며 고양이 분변을 만지는 않는다. B형 간염은 오염된 주사바늘을 사용하지 말고 안전한 성관계를 갖는다. 헤르페스는 안전한 성관계를 갖는다. 풍진은 예방접종을 안한 사람들과 아이들을 피한다. 거대세포바이러스는 유아탁아시설, 정신지체자시설, 신장투석실 등 특정의료시설에서 감염 위험이 높으므로 피하는 것이 좋다.

3. 풍진과 B형 간염은 백신이 있어 예방할 수 있지만, 임신동안 풍진예방접종은 금기이다.

15 물질남용 임부 간호

Key Point

✓ 임신동안 술, 환각제, 마약 등을 사용하면 안된다.

✓ 담배와 술은 임신동안 가장 많이 사용하는 유해물질이다.

✓ 임신중에 술을 마시는 것은 신생아 정신지체의 주요 원인이다.

✓ 물질남용의 위험요인은 정신질환, 신체적 학대, 성적 학대, 자아존중감 저하이다.

비판적 사고 훈련 ◥

사 례

17세인 은희는 임신 30주째 산부인과병원에 외래에서 첫 산전검진을 받았다. 체중은 임신전 보다 10.2kg 늘었다. 은희는 남자친구와 주말마다 만나서 항상 맥주를 마신다고 하였다.

1. 은희에게 환각제, 마약 등 물질남용을 간호사가 사정하기 위한 방법은?

2. 은희는 담배도 피우고 커피나 카페인 음료를 마신다고 하였다. 매일 맥주 한두 잔은 마시고, 자고 일어나면 술에서 깨려고 '각성제(암페타민종류, speed)'를 복용한다고 한다. 이와 관련되어서 간호사는 무엇을 예측하고 추가로 사정해야 하는 가?

3. 문진이 왜 필요한 가? 간호사는 물질남용 감별진단을 위해 소변 샘플을 받으려면, 어떤 조치가 필요한 가?

비판적 사고 중심 학습

학습목표

- 물질남용이 임부와 태아에 미치는 영향을 설명한다.
- 물질남용 임부에게 간호과정을 적용한다.

개요

물질남용은 불법적, 처방된 약물을 지속적으로 사용하거나 중독된 상태로 신체적·사회적 인간관계 문제를 가져온다. 임신동안 술이나 불법적인 약물사용은 태아와 신생아에게 심각한 영향을 주므로 '남용'이라 한다. 담배, 술, 코카인, 마리화나, 마약, 환각제, 자극제, 수면제, 정온제, 진통제 등이 포함된다.

임신초기에 이런 약물을 사용하면, 태아는 아주 위험하다. 투약의 빈도, 양, 사용기간, 투여경로 등은 위험을 증가시킨다. 태아에게 위험한 것은 물론, 인간관계를 방해하고, 의존성을 갖게 하고, 심각한 건강문제를 가져온다.

임신 중 음주는 가장 주요한 신생아 정신지체의 원인이다. 산전검진때 물질사용에 대한 문진과 검사를 해야 하는데, 약물을 사용하는 임부는 보통 산전검진을 잘 받지 않는다.

위험요소

- 연령(특히 21~34세 여성들이 임신 중 술 관련 문제 많음)
- 과거 음주와 흡연력
- 복잡한 성관계
- 우울과 불안장애
- 낮은 자아존중감
- 수면장애
- 신체적·성적 학대

진단검사

- 소변 독성 검사
- 혈청 독성 검사

증상과 징후

사용하고 남용하는 물질에 따라 증상과 증후는 다르다.

- 모체의 약물 중독반응

  - 동공수축, 충치, 비염, 식욕부진, 체중 감소, 급격한 기분변화, 불규칙하고 빠른 맥박

  - 성전파성 질환 증상, 잦은 낙상과 사고, 불량한 위생상태

  - 산전관리를 받지 않거나 거부

- 신생아의 약물 중독반응

  - 출생직후 신생아 금단 증상, 무기력, 근육 반사 약화

  - 부적절한 수유상태: 조절되지 않는 빨기와 연하반사

  - 높은톤의 울음, 발작/진전, 불안정한 수면, 울때 달랠 수가 없음, 상호작용장애 등

치료적 간호관리

- 약물사용을 빨리 사정한다. 산전관리 면담때 질문지등을 관례적으로 사용한다.

- 약물남용 증상을 관찰하고 사정한다.

- 담배, 카페인, 술과 같이 덜 위협적 질문으로 시작해서 불법약물에 관한 질문을 한다.

- 약물남용이 태아와 모체에 미치는 영향에 대해 정보를 제공한다.

- 약물사용을 줄이고 금단증상을 극복하고 전반적 건강증진을 위해서 자조프로그램 참여를 격려한다.

- 재활시설에 의뢰한다.

합병증

- 모체 합병증: 고혈압, 빈혈, 영양결핍, 췌장염, 알콜성 간염과 간경변 등

- 태아와 신생아 합병증:

  - 태반조기박리

  - 자궁내성장지연(코카인, 헤로인, 암페타민)

  - 태아알콜증후군(FAS): 산전, 산후 성장지연, 중추신경계 기능부전(정신지체 등), 소두증, 작은 눈, 편평한 안면 중앙부와 인중, 얇은 윗입술 등 특징, 두개안면 기형 등

  - 신생아의 중독과 금단증상

  - 주의력 결핍장애, 행동장애등 학습능력지연과 이상행동, 장기학습장애, 언어 발달지연

  - 미성숙, 저체중아, 호흡장애, 발달지연, 태아 돌연사 증후군(담배)

1. 미나씨는 임신 24주로 방송국 작가로 일하면서 거의 매일 술을 마시고 매번 소주 반병에서 2병까지 마신다고 한다. 지금 자기 일과 관련해서 술을 끊을 자신이 없다고 할 때 간호사의 교육은?

① "태아는 알코올 대사와 배설 능력이 없으므로 반드시 금주해야 합니다"

② "소주 보다는 알코올 도수가 낮은 맥주를 마시도록 해보세요"

③ "알코올은 태반을 봉과하시 않고 혈관을 이안시키는 효과가 있으므로 임신 중 순환을 위해서 와인 1잔 정도는 마실 수 있습니다"

④ "임신초기 알코올 섭취는 태아기형을 초래하므로 먼저 기형아검사를 받아야 합니다"

⑤ "임신 중 알코올의 영향에 대해 밝혀진 것이 없지만 과음은 피해야 합니다"

2. 태아알콜증후군의 합병증으로 나타날 수 없는 것은?

① 정신지체   ② 성장지연

③ 평편한 안면과 짧은 인중   ④ 소두증

⑤ 과숙아

3. 임신동안 약물남용 중 신생아 정신지체의 가장 보편적인 원인은?

① 담배   ② 진통제   ③ 카페인

④ 코카인   ⑤ 마리화나

정답   1. ①   2. ⑤   3. ①

1. • 대상자와 신뢰 형성을 위해서 비판적 태도는 피하고 무비판적 태도를 유지한다.
　 • 대상자에게 덜 위협적인 질문부터 시작한다.
　 • 약국에서 처방전 없이 사는 약과 의사 처방이 있어야 사는 약이 무엇인지 물어본다.
　 • 카페인, 니코틴, 알콜 등 법적으로 정당한 약물을 복용하는 지 물어본다.
　 • 마지막으로 마리화나, 코케인, 히로인 등 불법적 약물을 사용하는 지와 빈도와 양을 물어보고 기록한다.

2. • 우울, 자존감 저하, 불안, 신체적 학대나 성적 학대 경험 등과 관련되어 사정해본다.

3. • 술 등 어떤 약물은 섭취후 몇시간 지나면 발견할 수 없다.
　 • 윤리적으로 대상자의 동의를 받고 검사물 채취를 해야한다.

16 십대 임부 간호

Key Point

✓ 십대 임부는 산전 관리를 받지 않으려는 경향이 있다.

✓ 십대 임부들은 대개 흡연을 하며, 적절한 체중 및 영양상태가 정상 이하이다.

✓ 나이가 어릴수록 임신 관련 위험성이 더 높다.

✓ 간호의 목적:

  • 조기부터 지속적인 산전관리를 받도록 한다.

  • 사회경제적 지지체계를 받을 수 있도록 의뢰한다.

✓ 십대들의 출산률이 증가하고 있다.

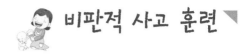

비판적 사고 훈련

사 례

소연씨는 15살의 청소년으로 임신 6개월이다. 산전 관리를 받기 위해 처음으로 산전관리실을 방문하였다. 그녀는 부모님과 함께 살고 있으며, 아기의 출산 후에도 계속 부모님과 함께 살 것이라고 하였다. 소연씨는 아기의 아버지가 누구인지 알 수 없다고 한다.

1. 소연씨의 연령으로 미루어 보아, 특히 어떤 사정이 이루어져야 하는가?

2. 부모로써의 역할변화가 특히 10대 부모인 경우가 더 어려운 이유는 무엇인가?

3. 소연씨의 신생아에게 나타날 수 있는 위험성이 높은 신체적 합병증은 무엇인가?

4. 건강한 임신 유지를 위해서 어떤 간호중재가 필요한가?

비판적 사고중심 학습

학습목표

- 십대 임신의 건강문제를 설명한다.
- 십대 임부의 신체, 정신, 사회적 간호중재를 계획하고 수행한다.

개요

십대 청소년의 임신률이 해마다 증가하고 있다. 대부분의 임신은 예정되어 있지 않다. 십대 청소년들은 산전 관리를 잘 받지 않으며, 영양관리와 산전관리 부분에서 비순응적인 경향이 강하다. 산전관리가 부족하면 임신성 고혈압, 조기출산, 자궁 내 성장지연 등의 높은 위험성이 있다. 산전관리는 십대 임부에게 좋은 결과를 갖게 한다. 심리 사회적 위험요소는 높은 이혼률, 편부모 가족, 조기 퇴학, 낮은 수입 등이다.

16세 이하의 어린 임부는 기존의 성장발달 위기에 더하여 신체적 · 정서적 스트레스를 더 많이 갖게 된다. 십대들은 흔히 충동적이며, 자기 중심적으로 미래를 위한 계획이 없다. 가족은 십대 자녀들이 임신을 했을 경우 학대와 소홀로 방치되며 특히, 십대의 지식 및 정보 부족, 부적절한 대처는 더욱 더 고위험 상태에 빠진다.

위험요소

- 동거
- 혼전 성관계
- 빈곤
- 낮은 자아존중감
- 편부모 가정
- 위험을 감수하는 무모한 행동
- 알코올과 약물남용의 과거력
- 비행 청소년

치료적 간호관리

- 영양 상태를 사정하고 좋은 영양에 대한 교육을 한다.
- 기본 지식상태를 사정하고 진통과 분만, 산후의 예상상황에 대한 지침을 준다.
- 신생아 관리에 관한 교육을 제공한다.
- 의복, 돈, 음식과 같은 자원을 제공한다.
- 임신과 분만 후 피임에 대한 교육을 한다.

- 임신과 성병 예방대책을 교육한다.
- 체중기 혈압은 정상적으로 유지하도록 한다.
- 면역력을 확인한다.
- 지지체계를 사정한다.
- 임신과 신생아에 대한 느낌과 역할을 신중하게 파악한다.
- 출산 후 신생아에 대한 애착 정도를 사정한다.
- 건강한 모아 상호작용 활동을 증진한다.
- 부모나 지원자의 지지체계를 파악하고, 십대 산모에게 문제 사정과 교육
- 산후 관리를 제공한다.

합병증

- 의복, 음식, 생활비 부족과 관련된 경제적 어려움(임신영양, 산후영양)
- 지지부족과 관련된 모성역할 부재
- 부적절한 부모 역할과 관련된 신생아 학대와 방치
- 임신성 고혈압
- 감염
- 빈혈
- 태아 자궁강 내 성장지연

간호실무능력 평가

상황

고등학교 1학년인 순희씨는 임신 3개월로 임신을 숨겨오다 오늘 보건교사에게 자신의 상황에 대해 상담을 하러 왔다. 현재 아기의 아버지는 잘 모른다고 하며 빨리 인공유산을 해서 현재의 상황을 잊어버리겠다고 한다.

1. 인공유산을 원하는 순희씨를 대하는 상담자의 태도로 옳은 것은?

   ① 생각이 잘못되었음을 지적하고 비판한다.
   ② 순희씨의 생각에 공감하고 있음을 표현한다
   ③ 순희씨와 상담을 중지하고 부모님과 상담한다.
   ④ 왜 그렇게 생각하는지 스스로 이야기하게 한다.
   ⑤ 문제 학생들의 일반적인 행동으로 신경쓰지 않는다.

2. 순희씨와 같은 십대 청소년 성상담의 가장 우선적인 목표는?

   ① 임신전과 같은 생활을 하도록 돕는다
   ② 청소년의 자발성 증진에 도움을 준다
   ③ 청소년기의 어려움을 함께 풀어나간다.
   ④ 발달과업상의 문제를 해결하는데 도움을 준다
   ⑤ 정확한 성지식과 바람직한 가치관을 교육시킨나.

3. 상담 후에 순희씨는 임신을 지속하겠다고 하였다. 그러나 순희씨의 체중은 임신 전과 비교하여 2kg가 줄었으며 입덧이 심해 아무것도 먹을 수 없다고 하였다. 입덧을 경감시킬 수 있는 간호중재는?

   ① 위의 공복상태를 오래 유지한다.
   ② 식사를 소량씩 자주하도록 권장한다.
   ③ 기름기가 많은 음식 섭취를 권장한다.
   ④ 자극이 강한 음식으로 식욕을 자극한다.
   ⑤ 좋아하는 음식과 탄산음료를 같이 섭취한다.

정답   1.④   2.⑤   3.②

1. 영양상태, 식이습관과 체중변화, 근친상간이나 성적학대
   출산 후 학교 복귀에 관한 계획
   지속적인 산전관리의 중요성과 그녀의 이해 정도
   고위험 증상, 가족과 그녀의 안녕상태에 대한 주요 고려 사항과 가족의 지지

2. 십대들은 아직 성장발달 과정 중에 있다 따라서 십대 청소년기의 특징인 자기중심적이고 충동적이고 좌절을 견딜 수 있는 힘이 부족한 상황에 경제적인 문제와 학업을 중단해야 하는 상황이 맞물려 있기 때문이다.

3. 저체중아, 부적절한 영양으로 인한 기형

4. 지속적인 산전관리와 산전관리를 도와줄 지지체계

17 태아 사정

✓ 임신1, 2기 동안 태아 사정은 태아의 선천성 기형의 탐색과 태아 상태를 평가하는 것이다.

✓ 임신3기 동안 태아 사정은 자궁 내 환경이 태아가 생존하는데 적절한지를 결정하는 데 있다

✓ 태아사정은 생물리학적 사정과 생화학적 사정으로 구분한다.

✓ 생물리학적 사정으로 초음파검사, 생물리학적 계수측정, 태동측정, 태아 심박동 검사, 전자태아 감시를 시행한다

✓ 생물리학적 계수는 태아 호흡운동, 태동, 태아 근육 긴장도, 양수량과 태아 심박동수로 태아 상태를 평가하는 것이다.

✓ 생화학적 사정으로 양수천자, 경피제대혈 채취, 융모막 융모생검과 임상검사를 시행한다.

✓ 태아 사정이 모든 선천성 기형을 찾아낼 수 있는 것은 아니라는 것을 설명한다.

비판적 사고 훈련 ▼

미영씨는 임신 20주이다. 그녀는 양수천자를 예정하고 동의서에 서명을 하였다. 모체의 혈청 검사상 결과에서 중추신경계 결손으로 태아의 이분척추를 의심하고 있다. 자신의 태아가 이분척추인지의 여부를 확실히 알기 위해서 우선적으로 초음파 검사를 하였다. 그 후 간호사는 확진을 위해 양수천자를 시행해야 하며, 준비로 먼저 방광을 비울 것을 교육하였다.

1. 양수천자시 방광을 비워야 하는 이유는?

2. 왜 양수천자시 초음파검사를 함께 해야 하는가?

3. 간호사는 이러한 절차의 잇점과 위험성을 미영씨에게 알려줘야 한다. 미영씨의 교육에 무엇이
   포함되어야 하는가?

4. 양수 천자 검사후 어떤 것을 사정해야 하는가?

비판적 사고 중심 학습

학습목표

- 페사위 초음파 검사목적과 결과를 파악한다.
- 생물리학적계수(BPP) 결과를 해석한다.
- 태동측정법을 설명한다.
- 모체 혈청검사(다수표지자 선별검사) 결과를 이해한다.
- 양수천자에 따른 전·후 간호를 수행한다.
- 양수천자 방법과 결과를 이해한다.
- 경피제대혈 채취 검사방법과 결과를 파악한다.
- 융모막 융모생검 검사방법과 결과를 파악한다.
- 침습적 검사방법의 합병증을 설명한다.

개요

태아사정은 태아의 기형을 진단하고 자궁내 환경이 태아가 생존하는데 적절한지를 평가하는 것이다. 태아사정은 생물리학적 사정과 생화학적 사정으로 나누어진다. 생물리학적 사정은 비침습적인 방법을 이용하는데 초음파 검사와 생물리학적 계수 측정, 매일 태동측정법, 태아 심박동양상의 사정을 포함한다. 생화학적 사정은 침습적인 방법으로 양수천자, 경피제대혈 채취, 융모막 융모생검, 임상검사를 포함한다.

임신1기의 초음파는 임신확인, 임신의 위치, 다태임신, 재태연령(두둔길이, 두위), 태아의 수와 생존력확인, 염색체이상과 기형을 암시하는 표지를 확인, 융모막생검을 위한 자궁 자궁 목, 태반의 위치 확인한다.

임신2, 3기의 복부초음파는 태아 생존력 확인, 태아의 해부학적 구조와 삽입부위 평가, 재태연령, 태아의 성장 사정, 양수의 양 평가, 전치태반과 태반의 위치, 태위 결정, 양수천자와 경피제대혈 채취시 주사바늘의 위치를 확인한다.

생물리학적계수(Biophysical Profile: BPP)는 초음파 검사를 이용한 태아의 호흡 운동, 태동, 근긴장, 태아심박동수(NST 결과), 양수의 양을 더한 5가지 관찰항목으로 태아의 안녕을 평가하는 것이다.

태동은 산소공급이 충분한 태아는 자주 움직이고 산소공급이 불충분한 태아는 움직임을 적게 한다는 의미에서 측정한다. 1시간에 3회 이상이면 정상이고 1시간에 2회 이하이며 건강상태의 평가가 권장된다

양수천자는 진단적 분석을 위해 태아의 세포 등이 포함된 양수액을 추출하는 것이다. 재태연령 14주에 태아의 성숙도를 측정하고 선천성 기형, 유전적 결함이나 자궁내성장지연, 양수액 추출을 위해서 시행된다. 초음파로 가시화하며 복부를 통과하여 자궁내로 바늘을 삽입한다. 양수는 주사기로 뽑는다. 합병증은 1% 이하에서 발생한다.

경피제대혈 채취는 임신2기와 3기에 제대천자를 통해 태아의 제대혈관으로부터 혈액을 채취하는 것이다. 경피제대혈 채취는 유전적인 혈액질환, 기형아의 핵형, 태아 감염의 조기발견, 자궁내 성장지연, 태아의 산염기 상태, 동종면역의 사정과 치료 및 임부의 혈소판 감소증에 대한 산전진단을 위해 실시된다.

융모막 융모생검은 임신 초기(10~12주)에 태아의 신진대사와 염색체의 기형을 진단하기 위해 실시한다. 검사 시에는 양수표본이 필요하며 검사 후에는 생존력을 확인하고, 수일간 안정을 취하며 며칠간 금욕을 한다.

진단검사

- 초음파 검사는 태아의 생존력, 재태연령, 태아의 성숙도, 태아의 해부학적 평가, 태반의 위치와 기능, 태아의 안녕을 평가하는데 사용한다.

- 생물리학적계수(Biophysical Profile: BPP)는 태아의 호흡 운동, 태동, 근긴장, 태아심박동수(NST 결과), 양수의 양의 5가지 관찰항목에서 정상인 경우 2점, 비정상인 경우 0점으로 하여 더해, 합계치가 8점 이상인 경우 정상이라고 판단한다.

- 매일의 태동측정은 매일 식사 후에 4번씩 태동을 측정하는 Sadovsky 방법과 매일 아침마다 처음 10번의 태동을 세어보는 방법 Cardiff count to ten의 방법이 있다.

- 태아 심박동 양상의 사정은 증가와 감소로 나누어지며 태아의 건강상태를 파악하는 지침이다.

- 전자태아감시는 태아의 건강을 확인하고 주산기사망률과 이환률을 감소시키며 산과팀의 중재지표에 유용하다.

- 양수천자는 유전적 문제나 선천성 기형에 대한 산전 진단, 폐성숙도를 사정하고 태아 출혈성 질환을 진단한다.

  AFP: 태아단백질(Alpha-fetoprotein)은 태아에게서 나오는 항원물질이다. 상승된 수치는 태아의 신경관 결손을 의미한다. 낮은 수치는 다운증후군을 나타낸다.

  초음파(Ultrasonography): 태아와 태반의 위치를 결정한다.

  Creatinine 수치: 1.8mg/dl 이하의 수치는 태아 신장기능의 성숙도를 반영한다.

  L/S(lecithin/sphingmyelin ratio): 2:1의 비율은 태아의 폐성숙도를 반영한다.

  Phosphatidylgylcerol(PG): L/S의 비율이 2:1일때 동반되며 태아의 폐성숙을 확진할 수 있다.

  Shake test: 양수액을 생리식염수와 에탄올에 섞어서 충분히 흔든다. 15분간 떠있다가 가라앉는 거품의 양상은 태아의 폐성숙도를 나타낸다.

  Bilirubin level: Rh^- 인자를 가진 임부는 태아의 적혈구 파괴 정도를 빌리루빈 수치로 파악한다.

- 경피제대혈채취는 탯줄혈관에서 태아혈액을 채취하는 것으로 Rh 질환, 비정상적인 혈액응고 요인 진단, 태아의 산염기 상태를 확인한다.
- 융모막 융모생검은 태반의 태아측 표면으로부터 작은 조직을 표본 추출하여 태아의 신진대사와 염색체의 기형을 진단한다.
- 알파태아 단백검사는 모체의 혈청과 양수를 통해 태아의 신경관결함을 확인한다.

치료적 간호관리

양수천자

- 무균술을 적용하여 사정하고 시행절차를 돕는다.
- 절차 시행 전 대상자의 방광이 비었는지의 여부를 결정한다. 팽만된 방광은 초음파의 시야 확보에 도움을 주지만, 빈 방광은 양수천자 바늘이 방광 천공의 위험성을 증가시킨다.
- 절차 시행동안 저혈압을 방지하기 위해 측위를 취해준다.
- 정서적 지지를 제공한다.
- 유전적 이상이 나타나면 유전상담을 의뢰한다.
- 모체의 용혈성 질환의 가능성 때문에 시행후 Rh- 여성은 RhoGAM을 맞는다.
- 양수천자 임부에게 시행절차의 위험성에 대한 설명과 동의서에 서명을 받는다.
- 양수천자 동안 의료용 안경착용 등 감염 예방을 위한 사전지침을 시행한다.

경피제대혈 채취

- 무균술을 적용하여 사정하고 시행절차를 돕는다.
- 검사 후 1시간동안 지속적으로 태아 심음을 모니터하고 태아에게 발생될 수 있는 출혈이나 혈종을 확인하기 위해 초음파를 시행한다.

합병증

양수천자시

- 출혈
- 유산
- 양수의 누출
- 갑작스런 태아 사망
- 감염
- 조산
- 태아와 태아부속물의 손상

경피제대혈 채취시

- 태아 서맥
- 출혈
- 탯줄 파열
- 혈종
- 혈전증
- 조기진통
- 조기양막 파열

산전진단검사(양수검사 외)

- 임신전반기에 유전질환, 염색체이상, 선천성대사질환, 태아기형 등을 진단하는 검사이다.
- 산전진단에는 검사 전 및 검사 후의 충분한 설명과 상담, 또는 자유 의사에 따른 참여가 필수적이다.

양수 검사

- 양수는 자궁까지 복부를 통과하는 바늘을 통해 추출될 수 있고, 태아 상태에 관련된 귀중한 자료를 얻기 위해 분석된다.
- 양수 분석은 태아의 유전적 정보를 제공하고 태아의 폐 성숙도를 결정짓는데 사용된다.
- 태아의 폐 성숙도는 인지질 레시틴과 스핑코미엘린의 비율, L/S율을 결정함으로써 확인될 수 있다. 이것들은 신생아가 숨을 내쉴 때 폐포의 표면 장력을 낮추는 물질인 계면 활성제의 두가지 성분이며, 이로 인해 폐의 허탈을 방지한다.
- 임신 초기에 스핑고미엘린 구성은 레시틴보다 크다. 그래서 스핑코미엘린의 레시틴 비율(L/S)은 낮다. 임신 기간이 증가할수록 레시틴은 증가한다. 태아의 성숙도는 L/S율 2:1 또는 그 이상이어야 한다.
- 폐 성숙도 지연은 종종 당뇨 임부의 출산에서 보여진다.
- Phosphatidylglycerol (PG)은 또 다른 인지질로 임신 약 35주 이후 양수에 나타나며, 그 이후에 양이 계속 증가한다.

간호실무능력 평가 ◀

1. 25세인 애자씨는 현재 임신 10주이다. 애자씨는 가족 중에 심한 기형을 가지고 태어난 신생아
   가 있어서 불안하지만 유산을 할 생각은 없다. 현재의 애자씨에게는 태아의 유전적 진단을 위한
   검사가 권유되었다. 이시기에 적절한 검사는?

   ① 양수 천자　　　　　　② 전자태아 감시　　　　　③ 태동 측정

   ④ 융모막 융모 생검　　　⑤ 경피 제대혈 검사

2. 애자씨는 양수천자를 통해 AFP(alpha- fetoprotein)의 수치가 낮다고 진단을 받았다. 애자씨의
   태아에게 의심이 되는 질환은?

   ① 신경관 결손　　　　　② 무뇌증　　　　　　　③ 이분척추

   ④ 용혈성 질환　　　　　⑤ 다운증후군

3. 양수천자를 통해 확인이 가능한 물질이 <u>아닌</u> 것은?

   ① 레시틴　　　　　　　② 크레아티닌　　　　　③ 빌리루빈

   ④ 에스트리올　　　　　⑤ 스핑고 마이엘린

4. 태아 건강사정 결과이다. 중재가 필요한 경우는?

   ① 태아의 생물리학적 계수값이 8점이다

   ② 태아 심박수가 120~160회/분 를 유지한다

   ③ 자궁수축과 상관없이 태아 심박동의 감소가 있다

   ④ NST 20분 동안 15bpm 이상의 가속이 4번 있다

   ⑤ 자궁수축과 동시에 태아의 심박동이 하강했다 회복한다

5. 탯줄혈관에서 태아혈액을 채취하여 Rh 질환, 비정상적인 혈액응고 요인 진단, 태아의 산염기
   상태를 확인하는 사정법은?

   ① 양수천자　　　　　　② 초음파　　　　　　　③ 무자극 검사

   ④ 경피제대혈 채취　　　⑤ 융모막 융모생검

정답　1. ④　2. ⑤　3. ④　4. ③　5. ④

관련정보

산전진단검사(양수검사 외)

- 임신전반기에 유전질환, 염색체이상, 선천성대사질환, 태아기형 등을 진단하는 검사이다.
- 산전진단에는 검사 전 및 검사 후의 충분한 설명과 상담, 또는 자유 의사에 따른 참여가 필수적이다.

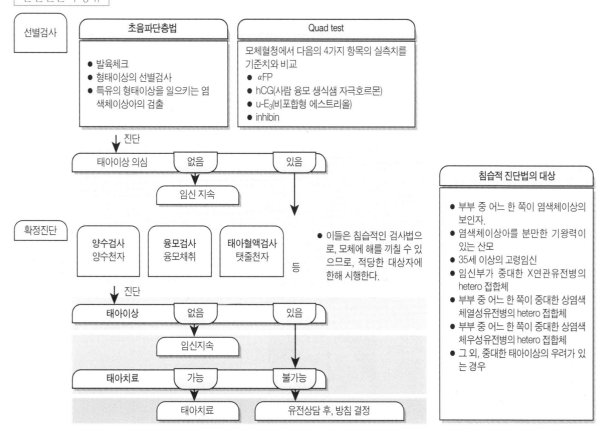

양수 검사

- 양수는 자궁까지 복부를 통과하는 바늘을 통해 추출될 수 있고, 태아 상태에 관련된 귀중한 자료를 얻기 위해 분석된 다. 양수 분석은 태아의 유전적 정보를 제공하고 태아의 폐 성숙도를 결정짓는데 사용된다.
- 태아의 폐 성숙도는 인지질 레시틴과 스핑코미엘린의 비율, L/S율을 결정함으로써 확인될 수 있다. 이것들은 신생아 가 숨을 내쉴 때 폐포의 표면 장력을 낮추는 물질인 계면 활성제의 두가지 성분이며, 이로 인해 폐의 허탈을 방지한 다. 임신 초기에 스핑고미엘린 구성은 레시틴보다 크다. 그래서 스핑코미엘린의 레시틴 비율(L/S)은 낮다. 임신 기간 이 증가할수록 레시틴은 증가한다. 태아의 성숙도는 L/S율 2:1 또는 그 이상이어야 한다.
- 폐 성숙도 지연은 종종 당뇨 임부의 출산에서 보여진다.
- Phosphatidylglycerol(PG)은 또 다른 인지질로 임신 약 35주 이후 양수에 나타나며, 그 이후에 양이 계속 증가한다.

생물리학적계수(BPP)

- 생물리학적계수는 초음파 검사를 이용한 태아의 호흡 운동, 태동, 근긴장, 태아심박동수 (NST 결과), 양수의 양을 더한 5가지 관찰항목으로 태아의 안녕을 평가하는 것이다. 각각의 관찰항목에서 정상인 경우 2점, 비정상인 경우 8점으로 하여 더해, 합세시가 0점 이상인 경우 정상이라고 판단한다.

관찰항목		판정	
		정상(2점)	비정상(0점)
초음파검사	호흡운동 (fetal breathing movements) 흉벽의 상하운동 / 횡격막의 상하운동	● 30분간, 30초 이상 계속되는 운동이 1회 이상	● 30분간, 30초 이상 계속 되는 운동이 없음
	태동 (gross fetal body movements) 몸통의 회전 / 동체의 상하운동 / 사지의 운동	● 30초간, 3회 이상의 몸통 혹은 사지 움직임이 있음	● 2회 이하의 움직임
	근긴장 (fetal tone) 사지나 몸통이 펴졌다 다시 구부러진다. 편다 ↔ 구부린다 주먹을 쥐거나 편다 (손바닥의 개폐).	● 30분간 사지나 몸체를 폈다가 구부리거나, 손을 펴거나 쥐는 운동이 1회 이상	● 30분간 움직임이 없거 나 폈다가 구부리는 움 직임이 없음
	양수량 (amniotic fluid volume)	● 양수포켓 2cm보다 큰 것이 1곳 이상에서	● 양수포켓 2cm 이하
NST	무자극검사 (non-stress test)	● 20~40분간 15bpm 이상 (➡ reactive)	● 20~40분간 15bpm 미만 (➡ non-reactive)

태아안녕의 평가

- 모체내 태아의 상태가 양호한지 아닌지 여부를 각종 검사를 통해 종합적으로 판단한다.
- 검사종류

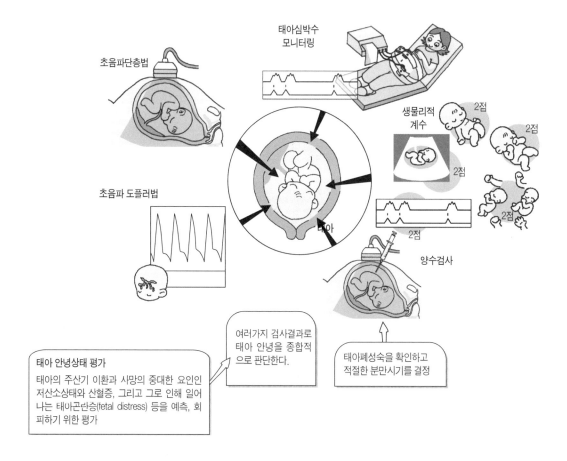

초음파단층법

태아심박수 모니터링

생물리적 계수

2점

2점

2점

2점

초음파 도플러법

태아

양수검사

여러가지 검사결과로 태아 안녕을 종합적으로 판단한다.

태아폐성숙을 확인하고 적절한 분만시기를 결정

태아 안녕상태 평가
태아의 주산기 이환과 사망의 중대한 요인인 저산소상태와 산혈증, 그리고 그로 인해 일어나는 태아곤란증(fetal distress) 등을 예측, 회피하기 위한 평가

초음파 검사

질식(경질)초음파와 복부초음파

- 탐촉자(Probe)를 내는 부위에 따라, 질식(경질)초음파와 복부초음파로 나뉜다.
- 질식초음파는 자궁경관무력증, 절박유산, 전치태반, 탯줄탈출 등의 진단에 이용된다.

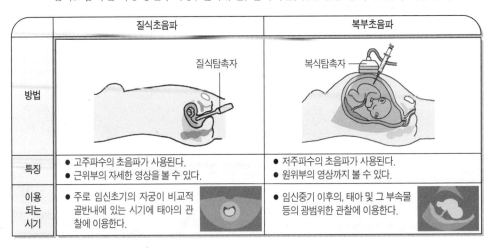

	질식초음파	복부초음파
방법	질식탐촉자	복식탐촉자
특징	● 고주파수의 초음파가 사용된다. ● 근위부의 자세한 영상을 볼 수 있다.	● 저주파수의 초음파가 사용된다. ● 원위부의 영상까지 볼 수 있다.
이용 되는 시기	● 주로 임신초기의 자궁이 비교적 골반내에 있는 시기에 태아의 관 찰에 이용한다.	● 임신중기 이후의, 태아 및 그 부속물 등의 광범위한 관찰에 이용한다.

초음파검사의 내용

- 임신의 확진과 주수의 산출에서부터 태아 선별검사까지, 다양한 방면으로 이용된다.

임신구분	검사내용
초기	**이상임신 · 임신주수의 체크**
	● 자궁내 GS(임신낭)의 확인(GS의 위치, 수, 크기) ● 태아의 심장박동 관찰 ● CRL, BPD 계측　　　　　　　（➡ 임신주수의 확인）
	태아 주요기형의 체크
	● 무뇌아 등
	모체의 생식기 체크
	● 자궁형태이상, 자궁근종, 난소낭종의 유무 등
중기 ~ 말기	**태아발육의 평가**
	● BPD, AC, FL 등의 평가　　　　　（➡ 추정체중의 산출）
	태아 이상의 체크
	● 두경부 : 수두증, 낭포성 림프관종 등 ● 흉부 : 심기형, 부정맥, 흉수 등 ● 복부 : 소화관폐색, 복벽파열 등 ● 신요로계 : 신무형성 (Potter 증후군) 등 ● 그 외 : 사지의 이상, 이분척추 등
	양수량
	● 양수지수(AFI) 계측
	태반
	● 위치(전치태반의 진단) 등
	탯줄
	● 부착부위　● 탯줄내 혈관수　● 탯줄탈출 여부 등

1. 임신주수의 확인

- 초음파검사에서 계측한 머리엉덩길이(CRL), 양쪽마루뼈지름(BPD)에 준하여 확인한다.
- 임신주수에 따라서 어느 수치를 사용하는지가 정해진다.

임신주수산출법

8~11주 무렵

- CRL > 4(cm)인 경우, BPD를 이용한다.

12~15주 무렵

- BPD는 임신말기까지 태아발육의 평가에 이용된다.

복부둘레(AC)
- BPD, FL과 함께 추정체중의 산출에 이용한다.

복부횡단면의 둘레

2. 태아발육 평가항목

- 각부위 계측으로 얻어진 수치를 통해 태아 발육 이상의 여부를 확인한다.

임신낭(GS)
- 임신 4~5주에 작은 원모양으로 확인된다.
- 그 후, GS 안에서 난황막, 태아심박동이 보이게 된다.

임신낭의 최대지름 계측부위

머리엉덩길이(CRL)
- 임신 8~11주 사이에는 CRL치에 개체간 차이가 없으므로, 분만예정일의 산출에 이용된다.
- 임신7~8주 무렵, 머리와 몸통의 구별이 가능해진다.
- 생리적 flexion 상태에서 계측

머리~엉덩이까지의 직선거리

양쪽마루뼈지름(BPD)
- 태아발육의 지표
- 임신주수의 추정과 분만예정일의 산출에 이용한다.

마루뼈 외측~반대쪽 마루뼈 내측까지의 거리

대퇴골길이(FL)
- 태아성장의 지표
- 연골부분은 제외하고 계측한다.

대퇴골 장축에서 양 끝사이의 거리

3. 양수량의 측정(태아 well-being의 지표 중 하나)

- 양수량을 실제로 측정하기는 곤란하므로 복부초음파를 이용하여 양수지수(AFI) 또는 양수포켓(주머니)을 측정하여, 양수량을 평가한다.
- 자궁강을 4분할하여, 각각의 최대양수주머니 수직깊이를 합한 것을 AFI라고 한다.
- 양수강이 가장 넓어지는 단면에서 자궁내벽에서 태아부분까지의 거리를 양수포켓으로 한다.

양수지수(AFI)

AFI의 측정방법

탐촉자를 모체의 장축을 따라 바닥에 직각으로 댄다.

장0축 방향

AFI 구하는 방법

$$AFI = A + B + C + D$$

AFI의 평가

AFI	평가
<5cm	양수과소
5~24cm	정상
24cm <	양수과다

양수포켓(주머니)

양수포켓의 측정방법

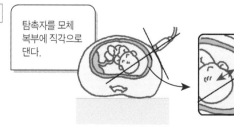

탐촉자를 모체 복부에 직각으로 댄다.

양수 포켓

양수포켓의 평가

양수포켓	평가
<5cm	양수과소
2~8cm	정상
8cm <	양수과다

초음파 도플러법(태아-태반 순환동태의 평가에 이용)

- 초음파 도플러법은 초음파를 이용하여 혈류 상태를 시각적으로 그려내는 초음파검사법 중 하나이다
- 초음파 도플러법에는 color 도플러법, power 도플러법, pulse 도플러법의 세가지가 있다.

종류와 검사순서

종류	칼라(color) 도플러법	파워(power) 도플러법	맥박(pulse) 도플러법
특징	• 혈류의 방향을 컬러로 묘사한다. • 탐촉자쪽으로 나가오는 혈류는 빨강, 탐촉자에서 멀어지는 혈류는 파랑으로 그려진다. • 탐촉자표면과 평행한 흐름의 혈류는 컬러로 표시되지 않는다.	• 혈류방향, 속도에 관계없이 혈류가 존재하는 부분(혈관부위)을 묘사. • 가느다란 혈관의 묘사에 알맞다.	• 선택된 혈관속 혈류를, 정량적으로 평가할 수 있다. • 혈류속도파형을 기록할 수 있다.
평가점	혈류의 방향을 평가	혈류(혈관)의 유무를 확인	혈류를 정량적으로 평가
실제 영상			

다수표지자 선별검사

세 가지 표지자 선별검사(triple marker screening)

- 임부 혈청의 알파태아단백질, 비활성 에스트리올, 융모성샘자극 호르몬의 농도수준을 통해 다운증후군과 신경관 결손, 다태임신과 신장기형 등을 추정하는 검사이다.
- 임신 16주에서 18주 사이에 실시하며 세 가지 표지자의 수준은 고령 임부에서 태아 위험 정도를 추정하는 데 이용한다.

네 가지 표지자 선별검사(quadruple-marker screening)

- 알파태아단백질, 비활성 에스트리올, 융모생식샘자극호르몬에 인히빈 A를 추가한 검사로 다운증후군(삼 염색체 21)을 85% 판별해낼 수 있다.

- 세 가지 표지자 선별검사 또는 네 가지 표지자 선별검사는 진단의 정확성을 높여주며 신경관결손(무뇌증, 이분척추 및 뇌 헤르니아)이나 다운증후군 여부를 진단하기 위해 임부에게 추가적인 검사과정(양수천자, 유전상담 등)이 필요한지를 감별해 준다.

태아심박동수 모니터링

- 태아심박동수 모니터링은 모체복벽에 자궁수축력 측정기를 부착하고, 태아의 상태를 평가하는 검사이다.
- 모니터링에 의해 카디오토코그램(CTG: cardiotocogram)이 얻어진다.
- 검사중, 앙와위 저혈압 증후군을 예방하기 위해, 임신부는 Semi-fowler position 을 취한다.
- 태아심박동수 모니터링에는 무자극검사(NST)와 수축검사(CST)가 있다.
- NST는 분만진통 개시 후의 임신 및 지연임신에서 시행하지만, 고위험임신의 경우에는 산전진찰시부터 행한다.
- NST 시행의 목적은 태아의 상태가 양호한지를 확인하는 데에 있으며, NST로 태아의 상태가 양호한지 확인이 안된 경우, CST와 음향자극검사(AST), 생물리학계수(BPP) 등을 추가로 시행하여 태아 상태를 확인한다.

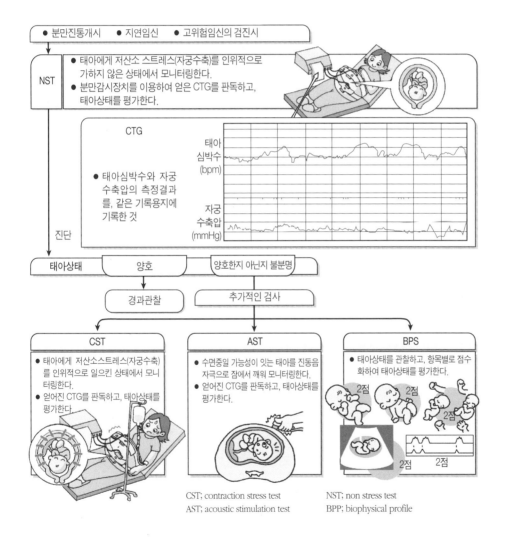

CST; contraction stress test
AST; acoustic stimulation test

NST; non stress test
BPP; biophysical profile

앙와위 저혈압 증후군

임신말기의 임신부가 앙와위를 취하면 증대된 자궁이 하대정맥을 압박하여, 정맥혈 환류 (venous return)가 저하된 결과, 임신부의 심박출량이 저하되어 혈압하강을 일으킨다.

Semi-Fowler position

앙와위에서 상반신을 약 $20°$ 일으킨 체위

음향자극검사(AST)

아두 바로 위에서 신동음사극을 가히여 겁사. 태아가 자고 있더라두 정상에서 보이는 일과성 태아심박수 상승을 보일 수 있으므로, NST의 non reactive가 태아 수면에 의한 것인지, 저산소혈증에 의한 것인지 감별할 수 있다. 자극을 가해도 태아심박수 상승을 보이지 않는 경우, 이상소견이라고 생각할 수 있다.

Ritodrine

자궁수축억제제. 자궁평활근의 β_2 수용체를 자극하여 자궁근을 이완시켜, 자궁수축을 억제한다. 하지만 동시에 β_1 수용체도 어느 정도 자극되므로 모체, 태아에서 빈맥을 일으킬 수 있다.

1. 양수 천자 바늘이 방광을 천공할 위험을 감소하기 위함이다.

2. 초음파 검사는 태반, 태아 내부장기를 가시화하고 바늘로 인한 천공사고를 최소화하기 위해서이다.

3. 양수천자 시 마취는 하지 않으며 바늘이 복부를 천자하는 동안 압박감이나 통증이 있을 수 있음을 설명한다.

4. 활력징후, 천자부위의 출혈이나 양수누수관찰, 통증이나 자궁수축 여부

시뮬레이션 실습
여성건강간호 실무역량
문제해결형 국가시험을 위한

여성건강간호와
비판적 사고

Women's Health Nursing & Critical Thinking

III 출산기
산부 간호

01 출산산부 간호

Key Point

✓ 여성건강 간호사는 다음의 세 대상자를 지속적으로 모니터해야 한다.

  – 산부와 태아 그리고 가족단위

✓ 진통과 출산에 영향을 주는 요소들(5Ps): 만출물, 산도, 만출력, 체위, 산부의 심리적인 반응

✓ 자궁수축 양상과 자궁경부의 개대와 소실, 태아의 하강이 진통과정을 결정한다.

✓ 진통의 단계:

  – 분만 1기 잠재기: 경부개대 0~3cm, 가장 기간이 긴 단계이다.

  – 분만 1기 활동기: 경부개대 4~7cm

  – 분만 1기 이행기: 경부개대 8~10cm, (완전개대)

  – 분만 2기 만출기:자궁경부 완전개대에서 태아의 만출까지

  – 분만 3기: 태아의 출산에서 태반 만출기(5~30분)

  – 분만 4기: 분만 후 첫 한시간

비판적 사고 훈련 ▼

24세인 임신 40주의 경미씨가 출산을 위해 분만실에 들어온다. 그녀의 산과력 G-T-P-A-L 은 1-0-0-0-0이었다. 그녀는 진통이 있다고 하면서 간호사에게 아기가 2주 전부터 하강하는 것을 느꼈으며 자궁수축은 2시간 전부터 있다고 말한다. 질 분비물은 없고 양막의 파막은 확인되지 않았다. 그녀는 "자궁수축이 15분 간격으로 오고 있으며, 30초간 지속되나, 내가 체위를 변화시키거나 특히, 눕거나 걸을 때는 변화가 없어요. 그러나 혈성이슬을 본 것 같아요. 진통이 시작된 것이 맞을까요?" 라고 한다.

1. 경미씨의 진진통은 징후는 무엇인가?

2. 간호사는 진진통 여부를 어떻게 판단할 수 있나?

3. 간호사는 경미씨가 진통 중인지 아닌지의 여부를 물을 때 어떻게 대답해야 하는가?

4. 간호사는 복부촉진을 통해 산부의 자궁수축의 강도가 중간 정도인 것을 확인하였다. 산부의 vital sign은 정상범위 내에 있으며 태아 심박동은 136회/분(자궁수축 다음에 1분 동안 측정했을 때)이다. 간호사는 내진을 통해 자궁경부가 2cm 개대와 50% 소실되었음을 확인하였다. 간호사는 한 시간 후에 자궁경부가 2~3cm 사이로 개대되고 있으며, 경부의 소실은 이제 80% 임을 확인하였다. 자궁수축은 현재 지속기간이 45~50초이다. 간호사는 나이트라진 페이퍼 테스트를 시행하였고 산부의 양막파막을 확인하였다. 분만 시기 중 지금은 어떤 단계인가?

사 례 ②

(분만 1기 산부간호);
30세 대상자는 G1, P0로 진통 중에 있다. 그녀의 자궁경부는 4~5cm 개대되고 75% 소실되었다. 그녀는 현재 양막은 파막되지 않았다. 그녀는 정기적으로 산전관리를 받았으며, 임신에 대한 합병증은 없었다.

의사의 처방은
- 얼음조각은 허용하는 NPO
- IV 5% D/W로 시간당 100cc
- 통증조절을 위한 demerol 50mg IM
- 지속적인 외부태아감시 장치

사정 결과는
- 대상자는 의기소침해 있으며, 피로와 발한이 있고 안절부절한 상태이다.
- 대상자는 통증을 호소하며 통증완화제 선택에 대해 질문을 한다.

대상자에게 제공할 4가지 간호중재에 대하여 우선순위의 순번을 매기고 각각의 간호중재에 대하여 이론적 근거를 제시하시오?

간호중재	우선순위	이론적 근거
이완을 증진한다. 처방대로 통증경감을 포함 하는 안위대책을 제공한다. 분만 2기에 대처할 전략을 제시한다. 대상자와의 접촉시간을 늘린다.		

약 45분 후에 진통제가 투여된 후, 다음과 같은 사정자료를 확인한다.

- 2~3분마다 60~90초간 지속되는 자궁수축
- 대상자가 오심을 호소한다.
- 그녀는 "이대로는 견딜 수 없을 것 같아요." 라고 말한다.
- 양수가 파막된다.

배우자와 함께, 가장 높은 순위의 대상자의 관심사항을 선택하고, 이때 대상자의 요구를 충족시킬 수 있는 간호중재를 열거하시오.

대상자의 관심사항	간호중재

비판적 사고중심 학습

학습목표

- 정상분만을 정의한다.
- 분만시작이론을 설명한다.
- 분만요소를 기술한다
- 산도(골산도, 연산도, 골반경선)가 분만과정에 미치는 영향을 기술한다.
- 골반측정방법에 따라 골반경선을 측정한다.
- 골반경선(입구, 출구, 중골반)의 종류를 설명한다.
- 진골반과 가골반을 구분한다
- 분만진행에 영향을 주는 주요골반기준 부위를 열거한다.
- 아두경선(소사경선, 두정간 거리)을 설명한다.
- 태세, 태향, 태위, 선진부를 정의하고 유형을 열거한다.
- 분만단계(분만 1기, 2기, 3기, 4기)를 구별한다.
- 분만기전을 설명한다.
- 자궁수축을 측정한다.
- 분만의 전구증상을 설명한다.
- 분만과정(분만 1기, 2기, 3기, 4기)을 사정한다.
- 분만의 신체, 생리적 변화를 파악한다

개요

출산은 자궁으로부터 태아가 만출되는 지속적인 과정이다. 모체와 태아는 임신 중 생리적 적응을 거친다. 모체는 출산을 준비하기 위해서, 태아는 자궁외 생활을 대비하기 위해서 사실상의 진통이 시작되기 몇주 전부터 진통이 임박했음을 자각하는 신체적 변화를 겪는다. 간호사는 진진통과 가진통의 차이점을 인식하고 교육하는 것이 중요하다.

위험요소

5P: passenger, passage way, powers, position, psychologic response와 같은 요인들을 기억해야 한다. 모체의 피로감, 태아의 체위이상 등은 진통과정을 방해한다. 예를 들면 다산부의 자궁와 복부근육은 효율적으로 태아를 분만하기에는 강하지 않다.

Passenger(태아와 태반): 태향, 태위, 태세, 선진부, 하강 정도와 진입을 사정한다.

Passage way(산도, 골반의 형태, 자궁 경부, 질): 골반의 크기와 형태가 태아의 산도 공간을 좌우한다. 산전 골반측정은 이러한 정보를 제공한다. 자궁경부는 태아가 질내로 하강하도록 한다.

Powers(태아를 만출하기 위한 불수의적 자궁수축압과 자발적 복압): 강하고 효과적인 자궁수축이 요구된다. 불수의적 자궁수축은 자궁경부의 개대와 소실에 중요하며 태아를 하강시킨다. 완전개대 후 자발적인 복압은 자궁과 질로부터 태아를 만출하기 위해서 필요하다.

Position(산모의 자세): 산부가 진통과 출산을 위해 효율적인 체위를 유지해야 하며, 복압을 수월하게 줄 수 있는 체위인 배횡와위 체위를 추천한다.

Psychological response: 진통과 출산은 흥분과 불안을 야기한다. 모체의 스트레스와 긴장은 진통을 방해하며 아기에게도 스트레스를 준다.

증상과 징후

전조 증상: 진통 임박의 증상과 징후

하강감: 진통 14일 전, 초임부는 태아가 골반으로 움직이거나 "떨어지는" 듯한 감을 느낀다. 여성들은 횡격막의 압박완화와 방광의 증가된 압박감을 경험한다. 경산부는 하강감을 경험하지 않는다.

자궁경부의 변화: 숙화와 개내를 보인다. 이러한 변화는 질 내진으로 감지한다. 개대와 소실은 출산의 과정을 반영한다.

체중 감소: 대상자는 진통이 시작되기 전 0.5~1.4kg(1~3lb)의 체중 소실을 경험한다. 오심, 구토, 소화불량, 변비 등의 위장장애가 일어날 수 있다.

허리통증: 무딘 허리통증과 약한 정도의 진통시 발생하는 하복부 통증

에너지 분출: 진통 발생 24~48시간 전에 대상자는 에너지의 분출을 경험하는데, 이를 다른 말로는 둥지본능이라고 한다.

자궁수축: 자궁상부에서 진행되어 자궁전반으로 확산된다. 자궁수축은 지속기간과 강도가 진통이 진행함에 따라 증가한다. 진통의 빈도는 자궁수축의 시작에서 다음 수축의 시작까지의 시간의 길이를 측정하므로써 결정된다.

파막: 대부분의 여성은 파막된지 24시간 이내에 진통을 경험한다. 태아 분만 직전의 지연된 파막은 감염 위험성을 초래한다. 진진통은 자궁경부 개대와 소실을 발생시킨다.

표 3-1. 진진통과 가진통

진진통	가진통
자궁수축	자궁수축
규칙적	불규칙적
- 보다 깅해지며 길어지고 잦아진다.	- 걷거나 체위 변경시 멈춘다.
- 허리의 통증을 느끼며 복부로 방사된다.	- 통증을 배꼽 위에서 느낀다.
- 안위대책이나 수액요법에도 멈추지 않는다	- 안위대책이나 수액요법에 의해서 멈출 수 있다.
자궁경부 (질 내진)	자궁경부 (질 내진)
- 진행되는 변화(개대, 소실)	- 연화될 수 있으나, 변화없음
- 혈성 이슬	- 혈성 이슬 없음
- 앞쪽으로 점점 기우는 자세	- 종종 위쪽으로 기우는 자세
태아	태아
- 골반내로 진입한다.	- 진입이 이루어지지 않는다.

분만의 단계

분만 1기: 자궁경관의 개대와 소실이 이루어지는 단계, 자궁경관이 10cm 완전 개대되는 것으로 분만 1기가 종료되는 시기다. 분만 1기는 잠재기, 활동기, 이행기 등 세단계로 나눌수 있다.

- 잠재기: 자궁경부개대 0cm(진진통부터 시작해서)~3cm인 잠재기 초기단계의 자궁의 수축은 불규칙할 수 있으며, 10~20분마다 15~30초 지속되는 진통을 경험한다. 요통과 혈성이슬이 있다. 이시기에 진통제를 투여하면 진통 시간이 느려지고 자궁수축이 감소될 수 있다. 잠재기는 평균 초산부에서 8~20시간, 경산부는 5~14시간이 소요된다.

- 활동기: 자궁경관이 4cm에서 7~8cm 개대될때 까지로 자궁수축은 3~5분마다, 30~60초 지속된다. 대상자의 불편감은 증가하며 양수가 파막될 수 있다.

- 이행기: 자궁경관 8~10cm에서 완전개대될 때까지이다. 자궁수축은 2~3분마다 강하게 60~90초 지속된다. 혈성이슬은 증가되며 대상자는 극심한 불편감을 경험하며, 완전개대가 되지 않아도 자발적으로 힘이 주어지는 시기이다.

분만 2기: 태아만출 단계이다. 자궁경관의 완전개대부터 태아만출까지의 시기이다. 자궁수축은 매우 강하게 1~2분마다, 60~90초 지속된다. 불수의적인 자궁수축과 산모의 수의적인 힘주기로 태아가 만출된다.

분만 3기: 태반만출의 단계이다. 보통 5~30분 정도 소요되며, 탯줄 길이의 변화는 태반박리의 지표가 된다.

분만 4기: 산모의 회복기로 분만 직후부터 1시간까지이다. 산모의 생리적 안정상태를 회복하는 단계이다. 애착형성과 활동이 이 시기에 중요하다.

치료적 간호관리

진진통과 가진통시 치료적 간호관리

- 진진통과 가진통을 구별하기 위해 산부의 활동 정도를 변화시킨다. 걷도록 한다. 진진통은 대상자의 증가된 활동에 따라 더 강화되지만 가진통은 멈춘다.
- 탈수를 개선하기(탈수된 대상자는 자궁수축이 멈출수 있으므로 정맥을 통한 수액공급을 한다) 위해 적절한 수액을 제공한다.
- 가진통으로 입원한 당황한 대상자를 안심시킨다. 많은 임부들은 진통의 증상을 잘못 오해할 수 있다.

분만의 단계별 치료적 간호관리

- 분만 1기(잠재기) 동안, 간호사는 분만과정을 관찰하면서 진통과 출산시 대상자와 가족들을 지지한다.
- 잠재기에 잦은 체위변경은 태아의 회전과 산도로의 하강을 촉진하는데 도움이 된다.
  - 활동기 진통이 시작되면 통증 조절과 산부와 태아 관찰과 사정이 중요하다.
  - 이행기에 간호사는 산부를 위로하고 분만 2기를 준비한다. 산부에게 완전개대가 될 때까지는 자궁경부의 열상을 줄이기 위해 복압을 주지 않도록 한다.
- 분만 2기에 간호사는 적절히 복압을 주도록 하며 태아와 태반의 만출을 대비한다.
- 분만 4기에 간호사는 활력증상, 자궁저부 높이, 오로, 소변량과 애착활동 등을 관찰한다.

분만 시 합병증

- 감염
- 아두골반불균형(CPD)
- 분만지연
- 태아 기형
- 제대압박
- 난산
- 둔위/견갑위
- 조기 진통과 출산
- 분만에 앞서 태변의 배출은 태변흡입증후군을 초래할 수 있다.
- 출혈
- 제대탈출시 탈출된 제대를 밀어 넣거나 잡아 당기는 것은 대상자의 출혈과 잔류태반의 위험성이 있다.
- 분만 4기에는 출혈, 저혈압, 소변 정체, 투약과 마취에 따른 부작용의 위험성이 있다.

비판적 사고중심 간호실무

출산산부

진통과 출산 과정은 4단계를 거친다. 초산부는 보통 13시간(분만 1기 11시간, 분만 2~3기가 2시간)이 걸린다. 경산부는 보통 8시간(분만 1기에 7과 1/4시간을 분만 2기에 1시간)이 소요된다.

입원시 간호

- 입원시 간호는 출산산부와 가족의 간호계획을 세우기 위한 정보수집을 위해 중요한 시간이다.
- 산부와 가족들이 분만실과 의료장비에 익숙하도록 도와준다.
- 산부에게 분만복으로 갈아 입도록 한다.
- 양수가 터지지 않고 출혈이 없다면 소변 검사물을 받는다.
- 자궁수축, 태아상태, 양막의 상태를 사정한다.
- 체온, 혈압, 맥박, 호흡을 사정한다.
- 입원서류와 동의서를 받는다.
- 산과력(현재와 과거), 병력, 출산 예정일(EDC), 위험인자, 혈액형과 Rh group, 알레르기, 약물, 신체적 장애 또는 약물 남용의 기록들을 다시 확인한다. 제왕절개 과거력이 있는 산부는 기존 제왕절개기록이 필요하다.

표 3-2. **정상 분만과정시 즉각적 중재를 필요로 하는 요인**

발견사항	즉각적 조치	발견사항	즉각적 조치
예기치 않은 출혈이나 통증 없는 출혈	• 질검사를 금한다. • 계속적인 사정과 FHR을 관찰한다. • 혈액손실 양을 측정 • 진통패턴을 평가 • 의사나/간호사에게 즉시 보고한다.	제대탈출	• 탈출된 제대부분을 손으로 지지하면서 제대압박을 풀어준다. • FHR와 패턴을 계속적으로 관찰한다. • 의사나/간호사에게 즉시 보고한다 • knee-chest자세를 유지시킨다. • 산소를 투여한다. • 즉각 제왕절개를 준비시킨다. • 전자 태아감시장치 소견에서 태아심박동 수의 낮아지는 기준선, 변이성 하강, 늦어지거나 다양한 감속의 형태를 주의한다.

발견사항	즉각적 조치	발견사항	즉각적 조치
초록빛 또는 갈색빛 양수가 비침	• 계속적으로 FHR을 관찰한다. • 자궁경부의 개대 상태를 측정하고 제대탈출의 여부를 확인한다. • 선진부를 평가한다. • 산부를 왼쪽 옆으로 편히 누운 자세를 유지시킨다. • 의사나/간호사에게 즉시 보고한다. • 양수의 농도와 색을 기록한다.		

FHR 저하, 태아움직임이 없음	• 의사나/간호사에게 즉시 보고한다.
	• 사실을 알리고 진통하는 산부와 가족에게 정신적 지지를 한다.
	• 부부와 함께한다.
	• 초음파 검사를 준비한다.
		분만이 임박한 상태 급속분만	• 즉시 분만을 준비
			• 중요 정보를 확인
			  - 분만예정일
			  - 출혈의 경력
			  - 전치태반 여부 확인
			  - 의학적, 산과력상의 문제 여부
			  - 과거 또는 현재 조제약 /OTC/불법약물의 복용/남용의 여부
			  - 이번 임신의 문제들
			  - 가능하다면 FHR과 산모의 활력증후
			  - 양막파열의 여부, 파열 후 지난 시간
			  - 혈액형 타입과 Rh group
			• 산부를 혼자 남겨놓지 않는다.
			• 부부를 격려한다.
			• 소독 장갑을 착용한다.

자궁수축의 사정

- 자궁수축은 촉진 또는 전자 모니터를 통해 사정할 수 있다.
- 빈도, 기간 그리고 강도를 사정한다
- 주의: 자궁수축을 평가할 때는 적어도 세 번의 연속적 수축을 사정한다.

표 3-3. **분만진행시기별 자궁수축**

분만진행시기	특징
잠재기	매 10~20분 마다 15~20초 약하게 시작되어 점차
	매 5~7분 마다 30~40초 보통 정도로 진행된다.
활동기	매 2~3분 마다 60초 보통에서 강하게 있다.
이행기	매 2분 마다 60~75초 강하게 있다.

산부상태	특징
초산부	매 시간마다 1.2cm 개대
	매 시간마다 1cm 하강
	분만 2기는 2시간 미만(경막외 마취 시행시 3시간 미만)
경산부	매 시간마다 1.5cm 개대
	매 시간마다 2cm 하강
	분만 2기는 1시간 미만(경막외 미취 시행시 2시간 미만)

빈도: 수축의 시작(자궁이 처음 시작할 때)으로부터 다음 수축의 시작때까지로 빈도는 30초 또는 분의 증가(1분 3초~3분까지)로 기록된다.

기간: 수축의 시작(자궁이 처음 시작할 때)으로부터 같은 수축이 끝날 때(자궁수축이 완전히 느슨해질 때)까지로 기간은 초로 기록된다.

강도: 진통의 절정기에 수축의 세기를 일컫는다. 이것은 수축이 정점에 이르렀을 때 평가방법으로 촉진이나 자궁내압력 카테터(IUPC)를 사용하여 자궁의 수축정도를 측정하고 평가한다. 수축정도는 수축을 촉진함으로써 그리고 IUPC를 사용한다면 기압계의 밀리미터의 결과에 의해 경함, 보통 또는 강함으로 기록한다.

자궁 수축 촉진하기

- 여성의 가운은 배 위를 덮은 채 담요를 아래로 내리고 자궁 기저부 위에 손바닥과 손끝을 놓는다.
- 빈도, 기간 그리고 강도를 사정한다.
  ①가벼운 강도: 수축의 정점에서 손가락 끝이 복부를 쉽게 누를 수 있다.

②보통 강도: 수축의 정점에서 손가락 끝이 복부를 가볍게 누를 수 있다.

③강한 강도: 수축의 정점에서 손가락 끝이 복부를 누를 수 없다.

- 차트에 사정 평가를 기록한다.

외부전자자궁모니터를 통한 자궁수축 사정

- 여성이 가운을 입고 담요를 덮은 채로 자궁수축측정기를 자궁 기저부에 맞대어 위치시킨다. 기계는 신축성 있는 벨트로 고정된다.
- 빈도와 기간을 사정한다.
- 자궁수축강도는 외부전자모니터로는 정확하게 측정할 수 없다.
- 강도를 사정하기 위해 필요하다.
- 차트에 사정 평가를 기록한다.

자궁내압력카테터에 의한 사정(IUPC: Intrauterine Pressure Catheter)

- 자궁내압력카테터를 넣기 전에 양막파열이 있어야 한다.
- 자궁내압력카테터는 산부의 초음파 기록에서 태반의 위치를 다시 확인한 후 삽입한다.
- 산부와 보호자에게 절차를 설명한다.
- 자궁내압력카테터를 준비한다.
  - 간호 조산사나 의사가 자궁 속으로 자궁내압력카테터를 삽입한다.
  - 자궁내압력카테터는 전자 모니터와 연결된다.
  - 빈도, 기간, 강도를 기록된다.
  - 일반적 정지하는 압력은 20mmHg이다.
  - 정점 시기의 강도는 아래의 범위를 갖는다.
    ①잠재기에 25~40mmHg
    ②활동기에 50~70mmHg
    ③이행기에 70~90mmHg
    ④분만 2기 복압시 70~100mmHg

정상 산부의 사정 빈도

- 잠복기: 매 30분
- 활동기: 매 30분
- 이행기: 매 15~30분
- 분만 2기: 5분

자궁경부의 사정

- 자궁경부의 사정은 자궁경부 개대와 소실, 위치와 경도를 평가한다. 이 데이터는 출산 중 질 검사를 통해 얻어진다.
- 개대: 외부 자궁경부 입구의 0~10cm의 개대
- 소실: 자궁체부 벽면으로 자궁경관이 당겨 올려가는 깃으로 백분율로 측정한다. 결과로 0%는 소실 없음, 100%는 완전소실, 미산부의 경우 소실이 보통 개대보다 앞선다.
- 위치: 질 내의 자궁경부의 위치를 후부, 측부, 전방으로 묘사한다. 후부 자궁경부는 질에서 멀리 위치하고 검사관이 질후원개를 검사할 필요가 있다. 전방의 자궁경부는 질 입구와 가까우며 검사관이 질전원개를 검사할 필요가 있다. 측부 자궁경부는 후부와 전방의 중간 지점이다.
- 경도: 자궁경부의 경도는 단단함, 중등도, 부드러움으로 표시된다.

양수파막 사정

양막이 유지 또는 파열됐는지를 확인해야 한다. 세균감염의 증가로 양막이 파열된 후 감염의 위험성이 높아진다. 위험의 정도는 파열 후 시간의 길이에 따라 증가한다.

입원 전 양막파열

- 임산부에게 언제 양막이 터졌는지 묻는다(임부가 질로 부터 액체가 흘러나오는 것을 언제 느꼈는지).
- 색깔(색이 없어야 한다), 냄새(냄새가 없어야 한다), 액체의 양(적음, 중정도, 많음)을 기록한다.
- 양막파열을 확인하기 위해 간호사는 나이트라진페이퍼로 검사할 수 있거나 fern 테스트를 할 수 있다.

나이트라진페이퍼 검사

- 여성에게 절차를 설명하고 검사를 위한 자세를 취하게 한다.
- 필요한 용품: 위생 장갑과 나이트라진페이퍼
- 위생 장갑을 낀 채로 나이트라진페이퍼를 질액 검체에 묻히고 다시 꺼낸다.
- 양수가 파막되면 나이트라진페이퍼가 청색으로 바뀐다.
- 대상자와 보호자에게 설명한다.

펀테스트(Fern test)

- 여성에게 절차를 설명하고 검사를 위한 자세를 취하게 한다.
- 필요한 용품: 위생 장갑과 Q-Tip, 슬라이드
- 위생 장갑을 낀 채로 질액 검체를 면봉으로 채취한다.
- 액체를 현미경 슬라이드 위에 바르고 건조시킨다. 그리고 나서 확대경으로 관찰한다.
- 양수가 파막되면 고사리잎과 같은 모양이 양수의 결정액과 함께 나타난다.
- 산부와 함께 검사 결과에 대해 논의한다.
  - 청진기나 전자모니터를 통해 태아 상태를 사정한다.
  - 질 검사를 통해 제대탈출 여부를 사정한다.
  - 파막의 날짜, 시간, 양수의 색, 양수냄새, 태아의 상태를 포함하는 내용들을 기록한다.

입원 후 양막파열

- 파열 시간, 액체의 색깔, 냄새, 양을 기록한다.
- 청진 또는 전자태아감시 모니터를 통한 FHR을 사정한다.
- 골반에 아두가 진입되기 전에 양막이 파열되면 제대탈출의 위험성이 높아진다.
- 질검사를 통해 제대탈출 여부를 사정한다. 자궁경관 주변에 탯줄이 느껴지는가?
- 파막시간, 색깔, 냄새, 양과 태아상태를 포함한 사항들을 기록한다.

심리사회적 간호사정

산부의 정서적 상태, 대처 방법, 가족체계의 사정은 입원 절차와 진통시 유용한 정보를 제공할 것이다.

사정 자료

- 여성이 임신시 습득한 임신 교육 프로그램을 확인한다.
- 진통과 출산 경험에 대한 계획과 희망사항들을 확인한다.
- 산부가 간호조산사 또는 의사를 결정한 이유와 계획들을 확인한다.
- 산부 요구들을 확인한다.
- 산부의 보호자의 역할을 확인한다.
- 산부와 산부의 파트너 혹은 가족 사이의 지지 정도를 사정한다.
- 진통과 출산에 대한 문화적 요구들을 사정한다.
- 산부가 바라는 진통관리 방법을 확인한다.

분만시 중요 간호사정

- 간호사는 분만 1기에 다음의 사항을 사정한다.
- 자궁수축
- 태아 상태
- 양막과 양수의 상태
- 산모의 체온, 혈압, 맥박, 호흡
- 산모의 안정된 수준과 진통 조절을 위한 요구 사항
- 가족의 요구들
- 분만 1기 동안 산부의 분만 능력에 영향을 미칠 신체적 또는 인지적 장애의 유무

분만시 중요 간호중재

진통시 적용하는 간호와 지지방법은 출산산부와 부부의 희망사항이나 진통의 진행에 따라 다양하다. 표 3-4는 진통과 출산의 주요 특성과 각 단계별 진통 중에 행할 수 있는 간호 수행이다.

표 3-4. **분만시 간호중재**

단계/시기	경부 개대	자궁 수축	산부의 반응	간호 중재

분만1기
잠재기
	1~3cm	• 매10~20분
		마다15~30초
		지속
		• 중간정도로
		진행되는 약한
		강도
			보통 행복하고, 수다를
			떨고 분만을 하고자 함,
			자신의 신체적 요구들을
			돌봄으로써, 정보를
			얻고자하며 독립성의
			필요를 보여 준다.
				• 의사소통 관계를 수립한다.
				• 기본정보를 습득하고 사정한다.
				• 필요하다면 호흡법에 관해 상담할 수 있다.
				• 필요시 진통 초기에 호흡법을 가르친다.
				• 병실, 장비, 모니터들 그리고
				  절차들을 가족들에게 친숙하게 한다.
				• 산부와 파트너에게 원하는 대로
				  간호에 참여할 수 있도록 장려한다.
				  필요한 정보를 제공한다.
				• 산부가 편한 자세를 취하도록 도와준다
				  (똑바로 눕지 않은 자세); 종종 자세의
				  변화를 권장한다.
				  - 초기 진통에는 보행을 권장한다.
				  - 음료/얼음을 제공한다.
				• 진행 상황을 부부에게 계속 알려준다.
				• 산부가 1~2시간마다 배뇨하도록 한다.
				• 이완을 증진시키기 위한 연상법을
				  사용하는데 필요와 관심을 사정하고
				  적절하다면 가르친다.

단계/시기	경부 개대	자궁 수축	산부의 반응	간호 중재
활동기	4~7cm	• 2~3분마다 40~60초 지속 • 중간 정도	• 무력감을 경험할 수 있다. • 피곤함이 늘어남을 보여주고 불안함을 느끼기 시작한다. • 자궁수축이 시작할때 걱정 또는 좌절한다. • 포기에 대한 두려움을 나타낸다. • 산부가 자신의 욕구를 충족못할수록 더 의존하게 된다.	• 자궁수축에 대한 반응을 관찰한다. • 산부에게 호흡 패턴을 유지할 것을 권한다. • 외부자극을 줄이기 위한 조용한 환경을 제공한다. • 안심, 용기, 격려를 제공하라. • 진행상태를 계속 알려줘라. • 등을 문지르거나, 천골 압박, 이마에 찬수건, 자세 변화 제안 그리고 다른 편한 방법들, 베개를 받쳐줌, 경찰법으로 편안함을 높여준다. • 얼음, 마른 입과 입술을 위한 연고를 제공하라. • 매 1~2시간마다 배뇨하게 하라. • 샤워/따뜻한 물 목욕을 제공한다.
과도기	8~10cm	• 매 2~3분, 60~75초 지속 • 강한 강도	• 지치고 늘어난 피곤함과 짜증을 보일 수 있다. • 진통 진행을 따라갈 수 없고 조절이 안된다고 느낄 수 있다. • 신체적 불편감, 혼자 남겨진 것의 두려움. 수축으로 인한 찢기는 듯한 열림 또는 산산이 쪼개짐에 대한 두려움을 느낄 수 있다.	• 산부에게 수축 사이 휴식을 취할것을 권한다. • 산부가 수축 사이 잠이 들면, 수축 시작시 깨워 그녀가 호흡 패턴(조절 능력이 늘어남)을 시작할 수 있게 한다. • 격려, 용기 그리고 노력에 대한 칭찬을 해준다. • 진행 사항에 대한 정보를 제공한다. • 가족들의 계속된 참여를 장려한다. • 적용했던 편안한 방법들을 수행하나 많은 산부들이 과도기에 건드리는 것을 원하지 않음을 인지한다. • 사생활을 지켜준다. • 얼음과 입술을 위한 연고를 제공한다. • 매 1~2시간 마다 배뇨를 권한다. • 산부가 초점을 맞추는데 어려움이 있다면, 당신의 손으로 그녀 얼굴을 가까이 받쳐준다. • 당신의 얼굴을 그녀의 얼굴에 가까이 놓아라. • 그녀에게 수축동안 이야기를 해라. • 당신과 함께 산부가 호흡하게 하라. 산부와 함께 있어라. • 산부가 밀어내기를 할 때도 지지한다.

단계/시기	경부 개대	자궁 수축	산부의 반응	간호 중재
분만 2기		• 매 2분마다 60~75초 지속 • 강함	• 통제불가 • 부기력, 흥분상태, 지침 • 기분이 들뜬 상태를 느낄 수 있다.	• 산부에게 편안함의 자세를 취하도록 권한다. • 산부는 화장실에 앉아 있는 자세, 분만실 난간에 기대있는 것, 손과 무릎 위, 혹은 옆으로 있을 때 가장 편안하게 느낄 수도 있다. • 산부는 어깨 뒤에 받침을 놓고 높은 Fowler's로 체위로 앉기, 그들의 다리를 잡아주고 그들이 밀어내는 동안 구부려 주는 것을 좋아한다. • 용기와 노력에 대한 칭찬을 하라. • 커플에게 진행 사항을 계속 알려줘라. • 얼음과 이마에 찬수건을 제공한다. • 산부가 원하면 사생활 보호를 해준다.

분만 2기의 간호중재

• 간호사는 분만 2기에 다음의 사항을 사정한다.

- 자궁수축

- 태아상태

- 산부의 혈압, 맥박, 호흡

- 산부의 안정 수준과 힘주기 단계에서 지지의 필요성

- 지원 가족 요청

• 산부와 가족에게 격려와 용기를 준다.

• 출산이 임박하면 출산을 위한 환경을 만든다.

• 주치의나 간호 조산사가 나타나지 않았으면 호출한다.

• 지지하는 사람과 함께 산부의 다리 또는 어깨를 지지하여 산부가 밀어내는 노력에(힘 주기) 도움을 준다.

• 산부의 편안함을 높이고 태아의 하강을 돕기 위한 선택적 자세들을 제시한다.

• 출산 기구와 장비들을 준비한다.

• 필요하다면 산부와 신생아를 위한 흡인 장비와 산소를 준비한다.

• 신원확인 팔찌를 준비한다.

• 출산 바로 전에 살균 장갑을 착용하고 회음부를 소독한다.

신생아 출산 직후 간호

- 분만 3기동안 간호사는 산모와 신생아를 사정한다.
- 신생아를 위한 아프가 점수는 출산 후 1분과 5분에 측정된다.
- 다음은 아프가 스코어 시스템이다.

Apgar score의 관찰종목

관찰종목	점수		
	0점	1점	2점
피부색 (Appearance)	cyanosis 창백	몸통은 분홍색, 사지는 cyanosis	전신 분홍색
심박수 (Pulse)	없음	<100회/분	≧100회/분
자극에 대한 반사 (Grimace)	없음	얼굴을 찡그린다	기침 또는 재채기
근긴장 (Activity)	사지이완	약간 굴곡	활발히 움직인다
호흡 (Respiration)	없음	느리거나 불규칙	잘 운다

합계치와 진단

합계치	진단
0~3점	중증 신생아가사
4~6점	경증 신생아가사
7~10점	정상

신생아의 신체적 사정

- 신생아의 최초의 사정은 다음 사항을 포함한다.

①호흡

②심첨 맥박

③체온

④피부색

⑤탯줄

⑥제태 기간

⑦발바닥 주름

⑧태아 기형유무

표 3-5. **최초신생아 평가**

시펑	일반적 결과
호흡	30~60회/분 불규칙 움추림 없음, 낑낑거림 없음
심첨 맥박	110~100회/분 그리고 다수 북규칙
체온	피부 체온 화씨 97.8℃(36.5℃) 이상
탯줄	동맥 두개, 정맥 한개
제태 기간	임신 38~42주는 되어야 함
발바닥 주름	발 뒷굼치를 포함하는 발바닥 주름
일반적 사정	비정상 없음
정상 신생아	• 일반적으로 등 위쪽, 겨드랑이, 허벅지에 태지 • 등 위쪽에만 솜털 • 귓바퀴 2/3 위쪽의 구부러진 귀 그리고 접혔다가 뒤로 펴지는 얇은 연골; • 남아 생식기-음경, 음낭이 촉진됨; • 여아 생식기-대음순이 더 큼; 음핵이 거의 덮힘
집중관리 신생아	• 다음의 신생아는 출산 후 부모와 함께 있기 보다는 집중관리가 필요하다. 　- 아프가 점수가 1분에 8점 미만 그리고 5분에 9점 미만 또는 　　(산소 공급 보다) 소생법이 요구될 경우 　- 움추림 그리고 낑낑거림과 함께 호흡이 30회/분 아래거나 60회/분 이상 　- 심첨 맥박이 불규칙하며, 110회/분 아래 또는 160회/분 이상 　- 피부 체온이 36.5℃ 아래 　- 피부색이 창백한 푸른색 또는 입 주위 창백 　- 아기가 38주 미만 또는 42주 이상인 경우 　- 아기가 임신 기간에 비해 매우 작거나 매우 큰 경우 　- 피부에 열공을 갖고 태어나는 선천적 기형(척수 수막류)이 있다.

출산 후 산모의 사정

• 혈압과 맥박을 사정한다.

• 태반 박리의 징후를 관찰한다.

　①자궁이 모양이 둥글게 되고 단단해진다.

　②자궁이 제와부 쪽으로 올라간다.

　③탯줄이 길어진다.

　④갑작스런 혈액이 분출된다.

• 신생아를 다룰 때 일회용 장갑을 착용한다.

- 신생아를 따뜻하고 부드러운 담요로 보온하고, 복사 온열기 아래 놓거나, 엄마와 피부가 맞닿게 해줌으로써 신생아에게 따뜻함을 제공한다.
- 벌브 시린지로 흡입하거나 필요하다면 비인두기의 흡입을 통해 기도를 유지한다.
- 출산 전 철저히 손을 씻고, 탯줄용 겸자는 무균상태로 유지하기, 출산장소에서 눈 간호가 시행된다면 무균을 유지함으로써 신생아 감염을 방지한다.
- 출산시 신생아와 엄마의 신원확인 팔찌(몇몇 기관에서는 가족에게도 또한 신원확인 밴드를 주기도 한다)를 갖다 놓고 출산기록에 산모의 손도장과 신생아의 발도장을 찍어(몇몇 시설에서 실시된다), 신생아의 올바른 신원 확인을 확실히 한다.
- 산모와 그녀의 가족들을 계속적으로 지지한다.
- 대상자의 차트에 출생기록을 작성한다.
- 산모의 혈압, 맥박, 태반 박리의 징후를 관찰한다.
- 의사나 간호사의 지시에 따라 옥시토신을 투여한다. 옥시토신은 이미 시작된 경우에는 IV용액에 첨가될 수도 있거나 근육주사(IM)로 주입할 수 있다. 임상에서는 옥시토신은 IM하지 않고 있고 메덜진을 주로 사용한다.

분만 직후 간호

분만 4기 산모의 사정

- 사정은 15분마다 4회, 30분마다 2회, 1~2시간마다 2회 실시한다.
  ① 자궁저부를 사정한다.
  ② 산모용 패드를 제거한 후, 회음부가 부풀었는지 상처가 생겼는지 열상을 관찰한다.
  ③ 오로의 양을 사정한다.
  ④ 방광 팽만을 사정한다.
- 간호사는 아래 표 3-6에 나타난 결과들을 예상할 수 있다.
- 회복기의 잦은 사정은 아래와 같을때 중지한다.
  ① 혈압과 맥박이 안정적이다.
  ② 자궁이 단단하고 중앙에 있고 제대 아래에 있다.
  ③ 오로가 붉은 색이고, 양이 적당하며 응고가 없다.
  ④ 회음부는 상처나 과도한 부종이 없다.

표 3-6. **출산 이후 산모의 적응**

혈압	진통 전 수준으로 되돌아가야 함
맥박	진통 때보다 약간 낮음
자궁저부	복부의 배꼽 정중앙 또는 그 자리에서 1~2손가락 너비 아래
오로	붉입, 스랑에서 적당량(15분 안에 패드의 1/4에서 1/2 정도의 얼룩); 처음 1시간 동안 1개의 패드를 적시는 양이면 안됨
방광	만져지지 않음
회음부	부드럽고, 분홍색, 상처가 없거나 부종 없음
감정적 상태	흥분됨, 유쾌함, 웃음, 울음, 피곤, 이야기함, 조용함, 생각에 잠김, 졸림의 다양함을 띠게 됨

분만 4기 산모의 중재

• 자궁저부가 부드러우면 자궁저부를 마사지한다.

• 배뇨를 위해 화장실 갈 때 산모를 도와준다.

• 산모가 출산 후 한기를 느낀다면 따뜻한 담요를 제공한다.

• 의사의 지시에 따라 음료와 음식을 제공한다.

• 엄마와 파트너에게 그들이 원할때 아이를 안아볼 수 있게 한다.

• 회복실에서 불빛을 낮춤으로써 신생아와 눈 맞추기를 쉽게 한다.

신생아 사정

• 사정은 30분마다 2회, 1시간마다 하고 안정적이면 8시간마다 시행한다.

　①체온, 맥박, 호흡을 사정한다.

　②피부색을 사정한다.

　③저체온 스트레스나 저혈당의 징후를 관찰한다.

　④제태기간에 비해 태아가 크거나 작으면 발꿈치의 모세혈관을 통해 신생아의 당 수치를 사정한다.

신생아의 중재

• 신생아 체온을 유지시킨다(신생아에게 따뜻한 담요를 덮어주고, 엄마와 피부 접촉을 함으로써, 복사온열기 아래에 둔다).

• 코와 입을 벌브시린지로 필요할 때 흡인한다.

• 테트라싸이클린 또는 에리스로마이신 연고를 양쪽 눈에 발라준다.

• 의사의 지시대로 비타민 K 1mg을 준다.

• 산모가 원한다면 모유수유를 시작한다.

간호실무능력 평가

상황

임신 40주의 혜선씨는 새벽부터 규칙적인 진통이 왔고 분만을 위해 입원하였다. 산과력은 Gravida 2, Para 1로 오전 11시 현재 자궁수축은 10분 간격으로 45초간 지속되며 경관 개대 3cm, 소실 50% 하강정도 -1이다.

1. 현재 혜선씨의 분만진행은 어느 시기에 해당되는가?

   ① 활동기   ② 잠재기   ③ 이행기
   ④ 극기   ⑤ 감속기

2. 하강 정도 -1이란 무엇을 의미하나?

   ① 선진부가 좌골극간경 1cm 위에 있다.
   ② 선진부가 좌골극간경 1cm 아래에 있다.
   ③ 선진부가 골반입구에서 1cm 위에 있다.
   ④ 선진부가 골반출구에서 1cm 아래에 있다.
   ⑤ 선진부가 골반입구에 함입되지 않은 상태이다.

3. 혜선 씨의 안위를 도모하고 개대와 소실을 촉진하기 위한 간호중재는?

   ① 똑바로 눕게 하고 호흡법을 적용한다.
   ② 진통이 올 때마다 밑으로 강하게 힘을 주게 한다.
   ③ 편안한 체위를 취하고 분만실을 걸어다니게 한다.
   ④ Demerol 50mg을 투여하고 전자 태아 감시기를 계속한다.
   ⑤ 똑바로 눕히고 5% D/W에 Oxytocin 10 unit을 섞어 투여한다.

4. 혜선씨는 갑자기 아래로 물같은 것이 흘러내린다고 한다. 이때 간호사가 가장 먼저 해야 할 것은 무엇인가?

   ① 분만을 유도한다.   ② 활력증후를 측정한다.
   ③ 자궁수축을 확인한다.   ④ 태아 심음을 측정한다.
   ⑤ 의사에게 보고한다.

5. 혜선씨에게 Nitrazine paper검사가 시행되었다. 이 검사의 목적은?

   ① 파수를 확인하기 위해
   ② 단백뇨를 확인하기 위해
   ③ 태아혈액의 pH를 확인하기 위해
   ④ 이슬이 보였는지 확인하기 위해
   ⑤ 자궁수축의 강도를 확인하기 위해

정답   1. ②   2. ①   3. ③   4. ④   5. ①

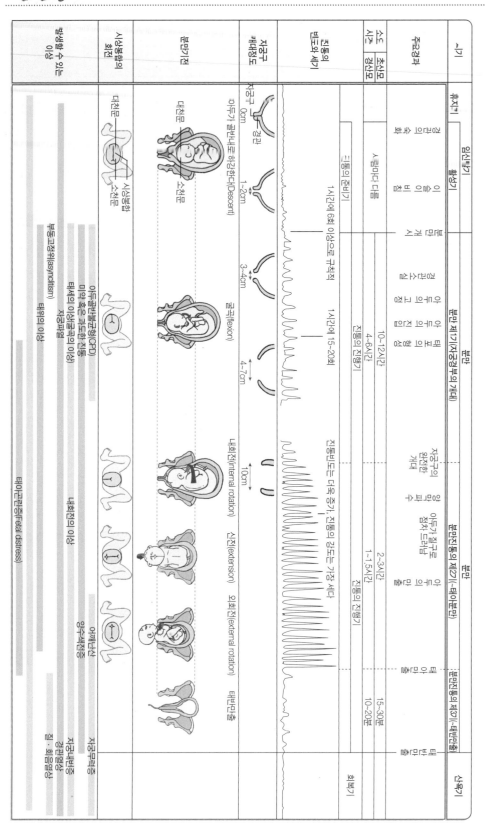

분만의 전체적 과정

분만

- 다음은 분만의 전체적인 과정이다.
- 분만의 개시는 1시간에 6회 이상의 진통이 규칙적으로 보이는 시점을 가리키며, 분만의 종료는 태아 및 태아의 부속물(태반 등)이 만출이 완료된 시점을 가리킨다.

분만의 주요요소

만출력(태아를 밀어내는 힘)

- 만출력은 진통(자궁의 수축)과 복압으로 구성된다.

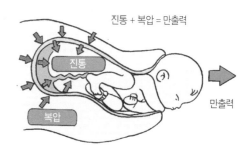

진통(자궁수축)

- 가장 중요한 것은 분만진통이며, 이는 태아를 밀어내는 중심적인 역할을 한다.
- 산욕기, 후진통(훗배앓이)은 초산모보다는 경산모에서 더 강하다.
- 분만의 진행에 따라 아두가 산도를 강하게 압박하는 단계에 이르면, 모체는 진통발작 때문에 복압이 반사적으로 발생하기 쉬운 상태가 된다. 특히 분만 제2기에 태아만출이 임박했을 때에는 진통 발작시의 통증으로 인해 불수의적으로 복압이 생긴다.

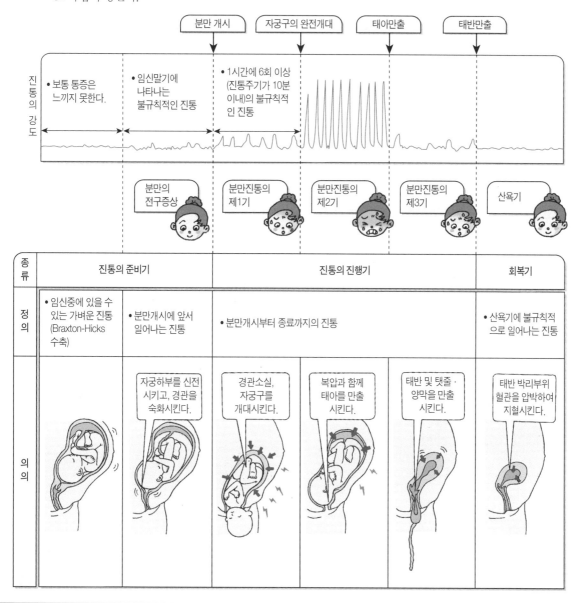

종류	진통의 준비기		진통의 진행기			회복기
정의	• 임신중에 있을 수 있는 가벼운 진통(Braxton-Hicks 수축)	• 분만개시에 앞서 일어나는 진통	• 분만개시부터 종료까지의 진통			• 산욕기에 불규칙적으로 일어나는 진통
의의		자궁하부를 신전시키고, 경관을 숙화시킨다.	경관소실, 자궁구를 개대시킨다.	복압과 함께 태아를 만출시킨다.	태반 및 탯줄·양막을 만출시킨다.	태반 박리부위 혈관을 압박하여 지혈시킨다.

산도

가골반과 진골반(소골반이 골산도를 형성)
- 골반은 골반분계선에 의해 가골반과 진골반으로 나뉜다.
- 골산도란, 이 진골반이 둘러싸고 있는 내강을 말한다.

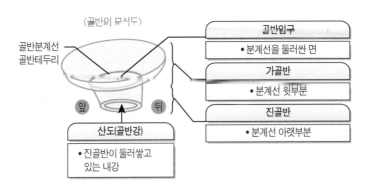

골반분계선
골반테두리
〈골반의 모식도〉
앞　뒤

| 골반입구 |
| 분계선을 둘러싼 면 |
| 가골반 |
| 분계선 윗부분 |
| 진골반 |
| 분계선 아랫부분 |

산도(골반강)
- 진골반이 둘러쌓고 있는 내강

골산도
- 골산도는 골반(볼기뼈, 엉치뼈, 꼬리뼈)으로 구성된다.
- 볼기뼈는 처음에는 엉덩뼈, 궁둥뼈, 두덩뼈였던 것이, 성장 과정에서 합쳐져 1개의 뼈가 된 것이다.

골반의 구조

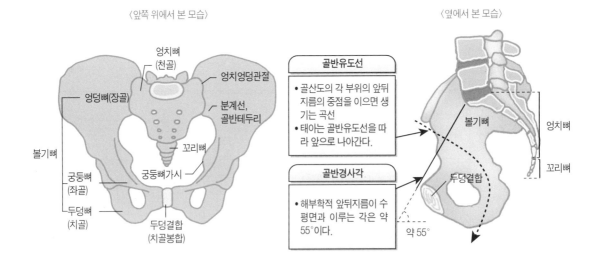

〈앞쪽 위에서 본 모습〉

엉치뼈(천골)
엉치엉덩관절
엉덩뼈(장골)
분계선, 골반테두리
볼기뼈
꼬리뼈
궁둥뼈(좌골)
궁둥뼈가시
두덩뼈(치골)
두덩결합(치골봉합)

〈옆에서 본 모습〉

골반유도선
- 골산도의 각 부위의 앞뒤 지름의 중점을 이으면 생기는 곡선
- 태아는 골반유도선을 따라 앞으로 나아간다.

골반경사각
- 해부학적 앞뒤지름이 수평면과 이루는 각은 약 55°이다.

볼기뼈
엉치뼈
두덩결합
꼬리뼈
약 55°

골반의 가동성

* 볼기뼈, 엉치뼈, 두덩뼈는 고정되지 않고 움직여서 골산도를 넓힐 수 있다(특히 볼기뼈와 엉치뼈를 잇는 관절이 큰 역할을 한다). 골산도가 넓혀지면 아두는 만출되기 쉬워진다.
* 분만방식이 측와위분만인 경우, 엉치엉덩관절에 체중이 실려서 볼기뼈, 엉치뼈의 가동성이 사라져 버리므로 골반이 넓혀지는 것을 기대할 수 없다.

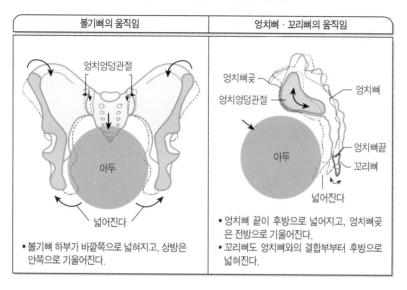

볼기뼈의 움직임	엉치뼈 · 꼬리뼈의 움직임
엉치엉덩관절 아두 넓어진다 • 볼기뼈 하부가 바깥쪽으로 넓혀지고, 상방은 안쪽으로 기울어진다.	엉치뼈곳 엉치엉덩관절 아두 엉치뼈 엉치뼈끝 꼬리뼈 넓어진다 • 엉치뼈 끝이 후방으로 넓어지고, 엉치뼈곳은 전방으로 기울어진다. • 꼬리뼈도 엉치뼈와의 결합부부터 후방으로 넓혀진다.

앞 · 뒤지름(골반입구 전후경선)

* 골반입구부의 앞뒤지름에는 참앞뒤지름(진결합선)과 출산앞뒤지름(산과적결합선)이 있다.
* 이들은 X-ray 필름 상에서 실측할 수 있다.
* 출산앞뒤지름(전후경선)은 아두골반불균형(CPD)의 진단에 중요하다.

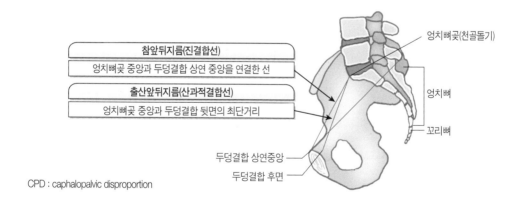

참앞뒤지름(진결합선)
엉치뼈곳 중앙과 두덩결합 상연 중앙을 연결한 선

출산앞뒤지름(산과적결합선)
엉치뼈곳 중앙과 두덩결합 뒷면의 최단거리

엉치뼈곳(천골돌기)
엉치뼈
꼬리뼈
두덩결합 상연중앙
두덩결합 후면

CPD : caphalopalvic disproportion

골산도의 경선(부위에 따라 전후, 좌우의 지름이 달라진다)

- 골산도는 골반입구, 골반중앙, 골반출구의 3가지로 나뉜다.
- 골산도의 경선은 아두의 크기보다 넓지 않으며, 골반입구는 횡경선이 넓고, 중앙부와 출구는 전후경선이 넓다.

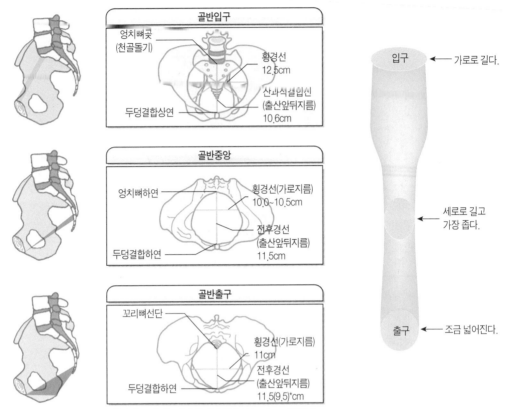

골반입구

엉치뼈곶
(천골돌기)

횡경선
12.5cm

두덩결합상연

산과적결합선
(출산앞뒤지름)
10.6cm

골반중앙

엉치뼈하연

횡경선(가로지름)
10.0~10.5cm

전후경선
(출산앞뒤지름)
11.5cm

두덩결합하연

골반출구

꼬리뼈선단

횡경선(가로지름)
11cm

전후경선
(출산앞뒤지름)
11.5(9.5)*cm

두덩결합하연

입구 ← 가로로 길다.

← 세로로 길고 가장 좁다.

출구 ← 조금 넓어진다.

* 분만시, 꼬리뼈는 태아에 밀려 후방으로 1~2cm 이동한다.
따라서 골반출구부의 앞뒤지름은 분만시에는 이전의 9.5cm에서 11.5cm이 된다.

연산도(숙화와 신전이 일어남)

- 연산도는 자궁하부, 자궁경부, 질, 외음부 및 회음부로 구성된다.
- 분만시에 태아 및 그 부속물의 직접적인 통과경로가 된다.
- 태아를 만출시키기 위해서는 연산도의 숙화와 신전(특히 자궁경부의 숙화와 자궁하부의 신전)이 필요하다.
- 비임신시의 자궁협부는 약 1cm이지만, 분만개시 전~분만제 1기에는 7~10cm 정도까지 늘어난다. 임신중에는 자궁협부를 자궁하부라고 부르는 경우가 많다.

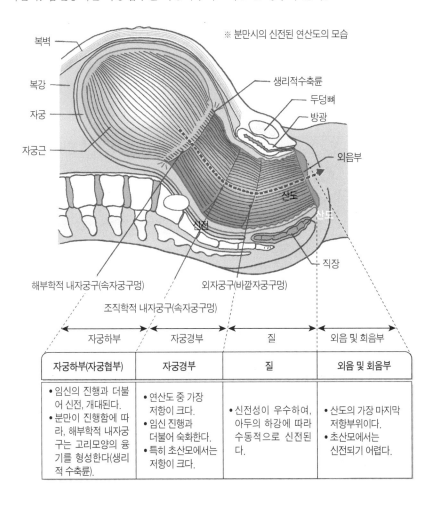

| 자궁하부 | 자궁경부 | 질 | 외음 및 회음부 |

자궁하부(자궁협부)	자궁경부	질	외음 및 회음부
• 임신의 진행과 더불어 신전, 개대된다. • 분만이 진행함에 따라, 해부학적 내자궁구는 고리모양의 융기를 형성한다(생리적 수축륜).	• 연산도 중 가장 저항이 크다. • 임신 진행과 더불어 숙화한다. • 특히 초산모에서는 저항이 크다.	• 신전성이 우수하여, 아두의 하강에 따라 수동적으로 신전된다.	• 산도의 가장 마지막 저항부위이다. • 초산모에서는 신전되기 어렵다.

산도의 통과(좁은 산도를 통과)

* 산도는 좁을 뿐 아니라, 부위에 따라 앞뒤·좌우 지름이 변하며 신전되기 때문에 아두는 그 냥 그대로는 산도를 통과하기 어렵다.
* 아두는 주요운동(cardinal movement)과 골숭접에 의해 산도를 통과될 수 있다.
* 프리스타일 분만에서는 이 외에 골반의 움직임도 관여한다.

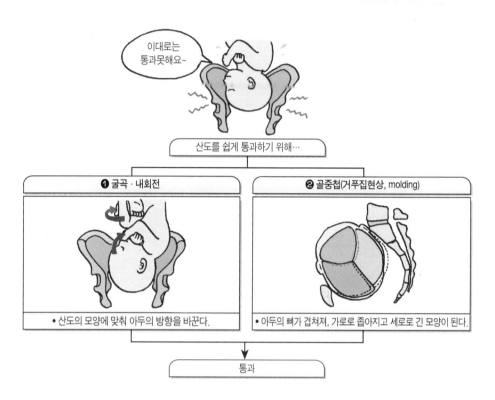

만출물

만출물(태아와 태반)

* 만출물에는 태아, 태반, 탯줄, 양수, 난막이 포함된다.
* 난막은 태아측의 양막, 융모막과 모체측의 탈락막으로 나뉜다. 탈락막은 모체측의 조직이 므로 만출물에 포함되지 않는다고 생각되기도 하지만, 실제로는 탈락막의 대부분이 양막·융모막과 함께 만출된다.

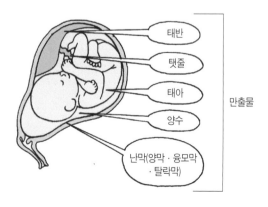

태위 · 태세 · 태향(태아의 자세와 방향을 나타내는 말)

- 분만 방식을 결정하기 위해서는 태아의 방향과 자세를 평가하는 것이 필요하다.
- 태아의 자세 및 방향은 태위 · 태세 · 태향의 3가지 항목으로 나타낸다.

	태위		태세		태향	
정의	• 태아의 세로축과 모체의 세로축의 관계		• 태아의 자세		• 주로 태아 등의 방향	
	태아의 세로축	모체의 세로축	굴곡	신전	LO (Lt.occiput)	RO (Rt.occiput)
분만에의 영향	있음				없음	

태위(태아와 모체의 세로축이 일치하는가)

- 태위란, 태아의 세로축과 모체의 세로축의 위치관계를 말한다.
- 태위는 분만경과에 강하게 영향을 미치며, 이상이 있는 경우 난산이 되기 쉽다.

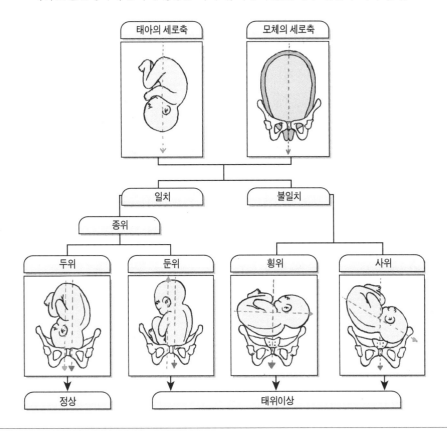

태세(턱이 흉부에 닿아 있는가)

- 태세는 태아의 자세를 말한다(attitude).
- 태세는 분만경과에 강하게 영향을 미치며, 이상이 있는 경우 난산이 되기 쉽다.

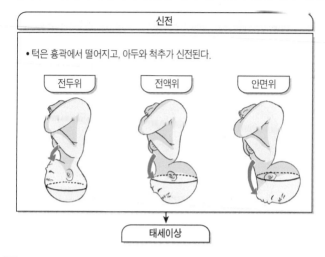

굴곡	신전
• 턱이 흉곽에 거의 밀착되고, 등은 앞으로 구부러진다. **후두위**	• 턱은 흉곽에서 떨어지고, 아두와 척추가 신전된다. **전두위** **전액위** **안면위**
↓	↓
정상	**태세이상**

태향(등이 모체의 어느 쪽을 향하고 있는가)

- 태향이란, 태아 등의 모체 좌우·앞뒤에 대한 방향을 말한다.
- 두위에서는 태향은 어느 쪽이라 해도 정상이며, 분만에 영향을 미치지 않는다.
- LO(좌후두위)가 많은 것은 간이 복강의 왼쪽 상방에 하대정맥이 정중선에서 우측에 있으므로, 태아의 등이 우측에 있는 것보다 좌측에 있는 편이 더 안정적이기 때문이다.

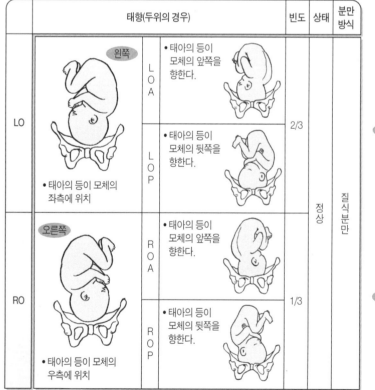
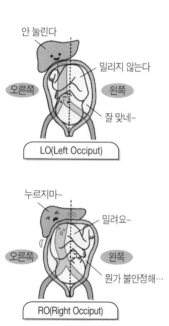

태향(두위의 경우)			빈도	상태	분만방식
LO • 태아의 등이 모체의 좌측에 위치	LOA	• 태아의 등이 모체의 앞쪽을 향한다.	2/3	정상	질식분만
	LOP	• 태아의 등이 모체의 뒷쪽을 향한다.			
RO • 태아의 등이 모체의 우측에 위치	ROA	• 태아의 등이 모체의 앞쪽을 향한다.	1/3		
	ROP	• 태아의 등이 모체의 뒷쪽을 향한다.			

LO(Left Occiput)   RO(Right Occiput)

태아 상태의 표시방법(좌전방후두위가 가장 많다)

- 태아의 하강상태는 태향, 태아 후두부의 방향, 태세로 표현된다.
- 기본적으로 [좌전방후두위] [우후방안면위] 등과 같이 3가지 요소로 표현된다.
- 좌전방후두위(가장 많음), 우전방후두위가 정상이며, 그 외에는 전부 cardinal movement의 이상을 보이게 된다.

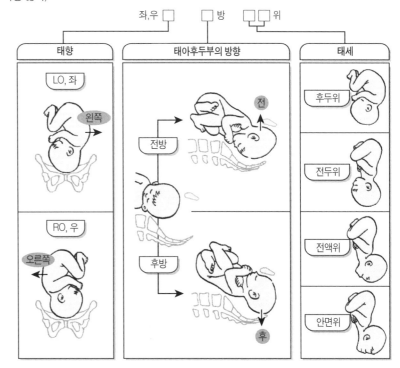

아두의 구조(시상봉합과 소천문 · 대천문이 포인트)

- 아두는 성인의 머리와는 다르며, 화골(골형성)이 미완성인 상태로 결합 부위가 막으로 이루어져 있다.
- 이 막으로 이루어진 봉합, 천문부위는 아두의 피부 위에서 만져진다. 특히 시상봉합이 중요하며, 이것으로 분만시의 태아 회전 상태를 파악할 수 있다.

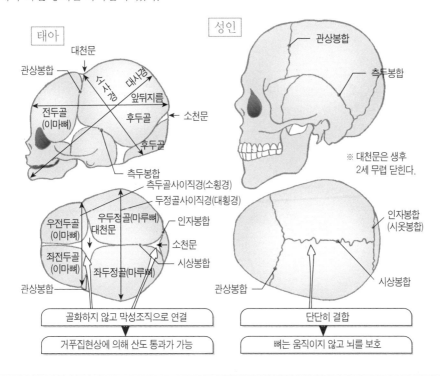

아두의 골중첩(거푸집현상) (산도에 맞춰 머리 모양을 바꿔 산도를 통과)

- 아두의 두개골은 좁은 산도를 통과하기 위해, 산도의 압박에 의해 뼈가 서로 겹쳐진다. 이
  를 골중첩이라고 한다.
- 이것이 가능한 것은 위와 같이 아두 두개골의 골화가 불충분하기 때문이다.
- 골중첩의 결과, 아두의 용적은 작아지고, 산도 통과가 용이해진다.
- 정상분만에서는 아두는 소사경부위가 최소가 되도록 변형되므로, 출생 후 아두는 앞·뒤로
  길어진다.

통과 전	골중첩(거푸집현상)	통과 후

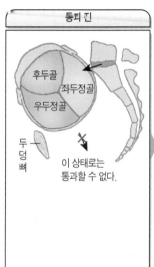

후두골
좌두정골
우두정골
두덩뼈
이 상태로는
통과할 수 없다.

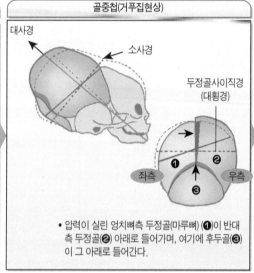

대사경
소사경
두정골사이직경
(대횡경)
좌측
우측
❶ ❷ ❸

- 압력이 실린 엉치뼈측 두정골(마루뼈) (❶)이 반대
  측 두정골(❷) 아래로 들어가며, 여기에 후두골(❸)
  이 그 아래로 들어간다.

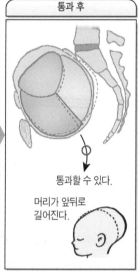

통과할 수 있다.

머리가 앞뒤로
길어진다.

정상분만의 경과

분만의 경과

• 정상 분만은 크게 다음과 같은 경로를 보인다.

모체의 변화

경관의 숙화 (활성기)

• 불규칙적인 진통, 이슬 증상을 볼 수 있게 된다.
• 자궁개대와 경관의 숙화가 시작되고, 분만에 적합한 상태로 되어간다.

(가정)

분만의 개시

• 진통이 규칙적이 되고, 1시간에 6회 이상이며 10분 간격이 된다.

(병원으로)

분만의 제1기(자궁경부개대) 자궁구의 개대

• 자궁구가 개대되기 시작한다.
• 진통 간격이 짧아지고 통증도 강해진다.

(진통실)

분만의 제1기(~태아만출) 자궁구 완전개대·양막파수

• 진통의 간격이 더욱 짧아지고, 통증도 더욱 심해진다.
• 자궁구가 완전히 개대되고, 양막파수가 일어난다.
• 아두의 하강이 진행된다.

(분만실)

분만의 제2기(~태아만출) 태아의 만출

• 태아만출후, 진통이 사라진다.

분만의 제3기(~태반만출) 태반의 만출

• 후배엽이(후진통)가 생긴다.
• 자궁 복구가 시작된다.

태아·분만상의 변화

고정

• 태아는 산도를 천천히 하강하여, 아두가 골반입구부에 고정된다.

굴곡, 진입

• 굴곡이 아두가 하강한다.

내회전

• 내회전이 일어난다.
• 태아의 등이 모체의 정변을 향한다.

신전, 외회전

• 아두가 보이기 시작한다.
• 신전, 외회전이 일어난다.

태아의 만출

• 태아가 만출된다.

태반의 만출

• 태반이 만출된다.

분만의 개시증상

- 분만이 가까워지면 모체는 아래와 같은 변화를 보인다.
- 모체에서 생기는 변화는 주로 아두가 골반내로 들어가고, 태아가 하강함에 따라 일어난다.
- 이러한 변화에는 개인차가 있으며 모든 산모에서 반드시 보이는 것은 아니다.

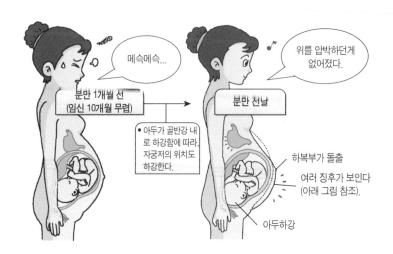

분만 전날 모체의 변화

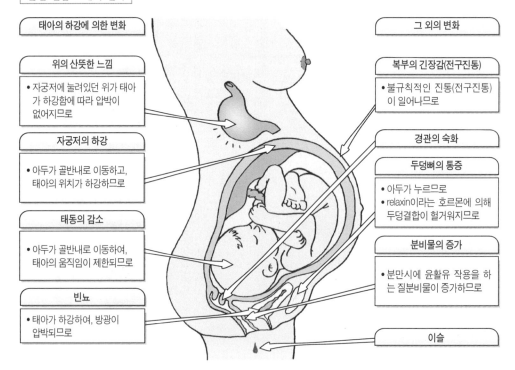

경관의 숙화(경관이 점점 부드러워져 간다)

- 자궁경관은 연산도 중 태아만출에 대한 저항이 가장 크다. 이는 임신 중에 태아를 자궁강내에 보존하기 위해 경관을 형성하는 자궁경부에 충분한 강도가 가해지기 때문이다.
- 분만 제1기에는 이 저항을 없애 태아를 쉽게 만출시키기 위해, 자궁경부는 부드러워진다. 이것을 경관의 숙화라고 한다.
- 경관은 숙화되면, 아두의 압력에 의해 개대되기 시작하고 점점 짧아져간다. 동시에 이 압박에 의해 자궁하부(협부)도 길어져가며, 결국 자궁구는 완전히 개대된다.
- 임신 중에 경관의 저항이 부족한 경우, 경관무력증으로 유산·조산의 원인이 된다.
- 분만 시에 경관의 저항이 없어지지 않으면, 연산도강직으로 분만장애가 된다.

분만개시전	분만제1기	분만제1기가 끝나갈 무렵
아두 전구진통 자궁경부 자궁경관 단단하기는 코와 비슷	개구기진통 신전 얇아짐 단단하기는 입술과 비슷	신전 소구실 단단하기는 머쉬멜로우와 비슷
• 경부는 아직 딱딱하지만(만지면 코 정도의 경도), 진통과 호르몬 분비 등의 영향으로 부드러워지기 시작한다(경관이 숙화되기 시작한다).	• 경부는 입술 정도의 경도만큼 부드러워진다. • 아두의 하강에 의해 압박되어, 경관의 길이가 단축, 개대되기 시작하고, 자궁하부(협부)는 신전되기 시작한다.	• 경부는 머쉬멜로우만큼 부드러워진다(경관의 성숙). • 이에 따라, 경관은 소실되고, 자궁구는 완전히 개대된다(자궁구전개대). • 자궁하부(협부)는 신전되고, 경관이 소실됨에 따라, 산도는 하나의 관모양이 된다.

이슬

- 이슬이란, 분만개시 무렵에 보이는 혈성·점액성의 질 분비물을 말한다.

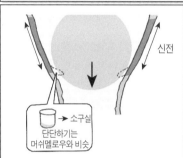

이슬?

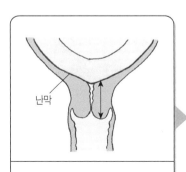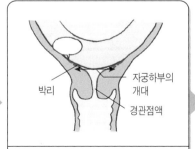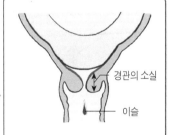

난막	박리 자궁하부의 개대 경관점액	경관의 소실 이슬
• 처음 난막은 자궁벽에 달라붙어 있다.	• 자궁하부의 개대에 의해, 난막의 하단부가 자궁벽에서 박리되고, 출혈이 일어난다.	• 경관 점액과 함께 혈액이 배출된다. 이것이 이슬이다.

태아의 하강

정축진입(골반내로의 올바른 진입 방법)

- 아두가 골반입구부로 진입할 스음, 오른쪽 그림과 같이 진입하는 것을 정축진입이라고 한다.

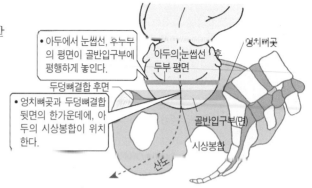

- 아두에서 눈썹선, 후두부의 평면이 골반입구부에 평행하게 놓인다.
- 엉치뼈곶과 두덩뼈결합 뒷면의 한가운데에, 아두의 시상봉합이 위치한다.

아두의 눈썹선 후두부 평면
두덩뼈결합 후면
엉치뼈곶
골반입구부(면)
시상봉합
산도

DeLee의 station(선진부의 하강 정도를 평가하는 방법)

- Delee의 station 방식은 선진부의 하강도를 평가하는 방법 중 하나이다.
- 양쪽 궁둥뼈가시를 잇는 선(궁둥뼈가시 사이선)을 station 0으로 하고, 여기서부터 아두의 선진부 위치를 cm 단위로 표시한다.
- 구체적으로는 station -1(cm)로 표현한다.
- 골반입구부는 대략 station -5에 해당된다.

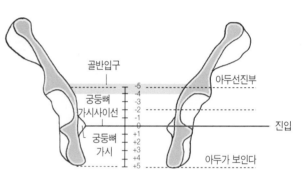

골반입구
궁둥뼈가시사이선
궁둥뼈가시
아두선진부
진입
아두가 보인다

아두의 고정과 진입(Station 0이 진입)

- 임신기간 중에 아두는 부동 상태로 있지만, 임신 말기가 되어 분만이 가까워지면 전구진통이 일어나고, 분만의 준비 상태가 되어 아두의 하강이 시작된다.
- 아두는 진골반내로 들어가고 고정·진입한다.
- 고정은 아두최대지름이 골반입구부에 들어가서 이동성을 잃은 상태를 말한다.
- 진입은 고정된 아두가 굴곡하며 하강하고, 아두최대지름이 골반입구부를 통과한 상태를 가리킨다.
- 아두선진부는 station 0보다도 아래에 있다.

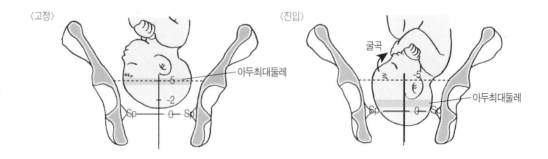

〈고정〉
아두최대둘레
Sp 0 Sp

〈진입〉
굴곡
아두최대둘레
Sp 0 Sp

태아의 만출

cardinal movement(좁은 산도를 통과하기 위한 움직임)

- 태아는 턱을 당기고(굴곡), 90° 회전(내회전)하며 산도를 하강해간다. 이러한 일련의 움직임은 태아만출을 위한 cardinal movement의 일부이다.

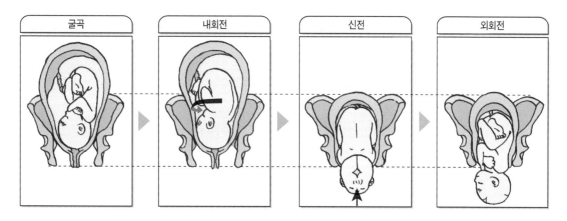

굴곡	내회전	신전	외회전

태포형성(membrane bulging) (양수가 흘러들어 부푼다)

- 진통에 의해 자궁내압이 높아지면, 당겨진 자궁경관과 아래로 늘어난 난막 사이에 틈이 생겨, 난막은 자궁벽으로부터 박리된다. 이에 의해 외자궁구 방향으로 양수가 흘러들어가 난막이 부풀어올라 외자궁구 밖으로 돌출되는데, 이를 태포라한다.
- 태포는 아두가 고정되기 전에는 진통발작시 양수유입이 일어나 팽만되고, 진통간격은 이완된다. 이를 반복하며 태포는 커져간다.
- 태포는 경관의 단축·자궁구의 개대를 촉진한다.

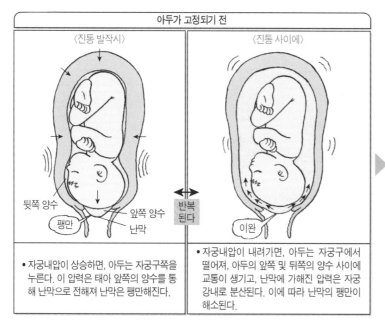
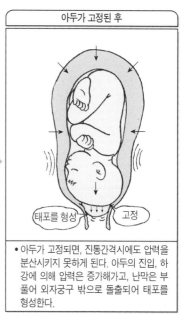

아두가 고정되기 전

〈진통 발작시〉

뒷쪽 양수
팽만
앞쪽 양수
난막

반복된다

〈진통 사이에〉

이완

- 자궁내압이 상승하면, 아두는 자궁구쪽을 누른다. 이 압력은 태아 앞쪽의 양수를 통해 난막으로 전해져 난막은 팽만해진다.

- 자궁내압이 내려가면, 아두는 자궁구에서 떨어져, 아두의 앞쪽 및 뒤쪽의 양수 사이에 교통이 생기고, 난막에 가해진 압력은 자궁강내로 분산된다. 이에 따라 난막의 팽만이 해소된다.

아두가 고정된 후

태포를 형성
고정

- 아두가 고정되면, 진통간격시에도 압력을 분산시키지 못하게 된다. 아두의 진입, 하강에 의해 압력은 증가해가고, 난막은 부풀어 외자궁구 밖으로 돌출되어 태포를 형성한다.

양막파수

- 진통이 강해지면, 자궁내압이 상승하고 아두도 하강한다. 이 압력에 난막이 견디지 못하게 되면 태포는 파열되고, 내부에 고여있던 양수가 유출된다. 이를 양막파수라고 한다.
- 진통이 일어나기 전에 양막이 파수되는 것을 preterm PROM라 하고, 진통개시부터 자궁구가 완전히 개대되기 전에 파수되는 것을 PROM라고 한다.
- 양수는 태아가 산도를 통과할 때의 윤활제로서 작용할 뿐만 아니라, 질에 존재하는 상재균으로부터의 감염을 방지하는 작용도 한다. 따라서, 양막파수 후에 입욕할 경우, 욕조내의 여러 균이 질에서부터의 상행성 감염을 일으킬 가능성이 있다. 그러므로 양막파수 후에는 욕조 목욕을 삼가하도록 지시한다.

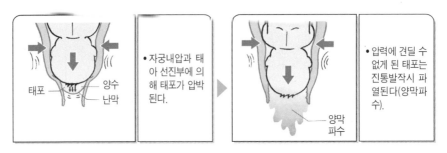

태포 / 양수 / 난막

- 자궁내압과 태아 선진부에 의해 태포가 압박된다.

- 압력에 견딜 수 없게 된 태포는 진통발작시 파열된다(양막파수).

양막파수

배림과 발로

- 분만 2기에 들어서면, 진통과 복압에 의해, 아두는 산도를 넓히며 급속하게 하강한다.
- 아두는 진통발작시에 크게 하강하고, 질구로 태아의 선진부가 드러나게 되지만, 진통간격시에는 산도저항에 의해 아두는 질내로 후퇴하여 보이지 않게 된다(배림).
- 진통이 더욱 강해지면 태아 선진부가 더욱 하강한다. 이 단계에서는 아두는 진통간격시에도 후퇴하지 않는다(발로).
- 아두는 눌리고, 항문은 강하게 열려 직장벽이 보일 정도로 개대된다.

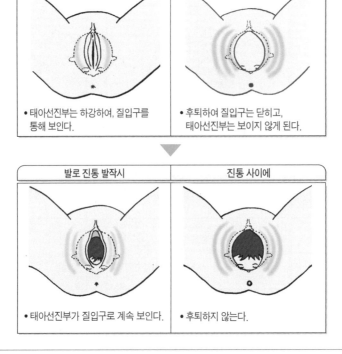

배림 진통 발작시	진통 사이에
• 태아선진부는 하강하여, 질입구를 통해 보인다.	• 후퇴하여 질입구는 닫히고, 태아선진부는 보이지 않게 된다.

발로 진통 발작시	진통 사이에
• 태아선진부가 질입구로 계속 보인다.	• 후퇴하지 않는다.

태반의 만출

태반박리방식(태아가 만출된 뒤 태반이 나온다)

- 태아가 만출된 후, 태반은 박리되어 후산기진통에 의해 자궁하부까지 밀려나오고 만출된다.
- 태반의 만출방식에는 Schultze 양식, Duncan 양식 및 이 둘이 복합된 양식의 3가지가 있다.
  여기서는 Schultze과 Duncan 양식에 대해 살펴본다.
- 태반의 만출시, 자궁저를 압박하고 탯줄을 견인하는 등의 조작을 가하는 경우가 많다.

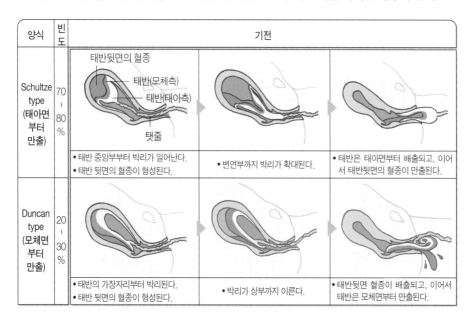

양식	빈도	기전		
Schultze type (태아면부터 만출)	70~80%	• 태반 중앙부부터 박리가 일어난다. • 태반 뒷면의 혈종이 형성된다.	• 변연부까지 박리가 확대된다.	• 태반은 태아면부터 배출되고, 이어서 태반뒷면의 혈종이 만출된다.
Duncan type (모체면부터 만출)	20~30%	• 태반의 가장자리부터 박리된다. • 태반 뒷면의 혈종이 형성된다.	• 박리가 상부까지 이른다.	• 태반뒷면 혈종이 배출되고, 이어서 태반은 모체면부터 만출된다.

초산모와 경산모의 비교

- 초산모에서는 경산모에 비해 연산도조직이 단단하다. 따라서, 산도 열상이 생기기 쉬우며,
  분만시간이 길어진다(약 2배).

		초산모	경산모
외자궁구의 개대			
경관		열리기 어렵다(딱딱함)	열리기 쉽다(부드러움)
경관열상		잘 생긴다	드물다
회음		잘 늘어나지 않는다	쉽게 늘어난다
회음열상		잘 생긴다	드물다
분만소요시간	분만 제1기	10~12시간	4~6시간
	분만 제2기	2~3시간	1~1.5시간
	분만 제3기	15~30분	10~20분
	분만 제4기	12~15시간	5~8시간
진행장애로 진단되는 분만소요시간		30시간 이상	15시간 이상

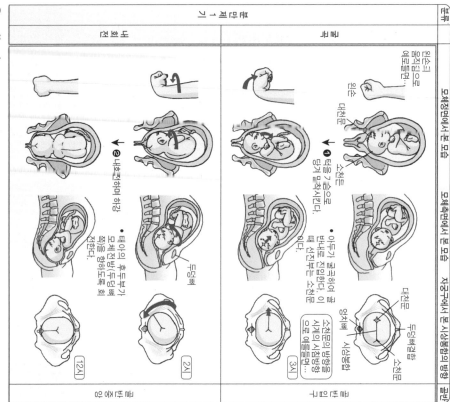

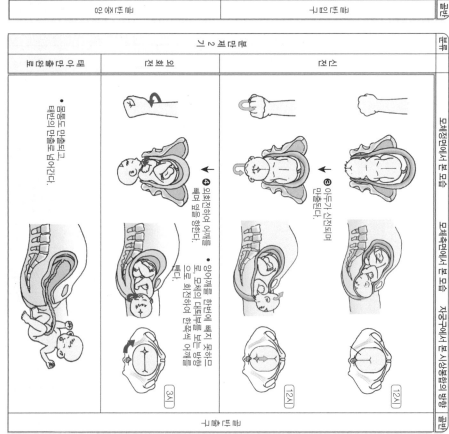

Cardinal movement

분만시 태아 주요 운동(좁고 굽은 산도를 통과)

- 좁고 굽은 산도를 빠져나가기 위해, cardinal movement를 보인다.
- 굴곡, 내회전 신전은 아두를 하강시키기 위함이며, 외회전은 어깨가 산도를 빠져나가기 위함이다.
- 굴곡과 신전 내회전과 외회전은 각각 반대방향의 움직임이다. 경우, 태아는 산도를 빠져나갈 때 견갑의 방향을 향하고 있는 것이다.

산류(caput succedaneum) (아두에 생긴 말랑말랑하게 부풀어오른 곳)

- 산류란, 산도통과시 압박에 의해 아두 선진부의 선단에 생긴 경계가 불명확한 부종이다.
- 산류는 가동성이 있으며, 만지면 부드럽고, 출생시에 가장 분명하다가 생후 24시간 이내에 대부분 소실된다.
- 모체의 엉치뼈에 의해 압박된 아두에서는 엉치뼈측의 뼈가 반대쪽 뼈의 아래로 밀려내려가 겹쳐지는 현상이 일어난다.
- 이에 따라, 저항이 작은 두덩뼈 쪽의 피하 조직에 산류가 생긴다.
- 좌후두위에서는 태아의 우측에, 우후두위에서는 좌측에 생기므로, 산류의 위치에 따라 분만시의 태향을 알 수 있다.
- 분만중의 산류의 급격한 증대는 아두에 대한 강한 압박이 있었다는 것을 생각할 수 있게 하며, 이는 태아의 위험징후 중 하나이다. 이런 경우, 감별해야하는 질환으로는 두혈종(ephal hematoma), 모상건막하혈종(subgaleal hematoma)이 있다.

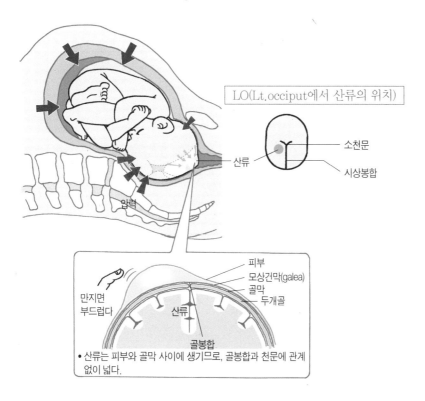

분만의 평가

Bishop score(분만개시의 임박 정도)

- 자궁경부의 성숙도는 자궁구개대정도, 경관소실율, 아두의 위치, 자궁경부의 경도, 자궁구의 위치로 표현된다. 이들을 점수로 평가한 것을 Bishop score라고 한다.
- 성숙도를 나타낸 점수의 크고 작음으로, 분만개시의 임박 정도를 알 수 있다.

Bishop score (13점 만점)
9점 이상 : 경관성숙
8점 이상 : 유도분만 성공률이 높음
4점 이하 : 경관미성숙

Bishop score(자궁경부 성숙도의 채점법)

인자	점수			
	0	1	2	3
자궁구 개대정도 (cm)	0	1~2	3~4	5~6
경관소실율 (%)	0~30	40~50	60~70	80~
아두의 위치 (station)	-3	-2	-1~0	+1
경부의 경도	딱딱함 (코 정도)	중간 (입술 정도)	부드러움 (머쉬멜로우)	-
자궁구의 위치	후방	중앙	전방	-

Friedman 곡선

- friedman 곡선이란, 분만개시부터 시간경과와 자궁구개대정도, 아두 하강정도의 표준적인 관계를 그래프로 나타낸 것이다.
- 임신부의 분만경과도(Partogram)을 Friedman 곡선과 비교해서, 이상이 있는지 여부를 판단할 수 있다.
- 단, 분만경과에는 개인차가 있으므로, Friedman 곡선의 경과에 따라 분만진행이 [지연]되었다고 본 경우에도, 실제로 특별히 문제가 없는 경우도 많다. 따라서, 분만경과에 이상이 있는지 여부의 판단은 아두골반불균형(CPD)의 유무, 태세, 진통의 강도 등을 종합해서 판단해야 한다.

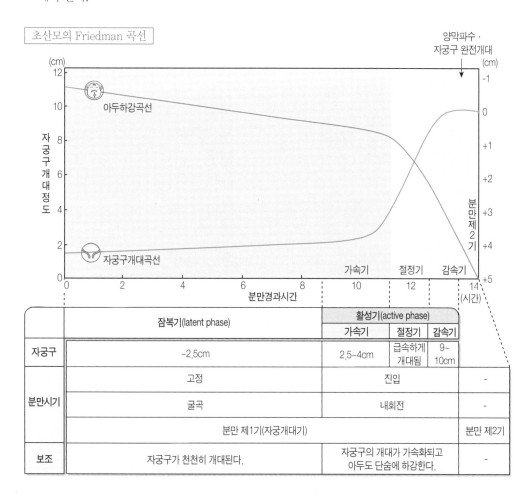

초산모의 Friedman 곡선

| | 잠복기(latent phase) | 활성기(active phase) | | |
		가속기	절정기	감속기
자궁구	~2.5cm	2.5~4cm	급속하게 개대됨	9~ 10cm
분만시기	고정	진입		-
	굴곡	내회전		-
	분만 제1기(자궁개대기)			분만 제2기
보조	자궁구가 천천히 개대된다.	자궁구의 개대가 가속화되고 아두도 단숨에 하강한다.		-

사례 ①

1. 그녀는 15분 간격에 30초간 규칙적인 자궁수축을 하고 있다.

2. 진통이 규칙적인지, 수축간격이 짧아지는지, 수축기간과 간도가 점점 증가하는지, 통증부위가 허리부분에서 시작하여 복부로 방사되고 걸으면 더욱 심해지며 휴식을 취해도 통증이 감소되지 않는지, 자궁경부의 개대와 소실이 진행되고 있는지로 확인한다.

3. "당신은 확실히 몇 가지 징후의 진진통을 보이고 있습니다. 저희가 당신의 자궁경부를 진단해보아야 할 필요가 있으며 경부개대의 여부를 알아보기 위해 한동안 좀 더 관찰해야 합니다. 그렇게 되면 확실히 알 수 있겠군요."

4. 분만 1기의 잠재기

사례 ②

간호중재	우선순위	이론적 근거
이완을 증진한다.	2	1. 대상자옆에서 정서적 지지가 필요하다
처방대로 통증경감을 포함 하는 안위대책을 제공한다.	3	2. 지지를 통해 이완을 촉진한다
분만 2기에 대처할 전략을 제시한다.	4	3. 자궁경부 개대가 6cm 이상까지 기다렸다가 진통제를 주어야 분만이 진행이 된다.
대상자와의 접촉시간을 늘린다.	1	4. 분만이 진행되어 자궁경부가 완전개대된 후를 대비하여야 한다

대상자의 관심사항	간호중재
분만의 진행상태 태아의 건강 산부의 통증정도와 완화법 양막파막으로 인한 결과	자궁경관의 개대와 소실이 어떻게 진행되고 있는지를 설명한다 태아심음을 들려주고 태아에게 어떤 위험증상도 없다는 것을 설명한다 산부의 통증완화정도를 사정하고 약물투여롤 인한 부작용을 관찰한다. 양막이 파막되었을 경울 나타날 수 있는 증상에 대해서 태아에게 미치영향에 대해서 설명한다.

02 진통 산부의 비약리적간호

Key Point

✓ 통증의 경험과 정도는 개인차가 있다.

✓ 비약리적 통증조절은 진통시 통증의 주요 원인인 두려움과 긴장을 줄이려는 시도이다.

✓ 마사지나 지압 등은 통증을 완화하기 위한 통증 관문 조절이론을 활용하고 있다.

✓ 비약리적 방법은 지압, 열·냉 적용, 치료적 마사지, 최면, 바이오피드백, 아로마요법, 음악, 이완요법, 수화요법과 호흡 기법 등이다.

✓ 잘알려진 출산준비 방법은 Dick-Read, 라미즈와 브래들리가 있다.

✓ 잦은 체위 변경은 이완을 증진한다.

비판적 사고 훈련 ▼

사 례

안나씨는 Gravida 2, Para 1의 20세 여성이며, 분만실에 왔을 때 분만 1기 활동기였다. 안나씨는 임신 중 출산 준비교실에 참여하지 않았다고 한다. 그녀는 의료보험의 혜택을 받을 수 있는 분만인 자연분만을 원한다고 한다. 그녀는 꽤 불편해 보였으며, 자궁수축 시 통증으로 신음하고 있다. 분만실은 수중분만을 위한 욕조는 없지만, 가족 분만실로 샤워시설은 갖추고 있다.

1. 불안과 긴장 그리고 통증으로 이어지는 악순환을 벗어나기 위해 산부 안나씨와 보호자에게 제안할 수 있는 방법 두가지를 생각한다면?

2. 안나씨는 샤워를 선택하였다. 간호사의 안내와 도움으로 그녀의 보호자는 그녀의 허리통증(샤워기 끝을 그녀의 허리에 대고)을 줄일 수 있도록 하였으며, 체위를 변경하고 있다(앉았다 섰다를 반복하며). 간호사는 자주 산부와 태아의 심박동을 점검한다. 질 내진 소견은 자궁개대가 7~8cm였고, 약간의 항문 압박감이 있다고 한다. 공포와 통증을 줄일 수 있는 방법은 어떤 것이 있을까?

비판적 사고중심 학습

학습목표

- 분만 중 통증에 대한 산부의 반응을 사정한다.
- 비약물적 통증완화방법의 종류별 특징을 나열한다.

개요

비약리적 안위대책이란, 진통제나 마취제 사용없이 통증을 조절하는 것이다. 다양한 요인들이 출산시 통증에 영향을 미친다. 예를 들면, 신체적(피로, 태아 크기와 체위), 심리적(통증, 불안 반응), 사회문화적(통증감각과 통증행동에 대한 문화적 기대), 환경적(소음과 활동 수위), 두려움-긴장-통증 증후군은 대상자가 통증에 반응하는 연속적 과정이다. 통증이 증가할수록, 두려움과 불안도 증가한다. 불안한 대상자는 통증자극에 대한 감각이 고도로 민감하기 때문에 악순환이 가중된다. 두려움-긴장-통증은 대상자의 과환기, 울음, 몸부림, 비명 등을 초래하므로 지시를 따를 수 없다. 통증의 정도와 표현은 개인차가 있으며 비약리적 대책(지압, 최면, 치료적 마사지)은 특별한 훈련이 필요하다.

위험요소

- 통증 가중 요인
- 두려움
- 통승 주기
- 통증 정도에 대한 개인차
- 아두골반불균형(CPD)
- 불안
- 피로감
- 진통시 자궁과 산도의 확장
- 비정상적인 태향

통증의 증상과 징후

- 혈압 상승
- 행동의 표현
- 울음, 비명
- 신음
- 조절력 상실(지시사항을 따를 수 없음)
- 몸부림이 심함
- 위축이나 회피의 행동
- 빈맥
- 피로감
- 과호흡

통증의 원인

- 분만 1기 통증은 자궁수축의 결과이다. 자궁수축으로 자궁이 확장되고 자궁경부의 개대와 소실이 진행된다. 태아의 태향이 후방위인 경우 불편감을 가중시킬 수 있다. 불편감은 전형적으로 허리에서 복부로 방사된다.
- 분만 2기 통증은 태아가 하강함에 따라 회음부와 질 근육에 심한 압박감을 초래한다. 분만 2기의 자궁수축은 강도와 빈도 간격이 증가된다.
- 분만 3기 통증은 자궁수축이 태반을 만출시킬 때 발생한다.

치료적 간호관리

- 통증 경감을 위해 대상자에게 정보를 제공한다.
- 안위 증진을 위해 대상자에게 샤워를 할 수 있도록 돕는다.
- 진통 초기에 신체적 접촉을 부드럽게 한다. 등을 문질러주고 허리를 지지하며 마사지를 한다.
- 자궁수축 사이에는 이마에 찬수건을 대어준다.
- 근육의 허혈상태를 완화하고 불편감이 있는 부위에 혈류를 증가시킬 수 있도록 습열패드나 따뜻한 담요를 적용한다. 허리통증에 효과적이다.
- 음악 및 TV 시청, 전화 통화 등은 통증에 대한 집중력을 다른 곳으로 돌릴 수 있다.
- 즐거운 생각을 할 수 있는 가상의 이미지로 집중력을 강화한다.
- 자궁수축 기간에 적용가능한 이완법에 대해 교육한다.
- 호흡기법을 배웠다면 격려한다. 호흡촉급법은 과도환기를 초래할 수 있으므로 미리 교육한다.
- 최면과 지압, 치료적 마사지, 바이오 피드백, 아로마요법을 활용한다.
- 가능한 경우에 수화요법(월풀, 샤워)을 사용한다.
- 잦은 체위변경은 진통 중 안위감을 증가시킨다. 산부는 편안한 자세라면 어떠한 자세도 가능하지만 일반적으로 앙와위는 피한다. 최적의 자궁태반과 신장의 혈류를 증진시키고 태아의 산소포화도를 증가시키기 위해 측위가 권장된다.
- 쪼그려 앉기는 분만2기에 권장된다.
- 좌위, 반좌위, 복부쪽으로 다리를 굽힌 쇄석위(lithotomy) 체위는 분만2기에 사용된다.
- 출산의자는 좌위와 쪼그려 앉기를 용이하게 한다.
- 사지를 바닥에 내려 뜨리는 자세나 무릎을 꿇은 자세는 태아의 머리를 회전시킬 수 있다.

비판적 사고 중심 간호실무

진통에 대한 비약물적 통증관리

- 분만 1기 통증은 자궁경관의 개대 때문이다.
- 분만 2기 통증은 질과 회음부의 확장 때문이다.
- 다양한 방법과 기술들이 진통관리에 사용될 수 있다.
- 비약물적 방법은 연상, 이완기술, 호흡패턴, 지압, 침술, 명상, 마사지 그리고 접촉을 포함한다.

연상법

- 산부로 하여금 그녀가 행복한 기억 또는 감정을 가졌던 장소를 떠올리게끔 지시한다. "행복했던 기억과 감정이 있었던 장소를 생각하세요. 그 곳에서 편안하고 그 곳은 당신의 모든 스트레스를 사라지게 합니다".
- 산부에게 숨을 들여마시게 하고, 그 장소 주변의 냄새를 기억하도록 요청한다. 그 곳이 외부라면 그녀에게 태양의 따뜻함과 그녀 얼굴에 느껴지는 바람을 느끼도록 지시한다.
- 산부에게 마음 속으로 그 장소에 앉아 있도록 지시하고 그녀가 따뜻함과 소망을 느끼면서 그녀의 모든 긴장과 피곤함을 떠나보내도록 한다.
- 산부에게 의미있는 장소에 대해 생각나는 행복한 순간들을 제시한다. 산부에게 그 환경에 대한 정보를 나누고 싶은지 물어본다.
- 산부가 행복한 순간이 가시화가 됐다면, 자궁 수축 동안 편안함을 높이도록 집중에 초점을 맞추기 위해 그것에 관해 생각할 것을 제안한다.
- 매번 수축이 시작될 때, 산부에게 특별한 장소에 대해 잠깐씩 생각하도록 하고 산부의 몸을 편안해지도록 한다.
- 수축과 함께 호흡시 산부 마음 속에 그 장소의 장면을 유지하도록 지시한다.
- 수축이 끝나면 산부에게 긴장을 풀도록 하고, 방과 그녀 주변의 집기들에서 편안함을 느낄 수 있도록 한다.

이완법

- 산부가 편안한 자세를 취할 수 있도록 도와준다(베개로 팔을 지지하고 반좌위를 취하도록 한다. 팔을 지탱하는 베개와 무릎 사이에 베개를 낀 채 옆으로 눕기, 기울거나 흔들거리는 의자에 앉히기).
- 산부에게 눈을 감고 느리고 편안하게 숨을 쉬도록 하고, 산부의 몸이 침대(또는 의자) 안에 푹 묻히도록 알려준다.
- 산부의 자세를 교정함으로서 그녀 몸의 각 일부분이 지탱되고 편안해 질 수 있다.

- 산부의 호흡을 유지하고 그녀 마음을 가다듬도록 지도한다.
- 산부가 숨을 들이마실 때 숫자 1을 생각하고 내쉴때는 2를 생각하도록 지도함으로써 그녀가 집중할 수 있도록 도와준다.
- 산부에게 매 시간 숫자에 대해 생각하며, 그녀의 마음이 평온하도록 설명한다.
- 산부에게 긴장을 호흡과 함께 날려보내도록 격려한다.
- 이런 연습은 코치가 신체 부분을 가볍게 침으로써 산부가 신체 부분을 조였다가 몇 초 유지하고 풀도록 한다. 진통 후기에는 산부의 팔이나 등을 가볍게 두드려 줌으로서 이완을 도와준다.

라마즈 호흡 패턴
- **느린 속도의 호흡 패턴**
  - 이 패턴은 심호흡으로 시작하고 끝난다.
  - 심호흡은 코를 통해 들이 마시고 뜨거운 음식이 가득 담긴 숟가락을 식히는 것처럼 입술을 오므려서 숨을 내쉬는 것이다.
  - 코를 통해 숨을 들이마시고, 오므린 입술을 통해 숨을 내쉬는 동안 가슴만 움직이며, 느린 호흡이 쉬어진다.
  - 비율은 대략 분당 6~9회 정도 또는 15초에 2번의 호흡이 이루어져야 한다.
  - 코치나 간호사는 산부에게 심호흡을 하도록 상기시키고, 속도 유지가 필요하다면 호흡의 횟수를 셀 수도 있다.

- **변형호흡 패턴**
  - 이 패턴은 심호흡으로 시작하고 끝난다.
  - 호흡은 대략 5초에 4번의 호흡으로 입을 통해 조용하게 들이마시고 내뱉는다.
  - 턱과 몸 전체가 이완할 필요가 있다.
  - 비율은 초당 2~ 2½ 호흡으로 가속화될 수 있다.
  - 호흡의 리듬은 "하나 그리고 둘 그리고 하나 그리고 둘 그리고…"로 숫자를 셀 때 내뱉고 '그리고' 할 때 들이 마시면서 셀 수 있다.

- 속도호흡 촉급 패턴
  - 이 패턴은 심호흡으로 시작하고 끝난다.
  - 모든 호흡은 리듬이 있으며 입을 통해 들이마시고 코로 내 쉬게 한다.
  - 날숨은 "히" 또는 "후" 소리로 다양한 패턴이 있고, 이것은 3:1의 비율로 시작한다(히 히히후). 그리고 수축 변화의 강도에 따라 2:1(히히후) 또는 1:1(히후)로 바뀔 수 있다.
  - 비율은 초당 2~ $2\frac{1}{2}$ 의 속도보다 더 빨라져서는 안 된다.
  - 호흡의 리듬은 "하나 그리고 둘 그리고..." 세기와 맞아 떨어질 수 있다.

치료적 접촉

- 어떤 산부는 진통 중에 접촉을 통해 편안함을 찾는다.
- 산부가 접촉을 좋아하는지 아닌지를 판단한다.
- 어깨, 팔, 손, 다리, 발 또는 복부와 같은 신체 일부를 어루만지거나 마사지한다.
- 접촉은 부드러워야 하며 마사지는 느리고 리듬이 있어야 한다.
- 천골압박 또는 마사지가 등의 불편함을 줄이는데 도움을 줄 수 있다.

☞ **상황**

> 경미씨는 분만1기의 활동기에 있으며 자궁수축은 5분 간격에 40초이다. 경관개대는 4cm, 소실 70%이고 NST결과는 positive이었다. 경미씨에게는 통증완화를 위해 좋아하는 음악을 들려주고 마사지법, 지압법이 적용되었다.

1. 경미씨에게 좋아하는 음악을 들려주는 것은 경미씨가 통증메시지 전달을 방해하는 신경전달물질은 가지고 있다는 이유이다. 그 물질은?

   ① 엔돌핀(endolphine) ② 에페드린(ephedrine)

   ③ 에스트로겐(estrogen) ④ 에피네피린(epinephrine)

   ⑤ 코티코스테로이드(corticosteroids)

2. 경미씨의 통증을 완화를 위한 간호행위는 관문조절이론에 근거한 것이다. 이와 유사한 간호행위가 <u>아닌</u> 것은?

   ① 산부의 손잡아주기

   ② 등마사지와 발마사지

   ③ 진통에 관한 정보 제공하기

   ④ 산부가 가장 좋았던 때를 상상해보기

   ⑤ 편안한 환경을 만들고 소음 차단하기

3. 경미씨는 가장 행복했던 때를 생각하면 통증이 감소한다고 하였다. 어떤 방법인가?

   ① 이완법 ② 연상법 ③ 수요법

   ④ 치료적 접촉 ⑤ 라마즈 호흡법

정답 1. ① 2. ③ 3. ②

1. 첫째, 진통과 출산에 관한 정보, 진통의 진행과 기대하는 것이 무엇인지에 대한 파악과 간호사가 함께 있어
주는 것이다. 둘째, 긴장과 통증으로 이어지는 악순환을 깨기 위해 호흡법, 냉온습포의 적용, 허리마사지와
샤워실의 이용 등을 적용한다.

2. 정상 진통과정의 정보, 산부와 보호자의 대처방법과 격려, 체위변경

03 진통산부의 약리적 간호

Key Point

✓ 전신마취(예: 마약성 진통제)는 중추신경계에 작용하며 통증감각을 줄인다.

✓ 전신마취제는 태반장벽을 통과함으로 분만이 임박한 경우에 투여하면 신생아에게 호흡 곤란을 일으킨다.

✓ 마약성통증길항제 Naloxone(Narcan)은 신생아 혼수를 경감시키기 위해 사용한다.

✓ 진통시 전신마취를 위해 정맥투여 방법이 선호된다.

✓ 국소마취에 사용되는 약물은 흔히 접미사 "-caine"으로 끝난다(예: 리도카인).

✓ "-caine"약물은 경막외 투여시 마약성 진통제와 함께 쓴다.

✓ 국소진통/마취를 위해서 적절한 관류상태를 확인하고 혈압을 관찰한다.

비판적 사고 훈련

사 례

혜경씨는 Gravida 2, Para 1의 산부로 현재 분만 1기 활동기이며, 자궁개대가 5cm되었다. 그녀는 심한 불안과 통증을 호소하며 자신을 조절할 수 없는 상태이다. 자궁이 수축될 때마다 숨을 헐떡이고 있다. 혜경씨는 경막외마취를 원하지 않지만, 의료진은 PCA펌프를 통해 몰핀을 처방하였다.

1. 이러한 형태의 투약은 혜경씨에게 어떤 잇점이 있나?

2. 그녀의 통증은 얼마 후에 경감될 수 있나?

3. 간호사가 투약 이후, 관찰해야 할 사항은 무엇인가?

4. 이 약의 부작용으로 부터 박씨의 안전을 위해 필요한 간호진단은 무엇인가?

5. 이러한 간호진단에 따른 간호중재는 무엇인가?

6. 진통시 PCA 펌프사용의 금기사항은 무엇인가?

비판적 사고중심 학습

학습목표

- 약물적 통증완화방법을 설명한다.

개요

불안-긴장-통증증후군은 대상자가 통증을 느끼는 연속적 반응을 나타낸 것이다. 통증이 증가할수록 불안과 두려움도 증가하는데, 불안한 대상자는 통증자극의 인지에 높게 반응하기 때문에 악순환이 가중된다. 불안-긴장-통증증후군은 대상자에게 과도환기를 초래하며 울부짖거나 몸부림치고 비명을 지르게 되어 지시사항을 따를 수 없다. 약리적 치료란 통증을 줄이거나 완화시키기 위해 약물을 사용하는 것이다. 통증관리는 스트레스와 불안을 감소시키며 산부와 태아의 안전을 최대한 유지하면서 최대한의 안위감을 갖는다.

위험요소

- 통증 가중 요인
- 두려움
- 통증
- 통증 정도에 대한 개인차
- 아두골반불균형
- 불안
- 피로감
- 진통시 자궁과 산도의 확장
- 태아의 비정상적인 태향

진통시 통증의 원인

- 분만 1기 통증은 자궁수축의 결과이며, 자궁이 확장되고 자궁경부의 개대와 소실이 진행된다. 태아의 태향이 후방후두위 경우에는 요통이 가중된다. 분만 1기의 불편감은 전형적으로 허리에서 복부로 방사된다.
- 분만 2기 통증은 태아가 하강함에 따라 회음부와 질근육의 심한 압박감을 초래한다. 분만 2기의 자궁수축은 강도, 빈도와 간격이 증가된다.
- 분만 3기 통증은 자궁수축이 태반을 만출시킬때 발생한다.

통증의 증상과 징후

- 혈압 증가
- 행동의 표현
- 울음, 비명
- 신음
- 몸부림
- 빈맥
- 피로감
- 과호흡
- 조절력 상실(지시사항을 따를 수 없음)
- 위축이나 회피 행위

치료적 간호관리

- 약리적 통증 완화는 다음의 투약과 관련이 있다.
- **마약성 진통제(몰핀, 데메롤, 펜타닐, 누바인, 스태돌)**: 통증감각을 의식의 소실없이 감수시킨다. 진통기에 정맥으로 투여한다. 출산은 신생아의 중추신경계 억압을 최소화하기 위해 정맥투여 후 1시간 이상 4시간 이하에서 이루어지도록 한다. 투여 후 무체의 혈압, 맥박, 산소포화도와 호흡을 관찰한다. 대체방법으로 PCA(자가통증조절법)가 진통시 산부에게 선택이 될 수 있다. 최소량의 용량이 진통시 산부에게 통증 완화를 위해 시간을 제한한 상태에서 적은 용량을 투여한다.
- **바비츄레이트(Seconal, Nembutal, Luminal)**: 불안을 감소시키고 잠재기에 수면을 유도하기 위해 사용한다.
- **정신안정제(Sparine, Phenergan, Vistaril)**: 정온제, 불안을 감소시키고 진통제의 약효를 증가시키기 위해 사용한다.
- **국소진통제/마취제(리도카인, 노보카인)**: 약간의 통증완화와 운동신경을 차단한다 (반면에 전신마취제는 전반적인 통증완화와 운동신경을 차단함). "신경차단"은 신체의 특정 부위에 통증자극의 전도를 일시적으로 방해하는 것이다. "caine" 약물은 임부의 심각한 저혈압을 유발하기에 모체의 혈압을 측정하고 점검하는 것이 중요하다.
- 통증완화를 위한 투약시 간호의 일차적 책임은 모체와 태아의 안녕을 관찰하는 것이다. 관찰사항은 태아심박동 모니터링과 모체의 활력증후 특히 호흡, 산소포화도, 혈압 등이다. 이러한 통증완화와 약리적 효능을 사정하는 것은 매우 중요한 간호중재이다.

합병증

- 진통제는 태반벽을 통과하므로 모체와 태아의 합병증을 예방하기 위하여 정확하게 투여한다.
- 약리적 작용으로 태아의 심박동 양상의 변화와 신생아와 산모의 호흡부전을 일으킬 수 있다.
- 마약성 진통제는 신생아 호흡부전을 일으킬 수 있다.
- 경막외 마취제는 모체의 저혈압을 초래한다.
- 마약성 진통길항제인 Narcan은 신생아 심폐소생에 필수적이며, 신생아의 호흡부전 방지를 위해 진통시 진통제를 투여 받은 산모에게는 중요하다. 모든 신생아에게 요구되는 것은 아니지만 출생시 응급장비로써 구비되어야 한다.

비판적 사고 중심 간호실무

진통 중 진통제의 사용

- 부토파놀 타르테이트(스타돌)이나 날부핀 하이드로클로라이드(누바인)와 같은 다양한 진통제가 진통 조절을 위해 사용될 수 있다.
- 진통제는 산모의 활력증상이 불안정하거나 산모가 저혈압이거나 심각한 출혈, 조산, 태아심박동수가 불안정시에는 투여하지 않는다.
- 투약에 관한 지침은 다음과 같다.
  - 산부와 그녀의 알레르기 경력을 사정한다.
  - 진통제 투약 전에 저혈압 또는 태아심박동수 변화가 나타나면 비교를 하기 위해 산부의 활력증상과 태아심박동수 기준선을 사정한다. 차트에 전자태아감시장치 추적소견에서 발견된 사항을 기록한다.
  - 산부에게 진통제를 투약하기 전에 약물로부터 생기는 편안함과 이완감을 증강시키기 위해 소변을 보게끔 한다.
  - 안전을 위해 침대 난간을 올리고, 이런 예방 조치를 환자에게 설명한다.
  - 산부의 활력증상을 관찰하고, 태아심박동수가 정상 범위에 있는지 확인하기 위해 계속적으로 관찰한다.
  - 진통제 투약과 산부의 상태 및 전자태아감시장치 추적 소견을 기록한다.

☞ 상황

> 미숙씨는 자궁수축이 규칙적으로 5분 간격이며 지속시간이 60초로 분만실에서 진통중이다. 경관개대는 5cm, 소실 70%이다. 미숙씨에게는 다양한 이완법이 적용되었으나 따라하지 못하고 소리를 지르면서 수술을 해달라고 호소하였다.

1. 미숙씨에게 통증완화를 위한 대처방법을 적용한다면 가장 우선시 되어야하는 것은?

① 분만 진행정도   ② 산모의 선호도   ③ 임신 주수
④ 약물의 효과   ⑤ 태아의 안녕상태

2. 미숙씨에게는 경막외 마취가 결정되어 PCA가 삽입되고 몰핀(morphine)이 처방되었다 경막외 마취의 장점은?

① 분만진행을 가속화시킨다.
② 산부의 감각기능만 소실시킨다
③ 분만 후 산부가 혼자 움직일 수 있다.
④ 태아 저산소증과 혈압변화가 나타나지 않는다
⑤ 다른 마취법에 비해 적은 양의 약물이 필요하다

3. 미숙씨에게 Morphine을 사용한 후 호흡억제가 나타났다. 가장 적절한 중재방법은?

① 날록손(naloxone)투여   ② 펜타닐(fentanyl)투여
③ 편편한 자세로 침상안정   ④ 경구수액 증가
⑤ 비마약성 진통제로 대체

정답 1. ②   2. ②   3. ①

1. 그녀는 스스로 마취약의 양을 조절할 수 있으며 약은 빠른 효과를 보이며 지속적으로 약이 주입될 수 있다

2. PCA 펌프시행 후에 5분만에 양과 용법에 따라 시작될 것이다.

3. 약의 효과
- PCA 펌프의 사용법을 이해하고 있는지의 여부
- 활력징후 중 특히 호흡(약의 부작용으로 호흡억제작용이 있음)
- 매시간 투여된 약의 용량과 잔여량 확인
- 간호사는 마약성진통제가 산부의 힘주기 능력을 저하시키고 출산의 진행과적을 지연시킬 수 있기 때문에 약이 투여되기전에 진통과정을 확인해야 한다.

4. 출생시 신생아 호흡감소의 위험

5. 신생아의 심폐소생술을 위한 인력과 장비를 구비한다.

6. - 모성의 저혈압, 출혈 등의 경우
- 혈종이 발생될수 있는 혈액응고질환이나 이전 사용시 심한 두통이 있었던 경우
- 뇌막염 등이 중추신경계의 질환, 심장질환, 주사부위 염증이 있는 경우

04 마취 산부간호

Key Point

✓ 척추마취는 지주막하공간으로 바늘이 삽입되며, 주로 제왕절개를 위해서 사용된다.

✓ 경막외마취는 경막외강내로 바늘이 삽입된다.

✓ 정맥라인 확보와 투약 전 수액투여는 국부적 신경차단에 앞서 시행되며, 이는 혈량을 늘리고 저혈압을 예방한다.

✓ 국부적 신경차단 이후 수행해야 할 중요한 모체사정은 혈압, 호흡, 감각, 다리를 움직일 수 있는 능력 등이다.

✓ 태아의 심박동수와 변이성(variability)을 관찰한다.

✓ 분만과정을 지속적으로 모니터링한다.

✓ 전신마취는 응급상황에서 신속한 마취가 필요한 경우를 제외하고는 거의 출산에는 사용 하지 않는다.

비판적 사고 훈련

30세의 여성이 분만실에 입원하였다. 현재 이 여성은 Gravida 3 T1 Para 0 A1 L1 로 자궁 경관 개대는 6cm이며 소실은 100%이다. 양막파수는 안 된 상태로 자궁수축 기간 동안 통증을 사정한 결과 10점 만점에 8점을 호소하고 있으며, 더 이상 견디기 어려움을 호소하며 무통분만을 해달라고 요청하고 있다.

1. 경막외마취의 이점은 무엇인가?

2. 경막외마취의 단점은 무엇인가?

3. 대상자에게 우선순위의 간호진단과 간호중재를 기술하시오.

4. 경막외마취를 위한 카테터 삽입에 앞서 저혈압과 태아서맥을 예방할 수 있는 간호중재는?

비판적 사고 중심 학습

학습목표

- 분만중 통증에 대한 산부의 반응을 사정한다.
- 약물이 모체, 태아에게 미치는 영향을 설명한다.
- 약물적 통증관리방법의 작용과 부작용을 확인한다.

개요

마취는 의식의 소실이나 운동신경차단과 감각의 소실을 통해서 통증을 경감시킨다. 국소, 국부 또는 전신마취가 이용될 수 있다. 대부분은 화학적으로 Cocaine과 관련이 있으며, 접미사 "caine" (Lidocaine, Bupivacaine, Chloroprocaine)으로 끝난다.

치료적 간호관리

- 통증의 정도와 치료의 효과를 사정한다.
- 산부의 척추나 경막외에 카테터 삽입시 적절한 자세를 만들어주고 유지시킨다.
- 통증완화제 투입 중과 투여 후에는 태아심박동을 사정한다.
- 모체의 저혈압과 호흡부전을 관찰한다. 즉, 저혈압이 나타나는지 5분 간격으로 혈압을 사정한다. 만약 대상자의 혈압이 떨어지면, 저혈압에 관한 간호중재가 시급히 수행되어야 한다. 프로토콜대로 정맥을 통한 수액요법의 양을 증가시키고 좌측위를 취하게 하며, 산소요법을 시행하고, 다리를 거상시킨다. 의사에게 보고후 Phedrien과 같은 혈관수축제를 정맥요법으로 투여할 수 있다.
- 경막주위신경차단술을 받은 산부는 자궁수축을 느낄 수 없으므로, 간호사는 질식분만 시 언제 힘을 주어야 하는지 지시한다.
- 국부신경차단술을 시행한 대상자는 진통 시 다리를 움직일 수 없으므로 체위변경을 돕고, 배뇨를 위한 변기를 제공하며 요정체가 나타나는지 관찰한다. 이때 침상 난간을 올리고 손이 닿는 곳에 콜벨을 둔다.
- 마취된 부위가 오랫동안 눌리지 않도록 한다(예: 한쪽다리를 반대편 다리에 포개어 둔 채 측위를 취하지 않도록 하며, 다리 사이에는 베개로 지지한다.)
- 분만 후 조기이상에 앞서 간호사는 다리나 발가락의 감각이 회복되었는지를 사정해야 하며, 대상자가 안전하게 일어설 수 있을 때까지 지지한다.

합병증

- 경부주위신경차단술과 경막외마취는 모체의 저혈압과 태아서맥과 태아가사의 위험성이 있다.
- 척추마취(거미막하마취)는 모체의 저혈압과 태아저산소증의 위험성이 높다. 때때로 산후두통을 유발한다.
- 전신마취는 진통과 분만시 대상자의 의식을 상실시키고 무의식을 야기시키며 태아의 혈액순환과 호흡부전, 모체의 흡인 위험성이 높다.

비판적 사고 중심 간호 실무

국부마취

- 부분적 차단은 경막외마취, 척추마취, 음부신경차단 그리고 국소침윤마취가 있다.
- 표 3-7은 국부마취 중 간호중재 사항이다.

표 3-7. 국부 마취의 종류와 간호활동

마취 타입	영향 받는 부위	진통과 출산중 사용	간호 활동
경막외마취	질, 회음부, 자궁	• 분만 1기에 시행 • 제왕절개가 요구될 때 분만 2기에도 시행됨	• 마취에 관한 여성의 지식을 사정하라. • 필요하다면 산부가 더 많은 정보를 얻도록 도와주는 중재자로서 행동하라. • 주요 부작용인 저혈압을 감지하기 위해 산모의 혈압을 관찰하라. • 편안함과 격려를 제공하라.
척추마취	질, 회음부, 자궁	분만 1기에 시행	• 마취에 관한 여성의 지식을 사정하라. • 필요하다면 그녀가 더 많은 정보를 얻도록 도와주는 중재자로서 행동하라. • 산모의 바이탈 사인, FHR, 자궁 수축을 관찰하라. • 편암함과 격려를 제공하라.
음부신경차단	회음부, 질의 하부	• 회음부 절개나 낮은 겸자 분만시 시행 • 분만2기에 시행	• 마취에 관한 여성의 지식을 사정하라. • 필요하다면 그녀가 더 많은 정보를 얻게끔 도와주는 중재자로서 행동하라.
국소침윤마취	회음부	• 출산 전 회부음 절개로 마취가 필요할 때 • 출산 후 열상이나 다른시술이 필요한 경우에 시행	• 마취에 관한 여성의 지식을 사정하라. • 필요하다면 정보를 제공하라. • 편안함과 격려를 제공하라. • 회복기에 상처나 다른 변색이 있는지 회음부를 관찰하라.

지속적 경막외마취 주입

- 경막외마취는 자궁에 감각신경 공급을 차단함으로써 분만 1기와 연관된 고통을 경감시킨다.
- 경막외마취는 분만 2기의 통증도 경감시킬 수 있다.
- 경막외마취를 선택한 산부에게 간호사는 다음과 같은 주의를 교육한다.
  - 절차, 기구, 위험 그리고 발생할 수 있는 결과에 대해 설명한다.
  - 경막외마취를 하는 의료인에게 필요한 기구를 준비한다.

- 정맥주사가 주입되지 않고 있다면, 18G 플라스틱 주입 카테터로 정맥 주입을 시작한다.
- 저혈압의 위험을 줄이기 위해 경막외마취 투약 전에 정맥주사로 500~1000mL를 수액을 주입한다.
- 배설을 위해 화장실에 갈 수 있도록 도와주고, 변기를 세우고, 필요시에는 도뇨를 실시하거나 정체도뇨를 삽입한다.
- 여성을 침대 가장자리에 옆으로 눕게 하거나, 침대 옆으로 다리를 내리고 앉는 자세를 취하게 한다.
- 조산사 또는 보호자(남편)는 시술 중 산부가 움직이지 않도록 지지해준다.
- 마취의사 혹은 마취전문 간호사가 경막외마취를 시행한다.
- 카테터는 삽입된 후 여성의 등에 테이프로 붙여둔다.
- 척추마취가 시행되고 카테터가 붙여진 후에 산부는 복부 대정맥과 대동맥 압박의 위험을 줄이기 위해 옆으로 눕는 자세를 취하게 한다.

• 경막외마취 후 절차
- 여성이 다리를 들 수 있는지 여부와 신경차단의 효과를 관찰하기 위해 매 30분마다 감각수준을 사정한다.
- 환자가 가슴, 얼굴 또는 혀의 마비 또는 어떤 호흡곤란을 호소한다면, 마취 용량이 너무 높은 것이다.
- 정체 도관이 삽입되지 않았다면 방광 팽만을 사정한다.
- 태아심박동수, 자궁수축 패턴, 자궁경부 변화, 혈압, 호흡 그리고 체온을 관찰한다.

• 저혈압이 나타나면:
- IV 용량을 늘린다.
- 태아에게 산소 공급을 늘리기 위해 산소를 주입한다.
- 마취의나 마취전문간호사에게 알린다.
- 혈압이 1~2분 안에 회복되지 않는다면, 에페드린 5~10mg IV를 주치의의 지시대로 주입한다.

• 호흡율이 분당 14회 아래로 낮아지면:
- Naloxone hydrochloride를 마취제의 효력을 중화시키기 위해 처방에 따라 투여한다.

간호실무능력 평가

☞ **상황**

> T(총만삭분만수) 1, P(조산한수) 0, A(유산한수) 0, L(생존아수) 1인 산부는 자궁경관개대 4cm, 소실 70%, 선진부하강정도 -3이며, 양수파막이 되지 않았다. 자궁수축은 3분 간격, 45초 지속되며, 태아심음은 140회/분이다. 자궁수축 시 10점 만점에 8점의 강한 통증을 호소하며, 무통분만을 신청하였다.

1. 위 산부에게 적용할 수 있는 치료적 간호중재는?

   ① 정상적인 통증으로 참을 수 있다고 설명한다.
   ② 선진부 하강을 돕기 위해 힘주기를 하도록 한다.
   ③ 경막외 도관으로 처방된 약물을 투여를 할 수 있다.
   ④ 질과 회음부위 긴장으로 통증이 발생한다고 설명한다.
   ⑤ 정상 호흡수의 2/3배로 계산하여 느린 복식호흡을 시킨다.

2. 경막외마취 후 적절한 간호중재는?

   ① 방광팽만을 예견하여 유치도뇨관을 삽입한다.
   ② 자궁경관이 8cm 개대된 후 마취제를 투여한다.
   ③ 후기감퇴가 나타나면 우선 주치의에게 보고한다.
   ④ 약물 투여 후 호흡부전이 나타나면 Fentanyl을 투여한다.
   ⑤ 마취 직후에 15분 동안 매 5분 간격으로 저혈압을 사정한다.

3. 경막외마취에 대한 설명 중 **틀린** 것은?

① 휴동기에 morphine을 주입한다.

② 10분에서 20분 이내에 효과가 나타난다.

③ 수축 사이에 마취제를 L2~4경막외 공간에 주입한다.

④ 경막외 공간에 도관을 삽입하면 지속적인 주입이 가능하다.

⑤ 경막외마취는 분만과정 어느 때나 삽입하여 주입해도 된다.

4. 경막외마취로 무통분만을 하고자 한다. 이에 대한 설명 중 **틀린** 것은?

① 약물주입을 잠재기에 실시한다.

② 교감신경차단으로 저혈압이 발생될 수 있다.

③ 저혈압이 지속되면 교감신경흥분제인 에페드린을 투여한다.

④ 무통분만으로 질식분만을 할 때 T10-S5 수준까지 마취시킨다.

⑤ 마약성무통각제 투여후 호흡부전이 나타나면 Naloxone을 투여한다.

정답 3. ⑤ 4. ①

관련정보

국소/국부마취의 유형

- **국소침윤마취(Local Infiltration Anesthesia)**: 회음(샅) 부위 국소침윤마취는 외음절개나 열상을 치료할 때 시행한다. 회음 부위를 무감각하게 하며 모성이나 신생아에게 부작용이 없다.

- **음부신경차단(Pudendal Block)**: 음부신경차단은 외음절개, 질식분만, 겸자분만을 할 때 회음부위와 질 하부를 마취하는 것이다. 음부신경을 마취하는 것이다.

- **경막외마취(경질막 바깥 마취, Epidural Anesthesia)**: 요추의 경막외마취는 진통과 출산중에 산부와 태아의 진정작용없이 진통완화와 마취효과를 준다. 진통이나 제왕절개 분만시 통증을 완화하기 위해 마약성 진통제를 카테터로 계속 주입하거나 간헐적으로 주입한다. 경막외마취는 척추마취에 비해 많은 양의 마취제가 필요하다. 부작용은 모성의 저혈압, 방광팽만, 분만 2기의 지연, 카테터의 이동, 체온 상승 등이 있다.

- **척추마취(거미막하 마취, Spinal Anesthesia)**: 척추마취는 경막외마취보다 절차가 간편하다. 척추마취는 보통 출산 직전에 주입한다. 자궁수축으로 인한 통증완화와 감각과 운동기능마비가 척수마취 부분 아래로 일어난다. 척추마취후 부작용은 저혈압, 방광팽만, 천자후 두통 등이다. 산부는 첫 6시간동안 앙와위로 안정함으로서, 출산후 척추마취로 인한 두통을 예방한다.

- **전신마취(General Anesthesia)**: 의식상실까지 유도하는 통증조절법이다. 제왕절개분만시 주로 사용된다. 부작용은 위내용물의 흡인으로 인한 흡인성 폐렴, 기도의 질식, 산부와 태아의 호흡기계억제, 자궁이완 등이다.

Naloxone Hydrochloride(Narcan)

신생아에 미치는 영향

- Narcan은 극심한 마취제 독성에 의해 변화된 호흡곤란이 나타났을 때 사용된다. 이것은 신경세포의 수용체로부터 몰핀과 같은 약물을 전환시킨다. 그래서 마취제는 기능저하 효과가 더 이상 나타나지 않는다. Naloxone은 마취제가 일으키는 호흡곤란, 마취, 진정작용, 저혈압, 동공 축소 등 부작용시 사용된다.

투여방법

- 정맥내 투여는 출산시 조산아를 포함하여 0.1kg(0.4mg/mL 조제약의 0.25mL/kg 또는 1mg/cc의 0.1cc/kg)이다. 이 약물은 보통 제대정맥 또는 기관내 삽관을 통해 주어진다. 관류가 적절하다면 근육내 또는 피하주사로 투여될 수 있다.

- 마취제 부작용에 대한 해독작용은 IV 투여 후 1~2분 이내 그리고 IM 투여 후 15분 이내에 일어난다. 지속기간은 변동성이 있고(수분에서 몇 시간), 남아 있는 약과 분비율에 달려있다. 3~5분 이내에 반복 투여할 수 있다. 2회 또는 3회 투여 후에 개선되지 않으면, Naloxone 투여를 중지한다. 초회 투여시 효과가 있다면 필요한만큼 반복 투여한다.

태아측 금기

- Naloxone은 금단증상(맥박·혈압 증가, 구토, 경련, 진전)이 나타날 수 있기에 마약중독의 임부에게서 출생한 영아에게 투여하지 않는다. 다른 중추신경억제제처럼 호흡이 감소할 수 있다.

신생아의 부작용

- 과량투여시 과민성, 증가된 울음, PTT 지연, 그리고 빈맥이 나타날 수 있다.

유의사항

1. 호흡수와 깊이를 면밀히 관찰한다.
2. Naloxone 효과가 사라지고 마취제의 부작용이 재발될 때 호흡을 사정한다.
3. 만일의 경우에 대비해 소생용 장비, 산소 그리고 인공호흡 장비를 준비한다.
4. 혈액검사 중 출혈과 관련된 데이터를 관찰한다.
5. Naloxone은 alkaline용액과 함께 사용해서는 안 된다.
6. 실온, 차광용기에 보관한다.
7. 헤파린을 병용할 수 있다.

1. 전신마취는 운동과 감각의 완전 소실을 일으키는 반면에 경막외마취는 출산 중 산부와 태아의 진정작용 없이 진통완화와 마취효과를 준다.

2. 거미막하 마취보다 많은 양의 마취제가 필요하다. 부작용으로 중추신경억압으로 호흡부전, 모성의 저혈압, 정맥으로 많은 수액을 주입하여 방광팽만, 운동기능 저하로 힘주려는 노력이 약해져 분만 2기의 지연을 일으킨다.

3. 분만1기 통증은 자궁수축의 결과이며 자궁경부 개대소실이 진행된다.

4. Lactated Ringer's solution을 500cc정도 정맥주입
   혈관수축을 시키고 혈압 상승을 위해 5-10mg 에페드린 투여

05 태아심박동 사정 산부간호

Key Point

✓ 전자태아감시장치는 임신과 분만 중에 태아의 안녕상태를 평가하기 위해 사용한다.

✓ 태아심박동은 외부와 내부에서 감시할 수 있다.

✓ 태아가사 시 간호중재는 다음과 같다.

  – 정맥을 통한 옥시토신의 투여를 중단한다.

  – 대상자의 자세를 측위로 취해준다.

  – 30° 정도 침상의 머리를 올려준다.

  – 산소마스크로 8~10L/분의 산소를 공급한다.

  – 즉시 주치의에게 보고한다.

✓ 무자극검사와 자궁수축검사는 태아의 안녕상태를 사정하기 위해 태아의 심박동수와 심박동의 양상을 측정하는 검사이다.

  • 무자극검사(NST)

    – 태아의 움직임에 반응하는 태아심박동수 사정 검사

    – 정상(Reactive): 10분동안 2~4회의 태아심박동수가 상승

    – 부작용 없음

  • 자궁수축검사(CST)

    – 자궁수축에 반응하는 태아심박동수 사정 검사

    – 정상(Negative): 자궁수축 시 태아심박동수의 후기감퇴가 없음

    – 부작용: 옥시토신 사용으로 인한 이차적인 과도한 자궁수축

비판적 사고 훈련 ◥

사 례 ①

41주 5일째인 여성은 체중이 88kg으로 옥시토신 투여로 유도분만중이다. 내진 결과 자궁경관이 4cm 개대되었고 양수파막이 된 상태이다. 전자태아감시장치를 하면서 태아심음과 자궁수축을 계속 관찰하고 있다. 당신은 태아의 움직임과 함께 태아의 심박동수가 10~15회/분 상승을 보이는 것을 확인하였다. 현재 2분 간격의 자궁수축이 있으며, 자궁내압이 90mmHg이며, 자궁수축 시 110회/분로 감소하기도 한다.

1. 전자태아감시기에서 Reactive로 해석할 수 있는 데이터는?

2. 한 시간 후 전자태아감시장치의 모니터 출력지에서 태아심박동수의 저하 "최소한의 변이성"을 확인한다. 산부는 이때 자궁수축이 있었다고 하며, 수축의 강도가 증가하였다고 한다. 그녀의 체중으로 복부에서 자궁수축을 사정하는 것이 어렵다. 따라서 자궁내 태아두피전극이 그녀의 자궁수축을 사정하는데 도움이 될 것이다. 자궁내 태아두피전극 삽입을 할 수 있는 조건은?

3. 현재 당신은 이 여성의 자궁수축양상을 확인하였다. 5회/10분 이상의 자궁수축이 있으며, 매 자궁수축때마다 심박동수 감소가 나타난다. 우선적인 간호중재는?

임신 33주인 영자씨는 무자극검사(NST)를 하려고 한다. 간호사는 그녀를 침대에 눕히고 편안한 자세를 취하게 한다. 영자씨의 하복부에는 초음파변환기(ultrasound transducer)를 자궁저부에는 자궁수축변환기(tocodynamometer transducer)를 부착시킨 후, 마지막에 임산부에게 버튼을 손에 쥐어주어 태아의 움직임이 있을 때 마다 버튼을 누르도록 설명한다.

1. 영자씨가 "태아가 움직일 때마다 이 버튼을 누르는 이유가 무엇인가요?"라고 묻는다면 간호사는 어떤 지침을 알려 줄 수 있는가?

2. "검사가 오래 걸릴까요? 3시에 약속이 있는데요?"라고 말하는 영자씨에게 간호사는 어떤 지침을 줄 수 있는가?

3. 20분 후, 태동이나 태아심박동수의 상승이 나타나지 않는다. 영자씨가 묻기를 "잘 진행되고 있는 건가요?"라고 말한다면 간호사는 어떻게 대답을 해야 하는가?

4. 영자씨가 "제 여동생은 자궁수축검사(CST)를 했었는데 그것 때문에 진통이 생겼어요. 저는 예정일이 아직 멀었어요. 저에게도 그런 일이 일어날 수 있을까요?" 라고 묻는다면 간호사는 어떻게 대답해줄 수 있는가?

5. 20분 동안, 모니터에서 그래프의 바닥선보다 15회/분 이상의 상승과 바닥선에서 바닥선까지 20초 정도 지속되는 태아 심박동수의 상승이 3회 있었다. 이것은 반응성(reactive)인가, 무반응성(non-reactive)인가? 안심할 수 있는 검사 결과인가?

비판적 사고중심 학습

학습목표

- 전자태아감시기의 목적과 방법을 설명한다.
- 무자극검사(NST)의 목적과 절차를 설명하고 결과를 해석한다.
- 무자극검사(NST)의 목적을 알고 기계를 조작하여 수행한다.
- 자궁수축검사(CST)의 목적과 절차를 설명하고 결과를 해석한다.
- 태아질식(fetal distress)에 따른 간호과정을 적용한다.

개요

전자태아감시는 임신 중 태아상태를 모니터하기 위해 사용된다. 모니터는 태아의 안녕 상태와 태반의 기능을 확인하기 위해 그래프로 태아심박동을 기록한다. 진통중의 지속적인 전자태아심박동 감시는 가사의 위험에 빠진 태아상태를 조기발견하고 증거를 제공한다.

간호사는 태아의 가사상태를 완화하기 위해 적절한 중재를 시행해야 한다. 태아모니터 장치는 외부 또는 내부로 모니터할 수 있다. 초음파변환기와 자궁수축변환기를 대상자의 복부에 부착한다. 내부 태아 모니터기(파막이 되어 있음)는 질 산도를 통해서 태아의 선진부에 작은 나선형전극을 부착한다. 정상적인 태아심박동수는 120~160회/분이다.

외부전자태아감시장치는 임신기와 분만시 태아의 안녕 상태를 사정하기 위해 사용된다. 임신 1, 2기에는 태아의 기형을 진단하기 위해 주로 사용되고, 임신3기에는 자궁내 환경이 태아에게 안전한 환경인지를 확인하여 유도 분만이나 임신 지속여부를 결정하기 위해 사용한다. 일반적으로 무자극 검사상 reactive 반응과 수축자극 검사상 negative 반응은 출산의 긍정적 결과를 의미한다.

위험요소

전자태아감시 사정이 필요한 산부 및 태아는 다음과 같다.

- 비정상적인 자궁수축소견
- 다태임신
- 전치태반
- 유도분만
- 태아서맥
- 모체의 합병증(당뇨, 임신성 고혈압, 신장질환)
- 자궁내성장지연

- 분만일이 지연된 경우
- 태변착색
- 태반조기박리가 의심되는 경우

절차

- 반좌위나 좌측위로 체위를 취한다.
- 윤활제를 바르고 초음파변환기를 복부에 부착한다.
- 자궁수축과 태아의 움직임을 사정하기 위해 자궁저부에 자궁수축변환기를 부착한다.
- 검사에 반응하는 모체와 태아를 관찰한다.
- 세번의 자궁수축이 있을때까지 15분마다 옥시토신을 정맥으로 투여한다.
- 태아 심박동 양상과 자궁 수축을 관찰한다.
- 무자극검사 동안 태아의 움직임이 없으면 간호사는 대상자에게 오렌지 쥬스를 마시게 하거나, 여성의 복부를 자극하거나, 질을 통과하는 빛을 사용하므로써 태아의 움직임을 자극해 볼 수 있다. 그러나 어떤것이 매우 효과적이라는 연구 결과는 없다. 무자극검사에서 음향 진동장치의 자극(acoustic stimulator)은 태아의 움직임을 자극하는데 다소 효과적일 수 있다.

증상과 징후

- 태아심박동의 상승이란, 태아심박동이 10~15회/분, 10~15초간 지속되며, 상승하는 것이다. 태반의 기능이 적절한 경우, 건강한 태아가 움직일 때 이에 반응하여 태아 심박동의 상승이 나타나며, 이것은 태아건강을 나타내는 요소이다.
- 태아심박동의 감소란 자궁수축 기간동안 태아심박동의 감소가 나타나는 것을 말한다.
- 후기감퇴는 자궁수축 기간 뿐만 아니라 자궁수축이 끝난 이후에도 태아심박동 감소가 지속되는것으로 태반기능부전과 태아의 산소부족 상태를 의미한다.
- 태아심박동의 변이성(variability)은 태아 심장박동리듬이 정상적이거나 불규칙한 변화를 말하며, 모니터에서 들쭉날쭉하게 보이며 부드럽지 않은 불규칙한 선의 형태로 나타난다. 평균이나 중정도의 변이성은 정상이나 불규칙한 곡선이 중간에 사라지거나 최소화된 것은 비정상적인 것으로 간주된다.

치료적 간호관리

- 측위로 체위를 취해준다.
- 30° 정도 침상의 머리를 올려준다.
- 정맥을 통한 옥시토신의 투여를 중단한다.
- 8~10L/분의 산소마스크를 적용한다.
- 즉시 주치의에게 보고한다.

합병증

- 지속적인 태아감시를 통해 산부의 자궁수축이 과강수축을 하거나 자궁근육이 이완되는 것을 알 수 있다.
- 내부전자태아감시기는 감염과 출혈의 잠재적인 위험성이 증가한다.
- 내부전자태아감시기를 사용할 때는 양수파막과 자궁경관의 개대 및 선진부하강이 선행되어야 한다.

태아 심박동수

- 기준선: 10분 동안 적어도 2분 이상 측정한 평균 태아심박동수이다. 이 동안 자궁은 적어도 2분이상 이완상태이어야 하고, 현저한 상승이나 감소가 보이지 않아야 한다. 기준선은 25회/분 이상의 차이가 나는 구획의 기준선은 제외된다. 일반적 범위는 110~160bpm 이다.
- 기준선 변화: 변화는 빈맥, 서맥, 심박동수의 변화를 포함한다.
- 빈맥: 태아심박동수가 적어도 10분 이상 161bpm 이상을 유지함
- 서맥: 태아심박동수가 적어도 10분 이상 109bpm 이하를 유지함
- 주기적 변화: 가속과 감퇴의 상태를 의미
- 태아 심박동수를 확인한다.
- 기준선을 판단한다.
- 서맥 또는 빈맥을 사정한다.
- 태아 심박동수가 활동적인지 비활동적인지 판단한다.
- 주기적 변화의 형태를 확인한다.
- 태아심박동수 증가: 15초 동안 기준선 위로 15bpm의 태아심박동수가 일시적으로 증가한다. 보통 태동에 의해 발생하며, 태아가 건강하다는 신호이다.
- 조기 감퇴: 수축이 시작되면 태아심박동수가 감퇴하나 수축이 끝나면 회복한다. 이것은 정상적인 형태로 아두 압박으로 일어난다. 중재가 필요없다.
- 후기 감퇴: 수축이 시작한 후에 심박동수 감퇴가 발생되나 수축이 끝난 후 30초 이후까지도 감퇴양상을 보이다 회복한다. 이것은 규칙적 형태이고 자궁과 태반 사이 불충분한 산소교환 때문에 일어난다. 중재가 필요하다.
- 변이성 감퇴: 수축과 관련 또는 관련없이 시작, 발생, 모양이 다양한 태아심박동수 감퇴가 있다. 이것은 제대 압박이 원인이 된다. 중재가 필요하다.
- 정상 또는 비정상 태아심박동수를 기록한다.
- 정상 형태: 태아심박동수 기준선이 110~160bpm 사이, 평균적 변이성 증가, 태동이 있을 때 태아심박동수 증가, 후기 감퇴 또는 변이성 감퇴의 부재
- 주의: 비정상적 태아심박동수와 양상은 태아의 상태가 위험할 수 있음을 가리키며 간호사의 중재를 필요로 한다.
- 변이성(variability): 변이성은 태아심박동수의 출력된 선이 평탄하기 보다는 불규칙한 모양으로 태아심박동 기준선에서의 오르내림을 의미한다.

초음파

- 산과적 초음파는 임신 기간과 초음파의 목적에 따라 질식, 복식으로 행해진다. 초음파는 일반적으로 침습적이지 않고 간편하며 아프지 않다. 이것은 해가 없다고 알려서 있다.
- 초음파는 임신을 조기(LMP 이후 임신 5주 또는 6주 이전)에 확진힐 수 있다. 목적은 한 명 이상의 태아 확인, 두위 측정, 태아의 기형 검사, 양수과다증, 전치태반 의심시 태반의 위치 확인과 정도의 확인, 태아심박동수, 태동, 호흡, 태세와 태위 또는 태아의 사망을 관찰하기 위함이다.

무자극 검사(Non Stress Test, NST)

- 무자극 검사는 태아가 움직일 때 태아의 심박동수(FHR)가 증가하는지를 확인하는 것이고, 기준 태아 심박동 변이성을 관찰하여 태아의 상태를 평가한다. 태동이 있을때 태아 심박동수가 증가하는 것은 태아의 중추자율신경계가 산소부족에 영향을 받지 않음을 나타낸다. 즉 적절한 산소 섭취, 태아 심장에 정상적인 신경 자극이 있음을 의미한다.
- 절차: 무자극검사는 진료실이나 입원실에서 행한다. 임부는 금식 또는 흡연을 하지 않는다. 이들은 테스트 결과에 영향을 미친다. 여성은 Semi-Fowler's 자세, 옆으로 누운 자세 혹은 안락 의자에 앉는다. 두 개의 벨트가 여성의 복부에 놓여지는데, 하나는 태아심박동수를 기록하고 다른 하나는 자궁수축의 양상을 기록한다. 임부가 태아의 움직임을 느낄 때마다 버튼을 누르도록 지시한다. 이것은 기록용지에 표시가 된다. 사정은 태동시 태아심박동수의 증가 양상의 유무를 본다.

- NST 결과의 해석:
  - 반응성: 20분 이내에 임부가 태동을 지각하거나 지각하지 않는 상태에서 기준선보다 최고 15회/분 이상, 15초 이상의 태아심박동수의 증가가 2회 이상 나타난다.
  - 무반응성: 40분 이내에 반응성의 특성이 보이지 않는다.
  - 불만족: 데이터가 해석될 수 없거나 태아 움직임이 부적절한 경우이다.
- NST상 반응이 있는 경우는 보통 태아의 건강함을 나타내며, NST상 무반응이 있는 경우는 다른 검사를 해야 함을 의미한다.
- 간호중재: 간호사는 검사절차를 설명하고 NST 검사를 진행하며 결과를 알려주고 의사나 조산사에게 결과를 보고한다. 만약 태아가 잘 움직이지 않는다면 임산부의 혈당 수치를 높이는 쥬스나 사탕을 먹게 하는 것이 도움이 된다. 이는 태아의 움직임을 증가시킨다..

자궁수축검사(Contraction Stress Test, CST)

- 수축자극검사는 자궁수축에 반응하여 태아심박동을 사정한다. 목적은 자궁수축의 부하를 견딜수 있는 태아의 능력을 사정하는 것이다. 건강한 태아는 자궁수축시 저산소증과 심박동의 변화를 유발하지 않지만, 자궁태반이 부적절한 상황에 있다면 자궁수축은 태아심박동의 후기감퇴양상을 만들어 낸다.

- 자궁수축검사는 임산부에게 젖꼭지의 자극이나 옥시토신 정맥투여를 통해 자궁수축을 유발시킬수 있다. 자궁수축검사는 침습적 절차이며, 자궁의 과도한 수축이 일어날수 있으므로 다음과 같은 상황에서는 금기시된다(예: 전치태반, 다태임신, 자궁경관무력증, 양수파막 등).

- CST 결과의 해석 :

    - 자극수축검사는 10분동안 3회의 자궁수축이 있으며, 자궁수축시 태아의 후기 감퇴가 없을때 정상 반응(Negative)으로 간주한다.

- 자궁수축검사는 태아의 가사상태를 초래할수 있다(태아 가사는 심박동수의 하강으로 나타나며 자궁 수축이 시작된 이후 태아심박동이 하강하여 자궁수축이 끝났는데도 이전으로 돌아가지 못하는 상태).

- 자궁수축검사는 진통을 유발할수 있다.

- 자궁수축검사는 옥시토신 투여로 인해 자궁의 과강 수축을 초래할 수 있다.

1. 전자태아감시기에 대한 설명은?

   ① 전기태아감시기로 선진부하강정도를 알 수 있다.

   ② 전자태아감시기로 태아의 기형을 확인할 수 있다.

   ③ 내부태아감시기가 외부태아감시기에 비해 침습적이다.

   ④ 내부태아감시기는 아두의 내외생신이 각해야 저용할 수 있다

   ⑤ 외부태아감시기의 자궁수축변환기는 내부태아감시기의 나선전극과 같은 기능이다.

2. 무자극검사(NST, Non Stress Test)결과 '무반응(non-reactive)' 으로 나타난다. 옳은 해석은?

   ① 무반응은 정상 양상이다.

   ② 자궁수축시 후기감퇴가 나타난다.

   ③ 자궁수축시 조기감퇴가 나타난다.

   ④ 태동이 40분 이내에 반응성의 특성이 보이지 않는다.

   ⑤ 태동 시 기준선보다 15회/분 이상, 15초 이상 태아심박동 증가가 20분 동안 2회 이상이다.

3. 무자극검사에 대한 설명으로 옳은 것은?

   ① 태아 폐성숙 정도를 사정하는 방법이다.

   ② 자궁의 수축강도를 사정하는 검사법이다.

   ③ 태동 시 태아 심박동 양상을 확인하는 법이다.

   ④ 자궁수축시 태아심음의 변화를 확인하는 법이다.

   ⑤ 태아 호흡운동, 태아 긴장력, 태동을 사정하는 방법이다.

☞ 4-6

5% DW 500ml + Oxytocin 5units을 혼합하여 infusion pump로 유도분만(Induction)을 시작
하여 현재 20gtt를 유지하면서 NST를 체크하였다. 당신은 카디오토코그램(CTG)을 판독하고
있다.

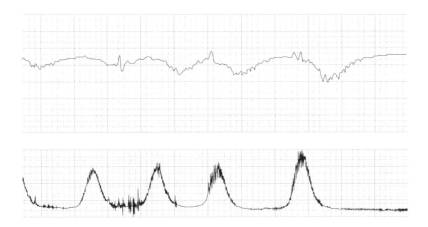

4. 위 그래프는 주기적 변화 유형 중 무엇인가?

① 상승(acceleration)　　　　　② 후기감퇴(late deceleration)

③ 조기감퇴(early deceleration)　④ 지연감퇴(prolonged Deceleration)

⑤ 태아서맥(fetal bradycardia)

5. 위 결과의 원인은 무엇인가?

① 아두압박　　　② 태아눌림　　　③ 태반기능부전

④ 제대꼬임　　　⑤ 제대탈출

6. 우선순위의 간호중재는?

① 옥시토신 주입 중단　　　　　② 자궁근 이완제 투여

③ 응급 제왕절개수술 준비　　　④ 산소마스크 8-10L/분 투여

⑤ 체위변경, 다리상승으로 모체 저혈압교정

정답　　4. ②　　5. ③　　6. ①

관련정보

태아심박동수 모니터링

- 태아심박동수의 시간에 따른 변화를 관찰하여 태아의 건강상태를 인지하는 것이 태아심박동수 모니터링이다.
- 보통 임신 32주 이후에 시행한다.
- 태아심박동수는 진통 또는 태동에 의해 영향을 받으므로 함께 기록한다
- 태아심박동수는 도플러 초음파로 청취하고, 심박동수의 시간에 따른 변화가 그래프로 표시된다.
- 도플러 센서를 태아의 심장과 같은 높이의 태아 등측으로 부착한다.
- 진통은 임신부의 배에서 긴장을 느끼는 센서로 감지하며, 이것도 시간에 따른 변화가 그래프로 표시된다.
- 자궁수축측정기를 자궁저부에 장착한다.
- 이 장치를 전자태아감시장치라고 하며, 기록된 그래프를 CTG(cardiotocogram)라고 한다.

Cardiotocogram(CTG)의 의의(태아심박동수, 태동, 자궁수축압을 기록)
- CTG는 태아심박동수와 자궁수축(진통)압을 시간경과에 따라 기록한 것이다.
- CTG의 가로축은 시간(3cm/분), 세로축의 상단은 태아심박동수(bpm), 하단은 자궁수축압(mmHg)이다.
- 태아의 심박동수 그 자체의 상태와 태동과 모체의 자궁수축에 따른 태아심박동수의 변화를 체크하여 종합적으로 태아의 상태를 평가한다.

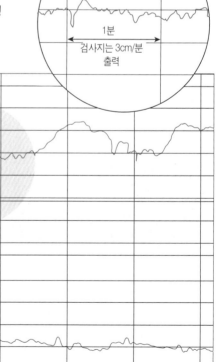

1분
검사지는 3cm/분
출력

태아심박동수
- 태아심박동수의 변화가 파형으로 기록
- 빈맥은 △, 서맥은 ▽의 모양으로 기록

태동
- 태동이 있을 때, ■로 기록

자궁수축압
- 모체의 자궁수축압은 mmHg로 표시
- 자궁수축에 의해 압력이 증가하면 산모양의 곡선으로 기록

카디오토코그램(cardiotocogram: CTG)의 판독

- CTG에서 태아심박동수를 볼 때는 다음 세가지 상항을 체크하여, 종합적으로 태아의 상태
를 평가한다.

❶ 기저선의 높이 　　　　　　　　 … 태아심박동수를 표시

❷ 기저선 변이성의 유무 　　　　　 … 태아심박동수의 변동을 표시

❸ 태아심박동수의 주기적 변화 및 파형 　… 태동과 자궁수축에 따라 태아심박동수가
　　　　　　　　　　　　　　　　　　　어떻게 주기적으로 변화하는지 표시

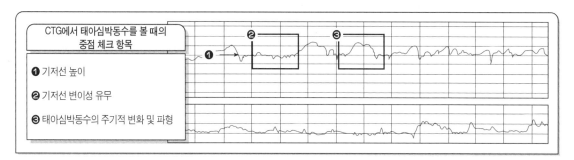

태아심박동수 기저선(110~160bpm 정상범위)

- CTG 상의 기저선의 위치를 태아심박동수 기저선이라고 하고, 평균 태아심박동수를 표시한
다. 심박동수의 증가, 감속을 보이는 부분은 제외한다.
- 기저선의 위치가 어느 범위에 있는지 읽고, 태아심박동수가 정상인지, 또는 빈맥이나 서맥
은 없는지 평가한다.
- 갑상선기능항진증 등의 모체 질환과 진통억제제 등의 약물투여 여부에 주의한다.
- 빈맥에서는 모체·태아 감염과 태아 부정맥을 의심하고 서맥에서는 태아부정맥을 의심
한나.

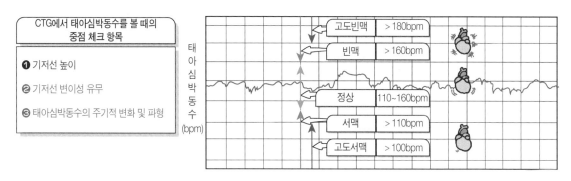

태아심박동수 변이성(variability) (기저선의 변이성은 정상을 의미)

- 태아심박동수 기저선의 변동, 일과성 변동부분은 제외한다.
- 태아심박동수는 항상 변이성을 보이므로, CTG 상의 선은 위아래로 흔들려 톱날처럼 삐죽삐죽하게 기록된다. 위아래로의 흔들림은 교감신경, 부교감신경의 상호작용에 의해 조절된다(push & pull).
- 태아는 20~40분 간격으로 수면과 각성을 반복하며, 수면 중에는 CTG 상의 변이성이 감소한다. 따라서 수면 사이클을 고려하여 80분 정도 지속해서 모니터링 하는 것이 바람직하다.
- 정상적인 태아에서는 6~25 bpm 정도의 변이성이 관찰된다.
- 장기간에 걸쳐 변이성이 5bpm 이하인 경우를 변이성 저하(minimal)라고 한다. 이 경우 자율신경계의 반응 저하를 생각할 수 있으며, 태아가 약해진 상태를 보이는 것이다. 변이성 소실(undetectable)을 확인한 경우, 태아곤란증(fetal distress)을 생각한다.
- 80분 이상의 심박동수 모니터링에서 변이성이 확인되지 않은 경우 이상이 있는 것이다.

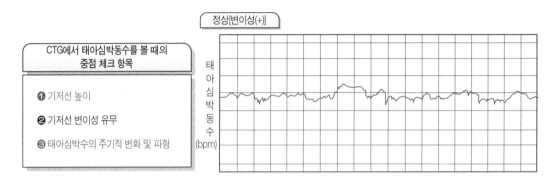

정상[변이성(+)]

CTG에서 태아심박동수를 볼 때의 중점 체크 항목
❶ 기저선 높이
❷ 기저선 변이성 유무
❸ 태아심박수의 주기적 변화 및 파형

태아심박동수(bpm)

※ 변이성에는 말초신경자극에 의해 조절되는 단기변이성(STV : short term variability)과 교감신경·부교감신경자극의 균형에 의해 조절되는 장기변이성(LTV : long term variability)이 있다.

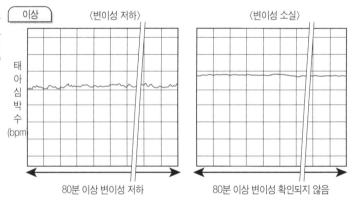

이상

〈변이성 저하〉   〈변이성 소실〉

태아심박수(bpm)

80분 이상 변이성 저하   80분 이상 변이성 확인되지 않음

태아심박동수의 변화(자궁수축압과 태아심박동수 간의 관련성)

- 태아심박동수의 상승과 감퇴는 태동과 자궁수축 등과 관련되어 일어난다.
- 태아심박동수가 일과성으로 증가하는 것을 태아심장박동수 상승(acceleration), 감소하는 것을 태아심장박동수 감퇴(deceleration)이라고 하며, 태아심장박동수 감퇴는 다시 자궁수축과 서맥의 출현시기의 관계에 따라 4가지로 나뉜다.

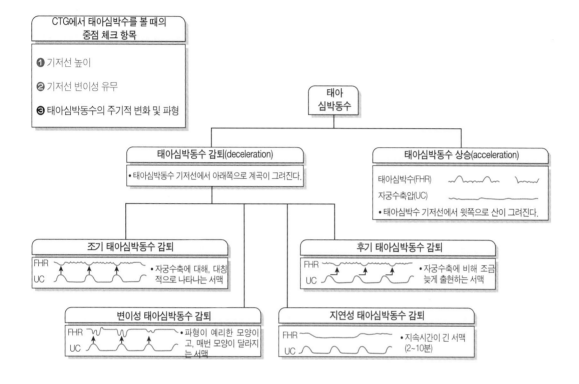

1. 태아심박동수 상승(태동 시)

- 태아심박동수 상승은 [심박동수 기저선보다 15bpm 이상 심박동수가 증가하고, 15초 이상 지속되는 것]으로 정의한다.
- 단, 임신 32주 미만에서는 자율신경계가 미성숙하였으므로, [심박동수의 증가가 10bpm 이상, 지속이 10초 이상인 것]을 태아심박동수 상승으로 한다.
- 기저선에서 위쪽으로 산을 그리고 보통 태동, 내진, 음향자극검사(AST), 모체 복벽으로부터의 자극 등에 의해 일어난다.
- 태아심박동수 상승은 태아의 심박수를 조절하는 자율신경계의 정상적인 반응으로, 태아 상태가 양호한지 여부를 판단할 수 있다. 이것을 이용한 것이 무자극검사(NST)이다.

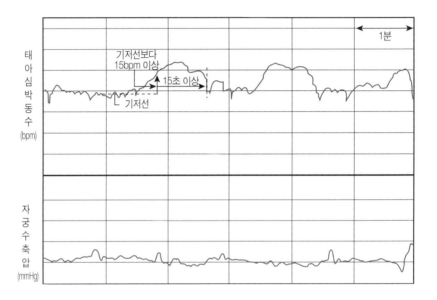

2. 태아심박동수 감퇴

- 자궁수축에 따라 태아심박동수가 일과성으로 감소하는 것을 태아심박동수 감퇴(deceleration) 라고 한다.
- 자궁수축은 태아심박동수의 변화와 관련성을 보인다.
- 태아심박동수 감퇴는 기저선에서 아래 방향으로 계곡 모양을 그리며 나타난다.
- 태아심박동수는 조기 태아심박동수 감퇴, 후기 태아심박동수 감속, 변이성 태아심박동수 감퇴, 지연성 태아심박동수 감퇴의 4가지로 분류된다.

조기감퇴(조기하강) Early deceleration

- 자궁수축에 따라 태아심박동수가 동시에 감소하고, 자궁수축의 종료와 함께 심박동수도 회복하는 것이다.
- 심박동수 감소의 개시부터 최하점까지 30초 이상의 경과로 완만하게 하강한다.
- 파형은 자궁수축압 파형과 대칭이다.
- 아두압박에 의한 정상 반응으로, 태아상태는 양호하다.

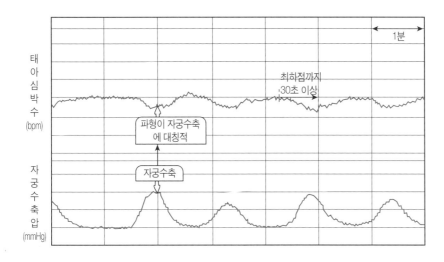

〈파형이 생기는 기전〉

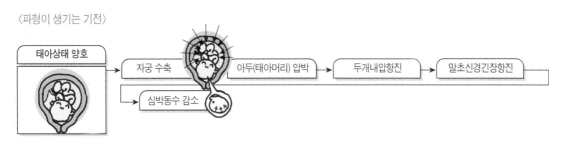

〈CTG 독해의 포인트〉

후기감퇴(만기하강) Late deceleration

- 자궁수축의 개시보다 태아심장박동수의 감소가 늦게 시작되고, 조금 늦게 회복되는 것이다.
- 심박동수 감소의 개시부터 최하점까지는 30초 이상의 경과로 완만하게 하강한다.
- 태반의 기능부전을 나타내며, 태아상태는 불량하며, 태아의 저산소상태를 의심한다.
- 변이성 감소·소실이 동반될 때는 극히 위험한 상태(급속한 태아분만이 필요)이다.

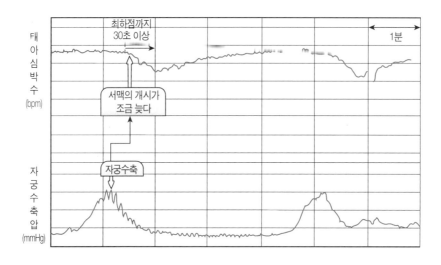

〈파형이 생기는 기전〉

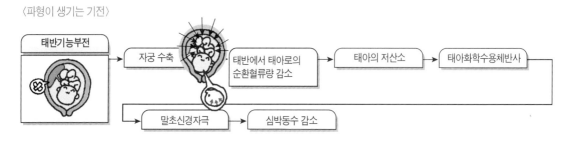

〈CTG 독해의 포인트〉

변이성 감퇴(다양성 하강) Variable deceleration

- 태아심박동수 변이성 감퇴가 출현하는 타이밍과 자궁수축과의 관계가 매번 다르며, 그 파형도 탯줄 압박의 정도에 따라 다르다.
- 15bpm 이상의 심박동수 감퇴가 30초 미만 내에 급속하게 일어난다.
- 태아심박동수 변이성 감퇴는 탯줄압박의 상태를 나타내며, 양수과소증에서 잘 보인다.
- 모체의 체위변화와 인공 양수주입술에 의해 탯줄압박이 해소되면, 태아심박동수 감퇴가 소실되는 경우도 있다.

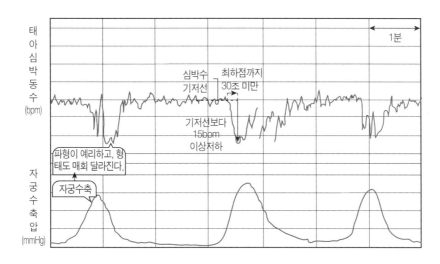

⟨파형이 생기는 기전⟩

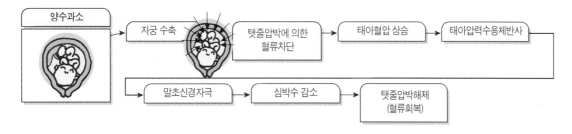

⟨CTG 독해의 포인트⟩

지연성 감퇴(지속성 하강) Prolonged deceleration

- 지속시간이 긴 태아심박동수 감퇴. 심박동수가 기저선보다 15bpm 이상 저하된 상태가 2분 이상 10분 미만 사이에 회복된다.
- 10분 이상의 태아심장박동수 감퇴의 지속은 기저선의 변화로 본다.
- 원인은 과도한 진통, 제대압박, 제대탈출, 앙와위 저혈압 증후군 등 다양하지만, 대부분은 태반의 순환부전에 의해 발생한다. 태반상태가 좋은 경우부터 급속한 분만이 필요한 경우까지 있으므로, 신중하게 판단한다.

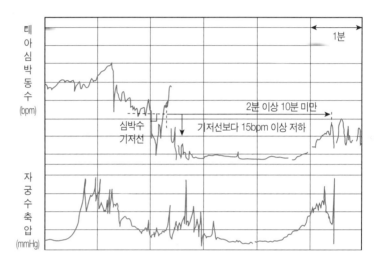

태아심박동수 모니터링

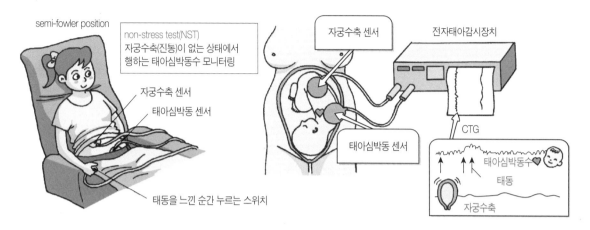

semi-fowler position

non-stress test(NST)
자궁수축(진통)이 없는 상태에서
행하는 태아심박동수 모니터링

자궁수축 센서

태아심박동 센서

태동을 느낀 순간 누르는 스위치

자궁수축 센서

전자태아감시장치

태아심박동 센서

CTG

태아심박동수♡

태동

자궁수축

CTG(cardiotocogram)

두근두근

태아심박동수의 상승(acceleration)은
건강하다는 증거!

	태아심박동수 기저선	태아심박동수 변이성	태아심박동수의 상승 (acceleration)	태아심박동수의 감퇴 (deceleration)
정상소견	태아심박동수 (bpm) 160 110 어른보다 빨라요! 시간(분) 태아심박동수는 110~160bpm	태아심박동수 (bpm) 늘었다 줄었다 시간(분) 심박수는 일정하지 않고, 10~15bpm 사 이에서 변이성을 보 임	태아심박동수 (bpm) 움직이면 늘어나요 태동 시간(분) 태동에 따라 일과성 으로 태아심박동수 증가	태아심박동수 (bpm) 머리가 압박 되면 줄어요 자궁수축 시간(분) 조기 태아심박수 감퇴 자궁수축이 시작되면 심박수가 같이 감소하 고, 멈추면 원래대로 회복

자궁수축검사(CST: contraction stress test)

- 10분에 3회 정도의 강한 자궁수축을 유발한 뒤, 이상소견인 후기 태아심박동수 감퇴를 보이는지를 보는 검사이다.
- 후기 태아심박동수 감퇴는 진통의 개시보다 늦게 서맥이 발생하는 것이다.
- 자궁이 수축하면 태반의 혈행이 방해를 받으므로, 태아에게 일과성 저산소상태가 일어난다. 건강한 태아의 순환기계는 이에 영향을 받지 않고, 심박동수는 변하지 않아 CST negative로 표시된다.
- CST에서 후기 태아심박동수 감퇴가 나타나면 CST positive로 표시되고, 이 경우 즉각적인 간호중재를 하며, 임신중단, 제왕절개로 분만하여야 하는 경우도 있다.
- CST는 부담이 큰 검사이므로, 제왕절개의 기왕력이 있는 경우 또는 절박유산, 자궁경관무력증, 전치태반, 다태임신 등에서는 금기이다.

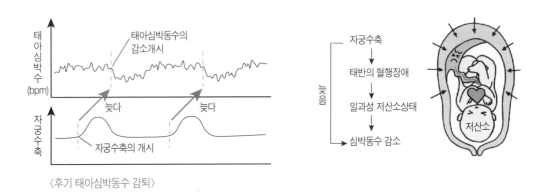

〈후기 태아심박동수 감퇴〉

생물리학계수(BPS: biophysical profile score)

- NST: non-stress test와 초음파 검사를 같이 시행하여 태아를 종합적으로 평가하고, 안전하면서도 CST와 마찬가지로 이상을 조기에 발견할 수 있도록 고안된 것이다.
- 다섯가지 항목에 각각 정상인 경우 2점, 이상인 경우 0점을 주어 총점 8점 이상을 정상이라고 한다.

종목	판정	
	정상(2점)	이상(0점)
호흡양운동	있음	없음
몸통운동	있음	없음
사지운동	있음	없음
양수량	2cm 이상의 양수포켓이 1곳 이상	양수포켓이 없거나 2cm 미만
NST	reactive	non-reactive

사례 ①

1. 반응성 20분 이내에 임부가 태동을 지각하거나 지각하지 않는 상태에서 기준선보다 최고 15회/분 이상, 15초 이상의 태아심박동수의 증가가 2회 이상 나타난다.

2. 자궁경관 개대, 양막파열, 태아하강 등

3. • 정맥을 통한 옥시토신의 투여를 중단한다.
  • 측위로 체위를 취해준다.
  • 8~10L/분의 산소마스크를 적용한다.
  • 즉시 주치의에게 보고한다.

사례 ②

1. 장치는 태동발생표시기이다. 그녀가 태아의 움직임을 느낄 때마다 매번 누를 수 있도록 한다. 이것은 모니터 장치에 화살표로 표시될 것이다. 그녀가 아기의 태동이 있을 때를 잘 알고 있는지를 확인할 수 있으며 FHR 과도 서로 연관된다.

2. 아기의 태동이 reactive 한 것으로 나온다면 20-30분정도면 끝날 것이다. 만약 태아가 수면상태라면 더 오래 걸릴 것이다.

3. 잘 진행되고 있지 않다. 당신의 아기는 움직이지 않고 있으므로 심장의 양상을 평가할 수 없다. 아기는 자고 있을 수도 있다. 우리는 아기를 깨우려는 시도를 한 후에 조금 더 오래 모니터해야 한다

4. 이것은 무자극검사(NST)로 동생이 한 검사와는 다르다고 알려준다. NST는 CST 처럼 약물을 사용하지 않으므로 부작용이 없음을 말해준다.

5. 무자극 검사의 정상반응으로 태동이 좋다는 반응성(reactive)으로 안심할 수 있는 결과이다.

06 레오폴드복부촉진법

Key Point

✓ 레오폴드복부촉진법은 태향, 태위, 선진부와 준거지표, 태세, 진입여부 등을 판단하기 위해 사용한다.

✓ 레오폴드복부촉진법에서 태아심박동은 태아의 등에서 가장 잘 들린다.

✓ 레오폴드복부촉진법 시행을 위한 준비는 다음과 같다.

 – 임산부의 방광을 비우도록 한다.

 – 산부의 머리밑에 베게를 대 주고, 무릎을 약간 굽힌 배횡와위를 취하게 한다.

 – 산부의 오른쪽 엉덩이 밑에 작은 말은 타월을 넣어준다.

 – 만약 검진자가 오른손잡이라면 대상자를 마주보고 오른쪽에 선다.

✓ 레오폴드복부촉진법이 끝나면 태아의 심음을 청진한다.

비판적 사고 훈련 ▼

사 례

경한 진통이 있는 산부가 분만실에 도착하여 바로 입원한다. 당신은 활력증상을 측정하고 산과적 건강사정을 하였다. 당신은 산과적 사정의 일환으로 레오폴드복부촉진법을 시행하려고 한다.

Vital Sign - 110/70mmHg, 88회/분, 22회/분, 36.5℃

dilatation 2F, effacement 50%, station -3, Membrane Rupture(-)

NST result - Reactive

1. 레오폴드복부촉진법으로 당신이 얻을 수 있는 정보는?

2. 레오폴드복부촉진 시행을 위해 당신이 준비해야할 것은?

3. 레오폴드복부촉진법을 마치고 당신은 무엇을 해야 하는가?

4. 레오폴드복부촉진법 시행이 어려울 수 있는 산부는?

비판적 사고중심 학습

학습목표

- 레오폴드복부촉진법의 목적, 절차를 설명한다.
- 레오폴드복부촉진법 준비와 4단계를 수행한다.

개요

레오폴드복부촉진법은 태아의 수, 선진부, 태위, 태세, 골반 진입여부 등을 판단하기 위해 임산부의 자궁을 촉진하는 것이다. 임산부의 복부에서 태아심음을 청진할 수 있는 예상 위치를 알 수 있다.

치료적 간호관리

- 시행 전 대상자의 방광을 비우도록 한다.
- 머리에 베개를 괴고 무릎은 약간 구부리는 배횡와위를 취해준다.
- 여성의 오른쪽 엉덩이 밑에 작은 말은 타월을 넣어주는데, 이는 자궁이 주요혈관에 미치는 압력을 감소시키기 위해서이다(앙와위저혈압증상 예방).
- 레오폴드복부촉진법을 마친 직후 간호사는 검진으로 인한 태아에게 미치는 잠재적 변화를 사정하기 위해 태아의 등에서 태아심박동을 청진한다.

비판적 사고중심 간호실무

레오폴드복부촉진은 산부의 복부를 촉진하여 태위를 사정하는 4가지 단계의 촉진법으로 태아의 수, 태위, 태향, 선진부, 선진부의 하강도 및 태세 등을 확인할 수 있고, 산부의 복부와 관련하여 태아심박동 청취부위를 확인할 수 있으며, 태아의 하강과 내회전을 감시하기 위해서 시행한다.

간호중재

- 병원균의 감염을 예방하기 위해서 손을 씻는다.
- 임부의 편안감을 증진시키고, 정확한 사정을 하기 위해서 복부진찰의 목적을 설명한다.
- 방광을 비우도록 임부에게 요구한다.
- 산부의 머리 밑에 베개를 대준다.
- 산부는 등을 대고 누워 무릎을 구부리고(Dorsal recumbent position) 복부근육을 이완시킨다.
- 오른쪽 둔부 밑에 타월을 작게 말아 대준다. 이는 앙와위성저혈압 증후군을 방지하기 위해서이다.
- 복부 검사는 손을 대기 전에 복부의 형태, 색소침착, 복부의 부종유무, 복부의 크기 등을 눈으로 확인한다.
- 검진자는 손을 따뜻하게 하여 손가락을 붙이고 손바닥 전체를 이용하여 부드럽게 압력을 가한다.
- 만일 오른손잡이라면 산부의 얼굴을 마주하고 오른쪽에 서서 시행한다.

1. Leopold's Maneuver 란?

   ① 내진으로 태아선진부를 파악하는 방법
   ② 복부계측으로 분만예정일을 파악하는 방법
   ③ 복부촉진을 통해 태아의 위치를 파악하는 방법
   ④ 골반계측을 통해 골반의 이상여부를 파악하는 방법
   ⑤ 내진을 통해 자궁경관과 질강 등의 산도 이상유무를 파악하는 방법

2. 복부진찰(Leopold's Maneuver) 시 적절한 간호행위는?

   ① 복부진찰을 위해 쇄석위를 취해준다.
   ② 1단계는 임부의 하체를 향하여 옆에 선다.
   ③ 준비단계에서 자궁경관개대 정도를 확인한다.
   ④ 태아심음의 위치와 선진부 및 태향을 확인한다.
   ⑤ 우선 방광을 비운 후 초음파로 아두경선을 확인한다.

3. 레오폴드복부촉진법에 대한 설명으로 틀린 것은?

   ① 태아의 건강상태를 알 수 있다.
   ② 촉진을 시작하기 전 방광을 비운다.
   ③ 4단계는 임부의 발을 향하여 옆에 선다.
   ④ 태아심음이 가장 잘 들리는 부위를 찾을 수 있다.
   ⑤ 촉진 전 배횡와위에서 오른쪽 엉덩이 밑에 쿠션을 대준다.

4. 레오폴드복부촉진법 3단계에서 알 수 있는 것은?

   ① 태아 선진부와 태위를 알 수 있다.
   ② 태아 선진부 진입여부를 알 수 있다.
   ③ 태아의 등과 사지부분들을 알 수 있다.
   ④ 안면위 또는 두정위인지 구분할 수 있다.
   ⑤ 골반강내 아두의 굴곡 및 신전 상태를 알 수 있다.

5. 레오폴드복부촉진법을 시행하기 전 준비해야 할 것은?

   ① 촉진을 시작하기 전 방광을 채운다.
   ② 쇄석위를 취해주어 시야를 확보한다.
   ③ 담요를 배위에 덮어 주어 자궁을 이완시킨다.
   ④ 배횡와위에서 오른쪽 엉덩이 밑에 베개를 대준다.
   ⑤ 초음파 검진을 통해 태아의 상태와 위치를 확인한다.

정답   1. ③   2. ④   3. ①   4. ②   5. ④

관련정보

복부촉진

- 제 1단계: 대상자를 향해 선다. 대상자의 복부에 양손을 둔다. 자궁저부 주변에 손을 컵모양으로 촉진한다. 자궁저부가 위치하는 부위를 촉진한다. 태아의 태위와 선진부를 확인한다. 자궁저부의 단단하고 둥근 덩어리는 태아의 두정위를 나타낸다.
- 제 2단계: 자궁저부의 양측면으로 손을 움직인다. 한 손은 안정적으로 지지하면서 태아를 약간 눌러본다. 태아의 등과 손, 발, 팔꿈치를 확인할 수 있는 불규칙한 정도를 촉진한다. 선진부를 확인할 수 있다.
- 제 3단계: 치골부위 바로 위에서 엄지와 나머지 손가락 사이로 자궁의 하부쪽을 약간 힘을 주어 부드럽게 잡아본다. 태아선진 부위를 촉지한다. 만약 머리가 선진부이고, 진입되지 않았다면 머리의 태세(굴곡과 신전)를 확인한다.
- 제 4단계: 대상자의 발을 향하도록 선다. 태아 머리의 윤곽을 촉진하기 위해 복부의 양쪽을 촉진한다. 태아의 하강 정도, 태세, 선진부를 확인할 수 있다. 손바닥을 사용하여 부드럽고 강한 압박을 가한다.

Leopold's Maneuver

- 일반적으로 촉진은 16~20주부터 시행한다.
- 28주 이후가 되면 Leopold 수기로, 4단계의 수기에 의해 태아의 태위, 태향, 태아선진부 고정, 골반내진입상태를 파악할 수 있다.

	제 1단계	제 2단계	제 3단계	제 4단계
진찰 항목	• 자궁저의 높이 • 태위	• 태위, 태향 • 양수량	• 태아선진부 • 골반내진입상태	• 태아선진부 하강도 • 골반내진입상태
촉진의 방법	 • 양손가락을 구부려, 자궁저를 감싸듯이 한다.	 • 양손바닥을 임신부의 양측 복부에 얹고 조심스레 힘주어 촉진한다.	 • 엄지손가락과 4손가락으로 두덩결합 바로 위 복부의 아랫부분을 만진다.	 • 손끝을 양쪽하복부에 대고, 태아선진부와 두덩뼈 사이로 깊이 압력을 가한다.
평가	• 구형의 굴곡(둔부)이 만져진다 ➡ 둔위 • 잘록한 부분이 있는 구형(두부)이 만져진다 ➡ 둔위 • 구형이 만져지지 않는다 ➡ 횡위	• 태아 등이 모체의 좌측에서 만져진다 ➡ 좌후두위 • 태아 등이 모체의 우측에서 만져진다 ➡ 우후두위 • 두부가 좌우 어느 한 쪽에 만져진다 ➡ 횡위	• 하강부가 움직인다 ➡ 부동상태 • 하강부가 움직이지 않는다 ➡ 진입	• 두부에서 만져진다 ➡ 부동상태 • 두부에서 만져지지 않는다 ➡ 고정
			• 37주 미만에 고정 · 진입이 보일 경우 조산(정상인 경우에서는 부동상태) • 분만이 개시되어도 장시간 부동상태에 있는 경우 아두골반불균형(CPD)의 가능성을 고려하여, 초음파검사 등의 소견과 더불어 종합적으로 진단한다.	

1. 태아의 수, 선진부, 태향, 태위, 태세, 선진부진입여부 등

2. 대상자의 방광을 비우도록 한다.
베개를 오른쪽 엉덩이 아래에 대준다.
검진자의 손을 따뜻하게 한다.
태아심박동수를 청진한다.

3. 복부촉진이 끝나면 태아심음을 청진한다.
촉진 결과를 기록한다.

4. 태아가 둔위인 경우 등

07 양막파수 산부 간호

Key Point

✓ 정상적인 양수는 맑고 볏짚색깔이며 엷고 강한 냄새가 없는 물같은 용액이다.

✓ 양수파막은 갑자기 질에서 양수가 유출되어 나오거나 천천히 누수되는 것으로 알 수 있다.

✓ 양수파막은 질분비물의 산도를 측정하기 위해 나이트라진 종이를 이용하여 확진할 수 있다.

✓ 양수파막이 출생 12~24시간 전에 되었다면 산부와 태아감염의 원인이 된다.

비판적 사고 훈련

초산부가 분만실에서 여섯 시간 동안 진통을 겪고 있다. 경관개대는 3cm이며, 중정도의 자궁수축이 5분 간격으로 50~60초간 지속되고 있다. 외부전자태아감시기에서 태아심박동은 중정도의 다양성을 보이며 평균 130회/분이었다. 그 순간 양막이 파열되었으며, 양수색깔이 청녹색으로 보인다.

1. 당신은 산부의 첫 번째 진통의 징후로 양막파수를 어떻게 설명할 수 있나?

2. 산부와 보호자에게 태변으로 착색된 양수에 대해 어떻게 설명해야 하는가?

3. 양수파막이 되었을 때 당신은 어떤 간호사정을 해야 하는가?

4. 두 시간 후, 자궁경관개대는 4cm이며 자궁수축은 여전히 중정도의 간격과 지속시간을 보여주고 있다. 옥시토신으로 진통을 촉진하기로 결정이 내려졌다. 이러한 결정을 하게 된 근거는?

비판적 사고중심 학습

학습목표

- 조기파막을 정의하고 진단방법을 설명한다.
- 조기파막 대상자에게 간호과정을 적용한다.

개요

PPPROM은 Premature, preterm, prolonged rupture of membranes로서 진통발생 이전에, 임신 37주 이전에, 진통 24시간 이전에 파막이 된 것이다. 조기양막파수는 분만개시 전에 일어나는 파수를 PROM(premature rupture of membrane)이라고 한다. 또 만삭분만의 시기 이전(임신 37주 이전)이면서 진통이 발생하기 전에 발생하는 양막파수를 PPROM(preterm PROM)이라고 한다. 조기양막파수의 원인은 크게, 질로부터의 상행성 감염에 의한 융모양막염과 다태임신과 양수과다에 의한 자궁내압 상승으로 나뉜다. 융모양막염이 생기면, 난막 내의 콜라겐 분해가 진행되어 강도가 유지되지 못하고 난막이 파열되어 파수가 되며, 질에서 양수가 유출된다. 다태임신과 양수과다의 경우에는 자궁내압의 만성적인 상승에 더해서, 기침 등으로 급격하게 복압이 상승한 경우에 난막이 파열되고 파수에 이른다.

진단검사

- 우선 질경 검진을 시행하고 질내에서 물 같은 액체의 유무를 확인한다.
- Nitrazine paper test: 나이트라진 종이는 알칼리성 양수(산도 6.5~7.5)가 감지되면 파랗게 변한다. 질내의 pH가 4.5~6.0으로 산성인 경우에 반하여, 양수의 pH는 7.0~7.5로 알칼리성이므로, 질내의 액체가 양수인 경우에는 나이트라진 종이가 알칼리성임을 나타내는 청녹색이 된다.

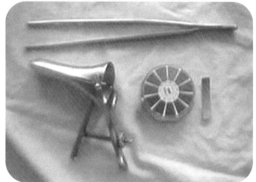

Nitrazine paper test

- Fern test(양치검사): 소량의 양수를 슬라이드 위에 올려놓아 형태를 보는 것으로 "ferning"이라고 불리는 고사리 잎 모양의 특징적인 양상이 현미경으로 관찰된다.
- 최근에는 양수에서만 확인되고, 질내와 자궁경관에서는 확인되지 않는 fetal fibronectin (FFN), AFP 등을 검출할 수 있는 검사약을 이용하여 양수파막을 진단한다.

증상과 징후

- 갑자기 질에서 맑은 용액이 유출되어 나오거나 천천히 누수된다.
- 어떤 산부들은 파막으로 인한 누수를 요실금으로 착각한다.

치료적 간호관리

- 필요시 치료진에 의해서 시행되는 인공파막술을 돕는다.
- 양수파막 즉시 시간과 양수의 양상(색깔, 냄새, 양)을 기록하고 태아심박동을 모니터한다.
- 진입이 안된 상태에서 양수파막이 되면 제대탈출이 발생할수 있으므로 태아의 안녕상태를 확인하기 위해 몇 분간 태아심박동을 모니터링 한다.
- 태변착색 등과 같은 비정상적인 결과가 보이면 지속적인 태아심박동 모니터링을 시행하고 의료진에게 보고한다.
- 만삭전조기파막이 발생하면:
  - 조기진통의 징후를 사정한다.
  - 제대탈출 여부를 사정한다.
  - 감염예방을 위하여 질 내진을 금지한다.
  - 체온, 태아심박동수, 자궁수축등을 사정한다.
  - 침상안정을 돕는다.
  - 항생제를 투여한다.
  - 감염의 증상과 징후에 대해 대상자에게 설명한다.
- 임신 · 분만관리
  - 양막파수 후에는 보통 24시간 이내에 분만진통이 나타나 분만이 개시되는 경우가 많으므로, 양막파수가 일어난 시기에 따라 관리가 달라진다.
  - 임신 34주 미만의 PPROM에서는 태아폐성숙도가 충분하지 못하므로 자궁수축억제제, 부신피질 스테로이드, 항생제 등을 이용하여 34주까지는 임신지속을 시도한다.
  - 자궁내감염이 보이는 경우는 즉시 분만이 이루어져야 한다.
  - 임신 34주 이후의 조기양막파수에서는 분만을 시행한다.

합병증

- **감염**: 출산 12~24시간 이전의 파막은 대상자 감염의 원인이 된다. 특히 PPROM의 원인은 다양하지만, 전체의 약 85%는 융모양막염에서 기인한다. 감염은 양수가 끈끈하며, 뿌옇고, 냄새가 나는 것으로 의심할 수 있다.
- **태아가사**: 양수가 짙은 녹갈색이거나 노랗게 착색되어 있거나 와인색이라면 의심할 수 있다.
- **제대탈출**: 선진부 앞쪽을 통과해 질로 제대가 탈출한 것으로, 골반과 태아의 선진부 사이에 제대가 위치하여 압박을 받으면 태아는 무산소 상태가 된다. 이는 산과적 초응급 상황이다.

비판적 사고중심 간호실무

양막파열의 중요의미

- 만삭시 파막이 되면 분만이 임박했음을 알려주는 징후이다.
- 파막후에 선진부 하강이 없으면 제대 탈출의 가능성이 증가한다.

  파막 후 24시간 이상 분만이 지연되면 자궁내 감염의 위험성이 커진다.

간호상황

29세 영자씨는 초산부 임신 40주로 진통을 호소하며 분만실에 도착한다. 병원에 도착하기 1시간 전부터 물 같은 것이 계속 흘렀다고 한다. 초기사정결과 경관개대 2cm, 경관소실 60%, 선진부하강정도 -3, 수축간격 8분, 수축기간 40초, Nitrazine paper test 결과 양성반응을 확인한다.

간호사정

- IUP 40주의 진통
- 병원 도착 1시간 전 물이 흐름
- 경관개대 2cm, 경관소실 60%, 선진부하강정도 -3
- 자궁수축간격 8분, 기간 40초, Nitrazine paper test(+)

간호진단

- 양막파열과 관련된 감염의 위험성

간호중재

- 질 검진은 최소로 하며, 검진동안 무균술을 유지한다.
- 더러워진 환의나 패드는 자주 교환한다.
- 산모의 체온과 맥박을 2시간마다 또는 상황에 따라 더 자주 측정하며, 태아심박동의 빈맥을 관찰한다.
- 양수의 색깔, 냄새, 양을 계속 관찰한다.
- 처방대로 항생제가 일정한 수준으로 유지되도록 하기 위해 시간을 맞추어 항생제를 투여하고 부작용을 관찰한다.
- 양막파열로 인해 올 수 있는 합병증에 대한 정보를 제공한다.
- 양막파열의 진단을 위한 간단하고 신뢰할 만한 방법인 Nitrazine paper test에 대해 설명한다.

간호평가

- 산부는 주관적인 증상을 필요에 따라 보고한다.
- 산부와 태아는 양막파열의 결과로 위험해지지 않는다.
- 산부는 감염에 대한 증상 및 징후가 없다.
- 태아심박동수는 태아의 안녕을 나타낸다.
- 산부는 처치와 정보를 이해한다고 말로 표현한다.

1. 양막파열이라고 볼 수 있는 검사결과는?

① 융모양막염의 증상이 보인다.

② 초음파상 3cm의 자궁목 길이가 보인다.

③ fern test(양치검사)에서 양치모양이 보인다.

④ fetal fibronectin(FFN) 검사에서 음성(-)이 나온다.

⑤ Nitrazine paper test에서 올리브연두색으로 나타난다.

2. Nitrazine paper test를 수행하는 목적은?

① 소변의 비중을 확인하기 위함이다.

② 모체의 대변과 태변을 구분하기 위함이다.

③ 양수내의 에스트로겐을 확인하기 위함이다.

④ 양수내의 출혈이 존재하는지 확인하기 위함이다.

⑤ pH를 확인하여 양수와 소변, 질분비물을 구분하기 위함이다.

3. 조기파막 시 간호중재는?

① 감염의 위험이 매우 크므로 주수와 상관없이 바로 분만을 유도한다.

② 내부전자태아감시기로 자궁수축시 후기감퇴가 나타나는지를 정확하게 확인한다.

③ 임신 22주이면 태아 폐성숙을 가속화하기 위해 산부에게 스테로이드를 투여한다.

④ 임신 38주이고 수축이 없으면 NST후 PGE2를 주입하여 자궁목을 연화시킬 수 있다.

⑤ 잦은 내진으로 경관개대와 소실 정도를 측정하여 응급제왕절개를 해야 하는지 판단한다.

정답 1. ③ 2. ⑤ 3. ④

☞ 4-5번

초산부 소영님은 밑으로 물이 흐른다고 호소하여 입원 후 유도분만 중이다. 현재 경관개대 4cm, 경관소실 80%, 선진부하강정도 -3, 전자태아감시기상 자궁수축이 5분마다 있으며, 40초 지속되고, 50mmHg 압력을 보이며, 조기감퇴 양상을 보인다.

4. 위 단계의 소영님의 상태를 바르게 설명한 것은?

① 경관개대가 80%이다.

② 분만 2기의 활동기이다.

③ 혈성이슬은 점차 증가할 것이다.

④ 자궁수축 기간 5분, 간격 40분이다.

⑤ 선진부가 좌골극에서 3cm 아래로 내려왔다.

5. 소영님이 밑으로 물이 흐른다고 호소한다. 이때 양막파열이 확실하다고 볼 수 있는 것은?

① 항문진찰을 한다.

② 체온이 38℃로 상승한다.

③ 후질원개에서 양수특유의 냄새가 난다.

④ 양치검사에서 나뭇잎새 모양이 보인다.

⑤ Nitrazine paper test에서 올리브황색을 보인다.

관련정보

정상적인 양수의 특징

양수의 주된 기능은 태아의 충격완화와 보호이다. 파막이 되면 질로부터 양수의 누수가 발생된다. 이러한 누수는 조절이 불가능하며 나이트라진 종이로 산도를 측정하므로써 소변과 감별한다. 파막은 진통시나 이전에 자연적으로 발생한다.

- 색: 옅은 지푸라기색(옅은 오막색)
- 비중: 옅고 물같음(1.006~1.012)
- 냄새: 없음
- 양: 800~1200ml

조기양막파수

개념

- 분만개시 전에 일어나는 파수를 PROM(premature rupture of membrane)이라고 한다. 또 만삭분만의 시기 이전(임신 37주 이전)이면서 진통이 발생하기 전에 발생하는 양막파수를 PPROM(preterm PROM)이라고 한다.

병태

- 조기양막파수의 원인은 크게, 질로부터의 상행성 감염에 의한 융모양막염과 다태와 양수과다에 의한 자궁내압 상승으로 나뉜다.
- 융모양막염이 생기면, 난막 내의 콜라겐 분해가 진행되어 강도가 유지되지 못하고, 난막이 파열되어 파수가 되며, 질에서 양수가 유출되게 된다.
- 다태와 양수과다의 경우에는 자궁내압의 만성적인 상승에 더해서, 기침 등으로 급격하게 복압이 상승한 경우에 난막이 파열되고 파수에 이른다.

검사

- 우선 질경 검진을 시행하고 질내에서 물 같은 액체의 유무를 확인한다.
- 질로부터의 액체유출이 확인되면, pH를 측정한다. 질내의 pH가 4.5~6.0으로 산성인 경우에 반하여, 양수의 pH는 7.0~7.5로 알칼리성이므로, 질내의 액체가 양수인 경우에는 나이트라진페이퍼 시험지가 알칼리성임을 나타내는 청녹색이 된다. 최근에는 양수에서만 확인되고, 질내와 자궁경관에서는 확인되지 않는 fetal fibronectin, AFP 등을 검출할 수 있는 검사약을 이용하여 양막파수를 진단하는 것이 대부분이다.

임신 · 분만관리

- 양막파수 후에는 보통 24시간 이내에 분만진통이 나타나 분만이 개시되는 경우가 많으므로, 양막파수가 일어난 시기에 따라 관리가 달라진다.
- 임신 34주 미만의 PPROM에서는 태아폐성숙도가 충분하지 못하므로 자궁수축억제제, 부신피질 스테로이드, 항생제 등을 이용하여 34주까지는 임신지속을 시도한다.
- 자궁내감염이 보이는 경우는 즉시 분만의 적응이 된다.
- 임신 34주 이후의 조기양막파수에서는 분만을 시행한다.

종류(감염에 의한 것이 문제)

- preterm PROM의 원인은 다양하지만, 전체의 약 85%는 융모양막염에서 기인한다.
- preterm PROM은 융모양막염에서 기인한 것과 그 외의 원인으로 발병한 것의 경과가 달라진다.

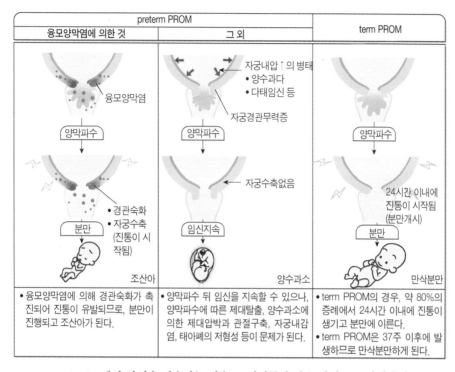

preterm PROM		term PROM
융모양막염에 의한 것	그 외	
융모양막염 → 양막파수 → 경관숙화·자궁수축(진통이 시작됨) → 분만 / 조산아	자궁내압↑의 병태 • 양수과다 • 다태임신 등 / 자궁경관무력증 → 양막파수 → 자궁수축없음 → 임신지속 / 양수과소	양막파수 → 24시간 이내에 진통이 시작됨 (분만개시) → 분만 / 만삭분만
• 융모양막염에 의해 경관숙화가 촉진되어 진통이 유발되므로, 분만이 진행되고 조산아가 된다.	• 양막파수 뒤 임신을 지속할 수 있으나, 양막파수에 따른 제대탈출, 양수과소에 의한 제대압박과 관절구축, 자궁내감염, 태아폐의 저형성 등이 문제가 된다.	• term PROM의 경우, 약 80%의 증례에서 24시간 이내에 진통이 생기고 분만에 이른다. • term PROM은 37주 이후에 발생하므로 만삭분만하게 된다.

- preterm PROM에서 임신을 지속하는 경우, 조기진통과 같은 방법으로 관리한다.

1. 양막파수 후 진통이 심해짐 등

2. 태아가 둔위인 경우 정상으로 볼 수 있음
   태아저산소증일 경우 항문괄약근이 이완되어 태변이 배출 될 수 있음

3. 태아의 심박동수, 태아의 선진부 확인, 선진부하강정도 확인, 제대탈출여부, 양수의 양상 등

4. 양수파막과 함께 태변착색으로 인해 분만과정이 지연되지 않도록 하기 위함이며, 또한 감염의 위험성으로 분만진행을 돕기 위함이다.

08 조기진통 산부 간호

✓ 조기진통(preterm labor)의 증상은 규칙적인 자궁수축, 자궁목의 변화, 질 분비물 양상 변화와 양의 증가이다.

✓ 조기진통이 발생할 때 대처방법을 교육한다.

  • 한 시간 동안 측위를 취하며 안정을 취한다.

  • 증상이 지속되거나 아래와 같은 증상이 있으면 병원에 연락하거나 방문한다.

    ; 5분마다 혹은 그 이하의 자궁수축, 질 출혈, 냄새나는 질 분비물, 질로부터의 양수 누출

✓ 태아의 심박동과 자궁수축을 모니터하고, 자궁수축억제제 투여와 태아 폐성숙을 위한 corticosteroid제제를 투여하고, 정서적 지지를 제공한다.

비판적 사고 훈련 ◥

재태기간 33⁺²인 42세 혜영씨는 자궁수축을 호소하며 분만실에 입원하였다. Gravida 4, Para 0이며 과거 임신 때, 유산과 조기진통 경험이 있다. 지금 자궁개대 2~3cm, 자궁수축은 매 8~10분 산석이나. 찐지데이감기기를 통한 모니터링, 정맥요법으로 Magnesium Sulfate 투여, 침상안정과 근육주사로 Betamethasone 12mg을 즉시 주사하고, 12시간 후 반복 투여하도록 처방이 내려졌다.

1. 혜영씨의 조기진통의 위험요소는?

2. 간호사는 혜영씨가 입원했을 때, 어떤 사정을 해야 하는가?

3. 간호사가 사정해야 할 혜영씨의 중요한 증상은?

4. betamethasone 치료 때 금기 사항과 이유는?

5. 우선순위에 근거한 간호중재와 그 근거를 설명하시오.

간호중재	우선순위	이론적 근거
IV를 시작하고 magnesium sulfate 투여를 시작한다.		
외부태아감시기를 적용한다.		
betamethasone을 IM으로 투여한다.		
침상 안정의 필요성과 다른 간호중재를 교육한다.		

6. 혜영씨가 현재 재태기간이 22주라면 간호중재는 어떻게 달라질 수 있는가?

비판적 사고중심 학습

학습목표

- 소기진통을 정의한다.
- 조기진통의 유발요인을 설명한다.
- 조기진통의 처치법을 설명하고 진통억제 간호과정을 수행한다.

개요

조기진통은 임신 20주와 37주 사이에 자궁 경부의 개대와 소실을 초래하는 규칙적인 자궁 수축을 의미한다. 조기진통의 원인은 정확히 알 수 없으나, 약 1/3은 조기양막파열 후에 발생하며 이는 조산의 위험성을 증가시킨다. 조기진통의 산부요인은 심장혈관, 신장질환, 임신성고혈압, 당뇨, 임신 중 복부수술, 복부의 충격, 자궁의 기형, 자궁경관무력증, DES 노출, 원추절제술 경력 그리고 산모의 감염 등이다. 태아요인은 다태임신, 양수과다증 및 태아 감염이며 태반요인은 전치태반, 태아조기박리이다.

조기진통 관리의 목표는 가능한 한 임신기간을 연장시켜, 태아의 발육과 성숙을 도모하는 것이다.

- 양막이 파수되지 않았고, 태아가 안전한 경우
  - 자궁수축억제제제(ritodrine, 황산마그네슘 등)를 투여한다.
  - 부신피질 스테로이드는 태아의 폐성숙을 촉진시키고 호흡부전 증후군(RDS)을 예방하기 위하여 재태기간 24~34주에 투여한다.
  - 침상안정을 유지하고 성관계를 제한하여 임신을 지속한다.
  - 파수 후의 감염을 예방하기 위해 항생제를 투여한다.
- 양막이 파수되고, 자궁내 감염이나 태아가사(fetal distress)가 있는 경우는 제왕절개를 한다.

위험요소

- 감염: 박테리아성 질염, 융모양막염, 성전파성 질환, 요로 감염
- 자궁과다 신장: 양수과다, 다태임신
- 임신 2기 출혈: 전치태반, 태반조기박리
- 임신 중 저체중: 영양불량, 낮은 사회경제적 상태
- 과거의 조산력
- 기타: 부적절한 산전간호, 연령(20세 이하, 40세 이상), 약물, 알콜의 남용

진단검사

- 전자태아감시기: 조기진통이 의심되는 대상자에게 적용하여 검사한다.
- 조기진통의 진단 조건
  - 자궁수축(contraction): 10분보다 더 자주 발생하고 1시간 이상 지속
  - 자궁경부의 소실(effacement): 80% 이상
  - 자궁개대(Cx dilatation): 2cm 이상

증상과 징후

- 증상과 징후(조기진통의 7가지 경고성 징후)
  - 매 10분 또는 그 보다 자주 발생하는 규칙적인 자궁수축, 통증은 있거나 없을 수 있음
  - 복부의 통증(쥐어짜는 듯한), 설사
  - 월경통 같은 복부 통증
  - 허리 통증
  - 골반의 압박감
  - 질 분비물의 증가나 변화
  - 만삭 전 조기파막

치료적 간호관리

- 파막을 사정한다.
- 자궁수축의 간격, 빈도, 강도, 규칙성 등을 사정한다.
- 조기진통으로 진단되면, 자궁수축억제제(tocolytic drug)를 투여하고 목적을 설명하며 부작용을 관찰한다.
  - 규칙적으로 활력징후를 사정하고, 모체 맥박이 120회/분 이상이면 주치의에게 보고한다.
  - 폐부종의 증상(흉통, 가쁜호흡, crackle, 수포음 등)을 사정한다.
  - 시간 당 소변량을 관찰하고 케톤뇨를 관찰한다.
  - 수분섭취를 제한한다(평균 2500~3000mL/1일).
  - 자궁수축억제제인 magnesium sulfate를 투여받고 있다면 호흡, 혈압, 반사, 의식 수준의 변화를 관찰한다.
- 전해질과 혈당치를 관찰한다.

- 측위로 자궁혈류를 증가시키고, 침상안정을 유지한다.
- 구강이나 정맥요법으로 수분의 양을 유지한다.
- 안정제를 투여하고 적절하게 안정을 유지한다.

약물관리

- glucocorticoid ☞ II-11. 유산 임부 간호 참조
  - 34주 이전의 임산부에게 태아 폐성숙 증진을 위해 betamethasone 또는 dexamethasone 을 투여한다.
  - 태아 호흡부전증후군(RDS), 뇌실내출혈, 괴사성장염(NEC), 동맥관개존증(PDA)을 감 소시키고, 주산기 사망률을 감소시킨다.
- 자궁수축억제제(tocolytic drug): 베타 아드레날린성 약물인 ritodrine hydrochloride (Yutopar)와 terbutaline, 칼슘길항제인 황산마그네슘, Nifedipine(니페디핀), 프로스타 글라딘 합성 억제제(인도메타신[인도신]), 그리고 oxytocin 길항제인 atosiban (tractocile) 등이 있다.

....

 Beta-adrenergic drug(ritodrine, terbutaline) 자궁근 이완

리토드린(유토파)
리토드린은 FDA에서 승인받은 유일한 베타아드레날린성 자궁수축 억제제이다.

작용	자궁의 평활근과 혈관, 기관지 평활근에 β_2 아드레날린 수용기에 선택적으로 영향을 미친다. 이는 세포내 유리칼슘을 감소시켜 자궁의 수축력을 감소시킨다.
투여 방법	- 정맥투여: 500ml 용액에 150mg의 리토드린을 섞은(0.3mg/mL이 된다) 후 초회투 여량은 0.05~0.1mg/분으로 투여하며 유지투여량은 자궁수축이 소실될 때까지 혹 은 최대용량(0.35mg/분)이 될 때까지 10분마다 투여량을 증가시킨다. 자궁수축이 소실 된 후에도 12~24시간 투여를 지속한다. - 경구투여: 리트드린 10mg을 매 2시간 마다 24시간 투여 후, 10~20mg을 매 2~4시 간 간격으로 투여한다.
부작용	리토드린은 β_1 수용기에도 자극하여 저혈압과 빈맥의 부작용이 발생하며 칼슘이 세 포로 이동하여 저칼슘혈증이 발생하여 혈당 및 혈장인슐린 상승이 동반된다. 폐부종 과 뇌혈관 확대로 두통이 발생할 수 있다.
해독제	프로프라놀롤(propranolol)은 베타아드리날린성 약을 차단한다.

터부탈린(terbutaline)

작용   교감신경계의 베타 아드레날린성 수용체를 자극하여 자궁근육의 활동억제와 기관지
확장에 일차적인 작용을 한다. 맥박수와 맥압이 증가한다.

투여
방법
- 정맥투여: 0.01-0.05mg/분 시작하며 자궁수축빈도가 6회/시간 혹은 그 이하일 때
까지 매 10-30분당 0.01mg/분씩 증가한다. 최대용량은 0.08mg/분. 자궁수축빈도
가 4-6회/시간 보다 더 많지 않을 때, 한 시간 동안 주입속도를 유지한다. 그 다음 20
분 간격으로 속도를 줄이고, 자궁수축이 멈추거나 수용할 정도의 최대치로 안정되
면 12시간 동안 최소유지용량으로 계속 주입한다.
- 피하투여: 0.25mg을 매 3-4시간(대상자의 반응에 따라 최대량 간격은 매 6시간
마다)
- 경구투여: 2.5-5mg 매 2-4시간 마다. 정맥주입에서 경구 치료로 바꿀 때, 정맥주입
을 정지하기 30분 전에 경구 용량을 준다.

부작용
- 심혈관: 모체 · 태아 빈맥, 두근거림, 심부정맥, 흉통, 넓은 맥압
- 호흡: 호흡곤란, 흉부 불편감
- 중추 신경계: 떨림, 무기력, 허약감, 어지러움, 두통
- 대사성: 저칼륨혈증, 고혈당증
- 위장계: 구역, 구토, 장 운동 감소
- 피부: 홍조, 발한

 Calcium channel blockers(칼슘길항제)

Magnesium sulfate(황산마그네슘, MgSO$_4$) ☞ II-08. 임신성고혈압 임부 간호 참조

작용   근육을 이완시켜 자궁수축의 빈도와 강도를 감소시킴으로 조기진통의 치료제로 사용
되며 혈압을 낮추는 부가적 효과가 있다.

투여
용량
- 조기진종: 초회투여량은 100mL의 용액내 4~6g의 황산마그네슘을 섞어 15~20분
동안 주입한다. 유지투여량은 1~4g/시간을 수축이 멈출 때까지 사용한다.

관찰해야 할
마그네슘
독성증상
- 호흡수가 12회/분 이하
- 신경반사의 부재 또는 약화
- 소변량이 30mL/시간 이하

니페디핀

칼슘길항제는 칼슘의 근육이동을 차단시켜 자궁활동을 억제하며 종종 터뷰탈린 또는 리토드린과 함께 효과를 높이기 위해 함께 사용한다. 그러나 니페디핀과 황산마그네슘은 시넙직으로 산모의 칼슘 수치를 낮출 수 있으므로 함께 사용하면 안된다.

| 투여 방법 | - 경구용 부하용량: 10-20mg |
| | - 경구 유지용량: 10-20mg 매 4-6/시간 |

 ## 프로스타글란딘 합성 억제제

프로스타글란딘은 자궁수축을 자극하기 때문에 프로스타글란딘 합성 억제제 약물은 프로스타글란딘 합성을 막기 위해 사용된다. 비스테로이드성 항 소염제인(NSAIDs) Indomethacin, Naproxen과 Salicylates 등이 있다.

인도메타신(indomethacin, indocin)

투여 방법	- 부하용량: 100mg까지(직장), 50mg까지(구강)
	- 유지용량: 25-50mg 구강으로 매 6시간마다
	- 관찰: 초음파 검사와 태아 심장 초음파 검사는 모체가 복용한 인도메타신이 태아에게 유해효과를 주는지 확인하는데 도움을 준다.
부작용	- 태아: 동맥관 협착, 폐 고혈압, 양수과소증이다. 이는 모체가 48-72시간 이상 인도메타신을 투여받았을 때, 재태기간이 32주 미만일 때 나타난다.
	- 모체: 구역, 가슴앓이, 응고시간 지연, 위장계 출혈, 고혈압 여성에게 혈압 증가

 ## 옥시토신 길항제

아토시반(트랙토실)

| 작용 | 옥시토신 길항제로 옥시토신 수용체를 차단하여 자궁을 이완시킨다. |
| 투여 방법 | 초회투여량 6.75mg을 한 번에 정맥으로 주입한 후 300ug/분을 3시간에 걸쳐 주입한다. 그 후 100ug/분의 속도로 45시간 동안 주입하여 총 주입시간은 48시간을 초과하지 않아야 하며 총 용량은 330mg을 넘지 않아야 한다. |

부작용	산모에게 오심, 구토, 두통, 자궁이완과 요료계 감염이 보고된 바 있다.
산모, 태아/ 신생아에게 미치는 영향	이 약이 산모나 태아, 신생아에게 심각한 부작용을 초래했다고 보고된 바는 거의 없다.

합병증

자궁수축 억제제의 부작용(베타 유사제)

- 빈맥
- 폐부종
- 진전
- 태아빈맥(magnesium sulfate)
- 저혈압
- 반사의 소실이나 저하, 의식 수준의 저하 등과 같은 중추신경계 저하
- 과빌리루빈혈증

- 부정맥
- 당대사의 변화
- 저칼륨혈증
- 호흡부전

비판적 사고중심 간호실무

간호사정

- 심계항진, 긴장감, 메스꺼움과 구토, 두통, 저혈압을 포함하는 자궁수축억제제의 부작용이나 문제점을 평가한다.
- 가장 심각한 문제인 폐부종의 징후를 사정한다.
  - 가쁜 호흡, 흉통, 호흡장애, 수포음, 호흡 잡음 등
- 황산마그네슘 독성의 증후들을 사정한다.
  - 호흡(<12회/분), 심부건반사(DTR) 감소, 소변 배출량(<100ml/4시간 간격) 등
- 조기 진통 위험성이 높은 임산부의 검사소견
  - 태아 섬유결합소(피브로넥틴): 태아섬유결합소(fibronectin)는 태반과 18~36주 이외의 기간에 탈락막에서 발견되는 일반적 단백질이다. 18주부터 36주 사이에 태아 피브로넥틴 수치가 증가하면 7일 이내 파막이 임박했다는 지표로 조산의 위험성이 높으며 최근 성교, 질검사, 세균성 질염 그리고 질 출혈이 있을 때도 양성으로 나타난다. 음성이면 조산의 위험성이 낮다는 것을 의미한다.
  - 질식 초음파: 임신 중기이후 경관의 길이를 측정하여 2.5cm 이하인 경우는 조산의 위험이 있다.

간호진단

- 조기진통과 관련된 지식 부족
- 조기 진통에 따른 조산의 위험성과 관련된 불안

간호중재

가정간호

- 조기진통 위험의 증상과 징후에 관한 정보를 제공한다.
  - 10분마다 또는 그 이상 자주 발생하는 자궁 수축
  - 복부 아래 쪽에서 느껴지는 가벼운 생리통이나 설사와 함께 또는 설사 없는 복통
  - 아기가 누르는 것과 같은 느낌의 골반 압박감
  - 지속적인 또는 간헐적인 하부요통
  - 분비물의 갑작스런 변화(양의 증가, 더 맑아지고 묽어지거나 연한 핑크빛)
- 매일 1~2회 자궁수축을 확인하는 방법을 교육한다.
  - 옆으로 누워 손을 자궁저부에 놓도록 알려준다.
  - 약 한 시간 동안 수축을 확인한다(자궁저부의 단단해짐).

- 때로는 Braxton Hicks 수축일 수 있다.
- 10분마다 수축을 느끼거나 조기진통의 징후가 있다면 아래와 같이 하도록 설명한다.
  - 방광을 비우고 눕되, 왼쪽으로 눕는 것이 좋다.
  - 3~4잔의 8 oz 양의 수분을 섭취한다.
  - 30분 동안 따뜻한 물이 담긴 욕조에 아랫배를 완전히 잠기게 한다.
  - 징후들이 사라진 후 30분간 안정을 취한 후 점차 활동을 다시 시작한다.
  - 자궁수축 간격이 10분 마다 있거나 1시간 이상 지속된다면 가족에게 알린다.
  - 자궁 수축이 손으로 느껴지지 않더라도 징후들이 지속된다면 가족에게 알린다.

입원 시 간호

- 가능한 옆으로 누운 편안한 자세로 안정할 것을 권장한다.
- 혈압, 맥박, 호흡을 관찰한다. 특히 자궁수축 억제제를 사용하고 있을 때 관찰한다.
- 계속적으로 태아심박동수와 자궁 수축의 전자태아모니터링을 유지하고 결과를 평가한다.
- 섭취량과 배설량을 관찰한다.
- 지시대로 베타메타손(betamethasone)을 처방한다.
- 임산부와 배우자에게 과정을 설명하고 정서적 지지를 한다.
- 조기진통 대상자 간호 시 평가해야 할 내용은 아래와 같다.
  - 자궁수축 억제제에 대한 여성의 반응은 무엇인가? 약물에 대한 부작용을 보이는가?
  - 수축이 계속 있는가? 수축 횟수가 증가하였는가 또는 감소하였는가?
  - 진통의 다른 징후들을 보이고 있는가?
  - 태아의 반응은 어떠한가?
  - 어떤 자세가 가장 효과적인가?
  - 대상자는 감정적으로 어떻게 견디고 있는가? 현재 상태에 대한 스트레스를 잘 대처할 수 있도록 간호사가 충분히 도와주고 있는가?

평 가

- 임부는 조기진통의 원인을 인식하고 조기 치료에 대해 논의할 수 있다.
- 임부는 스스로 자가간호하는 방법을 설명할 수 있다.
- 임부와 태아는 안전한 진통과 출산을 한다.

간호실무능력 평가

※ 다음 문제를 읽고 가장 알맞은 답을 고르시오.

> 25세의 정희씨는 새태기간 32주로 산과력은 3-0-1-1-1 이다.
> 4시간 동안 매 10분마다 45초 동안 지속되는 수축이 있다.
> 수축의 강도는 점점 증가하고, 휴식을 취해도 통증은 사라지지 않는다.

1. 정희씨에게 우선적으로 수행해야 하는 간호중재는?

   ① 태아상태 사정　　　　② 자궁수축상태 사정　　　　③ 자궁수축억제제 투여

   ④ betamethasone 투여　　⑤ 산부의 활력징후 측정

2. 스테로이드 제제(betamethasone)를 투여하라는 의사의 처방이 있다. 정희씨에게 이 약물의 투여 기준은?

   ① 25세 연령　　　　　　② gravida 3　　　　　　③ 재태기간 32주

   ④ 과거 미숙아 분만　　　⑤ 10분마다 45초 동안 지속되는 수축

3. 간호사는 정희씨에게 betamethasone을 투여하는 목적에 대해 설명하고 있다 옳은 내용은?

   ① "산부빈맥을 예방하기 위해서입니다"

   ② "자궁수축을 억제하기 위해서입니다"

   ③ "태아 폐성숙을 촉진시키기 위해서입니다"

   ④ "정희씨의 폐부종을 예방하기 위해서입니다"

   ⑤ "자궁수축을 촉진시켜서 빨리 아기를 낳기 위해서입니다"

4. 정희씨에게 조기진통 억제 목적으로 리토드린(Ritodrine Hydrochloride: Yutopar)이 투여되고 있을 때 나타날 수 있는 흔한 부작용은?

   ① 감염　　　　　　　　② 핍뇨　　　　　　　　③ 빈맥

   ④ 출혈　　　　　　　　⑤ 고혈압

5. 조기진통의 일반적인 유발요인이 아닌 것은?

   ① 전치태반　　　　　　② 조기파수　　　　　　③ 다태아임신

   ④ 양수과소증　　　　　⑤ 경관무력증

정답　1. ③　2. ③　3. ③　4. ③　5. ④

관련정보

조기진통 의심

- 규칙적인 자궁수축, 소량의 질 출혈, 물처럼 흐르는 질 분비물 등을 자각했을 때
- 기타
  - 질·경관분비액에서 과립구 esterase↑
  - fetal fibronectin(fFN)↑
  - 질초음파검사에서 내자궁구의 개대
  - 경관의 단축(25mm 미만) 등

과립구 esterase

과립구에서 분비되는 염증성 프로테아제(protease). 융모양막염에서는 경관점액 속에 존재한다. 난소, 자궁경관의 콜라겐을 분해하고, 자궁경관숙화와 양막파수를 일으킨다.

fetal fibronectin(fFN)

태아유래의 당단백질로 통상적으로 태아혈액. 양수 중에 존재하지만, 융모양막염에서의 염증으로 인한 양막파수 전에 탈락막으로로부터 질내로 누출된다.

경관의 길이 변화

- 임산부의 자궁경관길이는 임신의 경과에 따라 점점 단축된다.
- 정상임신에서는 자궁경관의 길이는 임신 30주 미만에서는 38-40mm, 임신 32-40주에는 25-32mm로 조금 단축된다.
- 조기진통과 조산에서는 임신시기에 비해 비정상적으로 단축된다.

융모양막염으로 인한 조기진통 유발

- 융모양막염은 질내 상재균이 상행성 감염을 일으키는 염증성 질환이다.

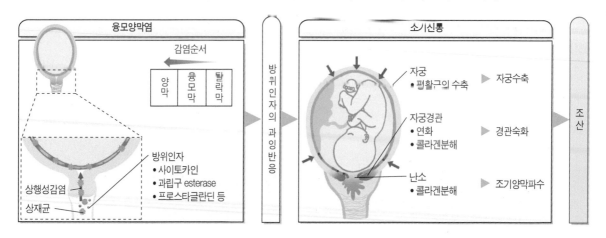

융모양막염과 조기진통의 증상

- 융모양막염에서는 발열, 빈맥 등의 염증소견을 보이나, 무증상으로 조산까지 진행되는 예도 적지 않다.

진단과 관리

- 조산을 방지하고, 가능한 임신을 유지하는 것이 관리의 목표이다.
- 조산 marker인 과립구 esterase, fetal fibronectin은 조기진통과 조산의 발병 약 1~2주 전부터 높은 수치를 보인다.

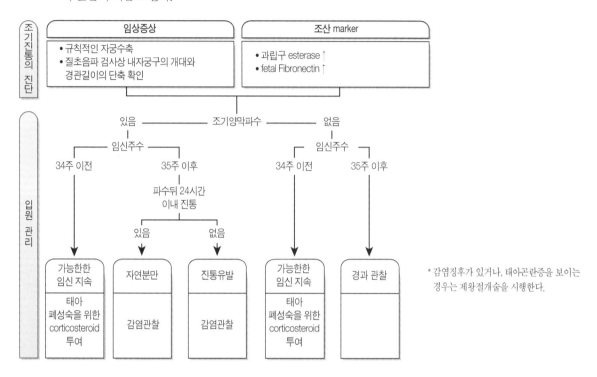

초음파 검사

- 조산 예방을 위해서는 임신 20~28주에 질 초음파검사에 의한 경관의 관찰이 중요하다.
- 정상임신에서는 자궁경관의 길이는 임신 30주 미만에서는 38~40mm, 임신 32~40주에는 25~32mm로 조금 단축된다.

조기진통(임신 26주)

- 임신 28주 미만에 경관길이가 30mm 미만인 경우는 조기진통의 소견에 해당한다.
- 임신 24주 미만에 경관길이가 25mm 미만인 경우는 조산할 위험이 높다.

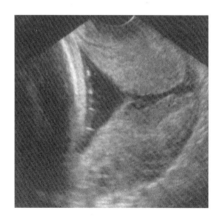

치료

양막파수, 분만의 진행을 억제			태아장기의 성숙 촉진
자궁수축의 억제	경관숙화의 억제	감염예방	
• 리토드린(ritodrine) • 황산마그네슘(MgSO₄)		• 항생제	• 부신피질 스테로이드
• 자궁수축에 의한 분만의 진행을 억제한다.	• 경관숙화를 억제하고, 양막파수를 예방한다.	• 양막파수 후의 감염을 예방한다.	• 태아폐의 성숙을 촉진하고, 출생 후의 호흡부전증후군(RDS)을 예방한다.

1. 혜영씨의 위험요소는 과거 조기진통 경험이다. 조기진통의 위험요소는 생식기 감염, 다태임신과 같은 자궁의 과도한신전, 임신 2기 출혈, 조기양막파열, 자궁목무력증, 자궁의 기형, 과거의 조산력 등이다.

2. 자궁수축의 특성(간격, 기간, 강도), 태아심박동, 자궁경관 개대와 소실, 활력징후, 양막 파열 유무, 분만예정일 등을 사정한다.

3. 자궁활동, 복부통증, 허리통증과 골반의 압박감, 질 분비물의 증가와 혈성 이슬 등이다.

4. betamethasone은 태아 폐성숙을 유도하기 위한 약물로 산모의 감염(융모양막염), 당뇨병이나 재태기간 35주(L/S ratio = 2: 1) 이후는 사용하면 안된다. 이는 임부의 고혈당 가능성이 있고, 자궁수축억제제와 함께 사용하면 폐부종의 위험성이 증가하며, 35주 이상이면 태아의 폐는 이미 성숙되어 있다.

5.

간호중재	우선순위	이론적 근거
IV를 시작하고 magnesium sulfate 투여를 시작한다.	# 1	magnesium sulfate는 자궁수축억제제이다. 조기진통 대상자는 진통을 멈추거나 늦추는 것이 가장 중요하기 때문에 우선적으로 자궁수축억제제를 투여한다.
외부태아감시기를 적용한다.	# 3	전자태아감시기를 통해 자궁의 활동과 태아 심박동 양상을 알 수 있으므로 자궁 수축정도와 태아 상태를 사정한다.
betamethasone을 IM으로 투여한다.	# 2	재태기간이 33^{+2}이므로 태아 폐성숙을 위해서 betamethasone을 투여한다.
침상 안정의 필요성과 다른 간호중재를 교육한다.	# 4	선행 간호중재를 수행하고 나서 침상안정의 필요성을 설명하고 침상안정하도록 한다. 필요시 절대침상 안정을 해야 할 수도 있다.

6. 먼저, 자궁수축을 멈추도록 자궁수축억제제를 투여한다.재태기간이 22주라면 태아 생존능력을 보장할 수 없기 때문에 태아 폐성숙을 위한 약물은 투여하지 않을 수 있다. 태아감시를 통해서 태아의 생존과 가사상태를 확인한다. 이 경우는 태아보다는 산부에게 초점을 맞추어 간호중재가 시행되어야 한다. 즉, 태아가사상태일 지라고 응급 제왕절개술이 권고되지 않는다.

09 회음절개술 산부 간호

Key Point

✓ 회음절개술은 분만시, 가위로 회음을 절개하는 수기로 회음의 심부와 항문에 열상이 생기는 것을 방지하고, 태아의 만출을 용이하게 하는 목적으로 행해진다.

✓ 잠재적 합병증 : 통증, 감염, 혈종 등

✓ 예방 : 부종과 통증을 최소화하기 위해 출산 후 즉시 회음부에 얼음팩 적용

✓ 안위대책: 좌욕, 위치하젤(witch hazel pads) 구강 진통제 등

✓ 간호교육: 회음부 위생 ("앞에서 뒤로"), 감염의 증상/징후

비판적 사고 훈련 ▼

사 례

초산부 소영씨는 산전관리 시 상담 중에 회음절개술을 원치 않는다고 말하였다.
현재 소영씨는 분만 2기이다. 태아는 꽤 크고 태아감시기는 태아가사의 초기증상을 보이고
있다. 더욱이 소영씨는 분만 2기의 지연으로 그녀가 선호하지 않는 회음절개술이 필요할
것으로 보인다.

1. 소영씨와 그의 배우자에게 회음절개술에 대해 어떻게 이야기를 시작할 것인가?

2. 산전관리를 받으러 온 소영씨에게 회음열상을 예방하기 위하여 산전에 할 수 있는 활동 중 어떤
   것을 제안할 수 있는가?

3. 간호사가 소영씨에게 회음절개술을 피할 수 있도록 어떤 도움과 간호를 제공할 수 있는가?

4. 만약 의사가 회음절개술이 필요하다는 결정을 내린다면, 출산 후에 어떤 간호대책이 필요한가?

비판적 사고 중심 학습

학습목표
- 산도의 열상을 정의하고 원인을 설명한다.
- 산도열상의 치료방법을 설명하고 대상자에게 간호과정을 적용한다.

개요
회음절개술은 질구를 확장시키기 위해 회음부에 외과적 절개를 하는 것이다. 회음절개술은 열상을 방지하고 분만 2기의 지속시간을 감소시키며 겸자분만이나 진공흡입분만과 같은 시술을 쉽게하기 위해 시행한다. 이 시술의 단점은 회음절개술을 하더라도 열상이 발생할 수 있으며 열상과 관련된 통증과 회복시간이 더 길다는 것이다. 정중앙회음절개술(median episiotomy)은 분만시 직장괄약근의 열상을 입을 수 있으며, 정중앙측방절개술(mediolateral episiotomy)은 회복이 더디며 산욕기 합병증의 가능성이 더 높다.

위험요소
- 초산부
- 태아의 후방후두위
- 거대아
- 분만보조기구의 사용(예: 겸자, 진공흡이기)
- 태아가사
- 분만 2기의 지연

치료적 간호관리
- 케겔운동과 산전기간동안 마사지를 통해서 출산 대비하기
- 회음조직의 점진적인 확대를 위해 쭈그려 앉기 자세와 측위를 취하기
- 출산 후 12~24시간 이내 즉시 회음부에 얼음팩을 적용한다.
- 회음부의 회복상태를 매일 점검한다.
- 안위를 제공한다(witch hazel pads 등은 사용).
- 산후 12~24시간 이후부터 좌욕을 시행한다.
- 회음부의 회복은 3~4주 정도 걸린다.
- 감염의 증상과 징후를 교육한다.
- 패드 교환과 배변 후의 적절한 위생관리에 대하여 교육한다.

합병증

- 정중앙외음절개술(median episiotomy)은 분만시 직장괄약근의 열상을 입을 수 있다.
- 정중앙측방절개술(mediolateral episiotomy)은 회복이 더디며 산욕기 합병증의 가능성이 더 높다.
- 감염
- 혈종:
  - 붉은빛의 질출혈이 있으나 자궁은 단단하다.
  - 외음부혈종은 부풀고 멍들어있으며 촉지하면 통증이 있다.
- 관리:
  - 합병증의 발생과 모성 사망을 예방하기 위해 조기진단과 치료를 요한다.
  - 초기에 산욕기 회음과 직장 부위의 심한통증이 있을시에는 혈종검사를 시행한다.
  - 흔히 경미한 후유증이 있다.
  - 얼음팩과 진통제로써 치료된다.
  - 만약, 혈종이 매우 커지면 외과적 제거술이 필요하며 수혈과 항생제요법을 시행한다.
- 회복 지연
- 혈액손실 증가
- 흉터
- 통증 증가
- 성기능 저하

비판적 사고 중심 간호실무

회음절개술 산부 간호

간호진단

- 회음절개술과 관련된 감염의 위험성

간호중재

- 회음부 간호를 할 때와 패드를 교환하기 전·후에 손을 씻는다.
- 항문주위로부터의 오염을 피하도록 하며, 패드 안쪽의 오염이 전파되는 것을 막기 위해 침대 린넨과 시트를 자주 교환한다.
- 패드는 앞에서 뒤로 제거한다.
- 배뇨, 배변시마다 패드를 교환하거나 적어도 하루에 4회 교환한다.
- 패드를 교환할 때마다 오로의 양과 특성, 혈종이나 부종, 멍, 발적, 배농 등이 있는지 관찰한다.
- 활력증상과 체온을 기록한다.
- 분만 후 첫 2시간 동안은 부종완화와 안위증진효과, 통증경감효과가 있으므로 처방에 따라 회음부위에 얼음주머니를 대준다.
- 회음절개부와 회음열상을 적절히 관리한다.
- 회음부를 깨끗이 하기 위해 대소변시마다 따뜻한 물이나 소독수가 담긴 병을 짜서 세척한다.
- 휴지나 깨끗한 것으로 물기를 흡수하도록 하여 말리도록 한다.

간호평가

- 산모는 정상체온과 활력증상을 유지한다.
- 산모의 회음부위가 깨끗하고 봉합이 견고하다.
- 산모는 부종과 발적, 배농이 없다.
- 산모는 회음부를 건조한 상태로 유지한다.

30세 초산부 40주 3일된 아영님은 시도분만 중이다(양두정골간경선(BPD)-92cm).

9:00 am- 유도분만을 시작

21:00 pm- 10cm 개대, 100% 소실

22:30 pm- 정사경절개술(RML) 실시 후 3kg의 여아 분만

22:40 pm- 슐츠기전으로 태반 만출, 3도 회음열상

1:40 am- 3시간 후 자궁이 우상방으로 치우침

1. 위 아영님의 상황에 맞는 것은?

가. 총 분만 소요시간은 정상이다

나. 분만 2기 소요시간은 90분이다

다. 힘주기 시 1차 만출력에 2차 만출력이 동반되었다

라. RML episiotomy는 출혈이 많고 통증이 심하다

마. 태반은 모체면이 먼저 만출되었다

바. 음순소대, 회음체, 항문전벽까지 열상되었다

① 가나다라　　　　② 가나마바　　　　③ 가다라마

④ 나다라마　　　　⑤ 다라마바

정답　1. ①

관련정보

분만 시 열상

- 분만 시 열상은 여러가지 손상을 초래한다. 특히 질의 심부열상과 질·회음부혈종, 자궁파열에서는 대량출혈로 인한 출혈성 쇼크와 파종성혈관내응고(DIC)를 일으키기 쉽다.

1. 자궁파열

종류

- 자궁파열은 자궁 장막이 포함이 안된 불완전파열과 장막면을 포함해서 자궁벽 전층으로 열상이 미치는 완전파열로 나뉜다.

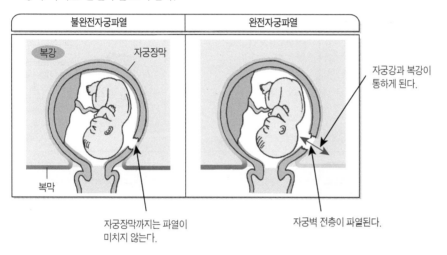

원인

- 자궁파열은 원인에 의해 3가지로 분류된다.

	자궁반흔파열	자연자궁파열	외상성자궁파열
개념	수술 등으로 인한 자궁근육층의 저항감소로 인한 것	자연적으로 발병한 것	의인성 손상 등 외부요인에 의한 것
대표적인 예	• 제왕절개 기왕력 • 자궁근종절제술의 기왕력 • 자궁내막소파술의 기왕력 • 태반용수박리의 기왕력	• 다산부 • 자궁벽이 과도하게 신전됨 　(거대아, 다태임신, 양수과다 등) • 진통이 과도하게 강한 경우	• Kristeller 태아압출술 • 겸자분만 • 외회전술 • 자궁수축촉진제의 과다투여 • 교통사고

- 자궁반흔파열은 산과수술의 기왕력이 있는 경우에 많이 발생한다. 그 중 제왕절개반흔부의 파열이 가장 많다. 이는 최근 제왕절개후의 질식분만(VBAC)이 보급되었기 때문이다.

VBAC : vaginal birth after cesarean section

증상과 관리 · 치료(격렬한 통증이 선행)

- 자궁파열 징후를 보인다.
- 발병 후에는 진통발작시에 일어나는 갑작스런 복부의 격렬한 통증과 함께 내출혈에 의한 출혈성 쇼크를 보인다.
- 태아의 상태는 발병 직후 태동이 활발한 경우가 많지만, 태반박리와 모체의 출혈에 의해 태아곤란증(fetal distress)이 나타나며 태동이 감소하고, 결국 태아는 사망한다.
- 발병한 경우에는 우선 출혈성 쇼크에 대한 치료를 행하고, 태아를 만출시킨다.

- 자궁반혼파열과 불완전자궁파열은 자궁파열의 징후없이 무증상으로 경과하고, 태아만출 후의 외출혈에 의해 진단되는 경우가 있다.

병리적수축륜(자궁수축의 특징적 소견)

- 생리적수축륜은 분만제1기 진통에 의해 형성되는 고리 모양의 홈이다. 자궁체부는 수축에 의해 비후되는 한편, 자궁하부는 얇아져서 생긴다.
- 자궁파열에서는 자궁하부가 과신전되어 수축륜도 비정상적으로 상승한다. 이것이 병리적 수축륜이며, 자궁파열이 생기기 직전에 보이는 특징적인 소견이다.

병태

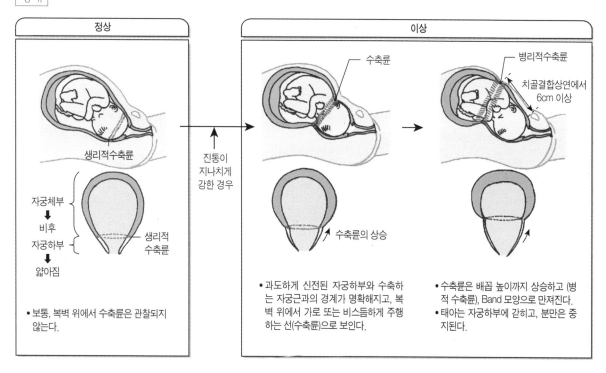

정상

생리적수축륜

자궁체부
↓
비후
자궁하부
↓
얇아짐

생리적 수축륜

- 보통, 복벽 위에서 수축륜은 관찰되지 않는다.

이상

수축륜

진통이 지나치게 강한 경우

수축륜의 상승

- 과도하게 신전된 자궁하부와 수축하는 자궁근과의 경계가 명확해지고, 복벽 위에서 가로 또는 비스듬하게 주행하는 선(수축륜)으로 보인다.

병리적수축륜

치골결합상연에서 6cm 이상

- 수축륜은 배꼽 높이까지 상승하고 (병적 수축륜), Band 모양으로 만져진다.
- 태아는 자궁하부에 갇히고, 분만은 중지된다.

2. 경관열상

개요

- 사궁질부에서 자궁경부까지의 열상으로, 분만 직후의 대량출혈의 원인 중 하나이다. 분만 시 좌우의 측벽(3시와 9시 방향)에서 발생하는 경우가 많고, 열상은 대부분의 경우 세로로 주행한다.

원인

- 자궁구가 완전히 열리기 전 경관의 급속한 개대(급속분만 등)
- 자궁구가 완전히 열린 뒤의 경관의 과신전(거대아 등)
- 경관 신전성의 이상(과거 분만에 의한 반흔, 원추절제술등의 기왕력 등)

증상(자궁이 수축해도 출혈은 멎지 않는다)

- 경관열상 부위의 혈관손상에 의한 출혈을 일으키고, 그 결과로 빈혈과 쇼크증상을 보인다.
- 자궁수축이 양호하지만 분만 후에 선홍색의 출혈이 계속된다. 이 점이 자궁무력증과의 감별점이 된다.

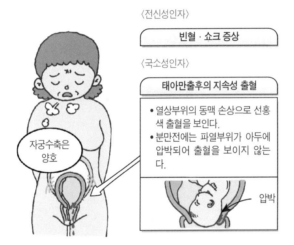

진단

- 직접 질내로 손을 넣어, 경관을 검지손가락과 가운데 손가락에 끼워 전체를 고리모양으로 촉지하며, 끊어진 곳이 있는지 여부를 조사한다. 호발 부위인 3시 9시 부위는 특히 주의해서 검사한다.

치료(경관열상봉합술)

- 손상된 경관은 조직내로 후퇴해 있는 경우가 많으므로, 열상의 가장 끝 부분에서 약 1cm 안쪽 부분부터 봉합하고, 완전하게 지혈한다.

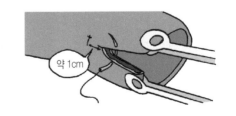

3. 질 · 회음부 열상

개요

분만시의 질 열상은 대부분은 질의 하부 3분의 1에서 발생하고, 회음부열상과 외음부열상을 동반하는 경우가 많다. 또, 분만시의 회음조직의 열상을 회음부열상이라고 한다. 대부분은 정중선상에 발생하고, 질열상을 동반하는 경우가 많다. 질 · 회음부열상은 주변 조직의 합병손상(특히 직장, 항문손상)을 일으킬 수 있다.

질열상(열상 중 가장 많다)

- 회음부 열상은 질의 하방 3분의 1에서 세로로 나있는 비천공성이 가장 많다.
- 천공성은 대출혈을 동반하고, 때로는 파종성혈관내응고(DIC)를 합병하여 심각한 결과에 이를 수 있다.
- 질원개에 윤상으로 열상이 생겨, 자궁이 질내로 하강하는 경우가 있다. 이를 질원개 열상이라고 한다.

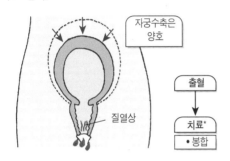

* 출혈이 많은 경우, 질강압탐폰법에 의한 지혈을 시행한다.

질 · 회음 혈종(외출혈은 보이지 않는다)

- 분만시 골반내 혈관이 터져, 질점막하, 외음부 피하 및 자궁강사이막의 결합조직내에 발생하는 혈종을 말한다.
- 질점막하, 외음부 피하에 정맥성으로 발생하는 경우가 많다.

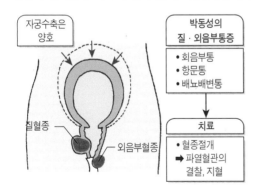

회음부 열상의 분류와 치료
• 회음부 열상은 열상의 정도에 따라 1도에서 4도까지 분류된다.

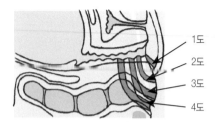

	1도	2도	3도	4도
	• 회음부의 피부 및 질점막에 국한	• 회음부 피부뿐 아니라, 근육층의 열상 동반 • 항문괄약근은 손상되지 않음	• 항문괄약근과 직장질중격의 일부까지 손상 • 직장점막은 손상되지 않음	• 항문점막 및 직장점막에도 열상
	자연치유가 가능	수술적 복구가 필요		
	• 1cm 이상인 것은 봉합한다.	• 3도 이상에서는 확실한 봉합과 지혈을 해도 감염에 의해 직장질루와 직장회음루를 형성하는 경우도 있다. 그 경우에는 항생제 등을 투여하여 염증이 치료되기를 기다렸다가 수개월 후(4~6개월) 재수술한다.		

1. 회음절개술은 질구를 확장시키기 위해 회음부에 외과적 절개를 하는 것입니다. 또한 열상을 방지하고 분만 2기의 지속시간을 감소시키며, 다른 분만보조방법인 겸자나 진공흡입분만과 같은 시술을 용이하게 하기 위함입니다.

2. 케겔운동과 산전기간 동안 마사지를 통해 출산을 대비한다.
회음조직의 점진적 확대를 돕기 위해 쪼그려 앉기 자세를 취하도록 한다.

3. 회음부 외상의 위험인자인 거대아, 태아가사, 분만 2기 지연의 경우 회음절개술이 불가피하므로 회음부 절개의 이유를 설명하고 교육하는 간호를 제공한다.

4. - 출산 후 12-24시간 이내 회음부에 얼음팩을 적용한다.
- 12-24시간 이후부터 좌욕을 적용한다.
- 패드 교환과 배변 후의 적절한 위생관리를 하도록 한다.
- 회음부의 회복상태를 매일 사정한다.

10 진공흡인분만 산부 간호

> **Key Point**
>
> ✓ 진공흡인분만은 의학적 결정에 의해서 행해진다.
>
> ✓ 분만실에서의 간호중재는 다음과 같다.
>
>   • 대상자에게 시술에 대해 설명한다.
>
>   • 대상자는 쇄석위(lithotomy) 체위를 취한다.
>
>   • 자궁 수축동안 복압을 격려한다.
>
>   • 태아 심박동을 관찰한다.
>
>   • 진공흡인분만 시행에 대해 산욕기 및 신생아 담당 의료진에게 보고한다.
>
> ✓ 신생아실에서의 간호중재는 다음과 같다.
>
>   • 적용 부위의 신생아 외상을 사정한다.
>
>   • 신생아의 두개내 자극징후(약한 빨기반사, 연하 반사, 축 늘어짐) 등을 사정한다.
>
>   • 찰과상이나 두개내 혈종에 수반되는 황달증상을 사정한다.

비판적 사고 중심 학습

학습목표

- 흡입분만을 설명한다.
- 흡입분만이 산부와 태아에 미치는 영향을 설명한다.

개요

진공흡입분만은 태아의 아두에 음압을 이용한 진공컵을 부착하는 것을 말한다. 출산의 7% 정도가 진공흡인분만이며 외과적 분만술(제왕절개)의 비율을 감소시키기 위한 노력으로 그 비율이 증가하고 있다. 진공흡입분만은 태아 아두의 하강을 용이하게 하기위하여 적용하며 심폐기능부전증과 태아가사에 대비하여, 분만 2기를 단축하기 위하여 사용된다.

적응증

- 모체 적응증
  - 분만 2기 지연
  - 척추 또는 경막외 마취를 받은 경우
  - 산부의 탈진
  - 산부의 질병: 심장병, 고혈압, 결핵 등
- 태아 적응증
  - 태아 가사

필수조건

- 두정위(안면위 금기)
- 아두골반불균형이 없어야 한다.
- 양수파막
- 경관완전 개대

치료적 간호관리

- 절차를 설명한 후 쇄석위를 취해준다.
- 자궁수축동안 복압을 격려한다.
- 시행 중 태아심음을 자주 사정한다.
- 신생아의 두 개내 적용부위의 외상을 사정한다.

- 두개내 혈종을 사정한다.
- 두개가슴 증상(약한 빨기, 연하반사, 축 늘어짐)을 사정한다.
- 두개자극 증상에 수반되는 증상으로 황달을 사정한다.
- 부모에게 적용부위에 나타난 산류는 정상이며, 몇일 이내에 사라질 것임을 설명한다.
- 진공흡입분만 시행에 대해 산욕기 및 신생아 담당 의료진에게 보고한다.

합병증

- 신생아: 두개혈종, 두개열상, 경막외 혈종
- 모체: 회음, 질, 자궁경부 열상

간호실무능력 평가

※ 다음 사례를 읽고 가장 알맞은 답을 고르시오.

> 수인씨는 Gravida 1, Para 0이며 자궁경부는 완전 개대되었고, 태아는 두정위로 진입된 상태이다. 수인씨는 자궁수축 간격에 맞춰 1시간 이상 힘을 주고 있다.
> 태아의 심박동수는 110 bpm이며 후기 하강(late deceleration)을 보이고 있다.

1. 수인씨에게 필요한 간호중재는?

① 흡입분만　　　　　② 양막파열　　　　　③ 회음절개술
④ 경막외 마취　　　　⑤ 제왕절개분만

2. 흡입분만 방법을 적용하였을 경우, 태아에게 미치는 영향을 모두 고르시오.

① 쇄골골절　　　　　② 두개열상　　　　　③ 경막외 혈종
④ 두개내 혈종　　　　⑤ 안면신경 마비

3. 흡입분만 방법을 적용하기 위한 필수조건이 <u>아닌</u> 것은?

① 양수 파막　　　　　② 선진부 진입　　　　③ 자궁 완전개대
④ 아두골반불균형　　　⑤ 태아 선진부: 두정위

정답　1.①　2.②③④　3.④

관련정보

모체와 태아적응

- 흡입분만과 겸자분만은 분만2기에 분만을 유도하는 기계적 분만방법으로 적응증은 동일하다.

모체적응	태아적응

• 분만2기 지연
• 산부가 힘을 줄 수 없는 경우
  - 척추 또는 경막외 마취
  - 산부 탈진
  - 산부의 질병: 심장병, 고혈압
	• 태아 가사

흡입분만 vs 겸자분만

- 우리나라에서는 흡입분만이 일반적으로 사용된다.

	흡입분만	겸자분만
	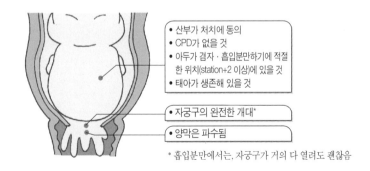	
수기습득	쉬움	어려움
견인력	중간 정도	강함
둔위	불가능	후속아두에 장착할수 있음
안면위	금기	가능
합병증	산도손상 빈도가 낮다. • 모상건막하 혈종 • 두혈종	산도손상 빈도가 높다. • 태아안면손상 • 질벽손상

필수조건

- 아래의 조건 중 하나라도 만족하지 못할 경우, 흡입 또는 겸자분만을 시행할 수 없다.

- 산부가 처치에 동의
- CPD가 없을 것
- 아두가 겸자 · 흡입분만하기에 적절한 위치(station+2 이상)에 있을 것
- 태아가 생존해 있을 것

- 자궁구의 완전한 개대*

- 양막은 파수됨

* 흡입분만에서는, 자궁구가 거의 다 열려도 괜찮음

흡입분만의 수기

기구

- 흡입 컵에는 금속제와 플라스틱제(소프트 컵)가 있다.
- 견인력은 금속 컵이 우수하지만, 장착의 용이함과 빠르기는 소프트 컵이 좋다.
- 임상에서는 금속 컵이 많이 사용된다.

〈흡입 커프(컵)〉

적용 방법

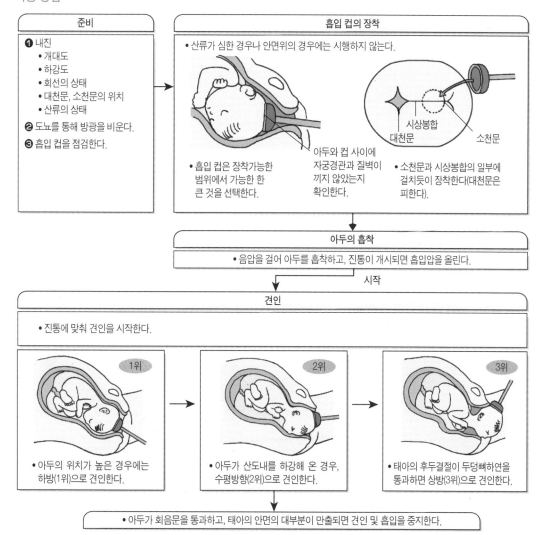

준비	흡입 컵의 장착
❶ 내진 　• 개대도 　• 하강도 　• 회선의 상태 　• 대천문, 소천문의 위치 　• 산류의 상태 ❷ 도뇨를 통해 방광을 비운다. ❸ 흡입 컵을 점검한다.	• 산류가 심한 경우나 안면위의 경우에는 시행하지 않는다. • 흡입 컵은 장착가능한 범위에서 가능한 한 큰 것을 선택한다.　• 아두와 컵 사이에 자궁경관과 질벽이 끼지 않았는지 확인한다.　• 소천문과 시상봉합의 일부에 걸치듯이 장착한다(대천문은 피한다).

시상봉합 / 대천문 / 소천문

아두의 흡착

• 음압을 걸어 아두를 흡착하고, 진통이 개시되면 흡입압을 올린다.

시작

견인

• 진통에 맞춰 견인을 시작한다.

1위 · 아두의 위치가 높은 경우에는 하방(1위)으로 견인한다.

2위 · 아두가 산도내를 하강해 온 경우, 수평방향(2위)으로 견인한다.

3위 · 태아의 후두결절이 두덩뼈하연을 통과하면 상방(3위)으로 견인한다.

• 아두가 회음문을 통과하고, 태아의 안면의 대부분이 만출되면 견인 및 흡입을 중지한다.

흡입 · 겸자분만 합병증

- 신생아 : 두개혈종, 두개열상, 경막외 혈종 등
- 모체: 회음, 질, 자궁경부 열상

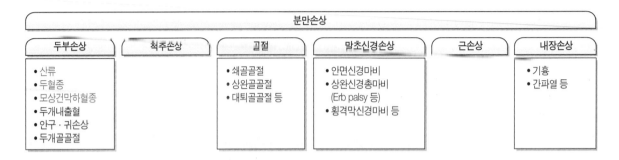

분만손상					
두부손상	**척주손상**	**골절**	**말초신경손상**	**근손상**	**내장손상**
• 산류 • 두혈종 • 모상건막하혈종 • 두개내출혈 • 안구 · 귀손상 • 두개골골절		• 쇄골골절 • 상완골골절 • 대퇴골골절 등	• 안면신경마비 • 상완신경총마비 (Erb palsy 등) • 횡격막신경마비 등		• 기흉 • 간파열 등

신생아 두부손상 비교

- 두부손상으로 산류, 두혈종, 모상건막하혈종이 있다.
- 두혈종은 곧 소실되지만, 모상건막하혈종은 대량출혈로 출혈성 쇼크, DIC에 이르러 사망하는 경우도 있다.
- 산류는 정상분만에서도 나타난다.

	산류	두혈종	모상건막하 혈종
발생	• 분만시의 산도저항에 의한 압박으로 유출액이 저류된다. • 출생 직후부터 명확	• 협골반, 흡입·겸자분만에 의해 골막이 두개골로부터 박리된다. • 생후 서서히 커진다.	• 흡입분만 등에 의해 모상건막과 골막이 박리된다.
구조와 특징	골봉합을 넘어간다. 피하 / 모상건막 / 모상건막조직 / 골막 / 두개골 • 파동성 없음. 누르면 잘 들어감 • 경계불명확 • 선진부에 1개 뿐	골봉합을 넘지 않는다. 피하 • 파동성 있음 • 경계명확 • 2개 이상인 경우도 있음	골봉합을 넘는다. • 파동성있음　　• 경계불명확 • 혈종이 앞이마, 안구, 귓바퀴주위에 걸쳐진 경우가 있음
소실시기	24~36시간	생후 수주~수개월	생후 1~2개월
처치	관찰		대량출혈에 대한 처치 • 수혈 • 출혈성질환의 검색
비고	• 좌후두위에서는 우측 두정골에, 우후두위에서는 좌측 두정골에 생긴다(아두선진부 전재측에 형성).	• 고빌리루빈혈증을 동반하는 경우가 있다. • 흡수되지 않은 혈액은 석회화한다.	• 고도빈혈, 고빌리루빈 혈증을 동반하고, 출혈성 쇼크, DIC로 인해 사망하는 경우가 있다.

11 과숙아분만 산부 간호

✓ 과숙 임신은 재태연령 42주 이후를 말하며 마지막 월경주기의 첫날로부터 294일이 지난 경우로 과숙아 임신률은 대략 10% 정도이다.

✓ 모체 위험요소는 아기가 과도하게 크기 때문에 산부는 수축기능의 부적절, 열상, 유도분만, 겸자나 진공분만 및 제왕절개의 위험이 높다.

- 양수과소증이 흔하며 이로 인해 제대압박이 초래된다.

✓ 과숙아 임신의 20-30%에서 태반기능 저하와 노화로 태아의 저산소증, 영양불량, 출산능력의 저하가 나타난다.

- 과숙아는 정상 분만아보다 태아사망률이 높다.

✓ 분만 시 간호는 태아심박동의 하강을 관찰하고 응급출산을 대비하며 신생아의 호흡기 문제에 즉각적인 대처를 한다.

비판적 사고 훈련

임산부 인숙씨는 재태연령이 42주째이며 현재 자궁저부 높이는 38cm이다. 41주에는 자궁 저부 높이가 39cm였고, 40주에는 40cm였다. 의사는 지연임신을 고려하여 유도분만을 하려고 한다. 인숙씨가 말하기를 "아기가 예상보다 훨씬 더 클거라고 생각해요. 그렇지만 괜찮아요. 남자아이니까요. 아마 축구선수가 될 수 있을거예요" 이때 간호사는 "과숙아는 정상보다 더 클수도 있지만 어떤 경우는 더 작을수도 있어요. 당신의 아기는 특별히 크지 않을 수도 있습니다." 라고 대답했다.

1. 상기 상황에서 어떤 자료가 간호사의 대답을 지지할 수 있는가?

2. 인숙씨의 자궁저부가 줄어드는 것은 무엇을 의미하는가?

3. 초음파 진단에 근거하여 인숙씨는 양수과소증으로 진단되었다. 그러나 양수주입은 계획하고 있지 않다. 그렇다면 간호사가 분만 중에 해야 할 중요한 사정은 어떤 것이 있는가?

4. 인숙씨의 진통과 분만을 위해 간호사가 해야 할 특별한 조치는 무엇인가?

비판적 사고중심 학습

학습목표

- 과숙아 분만을 정의하고, 대상자에게 간호과정을 적용한다.
- 지연분만 산부에게 지지와 분만 간호과정을 수행한다.

개요

재태기간 42주 이상을 말하며, 분만예정일의 정확한 판단은 과숙아 분만 대상자를 평가할 때 중요하다. 산부는 흔히 예정분만일이 지나는 것에 대해 불안을 느낀다. 41주 이후부터 태반의 기능은 쇠퇴하고 노화한다. 만약 태반의 기능이 부적절하다면 분만 시 태아에게 산소와 영양을 공급하여 진통 시 태아가 가사상태에 빠지는 것을 예방해야 한다. 문제점은 태아질식, 태변흡입, 미성숙증후군과 호흡부전 등이 있다. 또한 양수의 양은 40~42주 사이에 극적으로 줄어들며, 제대 압박을 초래해 저산소증의 가능성을 증가시킨다. 과숙아 분만은 신생아 치사율의 15%를 차지한다.

위험요소

- 과숙아 분만의 과거력
- 에스트로겐 결핍
- 태반 sulfatase의 감소(에스트로겐을 만들어 냄)
- 부신기능의 감소

진단검사

- 태아의 안녕상태 확인을 위한 무자극검사 및 자궁수축검사
- 양수량의 사정
- 양수천자나 양막경을 통한 양수검사(양수내 태변 관찰)
- 태아생물리학계수(BPP)
- 초음파
- 매주 자궁경부 검진(40주 이후)

증상과 징후

- 42주 이상 지연 임신
- 태아성장의 감소
- 양수과소증

치료적 간호관리

- Oxytocin과 자궁경부 숙화젤(prostaglandin)을 사용해서 가능한 유도분만을 준비한다.
- 진공분만, 제왕절개 수술 등의 준비를 한다.
- 양막내 주입술로 양수량을 보충하고 제대에 가해지는 압박을 경감시킨다. 단 양수과소로 인한 태아질식을 치료하기 위해 양수주입은 유익하나, 예방적인 양수주입은 비효과적이며 해가될 수 있다.
- 태아와 신생아의 상태를 관찰한다.
- 출산 후와 출산 후 한 시간 이내에 신생아의 혈당치를 검사한다. 최근 연구를 근거로 한 지침은 한 시간 또는 30분 이내(모든 신생아에게, 단지 과숙아가 아니더라도)에 영양을 공급하는 것이다. 4kg 이상, 2.5kg 이하의 위험군의 신생아, 당뇨나 내분비질환을 가진 산모의 신생아, 조산이나 증상이 발현된 신생아는 다음 수유의 한 시간 정도 전에 첫 번째 혈당치 수준을 파악해야 한다.
- 가능한 빠르고 잦은 수유를 제공한다.
- 신생아의 체온을 자주 점검한다. 부모에게 cold stress를 예방하는 방법을 교육한다. 여분의 담요나 방열기구가 필요하면 제공한다.

합병증

- 태아산독증
- 양수과소증
- 태변흡입증후군
- 신생아 가사
- 신생아 저혈당증
- 신생아 적혈구 증가증과 과빌리루빈혈증
- 신생아의 체온조절능력 저하
- 태아영양 부족

※ 다음 사례를 읽고 가장 알맞은 답을 고르시오.

> 현정씨는 Gravida 1, Para 0로 41주 5일 째에 프로스타글란딘 젤을 주입하여 유도분만을
> 계획하고 있다. 젤 삽입 한 시간 전에 전자태아감시 상에 자궁수축은 없고 태아심박동에서노
> 어떤 하강(decelerations) 증상도 나타나지 않았다. 그래서 현정씨는 다음날 아침 분만실에
> 입원하여 옥시토신 유도분만을 시작할 예정이다.

1. 현정씨가 예정된 병원 방문시간보다 일찍 입원을 해야 하는 경고 증상과 징후는?

   ① 출혈   ② 방광팽만 증상   ③ 하강감(lightening)
   ④ 증가된 태아 움직임   ⑤ 15분 간격의 자궁수축

2. 입원 후 현정씨에게 적용할 간호중재로 옳지 않은 것은?

   ① 내진을 자주 하도록 한다.
   ② 자궁수축의 변화를 점검한다.
   ③ 산부와 가족에게 정서적인 지지를 한다.
   ④ 산부에게 좌측 횡와위 자세를 취하게 한다.
   ⑤ 전자태아감시기로 태아심음을 지속적으로 관찰한다.

3. 간호사가 현정씨에게 태어날 아기에게 예상되는 건강문제에 대해 설명하고 있다. 해당되지
   않는 것은?

   ① 고혈당   ② 저체온   ③ 신생아 가사
   ④ 태변흡입증후군   ⑤ 피부의 건조, 갈라짐

정답   1. ①   2. ①   3. ①

관련정보

■ 지연임신의 병태생리

- 원인의 대부분은 불명확하다.
- 지연임신은 무뇌아, 태아부신형성부전, 태반 surfactase 결핍증 등의 합병 빈도가 높으며, 태아의 시상하부-뇌하수체-부신계와 태반의 이상과 관계있다고 한다.
- 지연임신은 태반의 기능부전에 의한 과숙아가 문제가 된다.

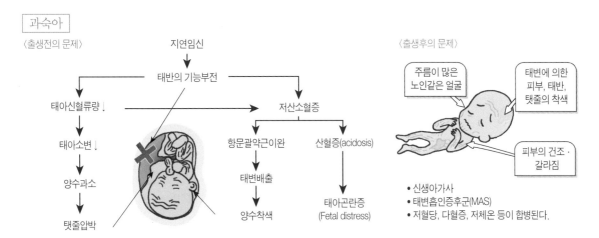

과숙아

〈출생전의 문제〉

지연임신
↓
태반의 기능부전

태아신혈류량↓ → 저산소혈증

태아소변↓   항문괄약근이완   산혈증(acidosis)

양수과소   태변배출   태아곤란증
                                       (Fetal distress)
태줄압박   양수착색

〈출생후의 문제〉

주름이 많은 노인같은 얼굴

태변에 의한 피부, 태반, 탯줄의 착색

피부의 건조·갈라짐

- 신생아가사
- 태변흡인증후군(MAS)
- 저혈당, 다혈증, 저체온 등이 합병된다.

지연임신의 관리

- 임신주수가 맞는지 다시 산출한다.
- 임신초기에 초음파로 계측한 머리엉덩길이(CRL)와 양측마루뼈지름(BPD)이, 실제 임신주수와 일치하는지를 다시 확인한다.
- 현재, CRL로 임신 8~10주에서는 거의 정확한 임신주수를 산출할 수 있다.

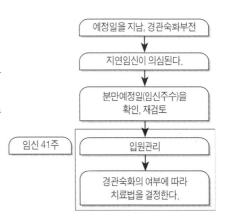

예정일을 지남, 경관숙화부전
↓
지연임신이 의심된다.
↓
분만예정일(임신주수)을 확인, 재검토
↓
임신 41주 | 입원관리
↓
경관숙화의 여부에 따라 치료법을 결정한다.

> **참고**

태변흡인증후군

태아의 대장에는 변이 존재하지만, 자궁 내에서 배변하지는 않는다. 하지만 저산소 상태에서는 미주신경반사가 항진되어, 배변을 하게 되어, 태아의 호흡양운동으로 더럽혀진 양수가 기도내로 들어간다. 그리고 출생 후에 호흡을 시작하면, 태변이 기도 깊숙히 더욱 들어가서 호흡장애를 일으킨다. 이를 태변흡인증후군이라고 한다.

1. 자궁저부는 줄어들고 있으며 이것은 태아가 자라기를 멈추었다는 것을 의미할 수 있나.

2. 양수과소증(양수의 부족상태) 또는 양수가 줄어들고 있는 상태

3. 간호사는 변이성 하강상태가 나타나는지 여부를 판단하기 위해 태아심박동 상태를 감시할 필요가 있다. 양수과소증은 태아의 신체에 의해 제대가 압박받을 위험성을 증가시키며 태아의 변이성 하강을 초래한다.

4. 인숙씨는 42주이고, 양수과소증으로 진단되었으므로 즉시, 유도분만을 계획한다. 태아심음을 지속적으로 사정하며 간호사는 흡입 또는 겸자분만이나 제왕절개술의 필요성에 대비하여야 한다. 그리고 인숙씨를 위해 정서적 지지를 제공한다. 또한, 신생아의 응급소생에 대비하여야 한다. 신생아는 태변흡입으로 인한 호흡곤란을 겪을 수 있다.

12 제대탈출 산부 간호

✓ 탯줄이 태아선진부 아래 질 혹은 회음부까지 빠져나온 경우를 제대탈출이라 한다.

✓ 제대 탈출의 위험요소는 다음과 같다.

- 태아 선진부가 골반 입구에 진입되지 않음
- 작은 제태연령(SGA)이나 비정상적인 선진부(예: breech)
- 양수과다증
- 파막 시

✓ 제대탈출은 응급상황이다.

- 출산은 태아곤란증(fetal distress)을 예방하기 위해 신속히 진행되어야 한다.
- 제대탈출의 경우 항상 육안으로 볼 수 있는 것은 아니다.

✓ 제대 탈출 시 주요 간호중재는 다음과 같다.

- 제대의 압박을 완화한다.
- 신속히 분만을 하게 한다.
- 도움을 요청하되 산부를 혼자 두지 않는다.

이 간호사는 분만실에서 진통 중인 희선씨를 간호하고 있다. 이 간호사는 희선씨가 화장실에 가는 것을 도와주었는데 화장실에 있는 동안 희선씨는 다량의 체액이 나오는 것을 느꼈으며 무엇인가가 쏟아져 나오는 느낌을 받았다고 하였다.

1. 희선씨에게 수행 할 간호중재들에 대해 우선순위를 결정하고 합리적 근거를 설명하시오.

간호중재	우선순위	이론적 근거
Trendelenburg position이나 knee-chest position을 취해준다.		
출산 시까지 태아 선진부를 위쪽으로 올리고, 유지하기 위하여 장갑낀 손을 사용한다.		
산소를 투여한다.		
주치의에게 즉시 보고한다.		
응급상황에서의 도움을 위해 콜벨을 누른다.		
제대가 눈으로 보이는지 여부를 알기위하여 회음부를 점검한다.		
태아심박동수를 사정한다.		

비판적 사고중심 학습

학습목표

- 제대탈출을 정의하고 원인과 증상을 설명한다.
- 제대탈출 대상자에게 간호과정을 적용한다.

개요

제대탈출은 양막파수 전에 제대가 태아선진부보다 하부에 존재하면 제대하수, 양막파수 후에 제대가 태아선진부 하부에 있는 질 혹은 회음부까지 빠져 나온 경우는 제대탈출이라 한다. 태아의 선진부가 제대를 압박면 태아에게 가는 혈류를 감소시키거나 멈추게 한다. 은익성 제대탈출은 숨겨져서 잘 보이지 않으며 파수의 여부와 상관없이 진통 시 언제든지 발생할 수 있다. 육안으로 보이는 제대탈출은 파막 후에 선진 부위보다 앞서 중력으로 제대가 밀려내려올 때 바로 발생하게 된다. 제대탈출은 거의 출산 시 400분의 1로 발생하며 응급상황이다!

위험요소

- 진통시 진입되지 않은 태아 선진부
- 파막: 양수는 태아의 제대를 골반 출구로 밀고 나간다.
- 미숙아나 작은 제태연령(SGA)
- 양수과다증
- 다태아
- 비정상적으로 긴 제대(100cm 이상)
- 비정상적인 태위, 선진부(예: 둔위, 횡위)

증상과 징후

- 자궁경부나 질 내에서 제대가 육안으로 보이고 만져진다.
- 파막시 산부는 제대가 밀려나오는 느낌이 있을 수 있으나 아무런 증상이 발행하지 않는다.
- 태아서맥, 태아심박동수의 다양성 또는 후기 감속, 다양성 소실(태아 곤란증 징후)

치료적 간호관리

- 도움을 요청한다.
- 즉시 의사에게 알린다.
- 즉시 태아의 심박동을 사정하고, 파막을 사정하며 15분 후에 재사정한다.
- 제대탈출이 의심되면, 대상자를 골반고위 자세를 취해 제대압박을 완화시킨다.
- 산부에게 산소를 8-10L/분 공급한다.
- 경부가 완전 개대되었다면 즉시 질분만을 준비하고, 그렇지 않다면 제왕절개술을 준비한다.

합병증

- 제왕절개수술의 위험성
- 자궁내 저산소증이나 무산소증
- 태아 사망(예후는 제대압박과 제대손상 시간과 심각성에 따라 좌우됨)

비판적 사고중심 간호실무

제대탈출

간호사정

- 제대탈출과 관련된 산부의 현재 상태를 사정한다.
- 제대압박은 변이성 감퇴와 연관되어 있기 때문에 전자태아감시장치를 통해 태아심박동수를 사정한다.
- 맥박을 촉진할 수 있는 매끈거리는 제대존재(제대탈출)를 주의한다.

간호진단

- 제대압박에 따른 혈류장애와 관련된 태아의 가스 교환 변화의 위험성
- 태아생존 유무와 관련된 불안

간호중재

- 제대탈출이라면, 먼저 도움을 요청한다.
- 제대탈출이 의심되거나 감지되면 대상자를 trendelenburg 체위나 knee-chest 체위로 취하게 하며 베게로 엉덩이를 상승시킨 상태에서 측위를 취해준다.
- 즉시 멸균장갑을 착용하고 질 안쪽으로 손가락을 삽입하여 제대압박을 완화시키기 위해 선진부를 상부쪽으로 밀어준다.
- 즉시 의사에게 알린다.
- 즉시 태아의 심박동을 사정한다.
- 모체의 혈중 산소 포화도를 높이기 위해 분당 8~10L의 산소를 공급한다.
- 정맥내 주입을 시작하거나 주입 속도를 증가시킨다.
- 탈출된 제대는 안으로 밀어넣지 않으며, 따뜻한 생리식염수를 적신 거즈로 탈출된 제대를 덮어준다.
- 어떤 경우에는 따뜻한 식염수로 방광을 채우기 위해 유치방광카테터가 삽입되기도 한다. 채워진 방광은 압력을 가해 태아의 위치를 위쪽으로 밀어 제대의 압박을 완화시킨다.
- 경부가 완전 개대되었다면 즉시 질분만을 준비하고 그렇지 않으면 제왕절개술을 준비한다.
- 산부와 가족이 불안해 할 것을 예상하여 격려와 정보를 제공하여 진정시킨다.
- 발생된 상황과 관리방법에 대해 간단히 설명한다.
- 제공한 간호중재에 대해 평가한다.

- 중재에 대한 심박동수의 반응은 어떠하였는가?
- 심박수가 110~160회/분 범위로 되돌아 왔는가?
- 태아전자감시장치에서 지속적 감속의 증거가 있는가?
- 지속적인 태아심박동수 감속(deceleration)의 증거가 있었다면 얼마나 빈번하게 심박동수가 떨어졌는가?
- 치료적 체위를 산부가 잘 취하고 있는가? 태아심박동수는 향상되고 있는가? 제왕절개가 끝날 때까지 이 자세가 유지될 수 있는가?
- 태아는 많이 움직이는가?
- 심박동수의 가속(acceleration)이 나타나는가?
- 여성에게서 분비되는 체액으로부터 내 자신을 보호하기 위해 필요한 것은 무엇인가?

간호기록의 예

- 경부와 질을 통해 제대탈출 확인됨
- 골반고위 자세를 취해줌
- 제대압박을 완화시키기 위해 선진부를 상부쪽으로 밀어줌
- 태아전자감시장치 모니터에 태아심박동수가 기준선 110~160회/분을 유지함
- 평균 변이성을 나타냄
- 태동시 태아심박동수가 20회/분 이상 상승이 15초 이상 지속됨
- 즉시 주치의에게 보고함
- 락테이트 링거액 1,000mL를 18G로 정맥주사 후 빠르게 주입함
- 수액은 125mL/시간으로 주입됨
- 16Fr 유치 카테터가 삽입됨
- 제왕절개술을 위한 복부-회음부 준비함
- 응급 제왕절개수술을 위해 수술실 연락됨
- 출산 시까지 질을 통해 아두를 계속 눌러줌
- 남편에게 수술 동의서를 받음   RN 이○○

※ 다음 사례를 읽고 가장 알맞은 답을 고르시오.

> 30세로 임신 38주인 경미씨는 분만실에서 진통 중에 있는데, "밑으로 뭔가 왈칵 쏟아져요"
> 라고 호소하였다. 간호사가 시트를 걷고 산부의 회음부를 보니 제대가 질 밖으로 나와 있었다.

1. 간호사가 수행할 중재는?

    ① 질 내진을 실시한다.   ② 수분 공급을 제한한다.

    ③ 제대를 안으로 넣어준다.   ④ 제대를 만져 상태를 파악한다.

    ⑤ 따뜻한 생리식염수로 적신 거즈를 제대에 덮어준다.

2. 간호사의 우선적 간호 중재는?

    ① 의사에게 보고한다.   ② 질 내진을 실시한다.

    ③ 태아심박동 수를 확인한다.   ④ 산부에게 산소를 투여한다.

    ⑤ 트렌델렌버그 체위를 취해준다.

3. 위 상황의 유발요인은?

    ① 파막   ② 다태아   ③ 양수과소증

    ④ 둔위나 횡위   ⑤ 진입된 선진부

4. 제대탈출 발생의 원인으로 보기 어려운 것은?

    ① 진입된 아두   ② 진입된 둔위

    ③ 조기양막파수   ④ 탯줄이 지나치게 긴 경우

    ⑤ 아두가 과도하게 작은 경우

5. 제대탈출시 응급제왕절개술을 실시하는 이유는?

    ① 산부 통증   ② 태아 가사

    ③ 태변흡입증후군   ④ 양막파수로 인한 감염

    ⑤ 양막파수로 인한 양수과소증

정답   1. ⑤   2. ⑤   3. ①   4. ①   5. ②

제대하수 vs 제대 탈출

- 제대하수: 양막파수 전에 태아선진부보다 하방에 탯줄이 존재하는 것
- 제대탈출: 양막파수 후에 탯줄이 태아선진부 아래 질 혹은 회음부까지 빠져나온 것
- 제대하수의 대부분은 파수 후, 제대탈출이 된다.
- 제대하수 탈출의 원인
  - 아두선진부가 골반에 합입되지 않은 둔위 · 횡위 경우
  - 협골반
  - 아두가 과도하게 작은 경우
  - 탯줄이 지나치게 긴 경우
  - 조기양막파수 등

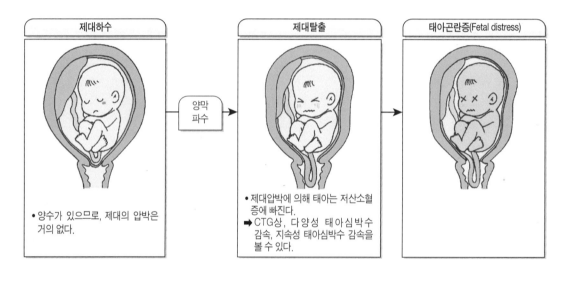

제대하수	제대탈출	태아곤란증(Fetal distress)
• 양수가 있으므로, 제대의 압박은 거의 없다.	• 제대압박에 의해 태아는 저산소혈증에 빠진다. ➡ CTG상, 다양성 태아심박수 감속, 지속성 태아심박수 감속을 볼 수 있다.	

양막
파수

제대하수의 관리(태반기능부전의 예방)

- 제대하수가 진단된 후에는 세밀한 관리를 하며 자연적으로 복구되기를 기대한다.
- 제대하수에서는 제대탈출로 이행하여 태아곤란증이 일어날 우려가 있으므로, 정상회복되지 않을 경우 예방적으로 제왕절개술을 행한다.
- 제대탈출에서는 태아를 소생시키기 위해 응급으로 제왕절개를 행한다. 응급으로 태아를 만출시키지 않으면, 태아의 예후는 불량하다.

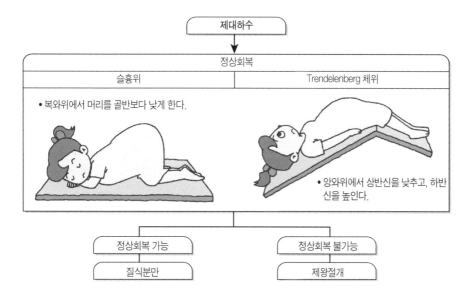

제대하수 → 정상회복

슬흉위	Trendelenberg 체위
• 복와위에서 머리를 골반보다 낮게 한다.	• 앙와위에서 상반신을 낮추고, 하반신을 높인다.

정상회복 가능 → 질식분만

정상회복 불가능 → 제왕절개

1.

간호중재	우선순위	이론적 근거
Trendelenburg position이나 knee-chest position을 취해준다.	# 3	가능한 빨리 제대가 압박 받는 것을 방지하기 위해 필수적이다. 2순위가 될 수도 있다.
출산 시까지 태아 선진부를 위쪽으로 올리고, 유지하기 위하여 장갑낀 손을 사용한다.	# 4	간호사는 손을 떼라고 할 때까지 선진부를 위로 올리면서 자세를 유지한다. 만약, Trendelenburg position을 취해주기 전에 이러한 일이 행해졌다면, 간호사는 침상의 체위를 변경시키기 위하여 태아의 선진부로부터 손을 뗀다.
산소를 투여한다.	# 5	태아를 위해 모체의 산소포화도를 증가시킨다.
주치의에게 즉시 보고한다.	# 6	주치의에게 보고한다.
응급상황에서의 도움을 위해 콜벨을 누른다.	# 2	제대탈출은 산과적인 응급상황이다. 콜벨을 눌러 도움을 요청한다. 그리고, 이 간호사는 제대에 의해 태아의 가사상태가 발생하는 것을 방지하기 위해 제대의 압박을 완화시키는 중재를 수행해야 한다.
제대가 눈으로 보이는지 여부를 알기위하여 회음부를 점검한다.	# 1	가장 먼저, 제대탈출을 확인해야 한다. 그래야 제대탈출 유무에 따라 간호중재 방향을 결정할 수 있다.
태아심박동수를 사정한다.	# 7	태아 심박동 사정은 응급상황이 발생하기 전에 미리 사정되었을 것으로 예상된다. 그러나 양막파열 직후에 태아심박동 사정이 이루어져야 하며, 지금은 제대탈출이 되었기 때문에 제대탈출에 관한 응급처치가 끝나는 대로 태아심박동을 감시해야 한다.

13 다태임신 산부 간호

사 례

Gravida 3, Para 2의 세인씨는 쌍둥이를 임신했다는 것을 알게 되었다. 세인씨의 자궁저부 높이는 제태연령에 비해 현저히 높다. 그녀는 매우 심한 오심과 구토를 경험하였는데도 약 9.1kg 정도의 체중증가가 있다. 간호사는 쌍둥이 각각을 청진하였는데, 쌍둥이 A는 160bpm, 쌍둥이 B는 140bpm이라는 결과를 얻었다.

1. 태아심박동수를 평가하시오.

2. 세인씨가 "제 식이에 대해 도움을 주시겠어요? 저는 아기들에게 필요한 모든 영양을 섭취할 수 있는 방법을 알고 싶어요. 그러나 많은 칼로리를 섭취하고 싶지는 않아요. 내 친구는 임신했을 때 12kg 정도 증가했어요. 나는 건강상태를 유지하면서 너무 뚱뚱해지지 않았으면 해요."라고 말하였다. 간호사는 어떻게 설명해야 할까?

3. 다태임신의 경우 모체의 활력증후에 대한 사정은 매우 중요하다. 그 이유는 무엇인가?

4. 간호사는 세인씨가 조산이 되지 않도록 예방 교육을 해야 하는데, 어떻게 교육을 해야 하는가?

비판적 사고 중심 학습

학습목표

- 다태분만을 정의한다.
- 다태분만 시 증상, 징후를 열거한다.
- 다태분만 대상자에게 간호과정을 적용한다.

개요

자궁 내에서 두 명 이상의 태아가 발달하는 상태를 다태임신이라고 하는데, 다태임신은 임신, 분만 시, 산욕기 때 모아사망률과 유병률을 증가시킨다. 다태임신은 정상 주수에 비해 자궁이 크게 증대되며 임산부는 과도하게 증가하는 자궁 때문에 짧은 호흡, 호흡곤란, 요통, 발의 부종 등의 큰 불편감을 가질 수 있다.

주된 산전관리의 목표는 조기진통을 예방하는 것이다. 산전관리는 일찍 시작되어야 하며 보다 주기적이고 빈번한 산전관리가 요구된다. 임부는 임신 초기부터 생활방식을 변경해야 한다. 주당 업무시간을 감소시키고 오랫동안 서 있는 것을 피한다.

위험요소

- 다태임신의 가족력
- 배란촉진제
- 불임치료: 체외수정(in vitro fertilization, IVF), Clomid와 같은 불임치료제
- 노산

진단검사

- 융모성선자극호르몬(hCG) 수치의 상승
- 태아단백질(Alpha fetal protein, AFP) 수치의 상승
- 프로게스테론 수치의 상승
- 초음파
- 양수천자

증상과 징후

- 둘 이상의 태아 확인(복부촉진, 초음파, 자궁저부 높이나 태아 심음)
- 한 부위 이상에서 태아심음 청취
- 상승된 자궁저부 높이
- 심한 오심과 구토
- 체중 증가

치료적 간호관리

- 제왕절개를 준비한다(보통 쌍태 이상은 제왕절개를 함).
- 질식분만시 지속적으로 태아를 감시한다.
- 각 신생아를 주의 깊게 확인한다.
- 각 신생아에게 적용할 수 있는 소생 장비를 확인한다.
- 임신 중 오래 동안 서 있는 것을 피한다.
- 쌍태를 가진 산모의 체중은 16~20kg(단태아 임부의 50%) 정도의 증가가 바람직하며, 하루 섭취량은 단태아 임부 요구량에 300kcal를 더 권장된다.
- 임신 중기부터 2주에 한 번씩 산전관리를 받도록 한다.

합병증

- 조산: 쌍태의 절반 가량이 37주 이전에 태어난다.
- 자연 유산
- 자궁강의 협소로 자궁내 성장 지연
- 선천성 기형, 태반기형, 제대압박, 쌍태아간 수혈증후군(Twin-to-twin-transfusion syndrome, TTTS)
- 모체의 임신성 고혈압, 양수과다증, 빈혈
- 자궁의 과도팽만에 따른 부적절한 진통
- 자궁파열의 위험성 증가
- 산후출혈의 위험성 증가

간호실무능력 평가

※ 다음 사례를 읽고 가장 알맞은 답을 고르시오.

> 시영씨는 다태임신부로 Gravida 3, Para 1이며, 임신 32주에 정기적인 산전검사를 위해 외래를 방문하였다. 피로감과 요통의 증가, 과다 체중증가와 운동부족, 빠른 호흡 등 불편감을 호소하였다. 태아심박동은 135 bpm이고, 혈압은 150/100mmHg이다.

1. 시영씨의 비정상적인 증상은?

   ① 피로감　　　　　　② 운동부족　　　　　　③ 산부의 혈압

   ④ 요통의 증가　　　　⑤ 태아심박동 수

2. 시영씨에게 추가적으로 사정해야 할 내용은?

   ① 태동　　　　　　　　　　② 체중 측정

   ③ 혈색소 검사　　　　　　　④ 허리 X-ray 촬영

   ⑤ 6시간 후 혈압 재측정

3. 시영씨에게 설명한 내용으로 옳지 않은 것은?

   ① 산후 출혈 가능성이 증가한다.

   ② 조기파막의 가능성이 증가한다.

   ③ 만삭 분만 가능성이 증가한다.

   ④ 분만 중 감염의 합병증이 증가한다.

   ⑤ 분만 시 저긴장성 자궁수축이 발생할 수 있다.

정답　1. ③　2. ⑤　3. ③

관련정보

다태임신의 합병증

- 쌍태임신의 약 반수에서 조산된다.
- 일융모막 쌍태와 이융모막 상태로 나뉜다.
- 일란성 쌍태와 이란성 쌍태로 나눈다.
- 일란성 쌍태 빈도는 인종별로 비슷하다.
- 이란성 쌍태는 흑인, 백인, 황인종의 순으로 발생한다.
- 쌍태아간 수혈증후군에 의한 양수과다증 등이 있다.

모체 ─
- 유산
- 조산
- 모체빈혈
- 자간전증
- 양수과다증
- 진통의 미약
- 자궁무력증

태아
- 쌍태아간수혈증후군
- 쌍태아 중 일측태아사망
- 태위이상
- 태아기형
- 자궁내태아성장(발육) 지연(IUGR)

모체의 합병증과 병태생리

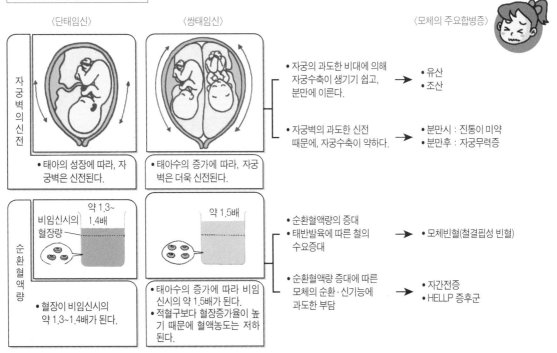

〈단태임신〉 〈쌍태임신〉 〈모체의 주요합병증〉

자궁벽의 신전

- 태아의 성장에 따라, 자궁벽은 신전된다.
- 태아수의 증가에 따라, 자궁벽은 더욱 신전된다.

- 자궁의 과도한 비대에 의해 자궁수축이 생기기 쉽고, 분만에 이른다. → • 유산 • 조산

- 자궁벽의 과도한 신전 때문에, 자궁수축이 약하다. → • 분만시 : 진통이 미약 • 분만후 : 자궁무력증

순환혈액량

약 1.3~1.4배
비임신시의 혈장량

약 1.5배

- 혈장이 비임신시의 약 1.3~1.4배가 된다.
- 태아수의 증가에 따라 비임신시의 약 1.5배가 된다.
- 적혈구보다 혈장증가율이 높기 때문에 혈액농도는 저하된다.

- 순환혈액량의 증대
- 태반발육에 따른 철의 수요증대 → • 모체빈혈(철결핍성 빈혈)

- 순환혈액량 증대에 따른 모체의 순환·신기능에 과도한 부담 → • 자간전증 • HELLP 증후군

쌍태임신의 관리

- 일융모막 쌍태에서는 심각한 합병증을 일으키는 경우가 많으며, 엄숭한 관리가 필요으다.

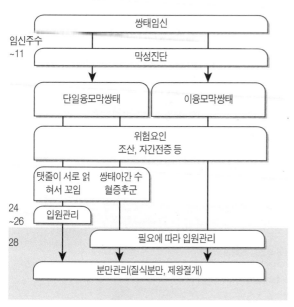

임신주수
~11

쌍태임신 → 막성진단 → 단일융모막쌍태 / 이융모막쌍태 → 위험요인 조산, 자간전증 등

탯줄이 서로 얽혀서 꼬임 / 쌍태아간 수혈증후군

24~26 입원관리

28 필요에 따라 입원관리

분만관리(질식분만, 제왕절개)

*관리입원 • 영양섭취 : 단태임신 + 300kcal/일
 • 조기진통의 징후(+) ➡ 자궁수축억제제
 • 자간전증의 예방과 치료

서로 얽힌 쌍태(locked twin)

- 서로 얽힌 쌍태(locked twin)는 태아가 서로 얽혀 골반내에 걸려서, 분만 진행이 중지된 상태를 말한다.
- 일융모막 쌍태에 많으며, 제 1아와 제 2아가 둔위-두위인 경우 호발한다.
- 즉시 제왕절개수술을 해야 한다.

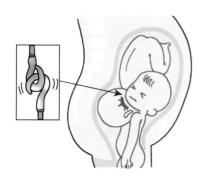

분만관리

- 태위의 위치에 따라서 분만방식을 선택한다.
- 쌍태아에서 태위의 조합은 아래와 같다.
- 제 1아의 만출 후에는 혈관문합을 통해 제 2아의 혈액이 탯줄로 이동하여, 실혈하여 사망할 위험이 있으므로, 즉시 탯줄을 결찰·절단한다.
- 제 1아의 만출 후에 제 2아의 만출이 어더워 제왕절개하는 경우가 있다.
- 삼태 이상의 다태임신에서는 저체중출생아와 태위이상이 흔하므로, 제왕절개술로 태아를 만출하는 경우가 많다.

태위의 조합		빈도	분만방법
두위―두위	제1아 / 제2아	45%	질식분만
두위―둔위		25%	질식분만, 제왕절개
둔위―두위		10%	제왕절개
둔위―둔위		10%	제왕절개
두위―횡위 (그 외)		10%	제왕절개

1. 쌍둥이 둘다 110~160bpm의 정상범위 내에 있다. 5 bpm 이상의 차이를 나타내는 서로 다른 심박동수는 정상이다.

2. 간호사는 세인씨에게 한 명의 태아를 가졌을 때보다 더 많은 칼로리 섭취가 필요함을 설명한다. 두 명의 태아를 가졌기 때문에 세인씨의 친구보다 더 많은 체중증가가 있을 것이다. 이상적으로 쌍둥이를 가진 산모의 체중은 16~20kg의 증가가 바람직하며, 하루 섭취량은 비임신시보다 600kcal가 더 추가되어야 한다.

3. 혈압이 매우 중요한데, 다태임신은 임신성 고혈압의 위험성이 증가하기 때문이다.

4. 장시간 서 있는 것을 피하고 무리하게 일하지 말아야 하며 낮동안 자주 쉬도록 한다.
   만약 직장에서 일한다면 주당 40시간이 넘지 않도록 권유하며 집에서도 다른 아기들이 있는 경우라면 세인씨가 쉴 수 있도록 가족 구성원이나 친구들이 주기적으로 아기를 돌봐줄 수 있는지 물어보고 필요시 지역사회 도움을 요청하도록 한다.

14 제왕절개술 산부 간호

Key Point

✓ 제왕절개는 자궁벽을 외과적으로 절개하여 태아를 만출시키는 방법이다.

✓ 출산의 약 20% 이상이 제왕절개술 분만이다.

✓ 복식제왕절개는 자궁벽의 절개 부위에 따라 2가지 유형으로 나누어진다.

   • 자궁하부횡절개(복식심부제왕절개)

   • 자궁체부종절개(고전적제왕절개)

     − 자궁하부횡절개를 시행할 수 없는 경우에 한하여 시행

✓ 제왕절개술은 예정되거나 응급상황에서 시행된다.

   • 아두골반 불균형

   • 과거 제왕절개분만 경험

   • 아주 심한 자간전증

   • 전치태반이나 태반조기박리

   • 태아질식

✓ 제왕절개술은 질출산보다 모성의 사망률이 높으며 산후 합병증은 감염, 마취시 반응, 출혈, 색전이다.

비판적 사고 훈련

사 례

보람씨는 초산부로 지연된 분만 1기의 활동기 상태로 기력이 소진해 가고 있다. 주치의는 아두골반불균형으로 진단하였으며, 제왕절개술을 준비하고 있다. 보람씨와 배우자는 외과적 수술에 대해 걱정하고 있으며 많은 궁금증을 가지고 있다. 보람씨는 "나는 한 번도 병원에 가본 적이 없어요. 물론 수술도 해본 적이 없어요." 라고 말한다. 이미 IV 라인은 확보된 상태이며, 간호사는 유치 도뇨관을 삽입하려 한다. 유치도뇨관 삽입은 경막외/척추마취를 하기 전에 시행한다.

1. 유치도뇨관의 사용 목적은 무엇인가?

2. 간호사는 "자신과 아기에 대한 불확실한 결과와 시행 절차에 대한 지식 부족과 관련된 불안" 이라는 간호진단을 내렸다. 가족 중심의 간호와 불안 감소를 위해 적용할 수 있는 간호중재는 무엇인가?

3. 간호사는 보람씨의 머리를 받칠 수 있는 작은 베개를 받쳐주고 앙와위로 수술대 위에 눕도록 한다. 다리와 팔을 안전띠로 고정하며 바닥에는 패드를 대어 준다. 간호사는 추가적으로 어떤 간호중재를 해줄 수 있는가?

4. 간호사가 보람씨와 가족을 방문했을 때, 보람씨는 수술분만 후 일어날 수 있는 것에 대해 많은 궁금증을 가지고 있다. 간호사는 이러한 상황에 대해 어떻게 설명할 것인가?

비판적 사고중심 학습

학습목표

- 제왕절개 분만의 적응증을 기술한다.
- 제왕절개 분만의 방법을 설명한다.
- 제왕절개 분만 산부의 수술 전 후 간호를 계획하고 수행한다.
- 제왕절개 후 질식분만(VBAC) 대상자의 전 후 간호를 계획하고 수행한다.

개요

제왕절개는 복벽과 자궁을 외과적으로 절개하여 태아를 만출시키는 방법으로 복부수술로 출산이 이루어지는 외과적 절차이다. 제왕절개술의 목적은 모체와 태아의 생명과 건강을 보존하는데 있으며 모체나 태아의 합병증이 있을 때 출산으로써 가장 좋은 선택이나 질 출산보다 병원 입원기간과 회복기간이 더 오래 걸린다.

절개의 유형은 두 가지로 자궁체부종절개와 자궁하부횡절개가 있다. 또한 제왕절개술은 예정 제왕절개와 질식분만 시 합병증 발생 시 이루어지는 응급제왕절개가 있다. 전통적인 방식으로 아이를 출산할 수 없을 때 임산부는 출산에 대한 부정적 자아 인식을 갖게되며, 응급제왕절개술은 정신적으로도 충격적인 사건이기 때문에 응급상황에서의 제왕절개술이 발생하지 않도록 조기 발견해야 한다. 응급수술시 중요 간호중재는 수술에 이르는 절차를 설명하고 격려하는 것이다.

위험요소

- 고위험 임신
- 둔위, 특히 초산부

진단검사

- 산전검사(NST, CST)
- 전자태아감시장치: 태아가사
- 초음파: 아두골반불균형, 태반조기박리, 전치태반, 태위 이상
- 진통기간동안 태아두피의 혈액산도검사

적응증

- 아두골반 불균형
- 과거 제왕절개의 기왕력
- 태아가사(fetal distress)
- 태위. 태세이상
- 심한 자간전증
- 제대하수 및 탈출
- 임신 3기의 출혈: 태반조기박리, 전치태반
- 분만진행부전

치료적 간호관리

제왕절개술 산부 간호

- 수술 전 간호중재
  - 조기이상, 기침, 심호흡과 관련하여 대상자 교육
  - 유치도뇨관 삽입
  - 복부의 청결과 면도
  - 금식 유지
  - 정맥라인을 확보하고 정맥요법을 시행
  - 수술 전 투약 시행: atropine, H_2 등 제산제
  - 대상자의 활력증상과 태아심박동 모니터링
  - 불안 완화(특히 응급 제왕절개인 경우).

- 수술 중 간호중재
  - 수술대 위의 산모의 체위를 지지한다. 하대정맥의 압박을 방지하기 위해 중앙에서 15° 자궁이 치우치도록 경사테이블을 사용한다.
  - 시술 직전까지 태아심박동수를 계속해서 모니터링 한다.
  - 마취 중 활력증상을 점검한다.
  - 정맥 내 수액의 주입과 유지를 관찰한다.

- 수술 후 간호중재
  - 활력증상을 사정한다. 알람 장치가 장착된 지속적인 산소포화도 모니터기는 입원 시와 15분마다 기록한다.
  - 질 분만과 마찬가지로 오로와 자궁의 수축 정도와 자궁저부 높이를 사정한다.
  - 수액의 양과 속도를 사정한다.
  - 복부 절개 부위의 출혈이나 출혈에 근접한 상황, 염증 등을 관찰한다.
  - 소변량을 측정한다.
  - 혈뇨를 관찰한다(방광의 외과적 손상을 의미함).
  - 통증과 오심을 조절한다.
  - 출생직후 신생아 관리를 도와준다.

합병증

- 모체: 출혈, 감염, 봉합이 터져 벌어짐(이개), 폐색전, 흡인, 요로감염
- 태아/신생아: 호흡부전, 태아 외상

비판적 사고 중심 간호실무

제왕절개 출산 산모 간호

- 제왕절개로 출산한 산모는 자연 분만한 여성들과 비슷한 산욕기 간호가 필요하며 복부 수술을 시행한 여성들과 유사한 간호가 필요하다.

- 간호 중재는 다음과 같다.

  - 산모가 깨어 있는 동안, 첫째 날 매 2~4시간마다 기침, 심호흡, 적극적인 폐활량을 갖도록 격려한다.

  - 산모가 걸을 수 있을 때 까지 매 2시간마다 다리 운동을 격려하며 수술 후 12~24시간 이내에 조기이상을 격려한다.

  - 활력징후를 사정한다: 체온상승(감염), 혈압의 감소, 맥박 증가(출혈) 및 고혈압은 임신성 고혈압(pregnancy-induced hypertension, PIH)의 징조일 수도 있다(산후 48시간까지 발생할 수 있음).

  - 유치 도뇨관을 제거한 후에는 적절한 배뇨 여부를 확인하며 필요하다면 배뇨를 격려하기 위한 간호중재를 실행한다(사적 공간 유지, 수분섭취 증가, 회음부 위에 온수 적용, 보행 격려 등)

  - 복부의 팽만 여부를 평가하고, 장음의 유무를 기록한다. 가스로 인한 통증을 없애거나 최소화하기 위한 조치는 다리운동, 복부를 단단히 수축시키기, 조기 이상을 격려하고 빨대의 사용을 피한다.

  - 복부 팽만은 왼쪽으로 누움, 흔들의자 사용, 슬흉위, 가스 제거제(예: 시메시콘), 좌약, 관장 등으로 경감할 수 있다.

  - 수술 둘째 날부터 샤워가 가능하다(드레싱을 제거할 때까지 절개 부위를 비닐랩으로 감싼다). 산모가 실신할 수 있으므로 보호자가 동반한다.

  - 통증 완화를 위한 조치는 다음의 사항들을 포함한다.

    ① 필요시 진통제를 투여하라. Patient-controlled analgesia(PCA)가 주로 사용된다. 경막 외 진통 마취제는 제왕절개 후 즉시 투여할 수 있으며 대략 24시간 동안 통증을 경감시킨다.

    ② 자세를 바꿔주거나 등 마사지, 구강간호를 시행하고 소음, 악취와 같은 자극의 감소를 통해 편안함을 제공한다.

    ③ 아기를 포함한, 소중한 사람들의 면회를 권장한다.

    ④ 적절한 호흡, 긴장 완화, 기분전환 테크닉(출산 준비 수업에서 배운 것들)을 권장한다.

- 부모-아기의 애착의 기회를 제공한다.

- 퇴원교육은 적절한 휴식, 감염 증상에 대한 주의, 신생아 간호(아기를 앉는 방법, 목욕시키는 방법, 수유방법) 등을 포함한다.

간호실무능력 평가

※ 다음 사례를 읽고 가장 알맞은 답을 고르시오.

> 38세 현경씨는 첫 아이를 고전적 제왕절개술로 출산 후, 이번 출산은 질분만을 원했으나, 의료진은 현경씨가 위험하다며 반복제왕절개술을 실시하였다.

1. 현경씨의 제왕절개술의 적응증은?
   - ① 고령산모
   - ② 태아빈맥
   - ③ 전치태반
   - ④ 아두골반불균형
   - ⑤ 과거 제왕절개수술

2. 의료진은 현경씨가 질 분만을 할 경우 위험하다고 하였는데, 의료진은 현경씨에게 어떤 위험에 대해 설명을 하였을까?
   - ① 자궁파열
   - ② 폐색전증
   - ③ 산후출혈
   - ④ 탯줄 탈출
   - ⑤ 태반조기 박리

3. 병동으로 이송직후 현경씨에게 수행할 간호중재는?
   - ① 절대 안정시킨다.
   - ② 식이를 제공한다.
   - ③ 조기이상 시킨다.
   - ④ 자궁바닥을 만져보아 수축을 확인한다.
   - ⑤ 정체도뇨관 제거 후 자연배뇨를 확인한다.

4. 자궁하부절개술(lower segment c/s)에 대한 설명은?
   - ① 응급분만 시 흔히 사용된다.
   - ② 태아가 횡위인 경우에 추천될 수 있다.
   - ③ 이전 수술로 인한 복부유착이 있을 때 사용된다.
   - ④ 향후 임신 시 자궁반흔으로 파열될 위험이 적다.
   - ⑤ 자궁의 하절에 수직적 정중선 절개가 이루어진다.

5. 고전적 제왕절개술의 적응증이 <u>아닌</u> 것은?
   - ① 전치태반
   - ② 자궁근종
   - ③ 다태임신
   - ④ 횡위인 경우
   - ⑤ 미숙아 분만시

정답   1. ⑤   2. ①   3. ④   4. ④   5. ⑤

관련정보

적응증

- 제왕절개술의 원인은 과거 제왕절개술의 기왕력, 분만진행부전, 태아곤란증, 태위, 태세이상의 순이다.

예정제왕절개	
원하는 일시를 정해서 시행한다.	
모체적응	태아적응
• 전치태반 • 협골반 • 아두골반불균형(CPD) • 다태임신 • 감염증(HSV, HIV 등) • 과거 제왕절개의 기왕력 • 자궁 수술(자궁근종절제술 등)의 기왕력 • 합병증(당뇨병, 심질환 등)이 있는 경우 • 고령초산모	• 태위, 태세의 이상(둔위, 반굴위, 횡위 등) • 거대아 • 태아발육부전(IUGR)

응급제왕절개	
모체와 태아의 상태 악화 등으로 인해 응급으로 시행한다.	
모체적응	태아적응
• 자궁파열징후 • 지연분만, 분만의 중지 • 중증자간전증 • 태반조기박리*	• 태아곤란증(fetal distress) • 탯줄하수, 탈출 • 태반조기박리

붉은 글씨는 절대적 적응 *태아·태반의 존재가 모체의 생명에 위험을 끼칠 경우, 태아생사를 따지지 않는다.

필수조건

- 이하의 조건을 만족시키지 않는 경우에는 제왕절개를 시행하여서는 안된다.
- 단 태아, 태반의 존재가 모체의 생명에 위험을 불러올 경우(예: 태반조기박리 등)에는 태아의 생사여부에 관계없이 시행한다.

모체	• 수술에 견딜 수 있을 것

태아	• 생존해 있으며, 태외생활이 가능할 것

모아 위험요소

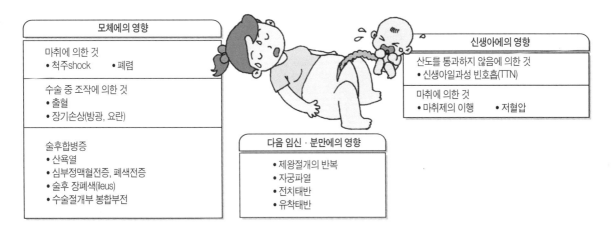

모체에의 영향
마취에 의한 것 • 척주shock   • 폐렴
수술 중 조작에 의한 것 • 출혈 • 장기손상(방광, 요란)
술후합병증 • 산욕열 • 심부정맥혈전증, 폐색전증 • 술후 장폐색(ileus) • 수술절개부 봉합부전

신생아에의 영향
산도를 통과하지 않음에 의한 것 • 신생아일과성 빈호흡(TTN)
마취에 의한 것 • 마취제의 이행   • 저혈압

다음 임신·분만에의 영향
• 제왕절개의 반복 • 자궁파열 • 전치태반 • 유착태반

복식제왕절개

- 복식제왕절개는 자궁벽의 절개 부위에 따라, 자궁하부횡절개(복식심부제왕절개)와 자궁체부종절개(고전적제왕절개)로 나뉜다.
- 자궁체부종절개의 적응은 자궁하부횡절개를 시행할 수 없는 경우에 한하여 시행된다.

	자궁하부횡절개	자궁체부종절개(고전적 제왕절개)
절개부위	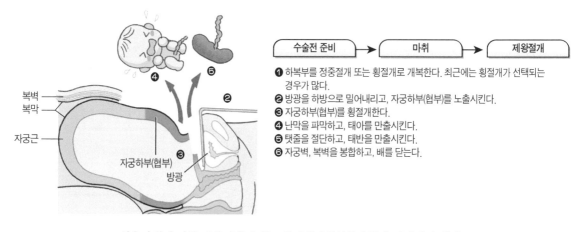자궁하부(협부)를 횡절개	자궁체부를 종절개
적응	• 대부분의 사례	• 전치태반 • 자궁근종과 자궁경부암 합병 임신 • 자궁하부(협부) 신전이 불충분한 경우 • 다태임신 등 • 미숙아 응급분만시 • 횡위인 경우
특징	• 출혈량이 적다. • 술후 유착이 적다. • 다음 임신시 자궁파열의 위험이 적다.	• 출혈량이 많다. • 양수가 복강내로 유입되므로 술후 유착이 생기기 쉽다. • 융합부전이 일어나기 쉽다. • 다음 임신시 자궁파열을 일으킬 위험이 높으므로, 분만은 제왕절개를 행하는 경우가 많다.

자궁하부절개

- 수술 전 준비로 정맥확보와 수혈의 준비 등이 이루어진다.
- 마취는 척추마취 또는 경막외 마취, 또 둘의 병용으로 시행하는 경우가 많다.

복벽
복막
자궁근
자궁하부(협부)
방광

수술전 준비 → 마취 → 제왕절개

❶ 하복부를 정중절개 또는 횡절개로 개복한다. 최근에는 횡절개가 선택되는 경우가 많다.
❷ 방광을 하방으로 밀어내리고, 자궁하부(협부)를 노출시킨다.
❸ 자궁하부(협부)를 횡절개한다.
❹ 난막을 파막하고, 태아를 만출시킨다.
❺ 탯줄을 절단하고, 태반을 만출시킨다.
❻ 자궁벽, 복벽을 봉합하고, 배를 닫는다.

- 척추마취에 의한 제왕절개시에는, 앙와위저혈압증후군이 발생하기 쉽다.

1. - 수술 전: 외과적 절개상의 위치 때문에 외과적 외상을 최소화하기 위해서는 방광을 계속적으로 비우는 것이 중요하므로 수술 전 유치도뇨관을 삽입한다.
   - 수술 후: IV 수액주입과 정상적인 산후이뇨는 방광을 급속도로 채우게 되는데, 방광팽만은 자궁퇴축을 방해하고, 비뇨기계 감염 가능성이 있다. 그러므로 거동이 가능하여 화장실에서 자가 도뇨가 가능할 때까지는 유치도뇨관을 유지한다.

2. - 시행되는 모든 절차의 목적과 방법을 설명한다.
   - 보람씨 부부와 함께 있어주며 부부만 있도록 하지 않는다.
   - 불안을 말로 표현할 수 있도록 돕는다(예: "이것은 당신에게 놀라운 일임이 틀림없습니다" 또는 "어떤 생각이 드는지 말해주십시오").
   - 가능하다면 현실적으로 안심시킨다(예: 사실이라면, "당신의 아기 심장의 상태가 좋군요", "당신이 매우 지쳤다는 것을 알고 있습니다 그러나 당신의 맥박이나 혈압은 정상범위에 있습니다").
   - 환경을 조정하라: 조명을 낮추고, 소음을 줄이고, 불필요한 방문객과 직원을 제한한다.

3. 앙아위 자세는 자궁의 무게로 대정맥이 눌려 자궁혈류순환을 방해하여 체위성 저혈압 발생 가능성이 있으므로 이를 예방하기 위해서 간호사는 골반의 한쪽 아래에 작은 베개 등을 대주거나 수술대의 한 쪽 면을 약간 경사지게 한다.

4. 간호사는 다음과 같은 정보를 제공해 줄 수 있다.
   - 수술 후 통증조절을 위해 필요시 진통제를 요청할 수 있고, PCA를 적용할 수 있다.
   - 수술을 위해 유치도뇨관을 삽입하게 되는데, 수술 후 1~2일에 제거하고 간호사가 적절한 배뇨 여부를 확인한다.
   - 수술 후 2~4시간 마다 기침, 심호흡을 격려하여 무기폐나 폐렴을 예방한다.
   - 수술을 위해 금식을 하는데, 수술 다음날부터 장 움직임(가스 배출)이 있은 후 미음 → 죽 → 정상식이를 먹을 수 있다.
   - 아기와 애착의 기회를 제공하는 것과 모유수유에 관한 정보를 제공한다.

15 아두골반불균형(CPD) 산부 간호

Key Point

✓ 아두골반불균형(CPD: cephalopelvic disproportion)은 태아 아두의 크기가 모체의 골반을 통과하기에 너무 큰 경우를 말한다.

✓ 아두골반불균형은 강한 자궁수축에도 태아하강이 진행되지 않은 경우에 나타난다.

✓ 분만이 지연되고, 선진부가 진입하지 않으며, 자궁경부의 개대와 소실이 느릴때 CPD를 의심한다.

✓ 아두골반불균형이 확실하면 제왕절개술은 필수이다.

비판적 사고 훈련

아두골반불균형의 문제를 가졌으나 경계에 있는 산부 수인씨에게 시도분만을 시행하고자 한다. 간호사는 수인씨의 자궁개대와 자궁수축을 집중적으로 모니터링을 하고 있다.

1. 수인씨의 아두골반불균형을 판단하기 위해서는 자궁개대와 자궁수축이 중요한 정보가 된다. 그 이유는 무엇인가?

2. 수인씨의 분만 진행이 정상인지를 판단하기 위해 정규적으로 어떤 다른 관찰이 행해져야 하는가?

3. 간호사는 수인씨에게 일정기간 동안 좌위를 취하게 한 후, 쪼그려 앉기 체위를 하도록 돕는다. 질 검진 소견은 파막이 되어 있으며, 현재 회음부가 팽륜 되어있고 아두가 약간 보인다. 이것은 무엇을 의미하는 것인가?

혜선씨는 Gravida 1, 0-0-0-0이며 자궁경부는 3~4cm의 개내, 100% 소실, 태아 차강 정도는 -3이며, 2시간 전에 파막되었다. 그녀는 5분 간격으로 자궁수축이 있고, 잘 대처하고 있지만 분만의 양상은 지연분만을 나타낸다.

1. 혜선씨에게 나타난 아두골반불균형을 알려주는 위험요인은 무엇인가?

2. 아두골반불균형을 진단할 수 있는 다른 정보는 어떤 것이 있는가?

3. 분만과정을 도와주고자 한다. 간호사는 어떤 방법을 제안할 수 있을까?

비판적 사고중심 학습

학습목표

- 아두골반불균형을 정의하고 원인을 설명한다.
- 아두골반불균형의 간호를 계획하고 수행한다.

개요

- 아두골반불균형의 원인은 산부의 골반을 통과할 수 없는 태아의 아두 크기, 형태, 자세 등이다. 아두골반불균형이 있을때 태아는 모체골반을 통과할 수 없어서 제왕절개술이 필수적이다. 아두골반불균형은 강한 자궁수축이 있음에도 태아가 하강하지 않을때 의심한다.
- 급속분만은 진통시작부터 분만이 끝날 때까지 3시간 미만이 소요되는 극히 빠른 출산을 말한다.
- 지연분만은 자궁경관 개대의 진행이 없거나 적어도 두시간 동안 진통이 진행될 때, 현재의 위치에서 하강이 멈춘 상태를 의미한다. 이상태위(둔위, 횡위, 안면위 또는 액와위), 이상위치(후방 후두위 또는 아두골반불균형), 자궁수축 장애와 연관되어 있을 수도 있다.

위험요소

- 임신성 당뇨
- 다산부
- 태아기형
- 모체 골반의 형태나 크기
- 태아 아두의 형태나 자세

진단검사

- 초음파: 손으로 촉지한 골반 크기(대각결합선)와 태아 크기의 비교, 컴퓨터 단층촬영
- X-ray 골반계측: 골반 측정의 결과를 가시화하여 태아와 비교
- 진통경과 곡선(프리드만 커브)의 사용

증상과 징후

- 분만 1기 활동기에 자궁경부의 변화와 태아하강 등의 분만지연
- 난산: 분만진행부전이나 비정상적 진통
- 자궁경부의 완전 개대 전에 조절할 수 없는 복압

치료적 간호관리

- 제왕절개수술에 대한 대상자의 감정적인 변화에 따른 정서적 지지
- 태아의 안전에 대한 중요성을 강조
- 태아심박동, 자궁수축, 자궁경부의 개대 관찰
- 시도분만: 질 분만을 시도(골반 측정시 경계성 CPD일때)
- 시도분만 시 자주 자궁경부개대와 태아하강을 사정, 만약 진통과정이 중단되면, 제왕절개술이 필요
- 태아가사 증상이 나타나면 즉시 의료진에게 보고
- 산부와 배우자에게 절차에 관한 정보를 주고 정서적 지지 제공
- 산부의 골반직경을 증가시키는 체위를 취하도록 돕기
  (예: 좌위, 쪼그려 앉기, 체위 변경, 고양이등 자세)

약물관리

아두골반불균형의 경우, 특별한 약물관리는 없으나, 상황에 따라 옥시토신이 투여 혹은 중지될 수 있으며, 태아가 골반을 통과할 수 없다면 제왕절개술을 준비해야한다.

합병증

아두골반불균형

- 모체: 피로, 자궁무력증에 따른 이차적 산후출혈, 감염의 위험성
- 신생아: 제대탈출, 출산시 외상, 쇄골골절, 상완마비, 무산소증의 위험성

급속분만

- 모체: 자궁 경부, 질, 회음부 열상, 자궁 파열, 양수 색전증, 출산 후 출혈
- 신생아(태아): 태아 저산소증, 두개골 외상,
- 치료적 관리

- 지속적인 간호사정을 한다.
- 급속 분만을 규명하기 위해서 기존의 산과력을 알아본다
- 진통이 급박해지면 옥시토신 주입을 중단한다.

지연분만

- 모체: 분만 진행상태 확인을 위한 빈번한 질 검사에 따른 감염의 위험성, 부적절한 수분 공급과 관련된 탈수, 분만 지연에 따른 에너지 고갈
- 신생아(태아): 산모의 탈수와 저혈압으로 인한 태아가사의 위험성, 산모의 감염에 따른 태아감염의 위험성
- 치료적 관리
  - 탈수 및 탈진을 예방하기 위해 정맥을 통한 수액공급
  - 아두골반불균형의 가능성을 파악하기 위해 의학적 평가. 의사나 조산사는 자궁 경부의 개대, 태아 하강 정도, 태아 위치를 평가
  - 옥시토신 주입
  - 진행되고 있다면 2시간 후에 자궁 경부의 개대, 태아의 위치를 다시 평가하고, 진행이 없으면 제왕절개

비판적 사고 중심 간호실무

지연분만 간호과정

간호사정

- 산부 골반 내에 함입된 태아 두정부를 사정한다.
- 자궁 수축의 횟수, 기간, 강도를 사정한다.
- 강도가 예상보다 낮고(진통의 현 시점에서), 진통의 정도가 심하다면(수축 시작 전에 고통을 느낌, 수축 중에 심한 불편함, 수축이 끝난 후에도 고통을 느낌) 후방 후두위의 가능성을 고려한다.
- 자궁 경부 개대와 소실 정도를 사정한다.
- 자궁경부 개대는 경산부의 경우 1.5cm/시간, 초임부의 경우 1.2cm/시간 진행된다.
- 자궁 경부가 붓고 진통 중 두툼해진다면 아두골반불균형을 의심한다.
- 태아 심박동수를 사정한다.
- 태아 위치, 자세, 하강도를 사정한다.
- 출산 중 내진은 둔위, 횡위, 액와위, 안면위 또는 후방 후두위와 같은 문제점을 조기 발견할 수 있다.
- 아두의 상태를 사정한다(두정 피하조직의 부종).
- 태아의 하강 정도를 사정한다.
- 진통 중인 여성의 탈수 정도를 사정한다.
- 여성의 안위와 대처 정도를 사정한다.
- 가족의 불안 정도를 사정한다(진통이 길어지면 가족의 스트레스 요인이 된다).

간호진단

- 진통 패턴에 대한 지식 부족과 관련된 불안
- 분만시 진통과 관련된 비효율적 개인대처

간호계획

진단적

- 전자 모니터링을 통해 태아 상태와 산부의 자궁수축 상태를 관찰한다.
- 예상된 기준들과 평가된 사정 결과들을 비교한다.

중재적

- 이완과 호흡법으로 산부를 도와준다.
- 시원하게 적신 천으로 얼굴 또는 등을 마사지한다.
- 옥시토신 주입시 간호중재의 원칙을 지킨다.
- 아두의 회전과 태아 하강을 촉진시킬 수 있는 산부의 체위를 유지한다.
- 방광이 팽만되어 있으면 태아 하강이 지연될 수 있으므로 산모가 배뇨 할 수 있도록 지지한다.
- 지시가 있다면 제왕절개를 준비한다.
- 확인된 사정 내용, 간호중재, 의학적 중재들을 기록한다.

교육적

- 산부와 가족들에게 진행되는 상태에 대한 정보를 제공한다.

간호중재(간호기록의 예)

- 자궁수축 빈도 2분 30초, 60초의 자궁수축지속기간, 강한 강도의 수축, 경관 개대, 1시간 동안 7cm 유지됨.
- 태동과 함께 태아심박동수가 15초 동안 15bpm의 2회 가속화, 태아심박동수는 140~148회/분.
  - 평균 변이성의 태아심박동수
  - 심박동수 감속은 나타나지 않음
  - 어려움 없이 맑은 호박색 소변배출 200mL
  - 자의적으로 얼음 조각 섭취
  - 피부상태와 점막의 적절한 수화상태 보임
  - 수축과 함께 호흡하고 통증시 소리 지르기 시작함
  - 자궁 수축 사이에 졸기도 하나 금새 깨어남
  - "왜 이리 오래 걸리죠?", "왜 진행이 안되죠?"라고 물어봄
  - 남편과 보호자가 산부의 분만진행계획에 대해 알고 싶다고 의사와 면담을 요청함, 주치의 부름

간호평가

- 산부는 더 효과적인 진통패턴을 경험했음을 기술한다.
- 산부는 걱정없이 편안함을 느끼는 시간이 늘어났음을 기술한다.

급속분만 간호과정

간호사정

- 산부가 경산부라면 기존 산과력을 사정한다.
- 자궁수축 상태를 사정한다. 매 2분마다 더 자주 일어나는 수축과 정상(1.5cm/시간 이상)보다 더 빨리 진행되는 경관개대를 주의한다.
- 태아 상태를 사정한다.
- 산부의 편안함 정도를 사정한다.
- 산부의 대처 능력을 사정한다.

간호진단

- 진통패턴의 가속화와 관련된 극심한 통증
- 과도한 자궁수축과 관련된 태아(산부)외상의 위험성

간호계획

진단적

- 계속적으로 태아 전자 모니터링을 시행한다.

중재적

- 산부를 편안하게 해주고 격려한다.
- 산부에게 지시가 있기 전까지는 힘을 주지 말 것을 지시한다.
- 출산을 위해 침상을 조작하여 출산 침상으로 만든다.
- 산부의 출산을 돕는다.
  - 산부에게 아두가 발로된 상태라면 수축과 함께 호흡할 것을 지시한다.
  - 태아의 굴곡을 유지하기 위해 아두를 앞쪽에서 손으로 부드럽게 눌러주고 너무 빨리 출산하는 것을 막는다.
  - 다른 한 손으로 U 자 모양을 만들어 회음부가 심하게 찢어지고 손상되지 않도록 수축 사이에 내려오는 머리를 지탱함으로써 회음부를 지지한다.

- 흡인기로 태아의 콧구멍과 입을 흡입하여 양수를 제거한다.
- 태아 목 뒷부분을 따라 두 개의 손가락을 집어넣고 경부주위에 제대가 있는지 확인한다. 제대가 만져지면 낚시바늘처럼 손가락을 구부려서 제대를 잡고 태아의 머리위로 잡아 당겨 벗겨낸다. 제대가 머리 위로 벗겨질 수 없다면 제대를 양쪽에서 겸자를 이용해 집고 겸자 사이에서 자르고 목 주변으로부터 제대를 풀어준다.
- 산부의 분만을 돕는다. 앞쪽 어깨의 출산을 돕기 위해 머리를 아래쪽으로 부드럽게 압력을 가한다. 태아 목을 잡아당기지 않도록 하기 위해 태아의 귀를 손으로 덮는다. 그런 다음 뒤쪽 어깨를 만출하기 위해 위쪽으로 부드럽게 압력을 가한다. 만출시 아기의 나머지 몸을 지지한다.
- 신생아를 산모의 복부 위에 높고 부드럽고 따듯한 담요로 말리고 보온을 유지한다. 자궁의 단단함을 확인한다. 과도한 출혈을 관찰한다. 태반은 무리하게 제거하지 말고 자연스런 박리 후 의사나 조산사가 마무리 하도록 한다.

간호평가

• 산부의 효과적인 진통과 태아의 안전한 출산이 이루어 질 수 있도록 세심하게 관찰하고 중재한 내용을 기술한다.
• 산부는 진통과 출산 중에 편안함과 지지를 느꼈다고 진술한 내용을 기술한다.

간호실무능력 평가

1. 영숙씨의 분만진통곡선이다. 자궁목 개대가 정지된 시기에 자궁수축강도는 강하다면 무엇을 의실할 수 있는가?

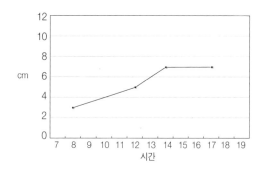

① 정상분만 　　　　② 재대탈출 　　　　③ 급속분만
④ 아두골반불균형 　　⑤ 저긴강성 자궁수축

2. 희연씨는 분만진통으로 입원한지 8시간이 지나도 경관이 2cm 밖에 개대되지 않아 저긴장성 자궁수축으로 인한 난산으로 진단받고 옥시토신 투여가 되고 있다. 이때 중요한 간호는?

① 태아심박동수 측정 　　　　　② 응급제왕절개술 준비
③ 회음부의팽륜 여부조사 　　　　④ 자궁수축기간 · 강도측정
⑤ 좌측위로의 산부의 체위변경

3. 아두골반불균형을 예측할 수 있는 상황은?

① 산모의 키가 158cm이고, 출산앞뒤지름에서 태아의 양쪽마루뼈지름을 뺀값이 1.5cm 이상이다.
② 산모가 골반 계측 MRI 결과 남성형 골반이며, 태아의 양쪽마루뼈지름이 10.5cm 이상이다.
③ 산모는 협골반으로 태아의 머리크기가 산모의 골반 지름에 비례해서 작다.
④ 산모는 여성형 골반이며, 출산앞뒤지름에서 태아의 양쪽마루뼈지름을 뺀값이 1.5cm 이상이다.
⑤ 산모는 이전 출산에서 난산을 경험했으나 질식분만하였다.

정답 　1. ④ 　 2. ④ 　 3. ②

관련정보

시도분만(Trial Labor)

- 제왕절개 시행 준비를 하고, 질식분만을 시도하는 것이다. 질식분만이 불가능하다고 판단되면 즉시 제왕절개 한다. 아두골반불균형 제왕절개 기왕력이 있거나 심장질환이 있는 임신 등 심각한 합병증이 있으면 시도한다.

아두골반불균형의 원인

- 아두가 골반보다 크거나, 거의 비슷하기 때문에 산도 통과가 어렵다.

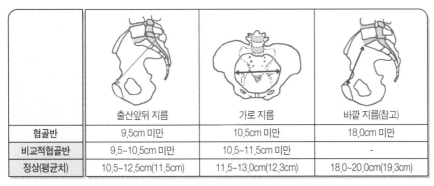

	정상	아두골반불균형(CPD)	
		골반이 작다(아두는 정상)	아두가 크다(골반은 정상)
아두와 골반의 관계			
출산앞뒤지름에서 양쪽마루뼈지름을 뺀 값	1.5cm 이상	1cm 미만	1cm 미만
원인	-	협골반 등	거대아 · 수두증 등
통과	통과할 수 있다	통과하기 어렵다	

협골반
- 골반강이 좁아서 분만의 진행이 안되는 것을 말한다.
- 원인은 키150cm 이하, 발육장애, 대사성질환, 골반 · 척추질환 등이 있다.
- 협골반이어도 아두가 작으면 질식분만은 가능하다.

정의

	출산앞뒤 지름	가로 지름	바깥 지름(참고)
협골반	9.5cm 미만	10.5cm 미만	18.0cm 미만
비교적협골반	9.5~10.5cm 미만	10.5~11.5cm 미만	-
정상(평균치)	10.5~12.5cm(11.5cm)	11.5~13.0cm(12.3cm)	18.0~20.0cm(19.3cm)

협골반?

150cm 이하

165cm

골반형태의 분류

- 골반입구부의 형태이상은 아두의 골반내 진입을 방해하고, CPD의 원인이 된다.
- 여성의 골반입구부의 형태는 아래와 같은 4가지로 분류된다.
- 여성의 60~80%는 여성형을 보인다.

여성형	남성형	유인원형	편평형
순조로운 분만	분만시 진행장애가 일어나기 쉽다.		

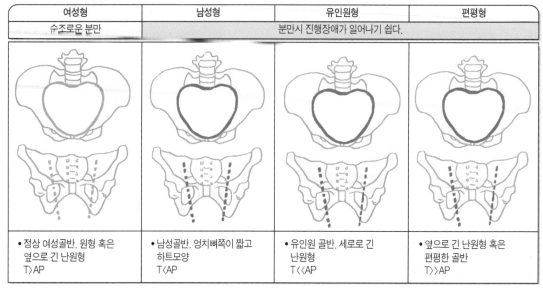

여성형	남성형	유인원형	편평형
• 정상 여성골반. 원형 혹은 옆으로 긴 난원형 T>AP	• 남성골반. 엉치뼈쪽이 짧고 하트모양 T<AP	• 유인원 골반. 세로로 긴 난원형 T<<AP	• 옆으로 긴 난원형 혹은 편평한 골반 T>>AP

*골반입구부의 형태는 X선 골반계측을 이용한다. Martius 법으로 평가되어 왔지만, 최근에는 MRI로 진단하는 경우가 증가하고 있다.

연산도 강직

- 연산도 강직에서 특히 산과적으로 문제가 되는 것은 경관의 숙화부전이다.
- 연산도의 신전성 부족과 협착은 분만의 진행을 방해하고, 지연·정지장애가 된다.
- 이러한 연산도의 이상을 연산도 강직이라고 한다.
- 분만 지연·정지장애가 되므로, 임신부는 피로하고, 속발성 진통미약과 과강진통을 일으킨다.
- 진통미약이 심한 경우와 태아곤란증을 일으킨 경우(태아가사)에 제왕절개를 행한다.

원인		증례	치료법	
기질적	근종·종양	• 자궁하부의 근종 등	수술요법	• 제왕절개
	협착	• 자궁경부원추절제술 등	물리적방법	• 라미나리아 등
기능적	숙화부전	• 자궁하부~경관의 숙화부전 (Bishop Score 4점 이하) • 경관의 숙화부전(고령초임부 등)	약물요법	• 프로스타글란딘 등

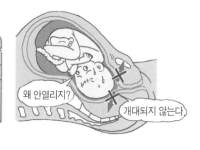

태세의 이상(굴곡의 이상)

* 굴곡시에는 가장 짧은 소사경선으로 산도를 통과할 수 있으나, 굴곡이 이루어지지 않으면 통과면이 소사경주위가 아니기 때문에 산도저항이 커진다. 따라서 분만의 진행·정지장애, 진통미약, 태아곤란증 등의 합병증을 일으키기 쉽다. 이들 합병증은 양막파수 후에 보이는 경우가 많다.

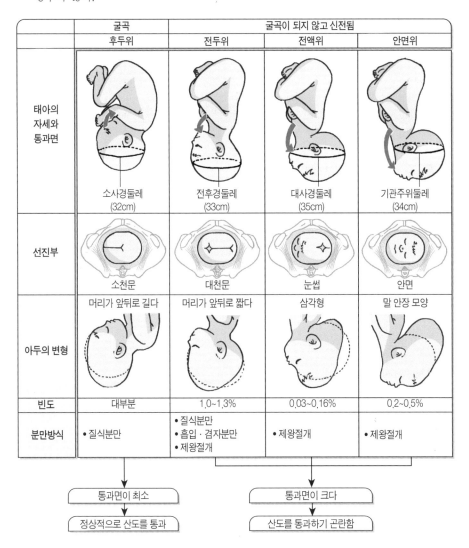

	굴곡	굴곡이 되지 않고 신전됨		
	후두위	전두위	전액위	안면위
태아의 자세와 통과면	소사경둘레 (32cm)	전후경둘레 (33cm)	대사경둘레 (35cm)	기관주위둘레 (34cm)
선진부	소천문	대천문	눈썹	안면
아두의 변형	머리가 앞뒤로 길다	머리가 앞뒤로 짧다	삼각형	말 안장 모양
빈도	대부분	1.0~1.3%	0.03~0.16%	0.2~0.5%
분만방식	• 질식분만	• 질식분만 • 흡입·겸자분만 • 제왕절개	• 제왕절개	• 제왕절개

통과면이 최소 → 정상적으로 산도를 통과

통과면이 크다 → 산도를 통과하기 곤란함

분만진행의 이상

- 회전의 이상에 따라 골반입구부, 협부, 출구부 등에서 아두의 진행이 방해를 받는다.
- 아두가 가로방향인 채로 하강할 경우 겸자분만은 행하지 않는다. 겸자에 의해 태아의 안면이 손상받을 가능성이 높기 때문이다.

	정상	1	2	3
골반입구	굴곡	⊗ 분만진행의 중지 • 아두가 세로방향이며, 가로로 긴 골반입구부에 끼어있다.		
골반중앙	내회전		• 내회전이 일어나지 않는다. ⊗ 분만진행의 중지 • 골반중앙의 산도는 세로로 길므로, 가로방향으로 내려온 아두가 낀다.	• 내회전이 역방향으로 잰행된다. • 신전시 아두가 두덩뼈에 낀다.
골반출구	신전			
처치	• 자연질식분만	• 분만 중지가 2시간 이상 지속된 경우 제왕절개 고려	• 자연적으로 내회전이 일어나지 않으면 흡입분만 시도, 성공하지 못한 경우 제왕절개	• 흡입 · 겸자분만은 시도하고, 성공하지 못한 경우 제왕절개

태위의 이상

- 태위란 태아의 종축과 자궁의 종축과의 위치관계를 말한다. 둘이 일치하는 경우를 종위라고 하고, 둘이 교차하는 정도에 따라 횡위, 사위라고 한다. 종위는, 태아의 선진부에 따라 두위와 둔위로 나뉜다. 두위 외에는 모두 태위에 이상이 있는 것이다.
- 둔위란 태아의 선진부가 후두부가 아니라 골반부인 태위이다. 임신 중기까지는 30~50%가 둔위이지만, 대부분은 분만시까지는 자연적으로 회전하여 둔위가 된다. 분만시에 둔위로 있는 경우는 전체 분만의 3~5%이다.

태위이상의 분류

- 태위의 이상에는 아래와 같은 것들이 있다.

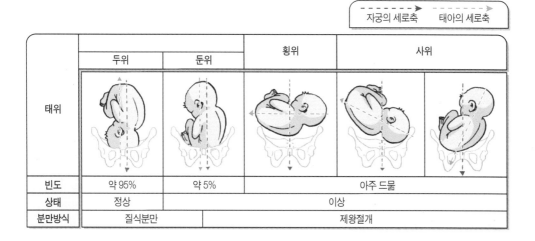

	두위	둔위	횡위	사위	
태위					
빈도	약 95%	약 5%	아주 드묾		
상태	정상	이상			
분만방식	질식분만	제왕절개			

둔위 질식분만시 합병증
- 둔위의 질식분만에서는 조기양막파수, 탯줄의 압박과 탈출, 분만의 지연·정지장애 등이 일어나기 쉽다.
- 둔위 질식분만에서는 아두가 선진부가 아니므로, 아두의 골중첩(molding)은 거의 일어나지 않는다.

	정상	둔위
양막파수	 꽉 꽉 • 정상에서는 아두가 자궁벽과 밀착되어있으므로, 아두의 하강이 있고 나서 양막이 파막된다.	 조기양막파수 • 둔부는 아두와 비교하여 더 부드러워, 자궁벽과 충분히 밀착될 수 없다. • 따라서, 양수에 진통의 압력이 직접 가해져, 양막 파수가 되기 쉽다. • 조기양막파수에 의해 양수가 없어지면, 아래와 같은 탯줄압박도 발생하기 쉬워진다.
제대 (탯줄)	 • 선진부인 아두는 면적이 넓어, 탯줄은 탈출되기 어렵다.	 제대압박 제대탈출 • 아두가 탯줄을 압박하면 혈류가 차단되어, 저산소혈증, 산혈증, 태아곤란증(fetal distress)을 불러 일으킨다. • 선진부인 둔부는, 아두와 비교하여 면적이 좁아, 탯줄이 탈출되어 버리는 경우가 있다.
진통·분만의 진행	 • 아두가 선진부이면, 산도의 굴곡에 적합하여, 부드럽게 분만이 진행된다.	 미약한 진통 분만의 지연·정지 장애 • 둔위에서는 선진부가 아두가 아니므로, 산도의 굴곡에 적합하지 않아, 분만이 지연되기 쉽다. 이로인해 진통미약, 태아곤란증이 발생하기 쉬워진다.

둔위시 질식분만을 위한 주수별 관리

- 임신 30~35주 무렵까지는 태아의 자연적인 회전을 기대하고 슬흉위, 측와위법을 시행한다.
- 임신 35주를 넘으면, 외회전술을 시도해본다.
- 임신 36주가 되어도 둔위인 경우, 질식분만을 할 지 제왕절개를 할 지 결정해야 한다.
- 둔위 질식분만을 성공시키기 위해 둔위의 자연분만기전(질식분만)을 설명한다.

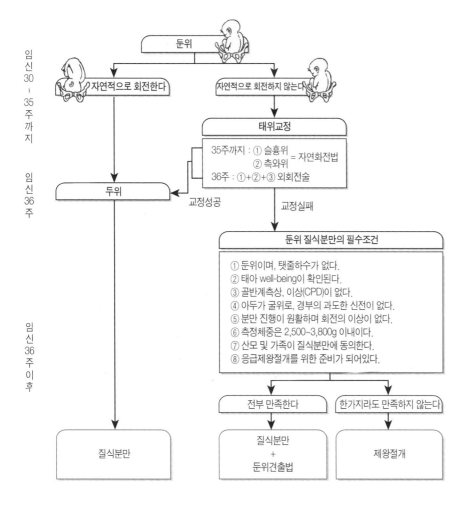

자연회전법

- 임신 30주에 이르러도 두위로 개선되지 않은 경우, 슬흉위·측와위법을 시행한다.
- 슬흉위를 15분간 유지한 후, 측와위를 취하여, 태아의 자연회전을 돕는다.

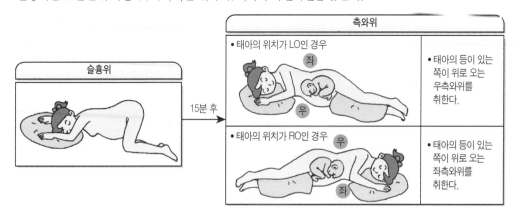

외회전술

- 외회전술은 자궁수축억제제를 투여하며 임신부의 복벽 위에서 용수적으로 태아를 회전시키는 태위교정법이다.
- 외회전술은 1~2%에서 응급제왕절개를 시행해야 하는 위험성이 따르므로, 아두골반불균형(CPD)이 없는 단태, 태반부착부위 정상, 양수량 정상범위내 등의 조건을 만족시킨 임신부에 대하여, 충분한 설명이 주어진 후 시행한다.

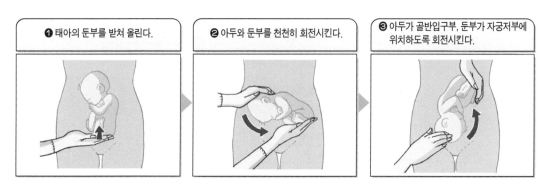

어깨난산

- 정상적인 분만에서는 아두가 만출된 후에는 가볍게 하방 견인하는 것만으로 태아의 어깨도 만출된다. 어깨난산이란, 태아의 어깨가 두덩결합에 끼어 가벼운 견인으로는 만출되지 않는 상태이다.
- 원인은 당대사이상에 의한 거대아가 흔하지만, 체중이 정상범위인 태아에서도 어깨난산을 볼 수 있다.

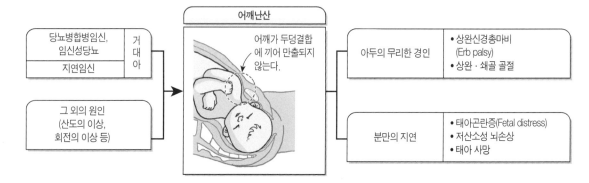

부동고정위(asynclitism)

- 정축진입에서 아두는 시상봉합이 모체의 엉치뼈곳과 두덩결합의 중심으로 오도록해서 진입한다. 부정축진입은 아두진입축이 모체의 전방으로 기울어 앞쪽의 두정골부터 진입하는 것과, 아두진입축이 모체의 후방으로 기울어 뒷쪽의 두정골부터 진입하는 것이 있다. 전자를 전부두정골진입(전부정축진입), 후자를 후부두정골진입(후부정축진입)이라고 한다.

부동고정위의 분류와 경과
- 대부분은 질식분만이 가능하지만, 드물게 분만의 지연·정지장애, 태아곤란증(fetal distress)을 유발하여 제왕절개를 시행한다.

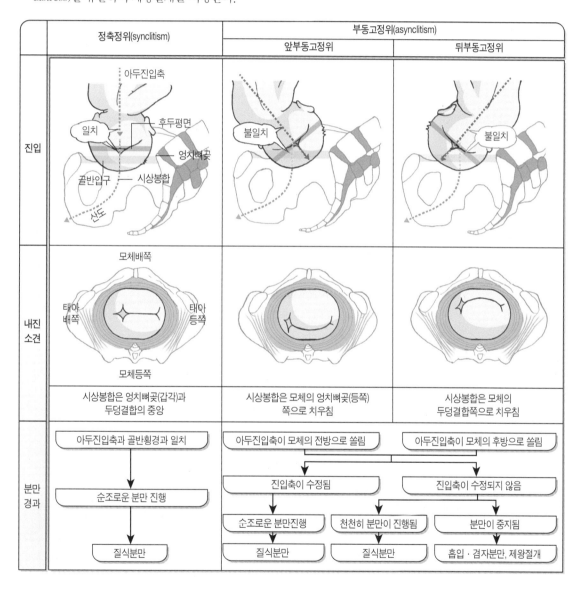

	정축정위(synclitism)	부동고정위(asynclitism)	
		앞부동고정위	뒤부동고정위
진입			
내진소견	시상봉합은 엉치뼈곳(갑각)과 두덩결합의 중앙	시상봉합은 모체의 엉치뼈곳(등쪽) 쪽으로 치우침	시상봉합은 모체의 두덩결합쪽으로 치우침
분만경과	아두진입축과 골반횡경과 일치 → 순조로운 분만 진행 → 질식분만	아두진입축이 모체의 전방으로 쏠림 / 아두진입축이 모체의 후방으로 쏠림 → 진입축이 수정됨 → 순조로운 분만진행 → 질식분만 / 천천히 분만이 진행됨 → 질식분만	진입축이 수정되지 않음 → 분만이 중지됨 → 흡입·겸자분만, 제왕절개

사례 ①

1. 자궁목의 개대는 분만진행에 있어 필수적이다. 그러나 자궁목 개대의 지연이 반드시 아두골반불균형을 나타내는 지표가 아니며 반드시 필수적이지는 않다. 자궁목 개대의 부진은 예를 들면, 드물게 비효율적인 자궁수축의 결과로 초래될 수 있다. 따라서 만약 자궁수축이 강함에도 불구하고, 자궁목이 개대되지 않는다면, 이것은 아두골반 불균형의 지표이다.

2. 간호사는 태아의 하강정도를 사정하기 위해 질내진을 시행해야 한다. 만약 태아가 자궁수축의 상태가 양호한데도 하강이 진행되지 않는다면 질식분만이 어려울 수 있다.

3. 아두가 골반의 좁은 부위를 통화하였으며 질분만이 가능하다는 것을 의미한다.

사례 ②

1. 분만과정의 지연, 태아하강의 지연, 초산부

2. 초음파, 복부촉진, 질내진, 산전검진 기록

3. 체위변경, 걷기, 통증관리, 칭찬과 격려, 불편감을 줄이기 위해서 재사정시까지의 시간제한 등에 관한 정보

16 양수태변착색 산부 간호

Key Point

✓ 양수내 태변배출은 태아가사증상일 수도 있지만, 아닐 수도 있다.

✓ 진통 중 태변착색된 양수가 보이면, 태아가사를 고려해야 한다.

✓ 양수가 태변에 착색된 경우에 태아심박동의 변이성의 감소, 변이성(variable) 및 후기 하강이 동반되면 위험한 증상이라 할 수있다.

✓ 출생 시 신생아에 대한 흡인중재는 태변의 흡입을 방지하기 위한 것이다.

비판적 사고 훈련

지영씨는 20세이다. 산과력은 Gravida 1, Para 0으로 재태연령 41주이다. 현재 분만 1기 활동기로 자궁개대는 6cm이며 자궁수축은 강하며 5분 간격으로 70초간 지속된다. 태아 심박동수는 가변성이 감소된 120bpm을 보이다가 빈번한 변이성 하강(variable decelerations)이 나타나고 있다. 정확한 태아심박동수의 평가를 위해 태아 두피 전극을 적용하도록 결정하였고, 먼저 인공 양막파막술(amniotomy)을 시행하였다. 파막시 약 750mL의 하얀색 소립자가 포함되어 있는 녹갈색 액체가 나왔다.

1. 간호사는 이러한 결과를 기록할 때 어떤 정보를 포함시켜야 하는가?

2. 이러한 출산을 준비하면서, 간호사는 신생아의 심폐소생술 원칙을 따라야 한다. 출산을 위해 준비되고 점검되어야 할 장비를 5가지 열거하시오.

3. 출생시 아기의 상태와 아기가 건강하고 활발한지의 여부에 대한 결정이 행해진다. 아기의 상태
   를 규정하기 위해서 다음 어떤 것이 포함되어야 하는가?

4. 만약 출생시 아기가 건강하고 활발하다면 할 수 있는 간호중재를 설명하시오.

5. 만약 출생시 아기가 건강하고 활발하지 않다면 할수 있는 간호중재를 설명하시오.

비판적 사고 중심 학습

학습목표

- 태아질식 시 필요한 간호처치를 수행한다.
- 분만직후 신생아 건강상태를 평가한다.
- 분만직후 신생아(호흡유지)간호를 계획하고 수행한다.

개요

분만에 앞서 태변이 섞인 녹갈색 양수가 배출되며 심지어 양수내 미립자의 물질이 포함되어 있다. 만약 태아가 가사상태에 있거나 저산소증인 경우, 직장괄약근이 이완되어 태아는 태변을 배출하여 양수가 녹갈색으로 착색된다. 태아는 스트레스 상태에 있지 않고도 태변을 배출할 수 있으며, 스트레스 일때도 일시적으로 나타날 수 있다. 자궁수축시 태변이 착색된 양수가 관찰되면 태아의 안녕 상태를 확인하기 위해 전자태아감시기와 태아두피 혈액검사를 해야 한다. 신생아의 태변 흡입을 예방하기 위해서 간호사는 주의깊게 태아를 관찰해야 한다. 신생아 태변흡입증후군을 방지하기 위해서는 흡인(suctioning)을 철저히 한다.

태변 배출의 원인은 다음과 같다.

- 정상적인 생리적 기능: 특히 임신 38주 이후
- 저산소증으로 인한 장의 연동운동과 괄약근이완
- 제대압박으로 인한 태아의 미주신경자극

위험요소

- 과숙임신
- 제대 탈출
- 재태 연령에 비해 작은 태아
- 태아가사
- 융모양막염이나 자궁내 감염
- 증상과 징후
- 녹갈색 빛깔의 양수
- 끈끈한 태변이 배출된 후의 진통은 태아가사 증상

진단검사

태변착색 만을 이유로 의학적 중재가 행해지는 것은 아니다.

다음과 같은 검사는 응급 제왕절개술과 같은 중재의 필요성을 평가한다.

- 태아심박동모니터링: 감소된 변이성과 중정도에서 심한정도까지 변이성 및 후기
- 하강, 태변착색
- 태아두피 혈액분석은 산증을 확인하기 위한 것이다.

증상과 징후

- 녹갈색 빛깔의 양수
- 끈끈한 태변이 배출된 후의 진동은 태아가사 증상

치료적 간호관리

- 집중적으로 태아심박동을 관찰한다.
- 주의 깊게 신생아의 호흡을 관찰한다. 출생 직후 상부호흡기관에 흡인을 시행하여 태변의 흡입을 방지한다(태아가 두위로 분만될 경우 회음부 주위에서 행해질 수 있다).
- 분만 시 산소장치를 준비한다(산소 마스크나 지속적 양압 호흡 마스크).
- 필요한 만큼 산소를 투여한다. 신생아의 색깔, 관류, 호흡부전의 징후(그르렁거리기, 비공 확장, 흉부견축이나 무호흡은 태아가 보조적으로 산소를 필요로 하고 있음을 나타낸다) 등이다.
  - 기관내 흡인을 위해서 Intubation 장비를 구비한다: 기관내관, 후두경, 흡인 장비, 태변흡입기(DeLee 장비가 대안으로 사용될 수 있다).
- 간호사는 기관내 흡인의 절차를 돕는다.
  - 체위는 기도를 유지하면서 앙와위를 취한다.
  - 산소 불어 놓기, 지속적 양압 호흡 마스크나 양압 기계환기 등은 위의 절차 후 필요할 수 있다.
  - 시술중 사지의 고정이 필요할 수 있다.
- 스트레스를 받은 신생아의 간호를 준비한다. 만약 상태가 악화되면 신생아 집중치료실로 옮길 수 있다.

약물관리

- 태변착색 만을 이유로 약물적 중재가 행해지는 것은 아니다.
- 파막으로 인한 감염의 가능성을 고려하여 항생제를 선택적으로 투여할 수 있다.

합병증

태아/신생아의 합병증: 태변의 흡입, 기흉, 흡입성 폐렴, 지속적인 폐고혈압, 가사(질식), 경련, 신부전, 사망

간호실무능력 평가

☞상황

34세 경진씨는 정상 두정위 태아만출에 앞서 태변이 섞인 녹갈색 양수를 배출하며 양수내 미립자의 물질이 포함되어 있다.

1. 이때 생각할 수 있는 태아 문제로 옳은 것은?

① 저산소증   ② 태아기능부전   ③ 중추신경손상
④ 제대탈출   ⑤ 심장질환

2. 경진씨의 상황에 대한 원인 및 치료에 대한 설명이다. 가장 옳은 것은?

① 저산소증으로 인한 심장근육의 이완
② 제대압력감소로 인한 태아의 시각자극
③ 태변착색시 치료방법은 약물적 중재이다.
④ 임신 38주 이후에 태아의 정상적인 생리적 기능
⑤ 태변을 흡입하면 먼저 대사성 산혈증이 발생하고 더불어 호흡성 산혈증이 가중된다.

3. 이때 필요한 간호관리는 무엇인가?

① 정상적인 반응이므로 자연분만을 기다린다.
② 신생아 집중치료기에 넣어 체온유지를 시작한다.
③ 빠른 분만을 유도하기 위해 자궁수축제가 투여된다.
④ 태아심박동 모니터의 결과가 전기하강이 나타날 때 응급분만을 준비한다.
⑤ 출생직후 회음부 주위에서 상부호흡기관에 흡인을 시행하여 태변의 흡입을 방지한다.

4. 분만실 간호사가 출생 직후 경진씨 아기의 건강상태를 평가하였다. 평가한 내용 중 아기의 상태가 건강하지 못하다고 판단되는 결과는?

① 신생아의 심박동수는 86회/분이다.
② 울음소리가 약하고 호흡이 불규칙적이다.
③ 팔꿈치, 대퇴, 무릎이 굴곡되어 있으며 신전시킬 때 저항이 느껴진다.
④ 자극시 마다 크게 잘 운다.
⑤ 몸전체가 분홍색을 띄고 있다.

정답   1.①   2.⑤   3.⑤   4.①

관련정보

태아곤란증(fetal distress)

개요
태아가 자궁내에서 호흡 및 순환기능이 저하된 상태로 임신·분만중 어느 때라도 나타날 수 있다.

기본사항
- 임신 또는 분만중
- CTG상에서 심각한 서맥이 지속되고, 만기(태아심박수)감속, 고도의 다양성(태아심박수) 감속, 변이도의 소실이 보일 때
- BPS 점수가 낮을 때 → '태아곤란증(fetal distress)'을 생각한다.

치료
- 태아의 저산소상태를 개선시키기 위해, 다음의 치료를 행한다.
  a. 자궁수축억제제(ritodrine, 황산마그네슘 등)
  b. 모체로의 산소 투여
  c. 인공양수주입법(양수가 적어 탯줄이 압박되고 있는 경우)
  d. 자궁수축억제제제투여(자궁의 수축을 억제하고, 태아로의 혈류를 증가시키기 위해)
- 상기의 치료를 행하여도 개선되지 않는 경우
  a. 자궁구 완전개대에서 아두가 하강하고 있는 경우: 흡입·겸자분만
  b. 상기 이외의 경우: 제왕절개

> **참고** ▶
>
> **호흡성 산혈증**
> - 호흡이상에 의해 체내에 CO_2가 과잉으로 축적되고, 혈액 pH가 산성으로 치우친 병태이다.
> - 태아의 경우, 호흡이 아니라 자궁태반순환부전에 의해 CO_2가 과잉으로 축적된 상태를 가리킨다.
>
> **대사성 산혈증**
> - 대사이상에 의해 체내의 HCO_3^-가 과도하게 감소하고, 혈액 pH가 산성으로 치우친 병태이다.
> - 혐기적 해당에 의한 젖산의 축적, 또는 산성물질인 H+가 축적되는 것이 원인이므로 젖산 혈증이라고도 불린다.

분류

- 태아곤란증은 발병의 경과에 따라, 급성과 만성으로 분류된다.
- 증상은 급성과 만성 모두 분만시에 현저해지는 경우가 많지만, 만성의 경우에서는 잠재성으로 존재한다.

	급성 태아곤란증	만성 태아곤란증
개념	• 분만시의 장애로 인해 급격하게 발생 진통 급격한 산소부족	• 임신중의 태반기능저하와 만성적인 자궁순환부전으로 인해 발생 만성적인 저산소상태
대표적 질환	• 탯줄압박, 하수, 탈출 • 태반조기박리	• 태아발육부전(IUGR) • 자간전증 • 다양한 모체합병증 (고혈압, 신장질환, 당뇨, 교원병 등)

원인

- 태아곤란증의 원인은 아래와 같이 다양하다.
- 이런 원인에 의해 저산소혈증, 산혈증으로 진행하고, 태아곤란증에 이른다.
- 원인 중에서는 모체인자와 태반인자에 의한 것이 흔하고, 그 중에서도 자간전증에 의한 것이 대표적이다.
- 탯줄인자는 분만시의 급성 태아곤란증을 일으키는 경우가 많다.

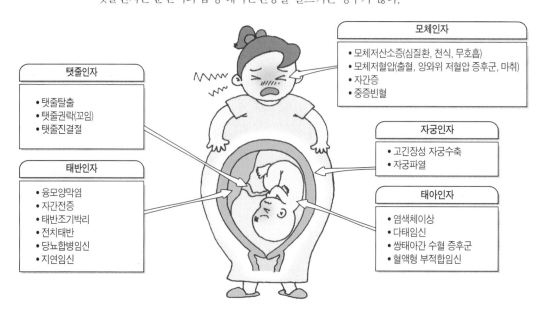

모체인자
• 모체저산소증(심질환, 천식, 무호흡) • 모체저혈압(출혈, 앙와위 저혈압 증후군, 마취) • 자간증 • 중증빈혈

탯줄인자
• 탯줄탈출 • 탯줄권락(꼬임) • 탯줄진결절

태반인자
• 융모양막염 • 자간전증 • 태반조기박리 • 전치태반 • 당뇨합병임신 • 지연임신

자궁인자
• 고긴장성 자궁수축 • 자궁파열

태아인자
• 염색체이상 • 다태임신 • 쌍태아간 수혈 증후군 • 혈액형 부적합임신

태아곤란증 조기진단

• 진단은 태아의 상태가 양호한지 아닌지로 진단되며, 태아의 well-being의 평가에 의해 진단
  된다.

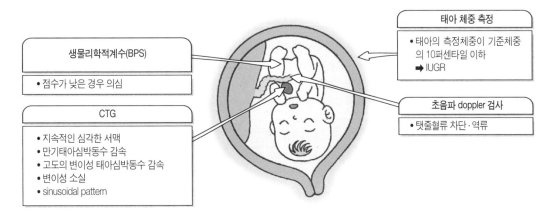

태아 체중 측정
• 태아의 측정체중이 기준체중
  의 10퍼센타일 이하
  ➡ IUGR

생물리학적계수(BPS)
• 점수가 낮은 경우 의심

초음파 doppler 검사
• 탯줄혈류 차단·역류

CTG
• 지속적인 심각한 서맥
• 만기태아심박동수 감속
• 고도의 변이성 태아심박동수 감속
• 변이성 소실
• sinusoidal pattern

저산소혈증

• 태아곤란증은 태아가 저산소혈증에 빠져 있는 것
  이다.
• 저산소혈증에서는 각종 장기에 산소를 공급하지
  못하므로, 혈류재분배라고 불리는 대사기전이 작
  동하여, 생명유지에 중요한 장기로의 산소공급을
  우선으로 한다.
• 서산소혈증이 계속되거나 중증화 되면, 혈류재분
  배로는 감당이 되지 않아, 최종적으로 태아는 사망
  한다.

혈류재분배

• 혈류재분배란, 만성의 저산소혈증상태에 빠진
  경우, 태아의 저산소상태에서의 적응·대사기
  전이다.
• 혈류 재분배는 선택적혈관수축에 의해 생명유
  지에 필수적이지 않은 조직으로의 혈류를 줄이
  고, 그만큼의 혈류를 생명유지에 필수적인 조직
  으로 공급시키는 작용을 한다.
• 검사소견으로 초음파도플러법에 의한 중대뇌동
  맥(MCA)의 확장기 혈류량의 상승 등이 있다.

저산소혈증에서부터의 변화

저산소상태

혈류재분배의 발견

저산소혈증

경증 ──────────── 중증

호흡성 산혈증
($PaO_2\downarrow$, $PaCO_2\uparrow$)
↓
❶ 혐기적 해당↑
↓
❷ 젖산↑
↓
대사성 산혈증
↓
❸ 호흡성 + 대사성
= 혼합성 산혈증

❶ 산소가 부족한 상태에서는
  혐기적 해당으로 에너지
  (ATP)를 산출하려고 한다.
❷ 혐기적 해당의 부산물로 생
  성되는 젖산이 축적되면, 젖
  산혈증, 즉 대사성산혈증이
  된다.
❸ 호흡성 산혈증이 더해져 대
  사성 산혈증에 빠진 상태를
  혼합성 산혈증이라고 한다.

혈류재분배의 붕괴

각종 장기손상

태아사망

• 저산소상태를 경동맥, 대
  동맥궁에 존재하는 화학
  수용체, 압력수용체가 감
  지한다.

저산소를 감지

AVP(ADH), 카테콜
라민 등의 호르몬
분비 증가

혈류↑
혈류↓

• 태아 뇌, 심장, 부신의 혈
  류는 증가하는 한편, 폐,
  사지, 장관, 신장으로의 혈
  류는 감소한다.

태아곤란증

분만의 지연 · 정지장애

- 분만개시 후, 초산모에서는 30시간, 경산모에서는 15시간이 경과하여도, 태아의 만출에 이르지 못한 것을 말한다.
- 원인은 분만의 3요소 이상이다.
- 분만의 지연이나 정지장애가 발생하면, 특히 태아에 악영향을 미친다.
- 정상분만에서도 자궁수축에 의한 저산소 스트레스가 보이는 경우가 있다. 저산소 스트레스는, 시간이 길어지면 길어질수록 태아에 악영향을 미치고, 태아곤란증(fetal distress)에 빠질 위험이 높아진다. 상황에 따라 응급제왕절개를 시행한다.

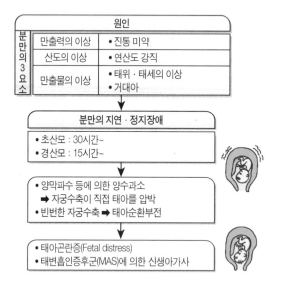

1. 양막파막술의 시간, FHR, 양수의 양상

2. 태변 흡입기, 3.5 와 4.0의 endotracheal tube, suction catheter, 산소장비, 청진기

3. 몹시 울음, HR이 100회 이상

4. 지지적인 간호는 건조시키고 체온을 유지, vital sign 측정과 내규에 따른 신생아사정등이 있다.

5. 심폐소생술의 ABC를 시작한다. : 기도를 확보한다. 음압의 기계환기를 시작한다. 필요하다면 심폐압박을 한다.

17 유도분만 산부 간호

Key Point

✓ 유도분만에 대한 간호중재는 진통촉진 시 간호중재와 동일하다.

✓ 옥시토신은 자궁의 과도한 자극과 파열을 초래할 수 있다.

✓ 옥시토신 투여는 infusion pump에 의해서 투약되어야만 한다.

✓ 간호중재는 진통과정 관찰, 태아심박동 관찰과 옥시토신 투여시 합병증 관찰 등에 초점을 맞춘다.

✓ 만약 자궁수축이 분당 2분 이상이며, 90초 이상 지속되거나 자궁이 수축의 간격사이에도 완전하게 이완되지 않는다면: (a) 옥시토신을 중단하거나 (b) 산소를 투여하거나 (c) 산모의 체위를 측위로 취해주고 (d) 건강관리 제공자에게 보고한다(태아가사가 나타날 경우에도 같은 단계를 따른다).

✓ 만약 자궁경부가 유도분만하기에 적합하지 않다면, 질내 프로스타글란딘 질정제를 유도분만에 앞서 자궁 경부 연화를 위해 사용할 수 있다.

비판적 사고 훈련 ◥

사 례 ①

> 30세 안숙씨는 Gravida 2, Para 1으로 제태연령 41주 5일로 현재 옥시토신으로 분만을 촉진시키고 있다. 자궁경부는 5cm 개대되었고 완전소실 상태이며, 양수는 3시간전에 파막되었다. 산부의 자궁수축과 태아의 심박동을 지속적으로 감시하고 있다.

1. 옥시토신 투여 및 투여준비시 간호사는 어떤 안전규칙을 따르고 시행해야 하는가? 각각의 근거를 설명하시오.

2. 모니터상 안숙씨의 자궁수축은 3분마다 90초간 지속되나 수축과 수축사이에 자궁의 이완이 없음이 감지되었다. 간호사가 가장 먼저 할 일은 무엇인가?

3. 아래의 왼쪽열과 오른쪽열을 관계 있는 것끼리 연결하세요.

	• A. 자궁의 평활근의 수축을 자극한다.
1) 라미나리아 •	• B. 자궁경부를 부드럽게 한다.
2) 프로스타글란딘 E 질정제 •	• C. 자궁경부를 기계적으로 개대시킨다.
3) 옥시토신(피토신) •	• D. 과다 자궁수축을 초래할 수 있다.
	• E. infusion pump,를 통해서 정맥으로 투여

사 례 ②

29세 정은씨는 재태연령 39주에 유도분만을 시행할 예정이다. 그러나 Bishop Score는 자궁경부가 충분히 "연화" 되지 않음을 나타낸다. 유도분만에 앞서 질강내로 prostaglandin gel을 주입하고자 한다. 정은씨는 간호사에게 "왜 당신은 내 안에 그런 물질을 넣는거죠? 내게 질 감염이 있나요?" 라고 말한다.

1. 사례 2의 정은씨에게 간호사는 어떻게 대답해야 하는가?

사 례 ③

산과력이 2-0-0-2인 지혜씨는 정상분만 하기를 희망한다. 의사는 그녀의 분만진행이 지연되고 있다고 판단하여 분만을 촉진하기로 결정하였다.

1. 분만을 촉진하기 위한 Oxytocin의 효능과 잠재적인 부작용에 대해 어떤 정보를 주어야하는가?

비판적 사고중심 학습

학습목표

- 유도분만을 정의하고 방법을 설명한다.
  - 진통의 촉진과 유도에 대한 간호중재를 수행할 수 있다.
  - Oxytocin의 작용과 부작용을 알고 안전하게 투여하는 설명할 수 있다.
  - 유도분만에 앞서 질내 prostaglandin 젤을 사용목적을 설명할 수 있다.
- 유도분만의 적응증 및 금기증을 설명한다.
  - 유도분만시 진통과정 관찰, 태아심박동 관찰과 Oxytocin 투여시 합병증 관찰에 대해 설명할 수 있다.
- 유도분만이 산부와 태아에게 미치는 영향을 설명한다.
- 유도분만 산부에게 간호과정을 적용한다.
  - 유도분만시 자궁과다 수축상태를 설명할 수 있고, 간호중재를 우선순위에 따라 설명할 수 있다.

개요

- 유도분만은 자발적인 진통이 일어나기 전에 자궁에 자극을 주어 자궁수축이 생기도록 하는 것이다.
- 진통촉진(augmentation)은 진통이 자연적으로 시작한 후 진행이 만족스럽지 못할 때 자궁수축을 자극하는 것이다(예: 저긴장성 자궁기능부전, 난산).
- 진통의 촉진을 위해 인공 양막파막술(amniotomy)이 가장 흔히 사용된다. 자궁경부의 연화를 위해 prostaglandin gel을 사용하고, 경부개대를 유도하기 위해 라미나리아를 사용한다. Oxytocin 정맥주사요법이 자궁수축을 극대화하기 위해 시행된다.

유도분만의 적응증

- 모체의 적응증: 융모양막염, 만성 고혈압, 인슐린의존성 당뇨, 임신성 고혈압, 미숙아, 조기 파막 또는 과숙 임신
- 태아의 적응증: 태아 사망, 낮은 생물리적 계수, 자궁내 성장지연, 잠재적 태아가사,
- 과숙아, 모체와 태아의 심한 Rh 동종면역, 양수과소증

진단검사

- 자궁수축검사: 태아 안녕상태를 사정하기 위해
- 초음파나 양막천자를 통한 재태연령 사정

- 태아 폐성숙도 사정(L:S ratio)
- Bishop score: 자궁경부의 유연성 평가를 위한 측정체계로 자궁경부가 부드럽고, 앞쪽에 위치하며, 50% 이상 자궁경부가 소실, 2cm 이상 개대되고, 태아 선진부 진입이 이루어졌는지를 사정
- 자궁경부의 연화 여부에 대한 질 검진(내진)

유도분만의 적용

- 유도분만은 모체와 태아의 안전성을 확보하는 것이 우선시 되며, 엄중한 모체와 태아 관리가 필요하다.
- 유도분만은 의학적 또는 사회적 요인에 의해 행해진다.

의학적 중재

- 산과치료·관리의 대부분은 임신의 유지에 의한 태아의 성장촉진이지만, 우측과 같은 질환의 경우 임신의 지속이 태아에 있어서 위험한 경우가 있다.
- 모체 및 태아에게 위험인자가 있을 때는 유도분만을 행하여 조기에 임신을 종결시키는 것이 필요하다.
- 위험인자로 지연임신, 조기양막파수, 태아발육부전(IUGR)이 많다.

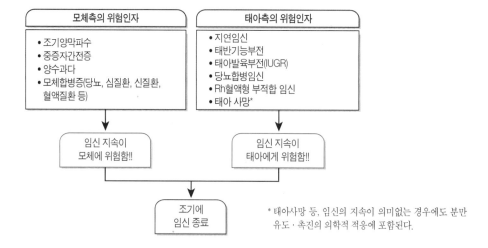

모체측의 위험인자	태아측의 위험인자
• 조기양막파수 • 중증자간전증 • 양수과다 • 모체합병증(당뇨, 심질환, 신질환, 혈액질환 등)	• 지연임신 • 태반기능부전 • 태아발육부전(IUGR) • 당뇨합병임신 • Rh혈액형 부적합 임신 • 태아 사망*

임신 지속이 모체에 위험함!!   임신 지속이 태아에게 위험함!!

조기에 임신 종료

* 태아사망 등, 임신의 지속이 의미없는 경우에도 분만 유도·촉진의 의학적 적응에 포함된다.

사회적 중재

- 임신부의 사정에 의한 경우와 고위험임신 등 의학적관리의 시점에서 지정한 일시에 계획적인 분만을 시행하는 편이 좋다고 판단되는 경우이다.
- 이런 경우, 태아의 이익을 우선시하여 실시한다.
- 사전에 수기, 일어날 수 있는 합병증 등을 임신부·가족에게 설명하고, 동의를 받는 것이 중요하다.

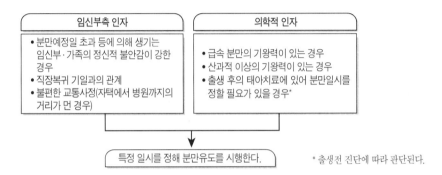

임신부측 인자	의학적 인자
• 분만예정일 초과 등에 의해 생기는 임신부·가족의 정신적 불안감이 강한 경우 • 직장복귀 기일과의 관계 • 불편한 교통사정(자택에서 병원까지의 거리가 먼 경우)	• 급속 분만의 기왕력이 있는 경우 • 산과적 이상의 기왕력이 있는 경우 • 출생 후의 태아치료에 있어 분만일시를 정할 필요가 있을 경우*

특정 일시를 정해 분만유도를 시행한다.   * 출생전 진단에 따라 판단된다.

필수조건

- 유도분만을 시행하기 위해서는 아래의 조건을 모두 만족시켜야 한다.

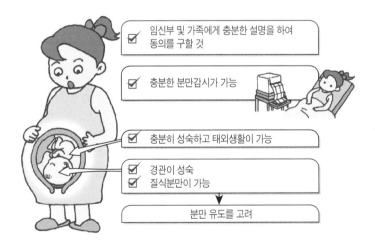

☑ 임신부 및 가족에게 충분한 설명을 하여 동의를 구할 것

☑ 충분한 분만감시가 가능

☑ 충분히 성숙하고 태외생활이 가능

☑ 경관이 성숙
☑ 질식분만이 가능

분만 유도를 고려

금기

아래의 경우 유도분만 금기이다.

- CPD(협골반, 골반형태이상, 거대아)
- 전치태반
- 태위이상(횡위, 둔위 등)
- 탯줄하수, 탈출
- 자궁체부 종절개(고전적제왕절개)의 기왕력
- 기타(HSV 감염증, 자궁경부암 등)

약제의 종류와 작용

- 자궁경관의 숙화에는 프로스타글란딘이 사용되고, 진통유발에는 옥시토신, 프로스타글란딘이 이용된다.
- 옥시토신과 프로스타글란딘을 자궁수축촉진제라고 부른다.
- 옥시토신과 프로스타글란딘의 병용은 과도한 진통을 유발하기 쉬우므로 금기이다.
- 프로스타글란딘은 옥시토신에 비해 반감기가 길기 때문에, 혈중농도의 조절은 어려우나, 자연진통에 가까운 진통을 유발할 수 있다.

	Prostaglandin		Oxytocin
	PGE$_2$	PGF$_{2\alpha}$	
주요용도	진통 유발		진통 유발
투여시기	분만 제1기		분만 제1기 이후
투여방법	경구제		점적주사
주요작용	• 자궁경관숙화 • 자궁수축↑		• 자궁수축↑
주요부작용	• 진통이 과도하여 발생한 태아곤란증, 경관열상, 자궁파열, 양수색전증 등		
비고	• 녹내장에는 금기	• 녹내장, 기관지천식에는 금기	• 경관숙화가 미숙한 경우에는 시행하지 않는다. • 이전에 고전적 제왕절개술을 한 경우에는 금기

라미나리아

라미나리아(Laminaria: 천연 해초)를 원료로 하는 지름 약 5mm, 길이 약 6cm의 막대기 모양. 수분을 흡수하면 천천히 팽창하여 12~24 시간 안에 2~3배의 크기가 된다.

기계적방법(물리적으로 숙화 촉진)

- 기계적방법에는 라미나리아, 난막박리, balloon, 인공파막 등이 있다.
- 이들은 난막, 자궁벽을 자극하여 내인성 프로스타글란딘, 옥시토신 생성을 항진시켜, 경관숙화를 촉진한다.
- 이들은 이물을 자궁내로 넣기 때문에 자궁내감염의 위험이 있다. 따라서 충분한 소독, 예방적항생제를 투여한다.

	라미나리아	난막박리	balloon	인공파막
적응	자궁경부가 미숙하여 개대되지 않음	자궁경관이 1횡지 이상 개대된 경우	자궁구가 2~3cm 개대 혹은 자궁구가 늘어난 경우	자궁경관이 충분히 성숙 (3~4cm 개대)하고, 아두가 고정된 경우
방법	라미나리아를 경관내에 여러개 넣는다.	난막을 자궁벽에서 박리한다.	풍선을 자궁하부에 넣어 부풀린다.	난막을 겸자 등으로 파막시킨다.
합병증	별로 없음	별로 없음	• 경관열상 • 조기양막파수 • 질 · 경관의 상재균 감염 등	• 급속한 자궁내압의 저하로 테반조기박리, 제대탈출 • 질 · 경관의 상재균 감염 등

기타

- 자궁수축유발법으로, 유두자극법이 있다. 유두자극에 의해 옥시토신의 분비를 촉진시켜, 자궁수축을 유발하는 것으로, 주로 수축검사(CST)를 목적으로 행하여진다.

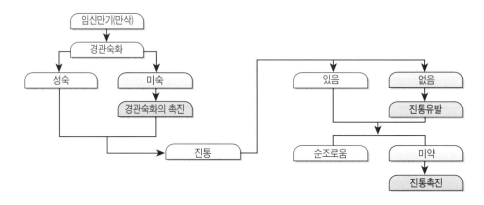

유도분만 · 촉진과정(경관숙화가 열쇠)

- 유도분만의 성공률은 경관의 소실과 함께 상승하므로, 우선 경관을 소실시킨 후 진통을 유도한다.
- 자궁경관의 성숙도는 Bishop score로 평가한다.

치료적 간호관리

- 인공 양막파막술(Amniotomy)
- 제대압박이나 탈출을 감지하기 위해 시행 전·후 즉시 태아심박동 사정
- 사정하고 기록하기: 파막시간, 색, 냄새, 양수의 점도
- 감염을 사정하기 위해 2시간마다 모체의 체온 관찰
- 모체의 오한, 태아의 빈맥, 자궁의 압통, 냄새나는 질 분비물 등과 같은 감염의 증상 사정
- 안위대책을 활용(예: 회음부 청결, 잦은 패드 교환)
- 진통양상 변화의 주의 깊은 관찰
- 모체의 활력증후와 소변량 사정
- 태아심박동 자주 사정

약물관리

 Oxytocin (Pitocin, syntocinon)

자궁수축을 자극하는 뇌하수체 호르몬, Oxytocin은 최소한의 용량으로 짧은 기간에 강한 자궁수축을 유도할 수 있다. Infusion pump를 이용하여 정맥요법으로 투여한다. 점적펌프로 효과적인 자궁수축 양상이 발생할때 까지 점진적으로 용량을 증가시킨다. 과도자극과 여타의 부작용이 투여용량과 관련이 있을 수 있다.

산과적 약리작용

- Oxytocin (Pitocin)은 평활근인 자궁근육과 혈관에 선택적으로 자극 효과를 준다. 옥시토신은 근육세포의 민감도와 근육수축의 힘을 높이고, 수축의 전달효과를 유지함으로써 자궁근층세포(하나의 자궁근층의 세포로부터 다음 세포로 수축의 이동)에 영향을 미친다. 자궁수축에 대한 효과는 사용된 투여량과 자궁근층세포의 민감도에 달려있다. 임신 초기에는 자궁근층의 민감성 정도는 약하여 옥시토신에 대해 저항성이 있다. 그러나 임신 중기부터 자궁은 정맥내 옥시토신 투여에 상당히 민감해진다. 분만예정일 즈음해 자궁수축이 없거나 약할 때에는 옥시토신을 희석한 용액을 정맥 주사한다. 옥시토신의 반감기는 3~5분이다. 옥시토신이 혈장 농도에 도달하는데는 대략 40분이 걸린다.

- 옥시토신의 심장혈관계에 대한 영향은 다음과 같다. 혈압은 처음에 감소될 수 있으나, 지속된 투여 이후에는 기준선 30% 이상까지 증가한다. 심박출량은 증가한다. 옥시토신 20mU/분 또는 그 이상의 투여는 신장내 수분교환을 저하시켜 소변양을 줄이는 항이뇨 효과를 나타낸다.

- 옥시토신은 분만예정일에 즈음해 진통을 유발시키고(유도분만), 분만 1기와 2기에 자궁수축을 증대시키기 위해 사용한다. 옥시토신은 출산 직후 자궁수축을 자극하여 자궁퇴축을 조절하기 위해 사용한다.

투여 방법

자궁의 수축을 촉진하기 위하여 옥시토신 10unit(10,000mU)/1ml를 1,000ml 5% D/S에 넣어 혼합한 뒤(그 결과 농도는 1ml의 정맥 내 용액 당 10mU Oxytocin) 주입펌프로 투여한다. 투여방법은 최근 고용량 투여방법을 따르고 있다(예: 5% D/S 1,000ml+Oxytocin 10unit을 기본단위로 하여 처음에는 8gtt(10gtt/분)로 시작하고, 20분마다 기본단위의 2배에서 8배까지 자궁수축이 적절하게(수축기간 40~60초, 수축간격 2~3분) 올 때까지 증가시킨다. 또 다른 경우는 0.5~1mU/분에서 시작하여 매 40~60분마다 1~2mU/분까지 증가시킨다. 다른 방법으로는 1~2mU/분으로 시작하여 적당한 수축패턴(매 2~3분마다 40~60초 지속됨)에 도달할 때까지 매 15분마다 1mU/분까지 증가시킨다.

임산부의 금기	• 중증자간전증, 자간증
	• 자궁파열의 우려(35세 이상의 미산부, 4회 이상의 다산부, 과도한 자궁증대, 자궁 경부 또는 자궁의 중대한 수술을 한 기왕력)
	• 아두골반불균형
	• 태위이상, 제대탈출
	• 조산아
	• 단단한, 연화되지 않은 자궁경관, 완전전치태반
	• 태아의 안녕을 안심할 수 없는 상태
임산부의 부작용	• 자궁의 과자극은 과도한 수축을 일으켜 다음을 초래할 수 있다. 　- 태반조기박리 　- 자궁혈류저하로 인한 태아저산소증 　- 급속분만에 기인한 자궁경관의 열상 　- 경부, 질 또는 회음부의 손상, 자궁이완을 일으키는 급속분만으로 인한 태아 외상 　- 자궁파열 　- 옥시토신을 전해질이 포함되지 않은 용액에 투여하거나, 20mU/분을 초과하는 　　비율로 투여한다면 수분중독(메스꺼움, 구토, 저혈압, 빈맥, 심부정맥)이 나타날 　　수 있으며, 분만 후 정맥주사로 급속 투여 할 경우에는 저혈압이 나타날 수 있음
태아 또는 신생아에 대한 영향	• 태아심박동수의 불규칙 또는 저하 • 고빌리루빈혈증 • 급속분만으로 인한 외상
고려사항	• 대상자에게 유도분만 절차를 설명한다. • 외부태아전자 감시기를 적용한다. 옥시토신 투여 시작 전에 태아심음 사정을 위해 　15~20분의 무자극 검사 결과를 사정한다. • 진통의 유도 또는 증가를 위해 피기백 또는 주입 펌프를 이용하여 옥시토신을 정맥 　주사한다. • 태아와 자궁수축을 계속적으로 관찰한다. • 최대비율은 40mU/분(ACOG, 1995)이나 대부분이 최대투여량을 추천하지 않는 　다. 처방은 일반적으로 16~40mU/분 이하이다. 일단 자궁경관이 5~6cm 개대되면 　옥시토신 투여량을 줄인다.

0.5 mU/분 = 3mL/시간	8 mU/분 = 48mL/시간
(0.05ml/분 ; 0.05cc = 1gtt)	10 mU/분 = 60mL/시간
1.0 mU/분 = 6mL/시간	12 mU/분 = 72mL/시간
1.5 mU/분 = 9mL/시간	15 mU/분 = 90mL/시간
2 mU/분 = 12mL/시간	18 mU/분 = 108mL/시간
4 mU/분 = 24mL/시간	20 mU/분 = 120mL/시간
6 mU/분 = 36mL/시간	

- 옥시토신의 주입속도를 증가시키기 전에 태아심음, 산모의 혈압, 맥박, 자궁 수축의 빈도, 기간 자궁수축 이완시 압력을 사정한다.
- 모든 사정내용과 IV 주입율을 외부전자태아감시기의 모니터 용지와 대상자의 차트에 기록한다.
- 옥시토신 주입율 mU/분 그리고 ml/시간으로 기록한다(예: 0.5mU/분, 3mL/시간).
- 모니터 용지에 대상자의 모든 반응들(자세의 변화, 구토), 행해진 처치(양막절개술, 멸균적인 질 검사) 그리고 진통제 투여시 평가와 그에 따른 전자감시 결과의 해석을 기록한다.
- 필요에 따라 자궁경관 개대를 사정한다.
- 안위증진 간호를 적용한다.
- 다음과 같은 증상이 나타나면 옥시토신 정맥내 주입을 중단한다.
  ① 위험한 태아상태가 기록되면(서맥, 후기 하강 또는 가변성 감퇴)
  ② 자궁 수축이 매2분보다 더 자주 일어날 때
  ③ 자궁 수축 지속 기간이 60초 이상을 넘어설 때
  ④ 자궁 수축 사이의 불충분한 이완 또는 자궁수축 이완압의 증가가 나타날 때, 이때의 간호중재는 대상자의 체위를 좌측위로 변화시킨다. 태아가사의 증상이 있다면 산소마스크로 7~10L/분의 비율로 산소를 투여한다. 의사에게 보고한다.
- 섭취와 배설량을 기록한다.

옥시토신 유도분만 지침	- 태아의 안정상태를 위해 유도분만 20분 전에 태아심박동을 관찰한다. - 응급상황에서 즉시 oxytocin의 투약을 중지했을때 수액 용량을 유지하기 위해 2차적인 정맥라인을 확보(piggyback)한다. - 적정한 자궁수축 양상이 확보될때까지, 점진적으로 용량을 투여한다. 용량은 개인차가 있다. - 유도분만을 위해 IV Pitocin을 준비하고 투여한다. 진통이 유발될 때까지 주입속도를 증가시키고, 점차적으로 매 30분마다 최대 10mU/분까지 증가시킨다. 용액이 주입이 된 상태에서 더 농축된 용액을 사용할 수 있다. 10U Pitocin(피토신)이 500mL IV 용액에 첨가될 때, 결과로 나온 농도는 1mU/분=3mL/시간이다. 만약 10U Pitocin이 250mL/ IV 용액에 첨가되면, 농도는 1mU/분=1.5mL/시간이다. - 주치의의 처방에 따라 간호사는 oxytocin 점적을 언제 시작하고 변경하며 중단해야 하는지를 결정한다. - 정기적으로 혈압과 맥박을 관찰한다. - 수액의 정체를 사정하기 위해 섭취 배설량과 뇨비중을 사정한다. - 수분중독 증상을 관찰한다. 두통, 흐릿하고 침침한 시야 장애, 증가된 혈압과 호흡, 수포음, 기침 - 자궁의 과다자극(자궁수축이 90초 이상 지속되고, 2분 혹은 그보다 잦은 수축 간격을 가질때)과 자궁이완시 압력이 20mmHg 이상인지 관찰한다. - 태아가사의 증상(서맥, 빈맥, 변이성(variability)의 소실, 반복되는 후기 감속)을 지속적으로 모니터한다.

- 자궁의 과다자극과 비정상적 태아심박동 양상에 대한 응급대책
  - Oxytocin점적을 중단한다. 정맥 내 주입속도를 증가시킨다.
  - 지침이나 처방에 따라 산소마스크로 산소를 투여한다.
  - 산모를 측위로 눕힌다.
  - 건강관리 제공자에게 보고한다.

 ## Prostaglandin E gel/suppository(Prepidil, Cervidil, Prostin)

Prostaglandin E gel/suppository(Prepidil, Cervidil, Prostin): prostaglandin은 진통을 유도하기 위해 질내로 삽입한다. 자궁경부를 연화시키고 소실시키기 위해서 유도분만 이전에 질내로 삽입하고 투여한다(oxytocin은 이러한 효과가 없다). 산모는 누수방지를 위해 겔 삽입 후 15~20분간 앙와위로 눕도록 한다. 부작용으로 고긴장성 자궁수축이 있다.

산과적 약리작용	약물명: Dinoprostone(Cervidil) 질좌약
	Dinoprostone은 프로스타글란딘 E2가 자연적으로 일어나는 형태이다. Dinoprostone은 자궁 경부의 성숙기간에 자궁경부를 부드럽게 하며 자궁근육의 수축을 자극할 수 있다. 자궁경부의 성숙을 위해 우선 사용하고 30분 후 옥시토신이 투여될 수 있다.
투여 방법	Dinoprostone 10mg을 질후원개 속으로 가로로 삽입한다. 그리고 산부는 2시간 동안 반듯이 누운 채로 있고, 그런 다음 보행한다. Dinoprostone은 12시간 넘는 시간에 걸쳐 적절하게 시간당 0.3mg 씩 방출된다. 질정은 자궁수축의 시작 또는 12시간 이후에는 제거실(retrieval string)을 잡아 당김으로써 제거되어야 한다.

임산부의 금기	• 프로스타글란딘 민감성의 기왕력을 지닌 대상자
	• 태아 가사상태
	• 원인불명의 임신중 출혈
	  - 아두골반불균형
	  - 옥시토신을 이미 투여 받은 대상자
	  - 6회 또는 그 이상의 만삭임신의 기왕력을 지닌 대상자
	  - 자연분만이 어려운 대상자
	• Dinoprostone 질 좌약은 양막파열, 둔위, 녹내장, 천식의 이력을 지닌 산부에게 사용시에는 주의해야 한다.

임산부의 부작용	• 고긴장성 자궁수축, 태아곤란증 등이 나타날 수있다. 1% 정도에서 열, 메스꺼움, 구토, • 설사 또는 복부통증을 보인다. • 태아/신생아에 대한 영향 • 불안정한 태아 심박동수의 양상
투여시 간호중재	• 금기사항을 사정한다. • 산모의 활력징후, 경관 개대 및 소실을 관찰한다. • 태아심박동수 양상 유무와 태아상태를 관찰한다. 다음은 정상양상이다(기준선 110~160bpm, 짧은 기간 가변성, 태동과 함께 가속의 평균 가변성 존재, 후기 또는 가변성 감퇴의 부재). • 자궁의 과자극, 지속적 자궁수축, 태아곤란증 또는 산모의 변화된 행동이 발생할 경우 질 삽입물을 제거한다.

라미나리아(Laminaria): Hydrophilic(수분 흡수제) 삽입물, 자궁경부에 삽입되며 물을 흡수하며 점차 부풀어서 점진적이고 기계적인 방법으로 자궁경부를 개대시킨다.

합병증

모체: 자궁파열, 양수 색전증, 급속 분만, 경부열상, 산후출혈, 수분 중독

태아: 태아가사(태아곤란증)

비판적 사고 중심 간호실무

유도분만 간호과정

간호사정

- 유도분만 과정과 관련된 간호사의 간호중재, 위험과 이점에 대한 산부의 이해와 지식을 사정한다.
- 유도분만 과정 중에는 어떤 금기 사항이라도 사정한다.
- 산모의 활력징후를 사정한다.
- 태아전자감시장치 결과를 확인 후 태아심박동수의 특성을 사정한다.
- 정상 특성을 확인하기 위해 태아심박동수를 사정한다(기준선 110~160bpm, 평균 변이성, 태아 움직임과 함께 태아심박동수 가속, 태아심박동수 만기하강이나 변이성 감퇴가 없음).
- 산부의 활력징후, 수축 패턴과 특성, 경부 개대, 그리고 IV옥시토신이 한 번 주입되었을 때 태아의 반응, 옥시토신 용액 주입율에 따른 각각의 순차적 자궁수축의 증가가 있는지를 사정한다.
- 자궁 수축에 대한 산모의 신체적·정신적 반응을 사정한다.

간호진단

- 과도한 자궁수축 패턴과 관련된 태반조직 관류장애
- 건강증진 추구행위와 관련된 지식부족

간호계획

진단적

- 자궁수축과 경부개대패턴 그리고 전자태아감시장치 추적기를 관찰한다.
  - 수축이 매 2분보다 더 자주 일어난다면 주입율을 낮춘다.
  - 태아 가사가 나타나면(감소된 변이성, 낮아진 기준선 또는 후기 감속), 옥시토신 주입을 멈추고, 우선 IV용액을 주입하고, 필요한 간호를 지시한다(옆으로 눕는 자세를 유지하고 저혈압을 관찰하고 산소 공급을 시작한다). 부작용이 관찰되면 조산사나 의사에게 부작용들을 알린다.
- 산모의 활력징후, 수축 패턴, 경부 개대 상태, 주기적 전자태아감시장치 추적 등을 옥시토신의 투여량 증가에 앞서 관찰한다.
- 활동적 진통 패턴이 나타나면, 옥시토신 주입율을 변경할 필요성을 조심스럽게 평가한다(증가, 감소, 유지).

중재적

- IV용액을 준비하고 분만유도를 위한 장비를 갖춘다.
- 2차적 주입으로 옥시토신을 주입하고 주입 펌프율을 의사의 지시에 따라 조절한다.
- 산모의 편안함을 줄 수 있는 간호방법들을 제시한다.
- 산모가 무통분만을 요청할 때 산부에게 지지자가 되어 준다.
- 조산사나 의사에게 산모와 태아의 상태를 자주 알린다.

교육적

- 산부와 그녀의 파트너에게 필요한 지식을 제공한다.

간호평가

- 다음의 중재사항에 대한 필요성을 산부가 말로 표현했음을 기술한다.
  - 약물의 사용
  - 활력징후의 빈번한 확인
  - 수축과 태아반응을 평가하기 위한 계속적인 태아 모니터링
- 산부는 정상범위 내에 있는 자궁수축패턴을 경험했음을 기술한다.

☞ **상황**

> 혜영씨는 제태연령 41주 4일로 초산이다. 진통이 없어 분만실에서 측정한 Bishop 검사결과 9점, 자궁은 4cm 개대되었다.

1. 혜영씨에게 해야 할 가장 적절한 중재는?

① 질내 수액 투여　　　　　　　　② 프로스타그란딘 투여
③ 옥시토신으로 유도분만　　　　　④ MgSO4 투여
⑤ 단순도뇨 시행

2. 혜영씨에게 시도할 간호중재가 금기인 증상은?

① 태반조기박리　　　　　　　　　② 양막파열이 지연될 경우
③ 심한 자간전증　　　　　　　　　④ 아두골반불균형
⑤ 태아 사망

3. 옥시토신의 부작용으로 적절한 것은?

① 느린맥(서맥)　　　② 발열　　　③ 빠른 호흡
④ 소변량 감소　　　⑤ 심박출량 증가

4. 혜영씨에게 다음과 같은 의사처방이 났다. 〈oxytocin start by IV〉 옥시토신 정맥 주입 전에 간호사가 먼저 해야 할 일은?

① 산부의 방광을 비운다　　　　　② 항생제를 주입한다.
③ 자세를 앙와위로 변경한다.　　　④ 시간당 소변을 관찰한다.
⑤ 지속적인 태아감시를 한다.

5. 혜영씨에게 옥시토신이 정맥투여되는 동안 간호사의 세심한 감시가 필요하다. 옳지 않은 것은?

① 모체의 활력징후를 15분 마다 측정한다
② 자궁내압을 추적하기 위해 태아전자감시기를 관찰한다.
③ 자궁수축을 사정하기 위해 적어도 15분마다 자궁바닥을 촉진한다.
④ 적정자궁활동성에 도달하면 조용히 쉴 수 있도록 혼자 둔다
⑤ 섭취 및 배설량을 측정하여 약물의 항이뇨 효과를 관찰한다.

정답　1.③　2.④　3.④　4.⑤　5.④

6. 혜영씨에게 옥시토신이 정맥으로 주입되는 동안 90초 이상의 강한 자궁수축이 지속될 경우 중재는?

① 좌측위로 눕힌다.

② 분만실로 빨리 옮긴다.

③ 의사에게 연락한다.

④ 옥시토신 투여를 중단하고 의사에게 보고한다.

⑤ 정상적으로 자궁수축이 진행되므로 주입을 계속한다.

7. 유도분만을 할 수 있는 경우는?

① 전치태반

② 아두골반 불균형

③ 생식기 헤르페스 감염이 있을 때

④ 과거재래식 제왕절개수술경험이 있을 때

⑤ 비효과적인 자궁수축으로 활동기에 분만지연이 있을 때

8. 분만을 유도하는 방법 중 태아의 선진부가 골반 내로 진입해야 실시할 수 있는 것은?

① 옥시토신 투여　　　　　② 양막절개술

③ 회음절개술　　　　　　④ 프로스타그란딘 질용 좌약

⑤ 라미나리아

사례 ①

1. 1) 옥시토신은 1차적인 주정맥 라인을 유지한 상태에서 응급상황시 옥시토신만 주입을 정지할 수 있도록 2차 적인 라인(혹은 piggy back)을 통하여 주입하며, 1차 주정맥 라인은 수액에 다른약이 투여되기 위해서 필요하다.

2) 옥시토신은 500mL 수액에 희석된다. 옥시토신은 과도한 자궁수축을 방지하기 위하여 매우 작은 용량(시 작 용량은 분당 0.5-2mL)으로 시작된다.

3) 옥시토신은 과용량의 위험성이 없도록 infusion pump로 투여된다(중력대비 방울 수 점적 방법이 사용될 수 있다. 단. 수기조작의 금지).

4) 옥시토신은 생리학적 전해질이 포함된 수액에 희석된다(포도당이나 물 5%DW, 증류수에 희석금지- 5%DS, HS에 mix한다). 포도당이나 물에 사용되면 수준저류나 수분중독의 위험성이 높아진다.

5) 간호사는 돌발적이고 의도하지 않은 투약사고를 방지하기 위해 2차라인과 백에 주황색이나 빨강으로 "약첨가"라는 라벨을 붙인다.

6) 간호사는 자궁의 혈류를 증진시키기 위해 좌위를 취해준다.

7) 간호사는 태아가사와 자궁파열, 급속분만, 자궁경부 열상, 자궁강직들을 포함하는 모체의 합병증의 징후 를 파악하기 위해 태아심박동과 자궁수축을 지속적으로 감시한다.

2. 옥시토신의 투여를 중단한다. 이는 과도한 자궁수축의 원인을 제거해준다.

3.

		A. 자궁의 평활근의 수축을 자극한다.
C	1) 라미나리아	B. 자궁경부를 부드럽게 한다.
A,B	2) 프로스타글란딘 E 질정제	C. 자궁경부를 기계적으로 개대시킨다.
A,D,E	3) 옥시토신(피토신)	D. 과다 자궁수축을 초래할 수 있다.
		E. infusion pump,를 통해서 정맥으로 투여

사례 ②

1. 간호사는 산모에게 프로스타글란딘 질정제가 감염을 치료하기 위해 사용되는 것이 아니며, 이 질정제는 옥시 토신이 투여되기전에 보다 용이하게 자궁개대를 할 수 있도록 자궁경부를 연화하기 위한 목적으로 사용된 다는 것을 말한다.

사례 ③

1. 분만을 촉진하고 산고를 줄여주는 효능이 있으나 운동성을 감소시키는 부작용이 있으므로 지속적인 자궁 수축과 태아심박동에 대한 관찰을 해야 한다.
정상분만보다 자궁수축의 강도가 증가하며 빈도가 빨라지며, 진통제의 필요성이 증가할 수도 있다.

시뮬레이션 실습
여성건강간호 실무역량
문제해결형 국가시험을 위한

여성건강간호와
비판적 사고

IV 산욕기
산모 간호

01 산욕기 생리

Key Point

✓ 임신, 분만에 의해 변화했던 모체가 다시 비임신 상태로 돌아가는데는 6주 정도 걸린다.

✓ 산욕기 동안 엄청난 생리적 적응과정이 이루어진다.

✓ 분만 직후 상승해 있었던 자궁저부는 24시간에 1~2cm씩 하강하며, 산후 9일째가 되면 복부에서 더 이상 촉진되지 않는다.

✓ 자궁은 태반부착 부위의 과도한 출혈을 예방하기 위해 반드시 퇴축하여야 한다.

✓ 자궁저부가 정상보다 높거나 오른쪽으로 치우쳐져 있다면, 방광팽만을 의심할 수 있다 (자궁 무력증과 과도출혈 유발).

✓ 유방은 임신 중에 초유 분비를 시작하나, 출산 후 2~3일후 부터는 유즙분비를 개시 한다.

✓ 다뇨증과 다한증은 정상이며 흔한 증상이다.

✓ 계속적인 사정이 필요한 사항은 다음과 같다: vital sign, 오로, 자궁저부의 높이와 강도, 장과 방광기능, 회음부 회복정도, 유방, 교육적 요구와 안위수준

✓ 회음절개술부위 통증 완화를 위해 구강용 진통제를 사용할 수 있다(예: 코데인이 첨가된 아세트아미노펜), 산후통에는 비스테로이드성 항염증제제(예; ibuprofen)를 투여한다.

✓ 심각한 합병증: 산후출혈, 유선염, 요로감염, 산후감염, 혈전성 정맥염

비판적 사고 훈련 ▼

나현씨는 오늘 오전 8시에 아기를 출산하였다. 오후 8시에 산모 나현씨의 신체사정 결과는 다음과 같다. 혈압 120/80, 맥박 70, 호흡 16, 체온 37.5℃, 자궁저부가 배꼽위 1cm 정도 위에 중앙에서 오른쪽으로 치우쳐 위치하며, 유방은 부드럽다. 그녀는 땀을 많이 흘리고 있다.

1. 상기 상황에서 어떤 사정 결과가 문제가 발생하고 있다는 것을 나타내고 있는가?

2. 나현씨의 다소 상승된 체온은 어떤 문제를 나타내고 있는가?

3. 나현씨의 체온 상승의 의미를 확인하기 위해서 간호사는 다른 어떤 정보가 더 필요한가?

4. "자궁저부가 배꼽 위 1cm 중앙에서 오른쪽으로 치우쳐 촉지된다"는 의미를 적절히 사정하기 위해 간호사는 어떤 사정자료가 더 필요한가?

5. 간호사는 출산 직후 1일째에 있는 산모를 간호하고 있다. 출산 후 올 수 있는 합병증을 예방하기 위해 간호사가 관찰해야 할 임상적 징후는? 합병증과 관련이 있는 임상적 징후를 연결하시오.

합병증	합병증을 의미하는 잠재적 징후
1) 산후 출혈 •	• A. 복부에서 촉진되는 자궁의 높이와 부드러움
2) 회음부 감염 •	• B. 냄새나는 오로
3) 요로 감염 •	• C. 38.8℃의 체온
4) 혈전성정맥염 •	• D. 선홍빛인 다량의 오로
	• E. 배뇨시 작열감
	• F. 종아리의 4분의 1 크기의 발적과 온감
	• G. 복부와 골반의 통증
	• H. 잦은 배뇨
	• I. 호만증상을 동반한 통증

* 요로감염은 열(전형적으로 낮은 정도의)과 통증(일반적으로 옆구리 통증)과 관련있지만 잦은 배뇨와 배뇨시 작열감은 매우 전형적인 징후와 증상이다.

비판적 사고중심 학습

학습목표

- 산욕여성의 자궁퇴축과정과 신체적 정상변화과정을 설명한다.
- 산욕여성의 자궁퇴축과정과 신체적 정상변화과정을 사정한다.
- 유즙분비의 기전을 설명한다.
- 유방울혈 상태를 사정한다.

개요

산욕기는 아기의 출산 후 비임신 상태로 대상자의 생식기계가 회복되는 기간이다. 거의 6주간 지속된다. 이시기는 임신 과정 동안 일어났던 생리적 변화가 임신 이전의 상태로 회복되는 변화가 일어난다. 그래서 산모의 몸은 다시 생리학적 변화를 경험하고 가족내 새 구성원과의 적응을 위한 엄청난 변화를 겪는다. 이 기간 동안 아기에 대한 모체의 반응은 산모의 에너지 수준과 안위의 정도, 신생아의 건강, 기존의 가족역동, 의료진의 관리와 지지 등에 의해 영향을 받는다.

진단검사

- Hematocrit/Hemoglobin
- CBC
- 항체 선별검사

자궁퇴축 및 신체적 변화

생식기계 변화

- 출산 후 12시간 이내, 자궁저부는 배꼽 위 높이 만큼의 위치에서 촉지된다. 24시간마다 1~2cm씩 하강하며, 산후 9일 이후 복부에서는 촉지되지 않는다.
- 단단하게 잘 수축되는 자궁은 태반부착 부위의 과도한 출혈을 예방한다. 태반 부위의 혈관들을 수축시키고 지혈시키는 것은 자궁수축에 의해서 이루어진다. 자궁수축의 또 다른 결과는 자궁퇴축인데, 임신 전 크기로 분만 후 자궁이 회복된다.
- 자궁경부가 닫힌다. 자궁경부의 부종은 2~3개월간 지속될 수 있다.
- Estrogen 수치가 10주 쯤이면 회복된다.
- 비수유부는 10~12주에 배란이 시작되며, 수유부는 12~16주에 시작된다.
- 산후통(훗배앓이)은 그 강도가 다양하게 발생하는데, 특히 모유수유시 더 강하다. 산후통은 경산부일수록 더 강하다.

- 오로는 3단계로 발생한다. 적색오로(선홍색)는 첫 3일간 지속된다. 갈색오로(분홍빛, 묽은)는 3~10일간 지속된다. 백색오로(햇볕에 그을린것 같은 희무끄레한)는 10일 이후 (때로는 6주 정도까지)에 나타난다.

유방

- 초유는 분만 직후에도 분비된다.
- 모유생산은 분만 후 2~3일 후에 시작된다.
- 유방울혈이 나타날 수 있다.

심혈관계

- 혈액량은 임신 중 과도한 체액축적이 경감되면서 3일 후부터 감소한다. 다한증은 피부를 통해 체액의 많은 양이 배출되는 것으로 첫 며칠동안 심한 발한이 나타난다.
- 심박출량은 3주 후에 감소한다.
- 분만 후 즉시 Hematocrit의 상승이 3~7일 동안 나타나며(혈액세포보다는 혈장량의 손실이 더 크다), Hematocrit은 4~7주면 정상으로 회복된다.
- WBC는 첫 12일 동안 증가하며, 산후 2주에는 정상으로 회복된다.
- 응고인자는 산후(혈전성정맥염의 위험을 증가시키는 요인) 증가되어 있으며, 산후 3주쯤에는 정상으로 회복된다.

호흡기계

- 호흡기능(일회호흡량)은 6주 이내에 비임신상태로 회복된다.

비뇨기계

- 다뇨증은 분만 후 12시간 이내에 시작되는데, 이는 임신시 변화되었던 수분대사의 회복을 의미한다. 소변량은 첫주 동안 하루에 3,000cc가 될 수 있다.
- 방광의 긴장도는 산후 1주 말에 정상으로 회복된다.
- 정상적인 신장의 기능은 6주 후에 회복된다.
- 요도 및 회음부의 부종은 산후 첫 24시간 동안 배뇨곤란과 요정체를 초래할 수 있다.

소화기계

- 정상적인 장기능은 산욕기 1주 쯤에 회복된다. 회음절개술이 시행됐다면 변완화제를 투여할 수 있다.
- 산후 산모는 매우 배가 고프고 갈증이 날 수도 있다.

활력증후

- 활력징후은 정상적 상태에서는 많이 변화하지 않는다.
- 체온은 탈수로 인하여 첫 24시간 동안 다소 상승할 수 있다.
- 출산 후 첫 한시간동안 맥박은 다소 상승할 수 있으나, 서맥 경향이 있으며 8~10주 쯤이면 임신 전 상태로 감소한다.
- 호흡은 6~8주 쯤 출산 전 범위로 감소한다.
- 혈압은 항상 변화가 없으나, 기립성 저혈압은 첫 48시간 동안 나타날 수 있다.

산욕기 산모간호

간호사정을 한다.

- 위험요소의 파악을 위해 출산 전, 분만 중의 과거력 평가, 프라이버시를 보호한다.
- 대상자는 사정에 앞서 배뇨하도록 한다.
- 정확한 검사를 위해 머리를 편평하게 눕는 체위를 취한다.
- 사정은 머리에서 발끝 방향으로 진행한다.
- 활력증후은 대상자가 휴식시에 가장 정확하며, 다른 사정보다 우선적으로 판단할 수 있다.

  - 체온
    ① 첫 24시간 이후 38℃(100.4℉)는 감염을 나타낸다.
    ② 탈수와 관련해서 분만 후 초기에는 상승할 수 있다.

  - 맥박
    ① 정상적인 범위는 분당 50~80회이다.
    ② 100회/분 이상의 맥박은 의료진에게 보고되어야 한다.

  - 호흡
    ① 정상적인 범위는 분당 16~24회이다.

  - 혈압
    ① 기립성 저혈압을 사정한다.
      만약, 대상자가 과거력이 있거나 자간전증이라면 보다 면밀히 관찰해야 한다. 제왕절개나 난관결찰술 등의 외과적 수술을 한 산부는 정상 산후관리와 함께 호흡음을 사정하고 기침과 깊은 호흡을 하도록 하는 등의 수술 후 대상자 관리를 해야 한다.

산후출혈을 방지한다.

- 산욕기 산모에게 간호사는 반드시:
- 위험요소를 사정한다: 거대아 출산, 다태임신, 양수과다증, 경산부, 급속분만, 난산, 분만 3기의 지연, 태반조직 잔류, 약물의 사용(전신마취, 자궁수축억제제, 황산마그네슘, 임신성 고혈압과 관련된 낮은 혈소판수치)
- 방광을 비우도록 한다(규칙적인 배뇨 권장).
- 부드럽게 자궁저부 마사지를 한다. 만약 물렁거린다면, 자궁마사지에 대한 자가교육을 한다.
- 처방대로 자궁수축제를 투여한다: Oxytocin(Pitocin), Methergine, Ergonate
- 옥시토신제제가 투여된다면, 부작용을 관찰한다.
- 옥시토신의 빠른 IV 주입으로 인한 저혈압을 주의한다.
- Methergine이나 Ergonate로 인한 고혈압을 주의한다.

안위를 증진한다.

- 첫 2시간 동안 산후 오한(진통과 출산의 과중함으로 인한 떨림)을 방지하기 위하여 따뜻한 담요를 제공한다.
- 첫 24시간 동안 얼음팩을 적용하며, 20분간 적용 후 10분간은 쉰다.
- 좌욕을 권장한다. 첫 12~24시간 이후 하루 2번이나 필요시에 적용한다.
- 배변 및 배설시마다 회음부에 따뜻한 물을 부어줌으로서 회음간호를 하도록 대상자를 교육한다. 티슈에 대한 외상과 직장 부위로부터의 오염을 방지하기 위하여 앞에서 뒤로 닦도록 하며, 회음 표면에 닿지 않도록 하고, 앞에서 뒤로 청결한 회음 패드를 적용한다.
- 엉덩이에 힘을 준 후 앉아서 근육을 이완시키도록 대상자를 교육시킨다.
- 국소마취제(dermoplast이나 americaine spray)나 witch hazel compress (tucks)를 바른다.
- 진통제를 투여한다; 아세트아미노펜, 비스테로이드성 항염증제(ibuprofen), 마약성 진통제(코데인, hydrocodone, oxycodone)
- 제왕절개 분만시 PCA나 경막외 몰핀을 사용한다.
- 경막외 마취제로 몰핀이 투약되었다면 부작용을 관찰한다. 호흡억제(8~12시간), 오심과 구토(4~8시간), 가려움증(3~10시간), 요정체, 졸리움 등이 후기에 발생한다.
- 배변을 증진한다.
- 자주 조기이상을 격려한다.

- 섬유질과 수분 섭취를 증가하도록 격려한다.
- 처방대로 변완화제를 투약한다. 대상자가 열상이 있다면 좌약은 금기이다.
- 배뇨를 증진한다.
  - 매 2~3시간마다 배뇨를 격려한다.
  - 처방대로 요정체를 방지하기 위하여 도뇨관을 삽입한다.
  - 제왕절개술 이후 유치도뇨관을 첫 12~24시간 동안 유지한다.

산모 수유를 증진한다.
- 젖 말리기와 분유수유를 지지한다(비수유부).
- 지속적으로 편안한 브라나 유방지지대를 유방울혈을 방지하기 위하여 5~7일 동안 착용한다.
- 가슴에 열과 자극을 피한다(비수유부).
- 유방울혈이 발생하면, 20분간 하루 4번 냉팩을 적용한다(비수유부).
- 신생아가 주간에는 깨어 있도록 하며, 밤에는 잘 수 있도록 매 3~4시간마다 수유를 하도록 격려한다.
- 성공적인 모유수유 습관을 확립한다.

휴식과 활동으로 점진적인 회복을 증진한다.
- 충분한 휴식을 할 수 있도록 간호중재를 조직적으로 시행한다.
- 아기가 잘것이라고 예상되는 시간에 엄마의 휴식시간을 계획한다.
- 4~6주가 지나면 점진적으로 활동을 제개하도록 대상자를 교육한다. 무거운것을 들거나 계단을 오르거나, 스트레스가 생길 수 있는 활동은 피하도록 한다.
- 간단한 산후체조를 하도록 한다. 임신으로 인해 영향을 받은 근육을 스트레칭하도록 격려한다.
- 과도한 활동은 오로의 증가나 통증을 유발함으로 운동계획을 수정한다.

적절한 영양섭취를 증진한다.
- 하루 2,000ml의 수분 섭취량을 격려한다.
- 수유부는 하루에 500Kcal를 증가시키도록 한다.
- 처방대로 산후에도 비타민과 철분을 지속적으로 섭취하도록 교육한다. 철분은 비타민 C와 함께 섭취시 흡수가 증진되나, 변비를 증가시킬 수 있음을 교육한다.

생리적 안녕상태를 증진한다.

- 산모의 적응상태와 독립 정도에 따라 간호를 계획한다.
- 가능한 때를 선택할 수 있도록 한다.
- 감정을 표현하도록 격려한다.
- 출산에 대해 경험한 이야기를 많이 하도록 대상자를 격려한다.
- 대상자의 자가간호와 신생아 간호에 대한 지식을 제공한다.

대상자의 안전을 증진한다.

- Rh- 산모인 경우, 필요하다면 RhoGam을 투여한다.
  - 산모가 대상자인지 확인한다: Rh-음성의 모체는 감작되어 있지 않고(indirect Coombs' test에서 negative일때), Rh-양성 신생아도 감작되어 있지 않다(direct Coombs' test에서 negative일때).
  - 분만 후 72시간 이내 IM으로 RhoGam, 300ug(1바이알)을 투여한다.
- 자료수집 결과 필요하다면, Rubella 백신을 투여한다.
- 다음과 같은 증상이 있을시에는 보고한다.
  - 시간 당 한개 이상의 패드를 흠뻑 젖시는 선홍색의 출혈이나 큰 혈괴의 배출
  - 38℃ 이상의 체온
  - 과도한 통증
  - 오한
  - 회음절개 부위의 발적이나 벌어짐
  - 냄새나는 오로
  - 배뇨시 불편감; 작열감, 빈뇨나 긴박뇨
  - 종아리 통증, 압통, 발적, 부종

약물관리

- 산후 약물관리는 출혈예방과 동통관리를 위해 자궁수축제와 진통제를 흔히 사용한다.
- Oxitocin (태반배출 이후 투여): 10unit Pitocin(1mL)을 근육주사로는 일회로, 계속적 주입을 위해서는 IV 용액에 첨가해 투여한다.
- 자세한 약물관리는 위의 〈산욕기 산모간호〉 부분을 참조.

합병증

- 산후 출혈(다량의 질 출혈)
- 산후 감염
- 오로의 변화(양, 냄새, 오로 특징의 조기 변화)
- 열
- 복부나 골반의 통증이나 압통
- 혈전성 정맥염: 국소적 통증, 발적, 부종이나 종아리 열감
- 유선염: 유방 통증, 발적, 통증, 부종
- 요로감염: 통증, 배뇨시 작열감

비판적 사고 중심 간호실무

간호사정

표 4-1. 산욕기 간호사정과 교육

생리적 변화	간호 사정	환자 교육
활력 증상 **체온:** 정상범위; 분만시 탈진과 경미한 탈수로 인해 38℃까지 상승 가능	정상: 36.2~38℃ 　초기 24시간 이후 체온이 　38℃ 이상이면 감염을 의심	퇴원 시 다음의 사항을 조언한다. 산모가 오한이나 무력감 등을 　느낀다면 체온을 재고, 　간호제공자에게 열을 보고한다.
맥박: 혈액량 감소와 심장의 긴장, 증가로 분만 후 서맥이 출산 후 6~10일 동안 발생할 수 있다.	맥박: 50~90회/분 　빈맥은 힘든 진통과 출산 혹은 　출혈이 원인일 수 있다.	맥박이 보통 느려짐을 설명한다. 　맥박이 빠르거나 심계항진시 　보고하도록 조언한다.
호흡: 변화 없다.	호흡은 16~24회/분이다. 　만약 감소된다면 투약한 약물의 　효과를 평가해 보며 현저한 빈호흡 　발생시 폐렴 혹은 다른 호흡기계 　질환의 가능성을 사정한다.	호흡곤란, 기침, 빠른호흡 등 　합병증의 증세를 보고하도록 　조언한다.
혈압: 기준 혈압을 지속적으로 유지, 약간의 감소는 축소된 골반압의 정상적인 병리학적 순응을 말한다.	혈압 상승: 임신성고혈압 의심, 　특히 두통, 단백뇨, 부종, 　시력변화가 있을 시 혈압 저하: 추가적인 출혈의 　징후를 평가(빠른 맥박, 습한 피부)	산모에게 결과를 설명 　모유수유가 끝날 때까지 몸에 잘 　맞는 브라착용의 중요성을 논의, 　불편함을 덜어주는 방법 논의, 　비수유 산모의 가슴울혈, 　감염의 징후 검토
복부 복부는 늘어나 있음; 일정기간 동안 느슨하고 늘어짐 운동으로 2~3개월 내에 형태 향상 복직근이 분리되어 복부 내 일정 부분의 근육지지대가 없음	복부가 부드럽고 반죽 같은 느낌이 있음	형태를 개선하기 위해 행해지는 운동법 논의
자궁 **수축:** 분만 후 거의 임신전 자궁 크기로 감소 수축은 합병증 없는 출산, 모유수유, 조기이상으로 강화됨 태반 제거 후 치골결합선과 배꼽 사이에 위치함 자궁은 자궁 내 혈액이 모이고 응혈이 형성되면서 배꼽 위치까지 점차 올라옴	**절차 확인:** 자연분만을 통한 자궁 저부 평가 자궁저부는 탄탄하고 정중앙에 위치해야 함. 한쪽으로 치우침은 방광팽만이 원인이 되기도 함 자궁저부가 탄탄하지 않은 것을 "boggy" 라 함 이는 방광이 차 있거나 응혈 또는 다산을 한 여성의 자궁수축성 감소가 원인일 수 있음	자궁의 압박을 줄이기 위해 방광을 비우는 것을 설명

생리적 변화	간호 사정	환자 교육
24시간 이후부터 하루에 손가락 하나의 너비씩 크기가 줄어든다. 10일~2주 내에 골반조직이 됨, 자궁근육은 출혈을 막기 위해 태반에 있는 혈관을 죄면서 수축 유지 자궁인대는 팽팽해서 계속 자궁의 움직임이 있을 수 있고 방광에 의해서 자궁의 자리를 잘못잡기도 함. 자궁위치는 복구되는데 6주까지 걸림 복구는 박리에 의해 일어나므로 어떠한 상처도 형성되지 않음. 이는 미래에 태반이 부착될 수 있도록 하기 위함	자궁 저부를 단단해질 때까지 손끝으로 부드럽게 마사지한다. 자궁이 수축하지 않으면 더 강한 마사지가 요구됨; 방광팽만을 평가하고 비우도록 함, 자궁이 단단하게 수축 되었을 때 혈괴가 배출된다. 이완되어 있을 땐 혈괴가 배출되지 않는다. Bogginess가 남아 있거나 재발하면 주치의나 조산사에게 알림 배꼽과 비교해서 자궁의 높이를 기록 (예: 자궁은 단단하고, 정 중앙 1 FB ↑ U)	
오로 출산후 자궁은 오로를 배출함 적색오로는 2~3일간 지속되며 생리혈과 같이 검붉음 갈색오로는 3일째부터 10일까지 지속됨. 이는 장액성 분비물 백색오로는 크림빛의 갈색 혹은 노란빛의 분비물임 오로가 멈추면 자궁경관은 닫힌 것으로 간주되며 감염위험은 줄어듬 오로는 일어날 때 더 많아지는 경향이 있음(밤사이 질내 울혈이 원인) 오로의 양은 모유수유(젖 빨기로 인한 옥시토신, 자궁수축)나 몸이 힘들 때 양이 증가 오로의 형태, 양, 지속성은 태반 위치의 회복 정도를 나타냄. 지속적인 적색오로나 갈색오로에서 적색오로로 되돌아가는 것은 잔유 태반의 일부이거나 산후출혈을 나타냄	오로의 형질, 양, 생리적 냄새 심한 악취는 감염을 의미, 응혈을 평가 소량의 응혈은 정상이나 다량은 비정상 흐름은 정상양을 절대 초과해서는 안됨(예: 하루 4~8패드). 여성이 심한 출혈을 호소할 때는 한 시간마다 깨끗한 패드를 착용하도록 함 출혈이 시간당 2개 패드 이상이라면 의사에게 보고해야 함 산모가 응혈이 나옴을 호소할 때는 배뇨에 방출되지 않도록 화장용 티슈가 아니라 패드를 사용하게 함 출혈의 정확한 판단이 필요할 때; 깨끗한 마른 패드로 최초무게를 잰 후 패드의 무게를 측정함, 기록(예: 오로: 소량, 적색오로, 혈괴 없음)	감염의 위험이 있으므로 여성에게 탐폰을 사용하지 않도록 교육, 생리패드는 일반적으로 생리벨트와 함께 사용(팬티 안쪽에 붙이는 점착성 패드는 여성이 걸을 때 움직이기 쉽고, 항문에서 회음부, 질입구까지 오염을 확산시킴 다수의 젊은 여성은 벨트를 사용해 본 경험이 없으므로 처음에 도움이 필요함. (적색-갈색-백색 과정을 설명해 줌) 과하게 젖은 패드나 과량의 혈괴는 기록하고 보관토록 교육함 여성은 오로변화과정 복귀실패를 기록하도록 함 샤워후, 좌욕후, 배변때마다 패드를 교환하도록 함

생리적 변화	간호 사정	환자 교육
비뇨기계 배뇨는 이뇨작용으로 초기 산욕기 동안 매우 증가 산모는 방광감각 저하로 배뇨의 어려움을 겪을 수 있음 출산시 마취제 사용 요로 주변세포의 부종으로 방광용적률을 증가시키고, 배뇨의 어려움을 증가시킴	배뇨 평가: 산모는 충분한 양을 배출해야함(적어도 250~300cc) 매 4~6시간마다; 요로감염 증상을 문진(긴급, 빈번, 배뇨곤란); 방광 촉진 유무 기록; 자궁저부가 정중앙선에 위치하는지 확인	적절한 배뇨의 중요성 설명; 사생활을 제공함으로서 배뇨가 어려운 산모를 돕고, 회음부에 따뜻한 물을 흘려주거나 보행을 장려 비뇨기계감염 증상을 확인; 적절한 수분섭취(2,000cc/day)의 중요성을 설명
하지 자세, 혈관이상에 의한 하지 내 혈액 울혈 상태가 혈전성 정맥염의 위험을 증가시킴. 부종 흔함	적색부종을 면밀히 살핌 Homan의 징후를 평가(발을 굽혔을 때 장단지 통증) 유연함과 온기를 촉진한다.	정맥회복을 증진하기 위해서 조기보행의 중요성을 강조 여성에게 다리를 꼬는 것과 침대에서 좌위 자세를 취하는 것을 피하도록 한다.
배변 프로게스테론의 작용, 감소된 복근 상태, 혈액과 유동체의 부족으로 대장연동 운동저하, 회음절개술이나 외치핵 때문에 배변에 대한 공포	여성에게 배변 여부를 확인한다. 출산 후 2~3일째까지 정상배변을 해야한다. 회음절개술이나 외치핵이 불편감을 증가시킬 시 배변완화제가 처방될 수 있다.	배변의 중요성을 설명한다. 보행, 수분섭취 증가, 섬유질이 높은 식단을 격려한다. 변비의 위험을 설명한다.

간호진단

산욕기 산모의 회음절개술(치질)과 관련된 안위 손상: 회음부 불편감

간호계획

- 출산 후 몇 시간 동안 산모는 얼음장갑 또는 얼음주머니를 회음 부위에 사용한다. 만약 장갑 사용시에는 먼저 장갑의 powder 제거를 위해 씻은 후, 마른 수건으로 얼음장갑을 감싼다. 사용시 20분 동안 회음부에 대주고 10분 정도는 회음부에서 제거하도록 한다.
- 출산 12시간(몇시간) 후부터 여성은 좌욕을 할 수 있다. 한번 좌욕 시 20분 동안 시행하며, 1일 3~4회 혹은 수시로 한다. 이는 통증을 경감시키고, 청결하게 하며, 혈액순환을 도와 회음부 상처의 치유를 증진시킨다.
  - 회음부의 부종을 경감시키기 위해서는 냉 좌욕이 온 좌욕보다 더 효과적이다. 산모에게 온도의 선택을 제안하도록 한다.

- 절차: 변기뚜껑을 올린 상태로 1회용 좌욕기를 변기 위에 고정시킨다. 가정에서는 편안한(너무 뜨겁지 않은) 온도에서 4~6inch의 물을 욕조에 채워서 좌욕할 수 있다. 먼저 욕조는 잘 닦은 후 사용해야 하며, 감염의 위험이 있으므로 욕조 내에서의 목욕은 삼가도록 한다.
- 대상자들은 dermoplast 에어로졸 스프레이나 nupercainal 연고와 같은 국부성 약품들을 좌욕 후 바를 수 있다. 회음절개술, 열상, 치질에 효과적이다.
• 치질의 경우 추가적인 다음의 간호중재를 제안할 수 있다.
- 옆으로 눕는 자세를 권장한다.
- 여성에게 치질을 손가락으로 다시 삽입하는 것을 교육한다. 이를 시행하기 위해서 대상자는 옆으로 누워 윤활제를 손가락에 바르고 천천히 부드럽게 치질의 반대방향으로 안쪽으로 누르면서 힘을 가한다. 대상자는 1~2분 정도 그 상태로 누르고 있다가 손가락을 빼낸 후 괄약근을 잠시 조이면서 유지한다. 여성은 얼마간 옆으로 눕는 자세를 유지해야만 한다.
- 회음부 패드를 치질 부위에 댈 수 있다. 이는 시원하며 통증을 줄일 수 있다.
- 변비를 예방하기 위해서 수분섭취의 권장, 고섬유 식이요법, 조기이상, 변완화제 등의 사용을 권장한다.

간호진단

산욕기 자궁퇴축과정과 관련된 안위 손상: 산후통

특성: 산후통은 간헐적인 자궁수축의 결과로서 경산모, 다태아, 양수과다증의 경우에 더욱 심하다. 이는 모유수유시 더 강해지는데, 아기가 모유를 빨때 옥시토신이 분비되기 때문이다.

간호계획

• 복부 아래에 작은 베게를 깔고 여성에게 엎드려 눕게 한다. 이 자세는 자궁에 지속적인 압박을 가하게 함으로서 근육이 수축한 상태를 유지시킨다. 대상자에게 고통이 몇분 동안 더 강해지겠지만, 그 이후 가라앉을 것이라고 알려준다.
• 필요하다면 진통제를 투여한다. 모유수유를 하는 여성이라면, 예정된 수유시간 약 1시간 전에 투여하도록 한다.

간호진단

산욕기 산모의 회복과정과 관련된 피부 통합성 장애: 산후발한

특성: 발한은 체액과 노폐물을 제거하기 위한 우리 몸의 자정작용의 결과이며, 종종 밤에 발생하며, 대상자는 땀투성이가 되어 잠에서 깬다.

간호계획

- 침대보를 갈아주고, 청결한 가운을 제공함으로서 오한으로부터 보호한다.
- 샤워를 권장한다(만약 문화적 관습이 이를 금하지 않는다면).
- 산모에게 수분을 섭취하도록 하여 갈증을 예방하도록 한다

간호진단

산욕기 동통과 관련된 신체 기동성 장애: 부동으로 인한 불편감

특성: 산모는 분만 제2기 복압주기로 인해 경미하거나 심한 근육통을 호소한다.

간호계획

- 조기기동을 권장한다. 대상자는 혈액 손실, 피곤 또는 처방된 약물로 인해 어지러움증을 호소한다. 특히 첫 샤워 시 따뜻한 물은 어지러움증을 야기시킬 수 있다. 처음 수회 동안은 대상자를 도와주도록 한다.
- 가까이에서 지키면서 알림등과 의자를 쉽게 이용할 수 있도록 하며, 대상자를 자주 체크한다.
- 산후운동을 격려한다. 여성은 병원에서 간단한 운동을 시작하도록 하여 가정에서도 지속할 수 있도록 한다. 운동은 근력을 향상시켜주며, 산후 체중 조절과 변비에도 도움을 준다. 많은 기관들이 적절한 운동법에 대한 소책자를 비치하고 있다. 매일 2~3회 5번 반복으로 시작하고 점차적으로 10회 반복까지 늘려나간다.
- 첫째 날
  - 복식호흡: 반듯이 누워서 복부 근육을 이용하여 숨을 깊게 들이마신다. 복부를 팽창한 후, 복부 근육은 조인 채로 천천히 오므린 입을 통해 숨을 내뱉는다.
  - 골반 움직이기: 반듯이 누운 후 양손을 옆으로 벌린 채 무릎은 구부리고 양발은 바닥에 붙인 후 복부와 엉덩이를 조인다. 등을 바닥에 평평하게 붙인다. 열까지 유지한 뒤 골반이 움직일 수 있게 등을 휜다.

- 둘째 날
  - 턱을 가슴에 대기: 다리를 곧게 펴고 반듯이 눕는다. 머리를 들어 턱이 가슴에 닿을 수 있도록 시도한다. 천천히 머리를 내린다.
  - 팔 들기: 바로 누워서 양팔을 몸과 90°각도로 곧게 펴서 들어올린 후 천천히 내린다.
- 셋째~넷째 날
  - 무릎돌리기: 무릎을 구부린 채 바로 누워서 양발은 바닥에 고정한 채 양팔은 양 옆으로 벌린다. 양 어깨를 바닥에 붙인채 무릎을 한 방향으로 천천히 돌린다. 원래 자세로 돌아온 후 다른 방향으로도 돌린다.
  - 엉덩이 들어 올리기: 반듯이 누워 양팔은 옆에 두고 무릎은 구부리고 양발은 바닥에 고정한채 천천히 엉덩이를 들어 올려 등을 휜다. 처음자세로 천천히 돌아온다.
  - 복부 조이기: 누워서 무릎은 구부리고 양발은 바닥에 붙인채 천천히 머리를 무릎까지 들어올린다. 양팔은 양 다리 쪽으로 같이 뻗는다. 처음자세로 천천히 돌아온다.
  - 무릎이 복부까지: 바로 누워서 양팔은 옆에 두고 발이 엉덩이에 닿을 때까지 한쪽 무릎을 구부린다. 다리를 뻗어 천천히 내린다. 다른 쪽 다리도 반복한다.
- 2~3주 후에 윗몸 일으키기나 한쪽다리 들기 등을 견딜 수 있다면, 더 활발한 운동이 추가될 수 있다. 분만 전 시작했던 케겔 운동은 질 점막과 회음부를 회복시키기 위해서 산욕기 동안에 매일 여러번 행할 수 있다.

간호진단

산모의 (비수유 원인)와 관련된 모유수유중단: 수유억제법, 유방울혈

간호계획

- 모유수유는 다음과 같이 물리적인 방법으로 억제할 수 있다.
  - 산모는 유즙 생성 과정이 멈출 때까지(약 5일) 몸에 꼭 맞는 브레이지어를 지속적으로 착용한다. 이 브레이지어는 샤워시에만 탈의한다. 만약 여성이 산후복대를 더 선호하거나 다른 브레이지어를 사용하기 어렵다면 산후복대를 사용할 수 있다.
  - 아이스 팩을 양쪽 가슴 겨드랑이 부위에 1회 20분씩 하루에 4회 대어준다.
  - 산모 또는 배우자 또는 아기의 유선자극을 피하도록 한다.
  - 모유생성을 촉진시키는 온기를 피한다. 따뜻한 샤워물이 가슴 위로 흐르지 않도록 한다.
  - 모유생성을 감소시키기 위해 시원하게 냉장보관한 양배추를 가슴 위에 붙인다.
- 필요시 진통제를 투여한다.

간호진단

신생아 출생과 관련된 가족파괴 향상을 위한 준비: 신생아를 위한 형세준비

간호계획

- 형제가 병원에 방문했을 때 그들의 어머니가 건강하며, 여전히 그들을 사랑하고 있다는 것을 보여준다.

- 어머니와 아기가 병원에서 퇴원하여 집에 들어갈 때 형제를 다루는 것에 관한 조언을 요청할 수 있다. 다음의 조언이 도움이 될 것이다.

  - 가능하다면 새로 태어난 아기는 아버지가 안고 들어가도록 하여 어머니가 다른 아이들을 포옹할 수 있는 기회를 갖는다.

  - 어머니들은 손위의 형제를 위해 집에 인형을 준비한다. 어머니가 아기를 돌보고 있을 때 그 형제는 인형을 돌볼 수 있다.

  - 아기 돌보기에 다른 형제를 참여시키는 것은 아기와의 친밀감을 형성시키는데, 도움이 된다. 어린 아이들도 어른들의 감독 하에 아기를 안을 수 있다.

  - 부모는 각각의 손위 아이들과 일대 일로 짧은 시간이라도 충분히 좋은 시간을 보내야만 한다. 포옹, 뽀뽀, 칭찬의 말 또한 중요하다.

  - 퇴행행동은 흔한 일이며 배변훈련이 된 아이가 퇴행하거나 컵을 사용하던 아이가 젖병으로 먹기를 요구할 수도 있다.

간호실무능력 평가

1. 자궁퇴축의 정상변화에 관한 설명은?

   ① 분만 후 2주 이후에는 복부에서 촉지되지 않는다.

   ② 분만 12시간후 자궁저부는 매일 3cm씩 하강한다.

   ③ 분만직후에 자궁저부는 제와부 1cm 위에 위치한다.

   ④ 분만 12시간후에는 자궁저부가 제와부 2cm 아래 위치한다.

   ⑤ 분만후 2일에는 자궁저부가 치골결합과 제와부 중간에 위치한다.

2. 산후통(after pain)이 가장 적을 것으로 예상되는 산모는?

   ① 쌍태아를 분만한 초산모   ② 쌍태아를 분만한 경산모

   ③ 단태아를 분만한 초산모   ④ 단태아를 분만한 경산모

   ⑤ 양수과다증으로 단태아를 분만한 경산모

3. 오로를 설명한 것으로 옳은 것은?

   ① 오로는 임신시 중지되었던 월경의 재개를 의미한다.

   ② 오로는 부분적으로 남아 있던 태반조각이 나오는 것이다.

   ③ 오로는 자궁강내에 남아 있던 양막의 일부가 나오는 것이다.

   ④ 오로는 분비중 아두의 자극으로 인해 충혈된 질점막의 분비물을 의미한다.

   ⑤ 오로는 자궁내막의 치유와 함께 분비되는 분비물로 혈액이 주된 성분이다.

4. 산후 4시간이내에 떨림을 호소하는 경우의 간호로 옳은 것은?

   ① 산후감염의 가능성이 있으므로 체온을 자주 측정한다.

   ② 산후유방울혈의 초기증상이므로 유방마사지를 준비한다.

   ③ 산후쇼크가 나타날 가능성이 있으므로 혈압을 자주 측정한다.

   ④ 산후우울증의 초기증상이므로 중요한 타인과의 대화를 하도록 한다.

   ⑤ 산후복압하강으로 나타나는 증상이므로 담요를 덮어주어 따뜻하게 한다.

5. 산욕기 동안의 변화를 옳게 설명한 것은?

   ① 산욕초기 백혈구의 상승은 감염을 의미한다.

   ② 임신중 증가된 응고인자는 산욕초기에 정상수치로 돌아온다.

   ③ 산욕기에는 혈압과 맥박의 비정상적인 변화는 발생하지 않는다.

   ④ 분만후 12~48시간 사이에 일시적으로 순환혈액량이 증가한다.

   ⑤ 1명의 아이를 질식분만하는 경우 실혈량은 700~1,000mL 이다.

정답   1. ①   2. ③   3. ⑤   4. ⑤   5. ④

6. 질식분만후 6시간이 경과한 여성이 다음과 같은 활력징후와 자궁저부 촉진결과를 보였다 간호중재는?

> 활력징후 혈압110/70mmHg, 맥박98회/분 호흡20회/분 체온36.7℃, 복부촉진시 자궁바닥의 위치는 제와부에서 약간 말랑말랑한 느낌

① 조기이상을 격려한다.
② 의사에게 즉시 보고한다.
③ 침대머리를 낮추고 안정시킨다.
④ 수액의주입속도를 빠르게 조절한다.
⑤ 손으로자궁저부를 부드럽게 마사지하고 15분간격으로 활력징후를 측정한다.

7. 산모는 일시적으로 순환혈액량이 30%까지 증가한다 그 이유는?

① 혈액의 응고기능이 증가하기 때문이다.
② 혈관외액이 순환계로 모이기 때문이다.
③ 실혈량을 보충하고 보호하기 위해서이다.
④ 내분비호르몬의 기능이 저하되기 때문이다.
⑤ 자궁수축으로 심박출량이 증가하기 때문이다.

8. 산후에 나타나는 신경계 근골격계 피부계의 변화로 옳은 것은?

① 소양증이 심해진다.
② 척추만곡은 계속된다.
③ 피부착색 부위의 색은 더 진해진다.
④ 골반관절 이완은 정상으로 회복된다.
⑤ 기계적압박이 신경을 누르는 것이 지속된다.

9. 모유수유하고 있는 산모의 정상 유방상태는?

① 유두에서 피가흐른다.
② 유즙을 짜도 잘 나오지 않는다.
③ 유두를 통해 젖이 쉴새 없이 흐른다.
④ 유방을 누르면 심한 통증을 호소한다.
⑤ 2~3시간 간격으로 유즙이 유방에 고인다.

정답   6.⑤   7.⑤   8.④   9.⑤

10. 33세의 L00임은 gravida 2, para 2로 10시간 전에 정상분만하고, 현재 자신의 산후조리와 신생아돌보기를 동시에 어떻게 해야할 지에 대해 걱정을 하고 있으며 모유수유에 대한 기대로 흥분하고 있다. 모유수유와 신생아간호에 대해 배우기를 원한다. 어떤면이 적극기(taking-hold)단계로 보여지는가?

① 자기-중심적임

② 어머니역할 맡기를 싫어함

③ 자신의 체중 증가와 다이어트에만 관심 가짐

④ 계속적으로 출산경험을 타인과 나누길 원함

⑤ 자신과 신생아의 신체기능에 대해 관심 가짐

관련정보

산욕기(분만 후의 모체 변화)

- 산욕기란, 임신과 분만에 의해 변화했던 모체가 다시 비임신시의 상태로 돌아오기 까지의 기간을 말하며, 분만후 6~8주간을 가리킨다.
- 산욕기에는 임신 중에 보통 수백배까지 상승되었던 에스트로겐, 프로게스테론이 분만 후에 급격하게 감소한다. 이에 따라 일시적으로 갱년기와 같은 변화를 보인다.

자궁복구와 오로

- 임신·분만에 따라 변화된 자궁이 비임신시의 상태로 회복하는 것을 자궁복구라고 한다.
- 자궁복구는 자궁의 태반·난막박리면에서 생긴 다수의 혈관 파열면을 압박하고 지혈하는 역할을 한다(생리학적결찰).
- 산욕기에 자궁강 내에서 배출된 분비물을 오로라고 한다.
- 오로는 태반·난막박리면으로 부터의 혈액과 분비물이다.
- 혈성오로가 2주 이상 지속되는 경우에는 태반잔류 등으로 인한 자궁복구부전을 의심한다.

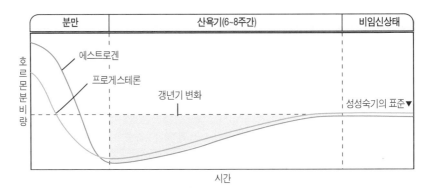

산욕기 변화

전신적 변화	발한	• 발한이 증가한다.
	체온	• 산욕 3일 무렵까지 37~37.5℃를 보이지만, 4일 이후에는 평균치로 돌아온다. • 38℃ 이상의 발열이 있을 경우, 산욕열을 의심한다.
	체중	• 태아, 태반의 만출, 양수의 배출, 출혈, 발한 등에 의해 약 5.5kg 감소한다. • 2~4개월에 걸쳐 약 4kg이 더 감소하여 비임신시의 체중으로 돌아온다. • 하지만, 임신에 의한 피하지방의 축적으로 비임신시보다 2~3kg 증가하는 경우가 많다.
	정신	• 산후우울, 산후우울증, 산후정신병
국소적 변화	유방	• 경산모에서는 산욕 1~2일 무렵, 초산모에서는 산욕 2~3일 무렵부터 유즙분비가 개시된다.
	자궁	• 분만 후 자궁은 급속하게 수축하여 복구된다.
	질	

〈혈액과 순환기관의 변화(image)〉

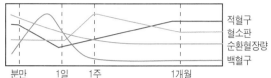

혈액	적혈구	• 분만시 출혈로 감소하나, 산욕 1개월까지 비임신시 수준으로 회복된다.				
	백혈구	• 분만 직후에는 15,000/L 정도지만, 산욕 4주에는 정상치로 돌아온다.				
	혈소판	• 분만시의 출혈로 감소하지만, 산욕기의 출혈에 대비해 그 후 증가한다. 따라서, 혈전증이 호발한다.				
순환기계		• 분만시에는 빈맥과 혈압상승을 보이나, 대부분은 산욕 0~1일에 비임신시의 수준으로 돌아온다. • 순환혈장량은 분만시의 출혈과 산욕기의 발한 증가, 오로 등으로 서서히 감소하고, 산욕 3주까지 비임신시의 수준으로 돌아온다.				

산욕		2, 3일	1주경	2, 3주경	4주경	6주경
자궁체부	형상	← 자궁복구기간 → 태반·난막 부착면 자궁경부 (외자궁구)	주먹크기	박리면에 새로운 상피가 생긴다.		거위알크기 비임신시의 자궁크기로 돌아온다.
	무게	약 1,000g	약 500g	약 300g	약 100g	약 70g
자궁경부 (외자궁구)		손가락 2개 너비만큼 열려있다.	손가락 1개 너비만큼 열려있다.		폐쇄	
오로		적색 • 혈액성분이 많이 포함됨	갈색 • 헤모글로빈이 변성되어, 갈색을 보임	담황색 • 혈액성분은 감소하고, 백혈구가 주체가 됨	백색 • 백혈구는 감소하고, 자궁샘 분비물이 주체가 됨	소실

산후통, 훗배앓이(자궁복구에 따르는 통증)

- 자궁복구를 위한 규칙적인 자궁수축을 산후통이라고 한다.
- 산후통은 태반박리면으로부터의 출혈을 멎게 하고, 자궁을 원래 크기로 되돌리기 위한 생리현상이다.
- 유즙을 사출하는 호르몬인 옥시토신은 산후통을 촉진한다. 따라서, 옥시토신의 분비가 항진되는 수유시에는 산후통이 증강된다.

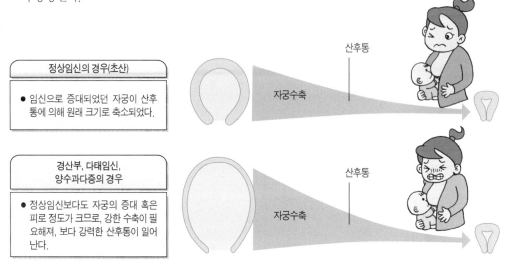

정상임신의 경우(초산)
- 임신으로 증대되었던 자궁이 산후통에 의해 원래 크기로 축소되었다.

경산부, 다태임신, 양수과다증의 경우
- 정상임신보다도 자궁의 증대 혹은 피로 정도가 크므로, 강한 수축이 필요해져, 보다 강력한 산후통이 일어난다.

산욕기 무월경(수유부는 월경재개가 늦어진다)

〈수유와 무월경의 관계〉
- 무월경은 프로락틴의 난소기능억제 작용에 의해 일어난다.
  - 가. 태아의 흡인자극에 의해 프로락틴 방출인자(PRF)의 분비 항진
  - 나. 프로락틴(PRL) 분비 항진
  - 다. 단환 피드백에 의해, 시상하부에서 프로락틴 억제인자(PIF)의 분비 항진
  - 라. GnRH의 분비 억제
  - 마. LH · FSH의 분비 억제
  - 바. 에스트로겐 · 프로게스테론의 분비 억제

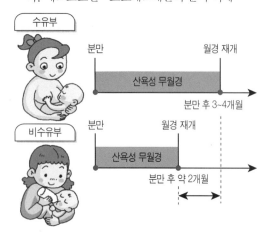

산욕성 무월경의 기간

- 무월경의 기간은 수유 여부에 따라 크게 좌우된다.
- 비수유부에서는 흡인자극이 없으므로, 프로락틴의 난소기능 억제작용이 비교적 약하다. 따라서 난소기능회복이 빠르고, 무월경 기간이 짧아진다.
- 분만후의 첫 월경은 무배란성 월경인 경우가 많다. 월경시작 전에 배란이 확인되는 경우도 있으며, 임신되는 경우도 있다.

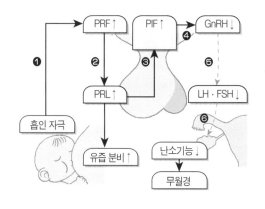

산욕기 관리

〈산욕기 관리와 발생가능한 병태생리〉

	모체	태아	발생가능한 병태
출산당일	• 모체의 검사 • 자궁수축(경도, 자궁저 길이) • 출혈량, 오로의 성상 • 질 · 외음부 상처 부위 • 활력증상 • 산욕체조 • 도뇨 · 보행	• 보온 · 흡인 • 태아검사 • Apgar score • 폐기능, 청각 등 • 흑녹색 태변 • 점안	• 산후통 • 회음부 통증 • 치핵, 치질 • 자궁무력증 • 회음부열상 • 경관열상 • 양수색전증
1일째 (다음날)	• 샤워 • 모자동실 　(이상)		• 자궁복구부전 • 산욕열 • 혈전성 정맥염 · 　심부 정맥 혈전증
2일째	• 엄마에게 지시사항 • 아기안는 법 • 수유방법 • 기저귀 가는 법 • 목욕시키는 법 등 • 초유 분비 → 수유 (3시간 간격, 또는 아기가 울면)		• 산후우울(기분) • 방광염, 신우신염 • 유선염
3일째	• 목욕		• 변비 • (아기)신생아황달
7일째 (퇴원)			

〈간호수행〉

산모	보행	• 혈전형성의 방지
	산욕체조	• 혈전형성의 방지　　• 미용　　• 오로배출의 촉진 • 혈류촉진에 의한 피로회복　　• 유즙분비촉진
	도뇨	• 방광충만이 자궁무력증의 원인이 되므로
	모자동실	• 엄마와 아기간의 유대관계를 강하게 하기 위해서 　가능한한 빠른 단계에 동실을 시행하는 것이 이상적이다.
	샤워	• 오로와 유즙을 씻어낸다.
아기	흡인	• 구강, 비강, 인두의 양수를 흡인한다.
	점안	• 임균과 클라미디아의 산도감염에 의한 신생아 농루안을 예방
	비타민 K, 주사	• 출혈예방

1. 체온 37.5℃
자궁바닥이 배꼽위 1cm 위에 중앙에서 오른쪽으로 치우쳐 위치
나현님의 다량의 발한에 대한 보고

2. 체온이 감염을 나타낼 만큼 충분히 높지 않으며 다소 상승된 체온은 산욕초기에는 정상이다. 그러나 감염을 확실히 배제할 수는 없다. 다량의 발한은 분만의 과중함이나 약간의 탈수로부터 항진된 대사의 결과로 발생할 수 있다.

3. 간호사는 나현씨의 수화상태에 대한 정보를 필요로 한다
: 피부탄력성, 섭취량과 배설량 등과 함께 감염의 다른 징후들(예: 요로와 회음절개부위 감염)과 출산과 관련이 없는 감염징후들(예: 나현씨는 상부호흡기계 감염이 있을 수도 있다)에 대한 사정이 더 필요하다

4. 이 시기의 자궁저부는 예상보다 복부에서 약간 더 높다. 그리고 자궁저부는 늘 중앙에 위치해야 한다. 자궁저부가 배꼽위 1cm 부위에 위치해 있다는 것은 대상자의 방광이 가득 찼다는 것을 의미하며, 또한 출혈을 방지할 만큼 충분히 자궁이 단단하게 수축되고 있지 않다는 것을 뜻한다. 간호사는 산모가 언제(출산 후 몇시간 경과후) 배뇨 했는지와 방광이 완전히 비워진 느낌이 드는지를 질문한다. 간호사는 과도한 양의 오로여부를 판단하기 위해 회음패드를 점검해야 한다. 단, 위의 사례에서는 자궁촉지 시 강도(부드러웠는지 단단했는지)의 여부에 대한 정보를 제공하지 않았다. 또한 자궁저부의 높이와 위치의 의미를 사정할 필요가 있다.

5.

정답	합병증	합병증을 의미하는 잠재적 징후
A,D	1) 산후 출혈	A. 복부에서 촉진되는 자궁의 높이와 부드러움
B,C,G	2) 회음부 감염	B. 냄새나는 오로
E,H	3) 요로 감염	C. 38.8℃의 체온
F,I	4) 혈전성정맥염	D. 선홍빛인 다량의 오로
		E. 배뇨시 작열감
		F. 종아리의 4분의 1 크기의 발적과 온감
		G. 복부와 골반의 통증
		H. 잦은 배뇨
		I. 호만증상을 동반한 통증

02 모유수유 산모의 간호와 교육

Key Point

✓ 유방은 임신기와 출산 직후 초유를 생산하며, 출산 후 2–4일이 지나면 모유로 대체된다.

✓ 초유는 항생물질을 포함하고 있고, 아기에게 영양을 공급한다.

✓ 출산 후 첫 두시간(신생아가 조용하고 깨어있는 상태라면)은 모유수유를 시작하기에 최적의 시간이다.

✓ 산모의 유두 통증을 방지하기 위해, 아기의 수유자세와 정확한 빨리와 삼키기를 사정한다. 유두에 비누를 사용하지 않도록 하며 유두덮개를 착용하지 않는다. 젖꼭지에서 아기의 입을 떼어내기 전에 손가락으로 빨리를 멈추게 한다. 그리고 젖이 비었을때 계속 빨리지 않는다.

✓ 유선염의 증상: 국소부위 발적, 부종, 압통(특히 유선염은 한쪽에만 있다) 발열

✓ 갈라진 유두는 병원균의 통로가 되기에 유선염의 위험인자가 된다.

✓ 수유 전에 손을 씻도록 대상자를 교육한다.

비판적 사고 훈련

27세 나리씨는 제태연령 39주 4일인 오늘 첫 아기를 방금 출산하였다. 그녀는 아기에게 모유수유를 하기를 원한다. 그녀는 한번도 출산 준비교실에 참석하지 않았다. 나리씨는 "나는 시작하는 방법조차 알지 못해요" 라고 말한다.

1. 나리씨의 경우 내려질 수 있는 간호진단을 기술하시오.

2. 위의 간호진단에 대한 목적과 기대되는 결과(간호계획)를 기술하시오.

3. 나리씨가 "얼마나 오랫동안 아기가 저의 유방을 빨도록 해야 할까요?" 라고 질문한다면 간호사는 어떻게 대답을 해야 하는가?

4. 유두의 외상이나 상처를 예방하기 위한 방법에 대해 간호사는 무엇을 가르쳐야 하는가?

5. 나리씨의 산후 첫날 산모가 "2~3일간은 젖이 잘 나오지 않는다고 하는데, 지금 아기를 모유수유 할 수 있나요? 젖이 나오지 않는다면 차라리 다른 어떤 것을 먹여보도록 할까요?"라고 말한다면 간호사는 무엇이라고 설명해야 하는가?

사 례 ②

23세 바슈타씨는 인도에서 최근에 이주하였으며, 첫 아기를 출산한 산모이다. 그녀는 모유 수유를 바라고 있으나, 그녀의 친정엄마가 초유는 아기에게 해가 된다고 충고하였다고 말했다. 그녀는 약 3일 후 젖이 나올 때에 모유수유 하기를 희망한다.

1. 바슈타씨에게 아기의 영양에 대해 어떤 정보를 더 교육해야 하는가?

2. 간호사는 바슈타씨를 좀 더 관찰하고자 한다. 필요한 정보는 무엇인가?

3. 모유수유에 관한 그녀의 결정에 대해 어떤 추후관리가 중요한가?

비판적 사고중심 학습

학습목표

- 모유수유의 중요성, 장·단점, 수유방법을 설명한다.
  - 초유의 성분을 알고 신생아를 위한 영양상의 장점을 설명할 수 있다.
  - 모유수유의 최적 시간을 알고 출산 후 첫 두시간(신생아가 조용하고 깨어있는 상태라면)에 젖을 물릴 수 있도록 산모를 도울 수 있다.
- 모유 수유저해요인을 사정한다.
- 모유수유를 촉진하기 위한 간호를 계획하고 수행한다.
  - 산모의 유두 통증을 방지하기 위해, 아기의 수유자세와 정확한 빨기와 삼키기를 사정한다.
  - 유두관리 방법을 알고 신생아의 젖꼭지를 물리고 떼는 방법 및 수유시 주의사항을 교육할 수 있다.
- 모유수유 결과를 확인한다.
- 수유부의 영양을 위한 간호를 계획한다.
- 모유수유 금기요인을 설명한다
- 유방염의 원인을 설명한다.
- 유방염의 증상 및 징후를 설명한다..
  - 유선염의 증상을 알고 사정할 수 있으며 산모에게 교육할 수 있다.: 국소부위 발적, 부종, 압통(특히 유선염은 한쪽에만 있다), 발열
- 유방염 여성을 위한 치료방법을 설명하고 간호과정을 적용한다.

개요

모유수유는 아기에게 모유의 영양을 공급하는 것이다. 출산 직후 첫 두시간은 아기가 깨어 있는 상태이므로 모유수유를 격려하기에 최적의 시간이다. 모유수유는 자궁수축을 자극하며, 모체의 출혈을 예방하는데 도움이 된다. 유방의 불편감(24~48시간 후에)인 울혈과 열감은 24~48시간 후에 시작된다.

초유는 임신 후반기가 시작되면서 나타나는 첫번째 분비물로 출산 직후 몇일간 지속적으로 분비된다. 초유는 모유가 생산될때까지 아기에게 영양을 공급해주는 점성이 있고, 노란빛의 크림색이며 고농도의 항생물질과 단백질, 지용성 비타민을 함유하고 있다. 출산 직후 2~4일이 지나면 초유는 이행유로 대체된다. 약 2주간 분비되는 이행유는 보다 많은 칼로리와 고농도의 지방과 락토즈, 수용성 비타민들을 제공한다. 성숙유는 산후 약 2주 후부터 생산된다. 보다 높은 수분을 함유하고 있고 묽은듯 하나 아기에게 영양적으로 완벽하다.

모유수유의 생리

- 뇌하수체전엽 호르몬인 프로락틴이 기본적으로 모유생성에 관여한다.
- 뇌하수체후엽 호르몬인 옥시토신은 모유의 흐름을 촉진하는 사출반사를 자극한다.
- 사출반사는 아기의 흡철반사에 의해 자극되며, 신생아와 함께 하거나 울음소리 심지어 아기에 대한 생각만으로도 자극될 수 있다. 또한 성적 흥분상태에서도 옥시토신이 분비되기 때문에 유즙이 분비될 수 있다.
- 사출반사는 산모의 자신감 결여, 공포 또는 당황스러움, 두려움 혹은 신체적 불편감에 의해 억제될 수 있다.
- 모유생성은 수요와 공급의 법칙에 따르며, 반복적인 사출반사의 억제나 유방을 충분히 비우지 않으면 유즙의 공급을 줄일 수 있다.

유즙분비기전

- 분만후에 에스트로겐, 프로게스테론의 유선에 대한 유즙분비억제작용이 해소되고, 프로락틴의 작용이 주체가 되어 유즙이 분비된다.

- 유즙분비는 산욕 2~3일 안에 시작된다.

- 기본적으로 프로락틴 분비의 최고치는 임신말기이지만, 수유시에는 순간적으로 상승한다(프로락틴 surge).

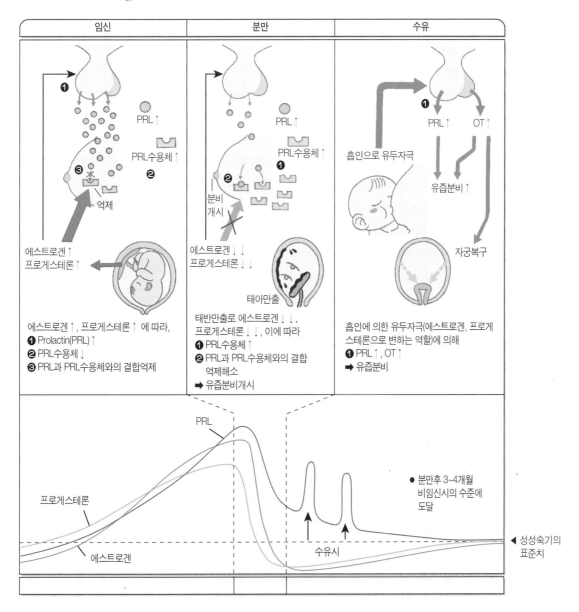

유즙분비호르몬(프로락틴, 옥시토신)

- 유즙분비에는 주로 뇌하수체 호르몬인 프로락틴과 옥시토신이 관여한다.
- 두 호르몬 모두 유즙분비에 중요한 역할을 담당하며, 태아의 흡인자극에 의해 분비가 항진된다는 특징을 지닌다.

프로락틴(PRL)과 옥시토신(OT)

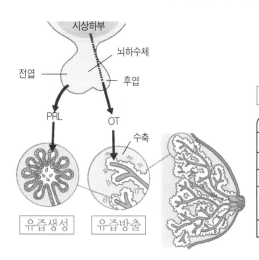

프로락틴과 옥시토신의 비교

	Prolactin	Oxytocin
생성	뇌하수체전엽	시상하부
분비	뇌하수체전엽	뇌하수체후엽
작용부위	유선세포	유방 평활근
작용	유즙 생성↑	유관내의 유즙방출
그 외	난소기능 억제	자궁복구 촉진

초유와 성숙유의 차이

초유와 성숙유(성분이 다르다)

- 분만후(산욕) 3일 무렵까지 분비되는 유즙을 초유라고 한다.
- 모유는 신생아의 발육상태에 따라 나날히 변화해가며, 초유부터 이행유를 지나 일정한 성분의 성숙유가 된다.
- 모유 중에 포함된 IgA는 면역기능이 미성숙한 태아의 소장에 머무르며, 병원성 있는 장내세균으로부터 태아를 보호하는 역할을 한다.

	초유	이행유	성숙유
분비시기	산욕 3~5일	산욕 6~14일 무렵	산욕 2주간 이후
색조	황~담황색 →		백색
성질	점액성 →		장액성
특징	• 태아의 면역기능을 보충한다. • 면역물질(IgA, transferrin 등)이 많다. • 미네랄이 풍부하다. • 단백질이 많다.	• 태아의 발육성장을 촉진한다. • 에너지가 많다. • 지방이 많다. • 유당이 많다.	

모유영양의 특징

- 모유영양에는 아래와 같은 이점과 단점이 있다.
- 모유내에 포함된 유리지방산이, 신생아의 간에서 빌리루빈 대사를 저해하는 작용을 지니므로, 신생아는 고빌리루빈혈증이 되어, 모유황달을 일으키는 경우가 있다.
- 유방암, HIV 감염증, AIDS, 특정 약제를 사용중인 경우, 모유수유는 금기이다.

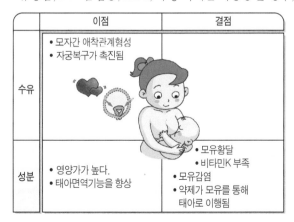

	이점	결점
수유	• 모자간 애착관계형성 • 자궁복구가 촉진됨	
성분	• 영양가가 높다. • 태아면역기능을 향상	• 모유황달 • 비타민K 부족 • 모유감염 • 약제가 모유를 통해 태아로 이행됨

모유수유 테크틱

- 가능한 빨리 신생아를 가슴 위에 올려놓는다.
- 아기의 몸 전체가 가슴 쪽을 향하게 한다.
- 젖을 물릴 때는 유륜부위까지 가능한 많이 포함해서 입 안으로 넣어 유륜 아래에 모유가 저장되어 있는 유관동을 턱으로 누르도록 한다. 이를 위해서 산모는 가슴 위쪽을 엄지로, 나머지 손가락은 C자 모양이 되도록 가슴 아래쪽을 잡는다. 그런 다음 가볍게 유두로 아기의 입술을 가볍게 두드리며 자극한다.
- 유두보호기를 사용하는 것을 피한다. 이것은 아기를 혼란스럽게 하고 모유 빨기를 습득하는 것을 더 힘들게 한다.
- 아기의 수유시간을 인위적으로 제한하지 않는다. 사출반사가 일어나는데 3분까지 걸릴 수도 있다. 아기가 잘 빨고, 자세가 올바르다면 산모에게 젖 물리기를 계속 하도록 조언한다.
- 유두를 보호하기 위해 산모는 아기가 유두를 입에 넣고 자지 않도록 한다.
- 아기가 한쪽 젖을 다 먹으면, 트림을 시키고 다른 쪽 젖으로 바꾸어 준다. 모유수유를 마친 후에는 다시 트림을 시킨다.
- 아기의 젖 빨기는 매우 활발하다. 유두의 심한 상처를 피하기 위해 산모는 교대로 수유하도록 한다.
- 아기는 모유수유 시 코로 호흡한다. 유방이 콧구멍을 막지 않도록 산모는 유방을 살짝 들어 올려주거나 아기의 코와 가까운 가슴조직을 눌러 준다.
- 유방에서 아기의 입을 떼어 낼 때는 유두상처를 예방하기 위해서 산모는 유두 옆쪽으로 손가락을 넣어서 아기가 유방으로부터 입을 떼고 빨기를 멈추도록 해야 한다.
- 수유가 끝나면, 산모는 적은 양의 모유를 유두 윗부분에 바르고 유두를 살살 비벼보면서 외상이 있는지 면밀히 살핀다.
- 젖 물리기를 자주할수록 모유의 공급을 원활히 할 수 있고 배고픈 아기의 활발한 빨기로부터 발생할 수 있는 유두상처를 예방한다. 그러므로 처음 며칠 동안은 산모는 자주 시간의 제한없이 젖 물리기를 해야만 한다(1시간 반~3시간 마다).
- 산모에게 사출반사를 촉진하고 유두상처를 예방하기 위해 순환식 유방마사지나 온찜질을 장려할 수 있다.

치료적 간호관리

- 유방은 청결하게 유지되어야 하며, 매일 샤워를 시작할때 세척해야 한다. 단 모유수유 중이라면 유두를 비누로 세척해서는 안된다.
- 수유 후에는 공기로 유두를 건조시키고 누수되는 모유를 흡수시키기 위해 대체가능한 수유패드를 사용한다. 감염을 방지하기 위해 자주 갈아준다. 유두덮개를 브래이지어 내부에 사용하지 않는다.
- 유방울혈에 대한 불편감을 완화하기 위해 수유하지 않을때는 브래지어 내부에 차가운 양배추를 넣거나 냉습포를 적용한다. 온습포의 적용과 마사지는 모유을 증가시키기 위해 수유 전에 시행한다. 유륜이 아기가 물기에 너무 울혈팽만 되어 있다면 엄마는 손으로 또는 유축기로 모유를 짠다(유륜부위만 수유 바로 직전에 짜주어 울혈을 일시적으로 해결하고 젖물리기를 시도한다).
- 유방울혈이 있는 산모에게 수유 15~30분 전 약한 정도의 진통제를 투여하는 것은 도움이 된다.
- 비수유부는 젖을 말리기 위해 밤에 첫 72시간 동안 잘맞는지 브래지어나(꽉 조이는 것은 아니다) breast binder를 착용하도록 교육한다.
- 산욕기 유방 합병증의 위험징후를 교육한다.
  - 열감
  - 부종
  - 열
  - 압통
  - 갈라진 유두
- 유방자가진단을 교육한다(매달 수행하도록 한다).
- 유아의 반응이 최고조인 시간에 조기수유를 시작하는 것과 젖먹이는 자세를 취하는 것을 도와준다.
- 수유 전 손을 씻도록 대상자에게 교육한다. 수유의 평균시간은 30분이며, 한쪽 유방마다 대략 15분 정도가 적당하다. 아기의 첫 며칠간은 2~3시간마다 유방을 대어주고 수유하도록 한다.
- 수유중 아기의 자세를 다양하게 하여 유두 통증을 예방한다. 다음은 다양한 수유자세의 예이다.
  - 옆으로 눕기(Side-lying)
  - 요람식(Cradle, sitting)
  - 풋볼식 안기

- 아기를 유방으로부터 떼어 놓기 전에 손가락을 사용하여 빨기 동작을 푼다.
- 모유수유 전문가를 대상자에게 의뢰한다.

합병증

- 산후통(훗배앓이): 자궁복구시 경산부에게 흔한 불편감이다. 모유수유는 옥시토신의 방출을 자극하므로써 자궁수축을 유발한다. 그러므로 모유수유를 하고 있는 대상자는 신생아를 돌볼 때 증가된 불편감을 경험할 수 있다.
- 유두 통증
- 신생아의 탈수, 피부탄력성의 저하, 기면상태, 가라앉은 대천문
- 감소된 소변량, 성장지연
- 유선염/감염

모유수유 관련된 자가간호방법

함몰유두

- 유두돌출을 위한 호프만 운동법 사용
- Woolrich 또는 Eschmann 같은 특별 유두 보호기를 사용
- 수유를 시작할 때 유두모양을 만들기 위해 손을 사용
- 유두 돌출 및 직립을 위해서 수유 전에 몇 분 동안 얼음을 적용
- 유두 돌출을 위해 전기 혹은 수동의 펌프를 사용, 몇 방울의 모유를 짜낸 후 일반 수유로 전환

불충분한 사출반사

- 수유 전에 가슴마사지
- 산만한 곳이 아닌 조용하고 개인적인 장소에서 수유
- 수유분비를 자극하고 이완하기 위해서 수유 전에 따뜻하게 샤워
- 수유 전에 20분 동안 따뜻한 팩
- 수유분비에 초점을 둔 이완테크닉 사용
- 물, 주스 또는 카페인이 없는 음료를 수유 전이나 수유 중 섭취
- 아기가 수면 시, 휴식을 취하며 누워서 수유를 하거나 휴식 시간을 늘림으로서 과로를 피한다.

- 수유를 시작하는 일정한 절차를 만들어서 조건반사를 실행
- 사출반사 촉진을 위해서 아기에서 충분한 시간을 준다(적어도 한쪽 유방마다 10~15분).
- 유방 교차방법을 사용(수유시 다른 유방을 교차해서 사용하거나 한번 수유당 여러 번 유방을 바꾸는 방법을 사용)한다.
- 모든 방법이 실패할 경우, 건강관리 전문가로부터 oxytocin nasal 스프레이를 위한 처방전을 받는다.

유두통증

- 영아가 바른 자세로 귀, 어깨, 엉덩이가 일직선상에 놓여져 있는지 확인
- 수유자세 바꾸기
- 영아가 빨기를 멈출 때 손가락을 사용
- 수유 시 부적절한 유두 빨기를 피하기 위해 영아를 최대한 가까이 안기
- 유두를 입에 문채 자지 않도록 하기 보다 빈번한 수유
- 덜 아픈 유두부터 수유 시작
- 수유 전 유두나 유륜 부위에 얼음을 몇 분 정도 적용
- 피부 손상을 막기 위해 젖꼭지를 보호
- 따뜻한 물로 부드럽게 젖꼭지 닦기
- 유두를 공기 중에서 건조 또는 낮은 온도의 헤어 드라이기로 건조, 태양광선에 기본적으로 30초 정도에서 3분 정도 노출시킴
- 옷이 젖꼭지를 스친다면, 피부에 옷이 닿는 것을 막기 위해 통풍이 되는 보호개를 사용
- 치유를 증진하기 위해 수유 후 유두와 유륜에 소량의 모유를 바르고 건조시킴
- 유두, 유륜, 가슴에 적절한 연고 도포(라놀린, Masse 크림, 유세린 크림 또는 A & D 연고)
- 온수에 적신 티백을 붙임
- 자주 수유패드 교환
- 유방을 완전히 비울 때까지 충분히 오래 수유함
- 수유 동안 여러 번 유방을 바꿈

유두균열

- 갈라지거나 균열 있는 유두를 주의 깊게 살핌
- 균열 부위의 갈라진 곳이 나을 때까지 일시적으로 아픈 쪽 유방 수유를 중단하고 1~2일 동안 손으로 젖을 짬
- 건강한 식단을 유지, 단백질과 비타민 C는 치료에 필수적임
- 수유 전 20~30분 동안 불편함을 해소하기 위해서 acetaminophen(타이레놀)과 같은 약한 경구용 진통제를 사용
- 감염 확산의 징조가 보이면 건강관리 전문가와 상담
- 모유수유를 중단하기 전에 유두보호기를 시도해 본다. 이것은 최후의 수단으로 사용되어야 함. 어떤 산모들은 이것이 불편함을 제공한다고 함.
- 사용 전에 수유전문가와 상담해야 함

유방울혈

- 빈번한 수유(1시간 반~3시간 간격)
- 항상 몸에 맞는 브레이지어를 착용
- 따뜻한 물에 샤워 또는 유즙분비를 촉진하기 위해 따뜻한 습포 사용
- 유방마사지를 통해 유방을 부드럽게 하고 영아가 꽉 잡을 수 있도록 손으로 약간의 모유를 짜냄
- 유방이 비워질 때까지 오래 수유
- 유방을 번갈아 가며 수유
- 불편함이 판단되면 수유 20분 전에 경한 진통제를 섭취
- 한쪽 유방이 완전히 비워질 때까지 충분히 길게 수유
- 수유자세 변경
- 수유 전 유방마사지, 가능할 때 따뜻한 샤워
- 좋은 영양과 적절한 수분 섭취 유지

간호실무능력 평가

1. 산모가 유방을 씻을 때 물과 비누를 이용한다. 이때 유두는 물로만 씻어 내는데 그 이유로 옳을 것은?

   ① 유두열상 방지 위해   ② 유두건조 예방 위해

   ③ 유두부종 예방 위해   ④ 유두출혈 방지 위해

   ⑤ 젖샘사출 억제 위해

2. 분만직후 유방울혈 증상이 발생하는 이유로 가장 알맞은 것은?

   ① 유방정맥정체와 림프관 증대   ② 유즙배출의 부족으로 인한 유즙충만

   ③ 체액 상승   ④ 에스트로겐의 과다 분비

   ⑤ 옥시토신 증가

3. 모유수유 방법으로 옳지 않은 것은?

   ① 수유 전 소독약으로 젖꼭지(유두)를 소독한다.

   ② 4시간 넘도록 아기가 자면 깨워서 수유를 한다.

   ③ 후유가 나오도록 충분히 수유한다.

   ④ 젖꼭지(유두)가 꽉 차게 아기 입에 들어가도록 한다.

   ⑤ 양쪽 모두 수유한다.

4. 젖(유방)울혈시 제공해야 하는 간호는?

   ① 팔을 높게 올린다.   ② 수유 전 냉찜질을 한다.

   ③ 젖(유방) 마사지를 한다.   ④ 수유를 중단한다.

   ⑤ 진통제는 금기한다.

5. 산후관리 내용으로 올바른 것은?

   ① 샤워는 분만당일 실시가 가능하다.

   ② 비수유모인 경우 분만 후 5개월부터 피임을 권한다.

   ③ 산욕기 내내 수분섭취나 배설량을 측정하도록 한다.

   ④ 모유수유를 위해 유방을 규칙적으로 완전히 비우도록 한다.

   ⑤ 출산 1일 째 누워서 상반기 일으키기 운동을 하도록 교육한다.

정답   1.①   2.①   3.①   4.③   5.④

사례 ①

1. 모유수유 지식, 기술부족과 관련된 비효율적 모유수유 위험성

2. - 아기가 적절하게 젖을 빨고 빨아들이고 삼킬 것이다.
- 효율적인 빨기, 매 수유시 평균수유시간이 15분정도이다.
- 엄마는 만약 유아가 빨거나 삼키는 대신 "씹는" 행동을 보인다면 유방에서 유아를 떼놓기 위해 받은 적절한 모유수유기술을 설명할 것이다.
- 엄마는 모유수유시 만족함을 말로 표현할 것이다.
- 엄마는 모유수유에 대한 자신감을 말로 표현 할 수 있다.

3. 처음 유즙사출반사가 일어날때까지 5분 정도 걸릴 수 있다. 만약 아기가 정확한 자세로 빨기를 한다면 시간을 제한할 필요는 없다. 시간의 길이보다는 오히려 부적절한 자세가 유두의 상처를 초래한다. 만약 그 여성이 젖짜는 시간에 대해 일반적인 지침을 요구한다면 간호사는 그녀에게 한쪽마다 약 10분정도 걸리고 유아가 원기왕성하게 빨기를 멈추면 다른 쪽으로 변경할 것을 말해준다. 첫 번째 유방을 비우기 위해 아기가 충분히 오래 빠는 것은 중요하다. 그러나 빈젖을 빠는 것은 피해야 한다.

4. - 아기의 젖빨기를 위한 적절한 자세
- 유두의 습기를 유지하는 유두덮개는 피한다.
- 새는 젖을 흡수하기 위한 일회용 수유패드를 사용한다. 젖지 않도록 자주 갈아준다.
- 유듀에 비누를 사용하지 않는다.
- 수유시 다양한 자세를 취하도록 한다.
- 유방으로부터 아기를 떼놓기 전에 빨기를 멈추기 위해 아기의 입과 유방사이에 손가락을 넣는다.
- 수유후 몇분동안 브라를 내린상태로 유두를 공기에 노출시키도록 한다.

5. 아기가 젖을 빠는 것은 젖생산을 자극하므로 중요하다. 대상자가 젖이 2-3일 간 나오지 않을 것이라고 알고 있는 것은 바른 것이다. 그러나 초유를 생산하는데 이것에는 항체와 단백질, 지용성 비타민을 함유하고 있어 젖이 제대로 나오기까지 아기에게 수유해야 한다.

사례 ②

1. 모유의 수요와 공급에 관한 정보, 초유와 모유수유의 잇점

2. 모유의 공급을 증가시키기 위한 착유, 그녀가 정보를 잘 이해했는지 확인할 통역자, 지역공동체내 그녀의 추후 관리를 담당한 보건의료진에 의뢰하기

3. 지역공동체의 지지

03 Bonding(결속, 유대)

 비판적 사고 훈련

사 례

16세의 수진씨가 세시간 전에 사내아이를 출산하였다. 질 분만으로 정중회음절개술을 하였으며 치질이 있다. 10대 소녀는 "잠시 동안 저 아이를 돌봐주세요. 저는 지쳤어요. 16시간 동안 진통을 했고 어젯밤에는 내내 잠을 못잤어요. 나는 정말로 자고 싶어요"라고 말하며, 몇시간 동안 아기를 신생아실로 데려갈 것을 요구했다. 아기는 엄마의 무릎위에 눕혀 있으나, 그녀는 간호사에게 아기를 건네주기 이전까지 아기를 안아주려고 하지 않고 있다.

(중략)

16세의 수진씨가 6시간 전에 남아를 출산하였다. 당신은 10대 산모와 그녀의 아기에게 간호를 제공하는 간호사이다. 산모와 신생아의 활력증상은 안정적이다. 당신은 10대산모와 의논을 한 후 아기의 첫 목욕을 위해 이동용 목욕 욕조를 가져다 놓았다. 그녀는 피곤하지만 그녀의 아기를 관리하는 법을 배우는데 열정적이다.

1. 수진씨가 보여주는 행동에서 특징적으로 규정할 수 있는 지연된 애착의 징후는 무엇인가?

2. 수진씨의 행동 중 지연된 애착의 가능성을 느끼게 하는 위험요소들은 어떤 것이 있는가?

3. 애착문제가 있다는 것을 추론하기에 충분한 근거가 있는가?

4. 이러한 상황에서 적절한 간호진단은 무엇인가?

5. 수진씨의 요구에 대해 우선순위를 결정하고 합리적 근거를 설명하시오.

6. 산욕 초기에 있는 수진씨의 가장 중요한 간호중재는 무엇인가?

7. 수진씨가 휴식을 취한 후, 당신은 수진씨의 애착능력에 방해가 될 수 있는 신체적 조건을 사정할 필요가 있다. 방해가 될 수 있는 요소와 근거를 제시하시오,

8. 목욕시키기 등과 같은 모아상호작용을 증진시키기 위한 방법 8가지를 기술하시오.

비판적 사고 중심 학습

학습목표

- 모아결속 증진방법을 알고 산모를 지지할 수 있다.
- 애착행동의 특성과 기전을 설명할 수 있다.
- 모아결속행동의 특성을 알고 대상자의 모아결속행동을 파악할 수 있다.
- 부모와 신생아의 접촉을 증진시키기 위하여 학습자는 결속감과 애착 증진행위의 판간 기준이 있다.
- 애착행동의 역할모델과 자극에 대한 아기의 반응을 알고 설명할 수 있다.

개요

부모와 아기가 서로를 사랑하며 수용해가는 과정을 애착 또는 유대감이라고 한다. 애착은 임신기부터 시작하여 산욕초기에 강렬해진다. 부모와 아기의 접촉과 상호작용에 의해 발달되고 유지된다. 간호사는 아기를 가족단위로 통합하고 유대감을 증진시키기 위해 아기의 출산에 대해 가족이 적응하도록 도와야 한다. 출산 이후 첫 한시간 동안은 결속감이 발생할 수 있는 가장 민감한 시기이기 때문에 부모와 아기간의 상호작용을 강화시켜야 한다. 조용하고 깨어 있는 상태에서 아기가 부모를 직접적으로 응시할 수 있도록 눈을 뜨도록 해야 한다. 아기는 이 기간에 목소리와 접촉에 반응한다.

영향요소

- 분만 이후 산모의 정서적 · 신체적 상태
- 아이의 상태와 행동
- 모체나 유아기의 질병때문에 출산 후 엄마와 아기의 분리
- 출산 경험과 엄마로서의 새로운 역할과 관련된 환상과 현실 사이의 괴리감
- 모체의 약물과 알콜 남용
- 신생아의 선천적 기형
- 미숙아
- 10대 엄마
- 원치 않은 임신

부모의 촉진행동

- 아기를 바라보고 응시함, 눈 접촉
- 아기이름 부르기
- 아기의 행동에 의미를 부여하고 아기의 요구를 민감하게 해석함
- 아기에게 말을 걸거나 옹알이를 받아주거나 노래를 불러주는 것
- 접촉: 손가락끝에서 손가락, 손바닥으로 진행하면서 꼭 안아주는것(완전한 신체접촉)
- 아이를 가족으로 인정함: 이름 부르기

부모의 방해행동

- 아기의 존재를 무시하는 것
- 아기를 외면하는 것
- 자고 있는 아기를 거칠게 다루어서 깨우는 것
- 아기에게 실망감, 불쾌감을 표현하는 것
- 아기의 신체 분비물 등에 혐오감을 드러내는 것(뇨, 변, 침 등)
- 신생아관리간호사(의료팀)의 무감동

치료적 간호관리

- 아기의 독특한 특징을 수용하도록 한다.
- 가족에게 아기를 안아주고 꼭 접촉을 하도록 하고 수유하도록 격려한다.
- 정상 신생아의 반사와 능력 등을 교육한다.
- 출산 직후 곧 엄마와 아기가 피부를 접촉하게 한다.
- 가족과 아기의 상호작용을 강화시킬 수 있는 환경과 사적 공간을 제공한다.

합병증

- 성장지연/소홀
- 비 애착감/신체적 학대
- 정서적 분리

1. 산모 남편의 적응에 대한 설명으로 가장 옳은 것은?

   ① 산모의 임신 중 일어나는 변화에는 관심이 없으나 태아성장에는 관심을 보인다.
   ② 아버지가 된다는 것이 아직 실감이 나질 않는다.
   ③ 내(산모남편)가 임신한것이 아니라서 아버지가 된다는 것은 아기가 태어나봐야 알 것 같다.
   ④ 임부의 생리적, 정서적 변화에 민감하고, 출산 후 한달간 신생아의 특성과 양육법에 대해 관심을 보인다.
   ⑤ 신생아를 돌보는 것은 어머니의 일이라고 생각한다.

2. 새로운 어머니 역할을 받아들이는 시기로 옳은 것은?

   ① 소극기   ② 잠재기   ③ 예측기
   ④ 이행기   ⑤ 밀월기

3. 산모가 산후에 피로하여 계속 자려고 하고 수다스럽고 식욕상태가 좋으며 자신의 건강에 초점을 두고 간호사의 도움을 필요로 한다. 이 시기는 모성역할 단계 중 어떤 시기인가?

   ① 소극기   ② 잠재기   ③ 예측기
   ④ 이행기   ⑤ 밀월기

4. 산모가 아기를 보살피는데 자신감을 가질 수 있게 돕는 방법으로 옳은 것은?

   ① 산모의 틀린 점을 지적하고 바른 것을 알려준다.
   ② 산모 돌봄 활동이 적절하면격려하고 확신시켜 준다.
   ③ 아기를 보살피는데 기술적이고 능숙한 솜씨를 보여준다.
   ④ 산모를 위해 모든 결정을 내려주어서 산모에게 부적절한 행위가 없게 한다.
   ⑤ 산모에게 산모자신은 능숙한 간호사만큼 기술이 없다는 것을 말해 준다.

5. 이씨는 아버지가 되는 것을 매우 어색해 하는데, 적응을 돕는 방법으로 옳은 것은?

   ① 아버지는 사회적 활동을 충실히 이행하면 된다.
   ② 아버지가 수행 가능한 돌봄활동을 긍정적으로 받아들이게 한다.
   ③ 아버지와의 관계는 자연적으로 해결되므로 필요가 없다.
   ④ 신생아는 저항력이 약하므로 아버지 면회를 가능한 늦게 한다.
   ⑤ 분만 시 아버지의 참여는 바람직하지 못하므로 출산 후 만난다.

정답   1. ④   2. ④   3. ①   4. ②   5. ②

관련정보

캥거루 케어(모체와 태아의 접촉 강화 간호)

- 모체와 태아의 접촉 강화 간호
- 분만직후부터 산모 혹은 아빠가 피부와 피부를 맞닿게 아기를 가슴에 감싸는 것을 캥거루 케어하고 한다.
- 캥거루 케어는 분만 직후부터 가능하며, 이제 막 태어났을 뿐인 아기를 엄마의 가슴에서 배 사이에 올려두면, 눈을 뜨고, 엄마의 목소리를 들으며 스스로의 힘으로 유방까지 가서 모유를 빨리 시작한다.

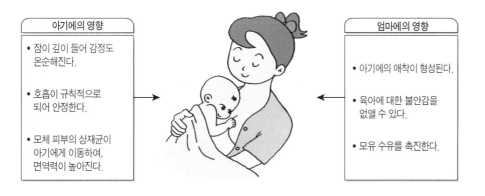

아기에의 영향	엄마에의 영향
• 잠이 깊이 들어 감정도 온순해진다. • 호흡이 규칙적으로 되어 안정한다. • 모체 피부의 상재균이 아기에게 이동하여, 면역력이 높아진다.	• 아기에의 애착이 형성된다. • 육아에 대한 불안감을 없앨 수 있다. • 모유 수유를 촉진한다.

1. 수진씨는 아기를 안아주지 않는다. 자신의 아기를 '아기' 대신 '저아이' 라고 부르고 있으며 이름을 사용하지 않고 있다.

2. 최수진씨는 10대이며 통증과 피로감을 갖고 있다.

3. 그렇지 않다. 엄마는 단순히 피곤할 수도 있다.

4. 발달수준, 치료감, 통증과 관련된 변화된 모아애착장애 위험성

5. 1. 수면과 휴식
2. 애착을 용이하게 하는아기와의 상호작용시간
3. 아기를 안고 쓰다듬을 수 있는 법을 배우기

6. - 아기를 쓰다듬는 법과 아기를 이름으로 부르는 법에 대한 역할모델
- 아기를 신생아실로 데려가기
- 출사 후 첫 24시간동안 아기와 시간을 보내는 것이 중요하다는 것을 설명한다.
- 연장된 애착에 대한 다른 징후를 사정한다.
  근거: 이러한 시기의 가장 중요한 활동은 엄마가 수면을 취할 수 있도록 신생아실로 아기를 데려가는 것이다. 간호사는 또한 엄마에게서 아기를 데려갈 때 아기를쓰다듬고 이름을 부르도록 해야한다. 그러나 이 시기의 휴식에 대한 요구보다는 덜 중요하다. 이 시기에 여성은 설명에 반응적이지 않으며 그녀가 피곤에 지쳐있어 애착이 잘 형성되지 않는다. 애착의 사정은 출산병동에 머무르는 동안 내내 계속 되어야 한다.

7. 최음절개부위 통증

8. 1) 아기를 이름으로 부른다.
2) 목욕을 하기를 예로 들면 목욕을 시키기 보다는 제안을 하거나 도움을 줌으로써 아기관리에 대한 엄마의 노력을 격려한다.
3) 목욕할 때의 엄마의 노력을 칭찬한다.
4) 아기를 쓰다듬거나 안는것과 같은 역할모델이 된다.
5) 시력, 청력, 촉각과 같은 신생아의 능력을 설명한다.
6) 출산 후 제대를 건조시키는 것과 같은 목욕의 중요한 특성을 설명한다.
7) 목욕도중 존중감을 가지고 그녀를 대한다.
8) 신생아가 선호하는 목소리와 소리의 범위에 대해서 설명한다.

04 산후출혈 산모 간호

✓ 산후출혈은 출산 후 500cc 이상의 혈액손실이다.

✓ 가장 흔한 원인은 자궁무력증이다.

✓ 자궁무력증의 위험유발인자는 다음과 같다.

　– 자궁의 과도팽만(예: 다태아, 거대아, 양수과다증, 다산부)

　– 자궁의 피로(지연된 분만)

　– 방광팽만

✓ 자궁무력증을 방지 · 치료해야 한다.

　– 위험유발 인자에 대한 경각심을 갖는다.

　– 방광팽만을 방지하기 위하여 배뇨를 유도한다.

　– 자궁저부가 단단하지 않다면 마사지를 한다.

　– 산후출혈의 징후를 사정한다.: 심한 오로, 물컹한 자궁

　– 가장 심각한 합병증은 저혈량성 쇼크이다.

　– 산후출혈이 발생하면 자궁을 마사지하고, 주치의에게 연락하고, 처방된 대로 옥시토신 제제를 투여하며, D&C가 유발될 수 있음을 지각하고 있어야 한다.

비판적 사고 훈련

사 례 ①

사 례

정아씨는 35세의 다산부(gravida 4, para 4)로 4.3kg의 아기를 급속 분만에 의해 2시간 정도에 출산하였다. 정아씨는 출산 후 1시간 내에 3개의 회음 패드를 흠뻑 적셨다. 정아씨의 자궁저부는 단단하며 배꼽 수준에 있다. 정아씨는 현재 간호사에게 "다리사이에 많이 젖은 느낌이 나요. 어지럽기도 하고요." 라고 말한다. 그녀의 활력징후는 체온 37.2℃, 맥박 92회/분, 호흡 16회/분, 혈압 124/76mmHg 이다.

1. 어떤 자료가 산후출혈의 위험성이 있다는 것을 알려주는가?

2. 산후출혈의 위험요소를 설명하시오. 그것은 무엇인가?

3. 다음 사정 시 정아씨의 자궁저부는 부드럽게 촉진되었다. 우선순위의 중재는 무엇이며, 그 이유를 설명하시오.

4. 간호사가 중재를 시행한 이후에도, 정아씨의 출혈은 멈추지 않고 있다. 간호사는 건강관리 제공자에게 보고하고 지침에 따라 IV라인을 확보하고 oxytocin 20단위를 투여하며 계속적으로 출혈을 감시하고 있다. 이러한 시기에 가장 중요하게 감시해야 할 활력징후는 무엇이고, 이유는 무엇인가?

5. 간호사는 유치도뇨관을 삽입하라는 의사의 지시를 수행한다. 이를 수행하는 근거는 무엇인가?

사 례 ②

6시간 전 29세의 경산부가(gravida 3, para 3) 남아를 질식분만으로 출산하였다. 출산 약 2시간 후, 이 경산부는 지속적으로 출혈하기 시작했고 혈액의 손실량은 현재 약 700ml이다. 대상자는 1pint의 혈액을 수혈 받았고, 현재 시간당 150cc로 정맥 수액요법을 받고 있다. 그녀에게 유치도뇨관이 삽입되어 있고, 오후 2시 활력징후는 체온 36.7℃, 맥박 100회/분, 호흡 12회/분, 혈압 100/60mmHg 이다. Hematocrit은 24%이다. 산과병동에 근무하고 있는 당신에게 이브닝 근무동안 상기 대상자가 배정되었다.

1. 대상자에게 간호를 제공할 때 당신이 시행할 수 있는 간호중재에 우선순위를 매기고 중재의 순서를 밝히기 위해 네모 안에 번호를 써 넣으시오.

간호중재	우선순위
자궁의 강도, 수축정도, 위치를 사정한다.	
소변배설량을 모니터한다. 정확하게 섭취량과 배설량을 사정한다.	
오로의 양과 특성을 메모한다.	
호흡음을 사정한다.	
활력징후를 측정한다.	
임상검사 수치를 확인한다.	
여성과 가족에 대한 간호계획을 설명한다.	

당신의 근무시간에 대상자를 재사정하기 위해 검사물의 채취를 마쳤다.
출산 후 8시간 후에 재시행 된 hematocrit은 29%이다. 대상자는 추가로 수혈을 받는다.

2. 검사결과에 근거하여, 위의 상황에서 우선순위의 문제와 간호중재를 기술하시오.

문 제	
간호중재	

3. 대상자의 상태가 호전되고 있다는 것을 나타내는 것은 어떤 정보들에 의해서 알 수 있는가?

출산 3일 후에 대상자의 Hematocrit은 33%이다. 현재 어떤 비정상적인 출혈도 없으며, 자궁저부 위치는 배꼽아래 3횡지에 위치하고 있고 단단하게 촉지된다. 그녀는 다음날 퇴원할 예정이다.

4. 대상자와 배우자에게 퇴원교육 계획을 세우고 있다. 그 내용은 무엇인가?

비판적 사고 중심 학습

학습목표

- 산후출혈의 정의, 원인, 증상 및 증후, 치료방법 및 합병증을 설명한다.
- 산후출혈을 가진 여성을 위한 간호과정을 적용한다.

개요

산후출혈은 질 분만 후 500ml 이상, 제왕절개 후 1,000ml 이상의 혈액손실을 말한다. 가장 흔한 원인은 자궁무력증이며, 출산율 20명당 한명에게 일어날 수 있는 합병증이다. 다음으로 흔한 원인은 잔류태반, 열상, 혈액응고 질환이다. 출혈은 산욕기간 중에 치료해야 한다. 산후출혈이 의심되면 초기치료는 즉각적인 자궁저부 마사지와 주치의에게 연락하는 것이다.

조기 산후출혈은 출산 후 24시간 이내에 발생한다. 후기 산후출혈은 산모가 집으로 돌아간 후에 발생할 수 있다. 자궁퇴축부전, 잔류태반조각이나 감염 등이 원인이다.

위험요소

- 자궁근의 과도한 팽창이나 극심한 피로(거대아, 경산, 장시간의 진통, 급속 분만)
- 잔류태반
- 자궁퇴축부전
- 질 열상
- 혈종
- 자궁근 이완/약물
- 임신성고혈압
- 방광 팽만
- 자궁내번증

진단검사

- 헤마토크릿(Hct)
- 헤모글로빈(Hb)

증상과 징후

- 증가된 혈성 오로: 질로 부터 밝은 선홍색의 출혈과 혈괴가 있거나, 지속적으로 흐르거나, 대량으로 펑펑 쏟아진다.
- 시간당 한개 이상 흠뻑 젖은 패드
- 완화되지 않은 직장과 회음부 통증(혈종의 징후)
- 부드럽고 물렁거리는 자궁(자궁비대)
- 빈맥, 저혈압, 핍뇨증(저혈량성 쇼크의 징후)

치료적 간호관리

- 지속적으로 쇼크의 징후를 사정한다.
- 유치도뇨관을 삽입한다.
- 시간당 최저 30cc 이상의 소변량을 관찰한다.
- 자궁의 강도, 위치, 크기를 알기 위해 자주 자궁을 촉진한다.
- 오로의 색, 양, 거대한 응고물질 등의 유무에 대해 점검한다.
- 열상, 혈종, 회음절개술 부위의 봉합열개 등의 유무를 점검한다.
- 활력징후, 의식수준의 변화, 피부색과 온감 등을 관찰한다.
- 소변량과 방광팽창 등을 관찰한다.
- 과도하게 심한 통증에 대한 문진을 시행한다(예: 혈종).
- 자궁을 마사지하고 처방된 대로 옥시토신제제를 투여한다(옥시토신제제는 잔류태반 조각을 배출하거나 무력화된 자궁을 수축시키기 위해 투여한다).
- 활력증상이 비정상적이거나 합병증이 발생하면 주치의에게 보고한다.
- 잔류된 태반조각의 제거가 필요하다면, 대상자를 위하여 소파수술(D&C)을 준비한다.
- 대상자와 가족을 지지한다.
- 처방대로 산소요법과 투약을 시행한다.
- 팽만된 방광을 비우기 위하여 도뇨관을 삽입한다.
- 예방적 간호중재
- 태반의 소실된 부분이 있는 지 점검한다.
- 옥시토신제제를 투여한다.
- IV 라인을 확보한다.
- 회음부에 냉요법을 적용한다.

- 배뇨을 유도한다. 팽만된 방광을 비우기 위하여 도뇨관을 삽입한다.
- 자궁이 물렁거린다면 자궁저부를 마사지한다.
- 오로의 유형과 양을 사정한다.
- 다음과 같은 분비물의 양상을 의료진에 보고하도록 대상자를 교육한다.
  - 출산 4일 후 밝은 선홍색 오로가 다시 나타날 때
  - 감염의 징후, 즉 후기 산후 출혈의 원인될 수 있다.
    ① 38℃ 이상의 열
    ② 냄새가 심한 오로
    ③ 감기증상

약물 관리

- 등장성 용액(1000ml의 정상식염수나 lactated Ringer's)에 옥시토신 20단위를 혼합하여 정맥내로 주사
- Ergonovine(ergotrate) 또는 methylergonovine(methergine): 근육 또는 정맥주사

 Methylergonovine Maleate(Methergine)

작용	Methergine은 부드러운 근육조직을 자극하는 맥각알칼로이드제제이다. 부드러운 자궁근육을 자극하여 퇴축진행을 촉진시키고 혈액손실을 낮춘다. 이 약물은 모든 혈관, 특히 대동맥을 수축시키는 효과를 갖고 있어서 혈압이 높은 여성에게는 고혈압을 악화시킬 수 있다.
투여 방법	Methergine은 작용이 빠르게 시작되며 구강 또는 근육 내로 주어진다. 일반 근육주사는 태반 배출 직후에 0.2mg 투여하고, 필요하다면 2~4시간마다 반복 투여할 수 있다. 일반 구강 복용은 매 4시간마다 0.2mg(6회 복용량)을 복용한다.
임산부의 금기	임신, 간질환 또는 신장질환, 심장질환, 고혈압 또는 자간전증이 있는 모성에게는 이 약물의 사용을 금기한다. Methylergonovine Malate는 수유 중에 조심해서 사용하여야 한다.
산모의 부작용	고혈압, 메스꺼움, 구토, 두통, 서맥, 어지러움, 이명, 복부 조임, 가슴 두근거림, 호흡곤란, 흉부 통증, 알레르기 반응이 있다.

임산부의 금기	중증 근무력증인 산모에게는 투여해서는 안 된다. 심근 손상 또는 심장의 병력은 신경 전달의 영향과 근육수축 때문에 사용해서는 안 된다. 신장기능부전인 경우는 투여 시에 집중적 간호가 필요하다.
태아 또는 신생아에 대한 영향	Methergine은 장기지속 작용을 갖고 있는 자궁수축제로 양수색전증(증가된 자궁내압력으로 인해 양수가 태반 가장자리 밑에 있는 산모의 정맥계로 들어갈 수 있다), 자궁파열, 경부와 회음부 손상(고긴장성 자궁수축과 아기의 급속 출산으로 인한), 저산소증, 아기 두개골 내의 출혈(심각하게 산모, 태반, 태아 혈류를 낮추는 경련 수축 또는 태아에게 가는 혈류의 중단을 일으키는 자궁파열)을 일으킬 수 있는 연속적 자궁수축 결과를 초래할 수 있기 때문에 임신 또는 진통 중에는 결코 사용해서는 안 된다.
고려사항	1. 자궁 저부높이와 오로의 농도, 양 그리고 특성을 관찰한다. 2. 약물투여 전과 후에 계속적으로 혈압을 사정한다. 3. 메스꺼움과 구토, 두통, 근육통, 오한, 손·발가락 마비, 흉통, 전신쇠약과 같은 맥각제 중독의 증상들 또는 변화된 증상들에 대해 관찰한다. 4. 대상자 가족에게 Methergine 투여 중 금연의 중요성(담배의 니코틴은 혈관을 수축시키고 고혈압을 일으킬 수 있음)과 독성의 징후들에 대해 교육한다.

합병증

- 저혈량성 쇼크
- 은닉성 출혈: 혈액이 자궁내에 있으며, 자궁은 팽만되어 있다. 촉지시 자궁은 부드러우며 물렁거리고 비대되어 있다.
- 산후출혈은 생명을 위협할 수 있다. 혈액손실이 교정되지 않으면 의식의 소실과 신부전증이나 죽음에 이를 수도 있다.
- 잔류태반은 자궁감염, 자궁복구부전과 출혈의 원인이 될 수 있다.

산후출혈

- 자궁무력증(자궁의 과도한 팽창, 자간전증, 양수주입, 조기 진통시 황산마그네슘의 사용)에 의해 유발됨, 남아 있는 태반 조직, 질, 경관, 회음부 부위의 열상 그리고 외음부, 질 또는 복막 아래쪽의 혈종과 응고장애이다.
- 부드럽고 이완된 자궁상태에서 혈괴가 배출되거나, 자궁수축은 잘되고 혈괴는 배출되지 않고 자궁에서 밝은 붉은색의 질 출혈이 있다.
- 일반적으로 산후 처음 24시간 이내에 발생한다. 후기 또는 지연된 출혈은 산후 24시간 이후~6주 사이에 발생한다.

관 리

- **자궁무력증**

  분만 촉진제가 자궁무력증을 예방하기 위해 태반이 박리된 후 주입된다(옥시토신). 자궁저부 높이와 견고함을 확인한다. 태반배출 후 자궁이 단단하지 않고 잘 수축되지 않으면 자궁저부마사지를 시작한다. 과도한 출혈이 있다면 자궁 압박을 양손으로 실시할 수 있다. 헤마토크릿과 헤모글로빈을 관찰한다. 메틸에르고노빈 말레이트(메덜진) IM 또는 옥시토신 정맥내 투여를 할 수 있다.

- **태반조직의 잔류**

  태반엽 또는 양막이 자궁강 내에 남아 있을 수 있기 때문에 태반을 검사한다. 잔류된 조각들이 의심되면, 자궁강내 진찰이 요구된다. 초음파 검사를 시행할 수 있다. 메틸에르고노빈 말레이트(메덜진)가 지시된다. 프로스타글란딘(IM 또는 자궁강에 직접 주사됨)은 옥시토신 제제로 실패한 후에 사용될 수 있다.

- **열상**

  질 부위 손상은 자궁이 심하게 수축하면서 질 출혈이 계속될 때 의심한다. 경부의 손상이 클 경우는 출혈을 멈추게 하기 위해 봉합해야 한다.

- **혈종**

  질 부위를 따라 어느 부위의 극심한 압박과 통증, 질 점막의 보라색 또는 반상 출혈성 회음부인 경우 혈종으로 의심한다. 작은 혈종은 얼음 주머니를 대주고 통증의 유무 등을 계속 관찰한다. 보통 자연적으로 재흡수된다. 큰 혈종 또는 크기가 증가하는 혈종은 절개한다. 혈관들은 다시 봉합한다. 필요시 지혈을 위해 질내에 packing을 시도한다. packing이 크면 배뇨곤란을 초래할 수 있으므로 유치도뇨관을 삽입한다. 절개와 배액관 삽입은 산후 감염의 위험성이 증가하기 때문에 광범위 항생제가 처방된다.

사 정

- 산후 혈압, 맥박, 호흡을 사정한다. 질 출혈이 있을 경우 매 15분마다 혈압, 맥박, 호흡을 사정한다.

- 저혈압과 저혈량의 증후인 빈맥, 빈호흡, 혈압하강, 창백함, 청색증, 차갑고 축축한 피부 그리고 불안함을 주의한다.

- 자궁 저부의 높이와 견고함을 사정한다. 자궁은 견고해야 하고 배꼽 위치에 혹은 아래에 있어야 한다.

- 수축이 잘 되는 자궁저부는 자궁무력증이 아니다.

- 혈액 손실/질 출혈의 양과 혈액, 혈액 덩어리를 사정한다.

  - 눈에 보이는 사정: 1시간 이내의 패드 수를 세거나 패드의 무게를 측정한다(혈액무게 1g은 1mL).

  - 혈액 손실을 주의한다. 혈액 손실의 양을 확인하기 위해 착용한 패드뿐만 아니라 혈액이 고인 깔아놓은 패드도 사정한다. 출혈 사정을 위해서 산모 몸을 옆으로 돌리게 한다.

  - 변색과 부종, 무른 부위를 확인하기 위해 회음부와 엉덩이를 검사한다. 산모가 부분마취에서 회복 중일 때는 회음부/엉덩이를 자주 눈으로 확인해야 한다.

  - 산부의 통증 수준을 사정한다. 질과 회음 혈종은 회음부 통증 또는 직장의 압박감이 나타난다.

- 질 또는 항문의 팽륜 부위를 검사한다.

  - 여성을 옆으로 눕히고, 위쪽 다리를 가슴쪽으로 당겨 엉덩이를 올리고 자세를 고정시키도록 한다.

  - 질 입구에 보이는 부풀은 보랏빛 덩어리 또는 직장 검사를 통해 촉진할 수 있는 부드러운 덩어리를 주의한다.

- 방광팽만을 사정한다(효과적 자궁수축과 퇴축을 방해한다).

  - 매 8시간마다 섭취와 배설을 사정한다. 소변 배출은 시간당 30cc 이상이 유지되어야 한다.

- 혈액검사 결과를 사정한다. 감소하는 헤마토크릿수치에 주의한다(500mL 혈액 손실은 헤마토크릿에서 4point 감소로 나타날 수 있다).

- 산모의 대처 반응, 상태에 대한 이해 수준 그리고 정서적 상태를 사정한다.

  - 혈액 손실로 인한 피로는 아기를 돌보는 산모의 능력을 저하시킨다.

  - 가족지원 체계를 사정한다.

진 단

- 자궁무력증, 남아 있는 태반조직, 손상 또는 혈종과 관련된 체액량의 부족
- 외상과 출혈과 관련된 감염의 위험성

중 재

- 자궁 수축을 자극하고 혈괴를 배출하기 위해 자궁저부를 부드럽게 마사지한다. 마사지 수준에 주의한다. 강한 마사지는 자궁을 피로하게 하여 자궁무력증을 초래할 수 있고 통증을 일으킬 수 있다. 부드럽게 자극한다. 산모에게 자궁을 강하게 마사지하는 것이 자궁을 수축하게 한다는 사실로 잘못 오해하지 않도록 한다. 출혈은 자궁무력증이 아닌 다른 원인들로부터 발생할 수 있다.
- 출혈 양상과 양, 자궁의 견고도를 관찰한다. 어두운 붉은색 혈액과 자궁의 이완은 잔류 태반조각을 의미한다. 밝은 붉은색 질 출혈과 수축이 잘되는 자궁은 열상으로 인한 출혈을 나타낸다.
- 질 혈종의 위험이 있는 산모는 출산 후, 처음 12시간 동안 얼음 주머니를 사용한다. 혈종이 형성되면, 12시간 이후 좌욕을 한다.
- IV를 유지하고 필요하면 수혈을 위해 18G로 주사하며 혈액형 교차 시험을 위해 보낸다. IV를 중단하기 전에 자궁의 견고성과 오로의 양을 사정한다.
- 처방에 따라 자궁수축제를 주입한다. 약물에 반응하는 자궁수축 정도와 혈압을 주의 깊게 사정한다.
- 섭취량과 배설량을 시간별로 관찰한다. 정확한 배설량 확인을 위해 유치도뇨관을 삽입한다.
- 불편함을 호소하면 처방에 따라 진통제를 주입한다.
- 샤워하는 동안 탈진이나 어지러움이 있을 때는 자가간호를 용이하게 하기 위해 의자를 제공한다.
- 간호사는 수행된 간호를 다시 성찰하고 점검한다.
- 산모의 자궁저부와 오로상태를 효과적으로 관찰하였는가? 나는 산모의 자궁이 이완되고 혈괴가 배출될 때 재빠르게 확인을 하고 중재를 했는가? 나는 가능한 부드럽게 자궁 마사지를 실시했는가?
- 여성의 활력징후는 안정적인가? 여성은 저혈량의 어떤 증후를 보이고 있는가?
- 여성은 질 부위 혹은 다른 어떤 곳에 불편감을 호소하고 있는가? 내가 산모를 위해 차갑거나 따뜻한 주머니, 회음부 간호, 좌욕 또는 진통제를 이용해 그녀에게 편안한 방법을 제공했는가?

- 산모와 그녀 가족에게 산모의 상태에 대한 정보를 계속 제공해 줌으로써 산모의 불안을 줄이는데 도움을 주었는가?
- 가정 내 자가간호에 대한 정보를 제공해 왔는가? 철분제, 자궁저부와 오로의 색과 양의 변화, 지시된 자궁저부를 마사지하는 방법, 비정상적 출혈의 증후, 언제 건강간호 제공자에게 알려야 하는지?

평 가

- 분만 후 출혈의 증후들을 조기에 발견하고 효과적으로 관리한다.
- 혈종 형성이 조기 탐지되고, 성공적으로 관리한다.
- 산모의 불편함이 효과적으로 경감된다.
- 산모는 산욕기 동안 일어날 수 있는 비정상적 변화들을 확인할 수 있고, 문제점을 발견한 경우, 담당 간호사에게 알리는 중요성을 이해한다.
- 산모와 아기의 애착이 성공적으로 유지한다.

자궁복구부전(후기 산후출혈)

- 자궁복구부전이란 자궁의 퇴축이 정상적으로 일어나지 않는 것으로 정의된다.
- 증후와 증상들은 보통 산후 4주에서 6주 후까지 분명하지 않다. 자궁저부는 예상보다 복부나 골반보다 위에 위치해 있다. 오로는 정상적으로 적색에서 갈색, 백색으로 진행하는데 실패한다. 계속적으로 오로가 적색이거나 산후 며칠 후에도 적색으로 다시 돌아갈 수 있다. 산후 2주보다 더 오래 지속되는 적색오로는 자궁복구부전을 의심한다. 오로의 양은 예상보다 훨씬 많을 수도 있다. 백대하, 요통, 오염된 오로는 감염 출산 이후 불규칙 또는 과도한 출혈의 산과력이 증상일 수 있다.

관 리

- 자궁검사: 자궁은 정상자궁보다 크고 유연하게 촉진된다.
- 약물치료: 24~48시간 동안 경구 메틸레르고노빈 0.2mg 또는 에르고노빈 0.2mg을 3~4시간마다 자궁 수축을 자극하기 위해 주어진다(약물 지침: 메틸레르고노빈 밀레이트[메덜진]). 경구 항생제는 감염이 있거나 감염이 진행되었을 때 처방된다.
- 자궁소파술: 자궁수축제가 효과가 없거나 자궁강내에 잔류태반조각과 용종이 있다면 소파술이 행해질 수 있다.

사 정

- 출산 후 오로의 특성을 사정한다. 비정상적 오로 패턴을 주의한다; 적색에서 갈색으로 진행되지 않거나, 출산 이후 다시 적색으로 오로의 색이 변하는 경우

- 산모의 체온을 사정한다. 체온상승은 감염으로 인한 자궁 복구부전으로 일어날 수 있다.

진 단

- 자궁수축제의 주입에 따른 자궁 수축의 자극과 관련된 극심한 통증
- 개대와 소파술에 따른 자궁에 세균 침투와 관련된 감염의 위험성
- 지연된 산후 출혈에 따른 정보 부족과 관련된 건강 불이행의 위험성

중 재

- 분만 후, 정상적 자궁퇴축진행과 적색-갈색-백색으로 변하는 오로의 색과 양의 진행과정을 사정한다. 산모에게 안정과 약물로 없어지지 않는 계속된 출혈과 분만 후 2~6주간 동안 한 개의 패드/1시간을 적시는 출혈은 보고해야 함을 강조한다.
- 안정의 중요성을 이야기 한다; 산모가 24시간 동안 자궁수축제를 맞는 경우, 간병인을 확보할 수 있는지 확인한다. 가정 내에서 자궁수축시 발생하는 통증 관리에 대해 언급한다.
- 모유 수유를 계속할 수 있음을 산모에게 알려준다. 적은 양의 메틸레르고노빈은 아기에게 위험하지 않으며, 모유 수유는 퇴축에 도움이 될 수 있다.
- 산모가 고혈압의 과거력이 있다면 자궁수축제의 부작용과 조기 징후들을 가르친다. 즉 혈압 상승, 메스꺼움, 구토, 두통, 복통 또는 순환계 정체의 징후, 가려움, 따끔거림, 무감각, 손·발가락의 차가움 등이다.

기 록

19:30: T 37.2, P 92, R 16, BP 124/76. 자궁 저부 부드러움. 치골과 중앙선 위로 1FB. 촉진시 말랑거림. 적은 혈액 덩어리와 함께 적색오로. 피로감, 적색으로 돌아간 오로, 출산 후 15일에 하루에 한개 패드 표면 적심에 대한 불안. 모유수유와 계속된 적색 오로, 심해지는 피로감에 대한 걱정을 표현 함   김영숙 간호사

평 가

- 산모는 지연된 자궁퇴축의 증상들과 언제 간호사에게 보고해야 하는지를 안다.
- 산모는 치료 방법을 이해하고, 처방된 약을 복용한다.
- 산모는 심해지는 피로감과 자궁복구 부전에 따른 불안을 대처할 수 있는 조력자가 있다.

간호실무능력 평가

1. 쌍태아를 정상질식분만하고 1시간 이내에 있는 산모에게 가장 우선적으로 해야 하는 신체 사정은?

   ① 유방 사정   ② 방광 사정   ③ 자궁경관 사정
   ④ 자궁저부 사정   ⑤ 회음부 사정

2. 제왕절개 수술 후 2시간이 된 초산모의 출혈을 사정하는 방법으로 가장 옳은 것은?

   ① 혈액 검사   ② 소변량 사정   ③ 자궁 수축 사정
   ④ 활력징후 사정   ⑤ 의식수준 사정

3. 2회의 산과력이 있는 다산부가 정상분만 4시간 후 1시간 내 패드 1개를 흠뻑 적시는 출혈이 있었다. 자궁저부는 배꼽위 2횡지에서 물렁하게 촉지되었다. 이를 발견한 간호사가 가장 먼저 수행해야 할 간호중재는?

   ① 호흡음 사정   ② 회음절개부 사정
   ③ 자궁저부 마사지   ④ 주치의에게 보고
   ⑤ 수분섭취량과 배설량 측정

4. 산후출혈을 치료하기 위해 메덜진(Methergine)을 투여하고 있는 산모에게 주의해서 사정해야 할 사항은?

   ① 방광팽창   ② 발열   ③ 유방울혈
   ④ 핍뇨   ⑤ 고혈압

5. 산후출혈 쇼크를 찾아내기 위해 초기에 주의 깊게 사정해야 하는 사항은?

   ① 체온 감소   ② 혈압 감소   ③ 맥박 증가
   ④ 맥박 감소   ⑤ 의식수준 저하

정답   1. ④   2. ③   3. ③   4. ⑤   5. ③

관련정보

자궁무력증

- 태아와 태반이 만출되면 보통 자궁은 강하게 수축하여 태반박리면에서의 출혈이 감소하고 이후 멈춘다.
- 자궁의 수축이 방해받거나 감소될 경우, 태반박리면에서의 출혈은 멈추지 않는다. 이를 자궁무력증이라고 한다.

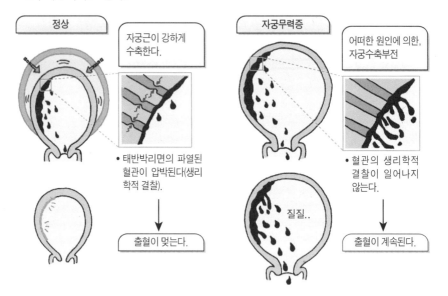

원인(자궁수축부전의 원인)
- 자궁수축부전의 원인이 되는 것에는 아래와 같은 것들이 있다.

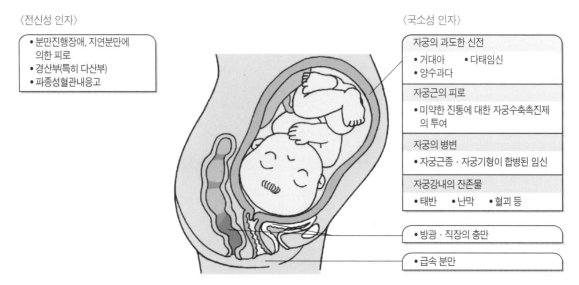

〈전신성 인자〉
- 분만진행장애, 지연분만에 의한 피로
- 경산부(특히 다산부)
- 파종성혈관내응고

〈국소성 인자〉

자궁의 과도한 신전
- 거대아   • 다태임신
- 양수과다

자궁근의 피로
- 미약한 진통에 대한 자궁수축촉진제의 투여

자궁의 병변
- 자궁근종 · 자궁기형이 합병된 임신

자궁강내의 잔존물
- 태반   • 난막   • 혈괴 등

- 방광 · 직장의 충만
- 급속 분만

- 산욕기에 보이는 자궁복구부전의 원인도 자궁수축의 장애이다.

증상(빈혈과 쇼크)

- 출혈에 의한 빈혈과 쇼크 증상이 나타나고, 자궁강내 혈액잔류로 인해 자궁퇴축부전이 일어나 자궁저부가 상승한다.

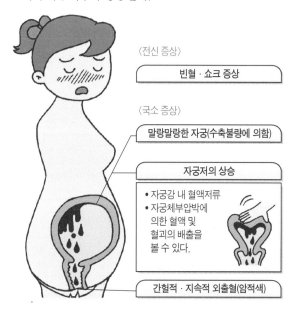

〈전신 증상〉
빈혈 · 쇼크 증상

〈국소 증상〉
말랑말랑한 자궁(수축불량에 의함)

자궁저의 상승

- 자궁강 내 혈액저류
- 자궁체부압박에 의한 혈액 및 혈괴의 배출을 볼 수 있다.

간헐적 · 지속적 외출혈(암적색)

- 대량출혈은 신부전과 Sheehan 증후군 등을 일으키는 경우가 있다.

경관열상과의 감별(자궁수축이 포인트)

- 자궁무력증과 경관열상은 구별하기 어려워 감별이 중요하다.
- 최대 감별점은 자궁수축이 좋은지 불량한지 여부이다.

	경관열상	자궁무력증
그림		
출혈상태	• 태아만출 직후부터 선홍색 출혈이 지속된다.	• 태아만출 후, 혈괴를 포함한 암적색 출혈
자궁수축	좋음	불량
자궁체부 압박	• 출혈량은 변화 없음	• 응고된 혈괴와 혈액이 밀려나온다.

치료(자궁에서 시작하는 원인 검사)

- 태반만출후에 자궁강내의 촉진을 행한다. 자궁수축의 상태와 태반잔존물의 유무를 확인한다.
- 출혈이 있는 경우에 원인 검사를 행하지만, 그 순서는 원칙적으로 자궁 → 경관 → 질 → 회음부 순으로 행한다. 필요에 따라 출혈에 따른 쇼크 증상에도 대응한다.

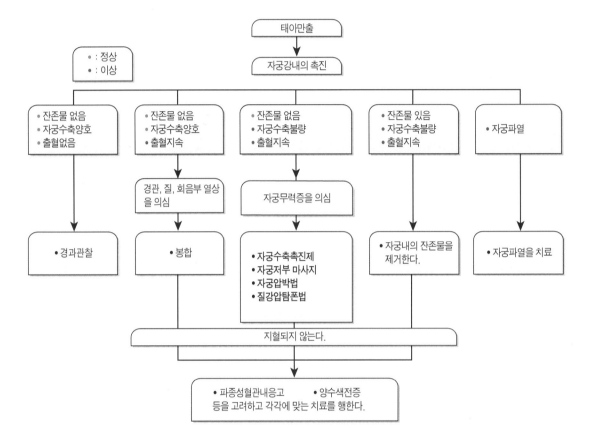

자궁저부(윤상) 마사지(복벽을 통해 자궁수축을 촉진)

- 자궁수축을 일으키기 위해, 분만 직후부터 자궁저부를 마사지하는 방법. 왼손을 두덩결합 위에 두고, 오른손을 자궁저부 변연에 두어 원모양을 그리며 마사지한다.

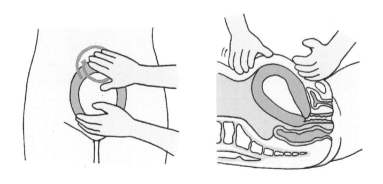

양손 자궁압박법(손으로 자궁을 직접 압박)
- 질 내로 집어 넣은 안쪽 손과 복벽 위의 바깥쪽 손 사이에 자궁체부 및 자궁 경관을 두고, 두덩결합을 향해 강하게 압박한다.
- 수분 내지 수십분간 압박하여 지혈을 도모한다.

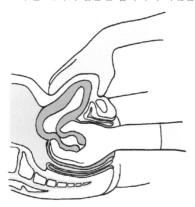

질강 압박탐폰법(거즈에 의한 생리적 압박)
- 자궁강 및 질내를 멸균 거즈로 패킹하는 방법. 마취 하에서 행하는 경우가 많다.
- 바깥쪽 손으로 자궁저부를 만지며, 자궁강 최상부부터 빈틈없이 거즈를 채워넣고 질도 같은 방법으로 패킹(packing)한다. 거즈는 탐폰의 역할을 하며, 주변의 신경총을 자극하여 자궁수축을 촉진한다.

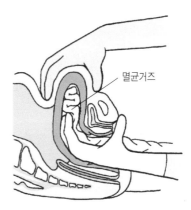

멸균거즈

경관, 질, 회음부 열상

경관열상

자궁경부에 한한 열상으로, 분만 직후의 출혈의 원인이 된다. 분만시 좌우의 측벽(3시와 9시 방향)에서 발생하는 경우가 많고, 열상은 대부분의 경우에는 세로 형태이다.

원인
1. 자궁구가 완전히 열리기 전 경관의 급속한 개대(급속 분만 등)
2. 자궁구가 완전히 열린 뒤의 경관의 과신전(거대아, 반굴위 등)
3. 경관 신전성의 이상(과거 분만에 의한 반흔, 원추절제술 등의 기왕력 등)

위험요인
1. 고령 초산모
2. 태아만출 직후부터 외출혈(선혈)이 지속될 때(외출혈 > 내출혈)
3. 강한 통증을 일으킬 때
4. 자궁수축이 양호할 때 경관열상을 생각한다.

증상(자궁이 수축해도 출혈은 멎지 않는다)
- 경관열상 부위의 혈관손상에 의한 출혈을 일으키고, 그 결과로 빈혈과 쇼크증상을 보인다.
- 자궁수축이 양호하나 분만후에 선홍색의 출혈이 계속된다. 이 점이 자궁무력증과의 감별점이 된다.

치료
쇼크증상에 대응하며 봉합 지혈을 시도한다.
1. 쇼크증상을 보이는 경우에는 혈관 확보, 수액, 수혈 등을 한다.
2. 경관의 손상 부위는 경관열상봉합술을 한다.
3. 열상이 깊어 봉합이 곤란한 경우에는 개복수술을 한다.

합병증
- 고도의 열상에서는 내출혈에 의한 쇼크 증상을 볼 수 있고, 후복막혈종으로 자궁에 인접한 조직에 저항과 압통을 호소한다.
- 열상을 방치하거나 반흔을 남길 시에는 경관무력증, 유산·조산의 원인이 된다.

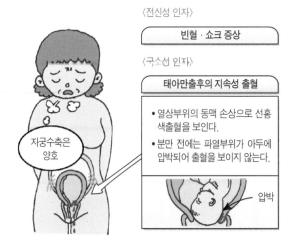

〈전신성 인자〉

빈혈 · 쇼크 증상

〈국소성 인자〉

태아만출후의 지속성 출혈

• 열상부위의 동맥 손상으로 선홍색출혈을 보인다.
• 분만 전에는 파열부위가 아두에 압박되어 출혈을 보이지 않는다.

압박

자궁수축은 양호

질 · 회음부 열상

분만시의 질 열상을 의미한다. 대부분은 질의 하부 3분의 1에서 발생하고, 회음부열상과 외음부열상을 동반하는 경우가 많다. 또, 분만시의 회음조직의 열상을 회음부열상이라고 한다. 대부분은 정중선상에 발생하고, 질 열상을 동반하는 경우가 많다. 질 회음부 열상은 주변조직의 합병 손상(특히 직장, 항문손상)을 일으킬 수 있다.

• 출혈 부위를 직접 볼 수 있으므로, 진단은 용이하다.
• 이 질환은 태아가 통과한 즈음에 충분한 회음부, 질의 연화가 일어나지 않는 경우(급속 분만, 연산도 강직, 겸자 · 흡입분만 등)에서 생긴다.
• 이 질환을 예방할 목적으로 회음절개가 행해지는 경우가 있다.

위험요인

1. 연산도가 미성숙하거나 고령의 초산모
2. 아두골반불균형(분만시 질, 회음 열상)
3. 태아만출 후부터 선홍색의 출혈을 보인 경우〈외출혈 〉내출혈〉

치료

손상 부위의 지혈과 염증의 억제

1. 회음부의 손상 부위는 태반만출 직후에 봉합지혈
2. 직장질루와 직장회음루를 합병한 경우에는 항생제 투여

 참고

직장질루

직장과 질 사이에 생긴 비정상적인 교통. 누공이 작으면, 질내 가스가 나올 정도로 자연적으로 치유되는 경우도 있다. 하지만, 커다란 경우에는 질에서 분변이 배출되게 된다.

직장회음루

직장과 회음 사이에 생긴 비정상적인 교통

회음절개

태아 분만시, 가위로 회음을 절개하는 수기. 회음의 심부와 항문에 열상이 생기는 것을 방지하고, 태아의 만출을 용이하게 하는 목적으로 행해진다.

질 열상(열상 중 가장 많다)

* 회음부 열상에 따르는 질의 하방 3분의 1에서 세로로 주행하는 비천공성이 가장 많다.
* 천공성은 대출혈을 동반하고, 때로는 DIC를 합병하여 심각한 결과에 이를 수 있다.
* 질원부에 윤상으로 열상이 생겨, 자궁이 질에서 떨어지는 경우가 있다. 이를 질원개 열상이라고 한다.

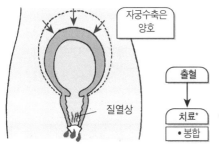

* 출혈이 많은 경우, 질강압탐폰법에 의한 지혈을 시행한다.

질 · 회음 혈종(외출혈은 보이지 않는다)

* 분만시 골반내 혈관이 터져 질점막하, 외음부 피하 및 자궁강사이막의 결합조직내에 발생하는 혈종을 말한다.
* 질점막하, 외음부 피하에 정맥성으로 발생하는 경우가 많다.

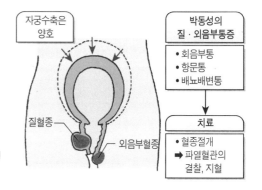

회음부 열상의 분류와 치료(중증에서는 근층을 넘는다)

* 회음부 열상은 열상의 정도에 따라 1도에서 4도까지 분류된다.

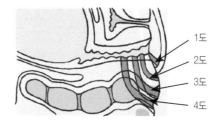

	1도	2도	3도	4도
	• 가장 경도인 것. 회음부의 피부 및 질점막에 국한된다.	• 회음부 피부 뿐 아니라, 근육층의 열상을 동반한 것 • 항문괄약근은 손상되지 않는다.	• 항문괄약근과 질직장중격의 일부까지 손상된 것 • 직장점막은 손상되지 않는다.	• 항문점막 및 직장점막에도 열상이 생긴 것
	자연치유가 가능	수술적 수복이 필요		
	• 1cm 이상인 것은 반드시 봉합한다.	• 3도 이상에서는 확실한 봉합, 지혈을 해도 감염에 의해 직장질루와 직장회음루를 형성하는 경우도 있다. 그 경우에는 항생제 등을 투여하여 염증이 치료되기를 기다렸다가 수개월 후 (4~6개월) 재수술한다.		

파종성 혈관내 응고

병태와 증상(혈액의 응고작용과 용해작용의 불균형)

* 산과적 DIC는 산과적 기저질환에 의해 괴사조직에서 생성된 조직인자(조직 thromboplastin)가 모체내로 유입되어, 갑자기 발병하고 급속하게 진행되는 경우이다.
* 모체혈내로 유입된 조직인자는 모체의 외인성 응고기전을 활성화하여 혈관내에서의 이상응고를 일으키고, DIC의 발병을 촉진한다.

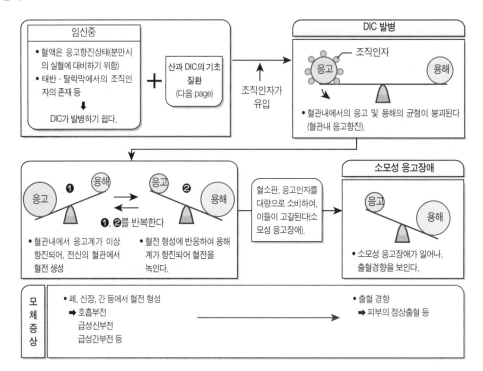

참고

응고인자

혈액응고반응에 관여하는 인자로, 이들이 작용하여 응고가 완성된다. 제 I~V, VII~XII 인자가 있다. 제 I인자는 fibrinogen, 제 II인자는 prothrombin, 제 III인자는 조직 thrombo-plastin이라고 불린다.

조직인자(조직 thrombo-plastin)

외인성 응고기전에 관여하는 혈액응고 인자 중 하나로, III인자라고도 불린다. 보통, 뇌, 폐, 태반 등의 혈관세포에 존재한다.

외인성 응고기전

혈관손상 등에 의해 혈관외에서 부터 혈관내로 조직액이 유입됨에 따라 시작되는 응고기전. 조직액에는 조직인자 등이 포함된다. prothrombin 시간(PT)은 외인성 응고기능의 선별검사이다.

임신성 급성지방간

임신에 합병되어 발생한 간질환으로 젊은 나이의 초산모, 임신 말기에 흔하다. 병태로는 전신권태감, 오심, 구토 등으로 발병하여, 중증황달이 급격하게 진행되는 간염으로 이행되는 경과를 보이는 경우도 흔하다.

산과적 합병증(순환장애와 연관이 깊다)

- 태반조기박리에 의한 것이 가장 많은 전체의 50~60%를 차지한다.
- 특히 DIC가 발병하기 쉬운 경우로는 태아가 사망한 태반조기박리, 2,000mL 이상의 출혈에 의한 출혈성 쇼크, 중증 감염증, 양수색전증, 계류유산 등이 있다.

경과	질환명	DIC의 주요기전
초급성	양수색전증	• 양수내의 부유물이 모체내로 유입되어 폐색전을 일으키고, 산혈증에 빠진다. • 양수내의 조직인자와 폐 계면활성물질(surfactant)가 모체내로 유입
급성	태반조기박리	• 괴사태반에서 생성된 조직인자가 모체내로 유입 • 태반후면혈종형성에 의해 대량의 응고인자가 소비되고, 소비성 응고장애가 일어난다.
	출혈성 쇼크	• 대량출혈에 따른 말초순환부전에 의해 세포, 조직이 괴사되고, 거기서 생성된 조직인자가 모체내로 퍼진다.
	임신성 급성지방간	• 간세포괴사에 의해 조직인자가 모체내로 퍼진다. • 간에서의 AT-III(혈액응고억제인자)의 생성저하에 따라 응고능이 더욱더 항진
	자간 · HELLP증후군	• 혈관연축에 의해 혈관내피 손상이 일어나, 괴사조직에서 생성된 조직인자가 모체내로 퍼진다.
아급성	중증감염증 (패혈성 유산, 산욕열 등)	• 외독소, 내독소에 의해 혈소판손상이 일어나서, 응고능저하
만성	중증자간전증	• 응고촉진물질이 모체내로 유입
	태아사망증후군(계류유산)	• 괴사태아, 괴사태반에서 생성된 조직인자가 모체내로 유입

치료(약물치료를 축으로 진행한다)

- 쇼크 자체의 치료와 함께 원인질환의 제거와 지혈을 병행한다.
- 산과적 DIC에서는 원인질환의 수술적 제거가 우선되며 조기 치료시 예후가 양호하다.
- DIC에서는 응고, 용해계의 항진뿐 아니라, 보상체계의 활성과 사이토카인 · 호중구활성화 등의 염증성 병태를 치료한다.

보충요법	신선동결혈장(FFP)	• fibrinogen을 포함한 응고인자의 보충에 유효 • 소비성응고장애, 희석성응고장애에 사용한다.
	농축혈소판	• 혈소판의 보충
산소 저해법	AT-III(antithrombin)	• 강력한 항응고저해작용을 보인다. • PGI₂[프로스타사이클린] 생성을 촉진시켜, 혈소판응집억제, 백혈구활성화억제, 사이토카인 생성억제 작용을 보인다.
	합성thrombin제	• protease 저해제로 항응고작용과 혈소판응집억제 작용을 보인다. • 헤파린과 달리, AT-III 비의존성으로 효과를 발현한다.

- 산과적 DIC의 환자는 커다란 상처 부위가 있으며, 헤파린은 출혈을 조장시킬 위험이 있으므로, 양수색전증의 치료와 혈액형부적합수혈을 행하는 경우에서만 제한적으로 사용한다.

양수색전증

분만시, 비교적 다량의 양수가 모체혈액으로 유입되어, 모체에 돌발적인 호흡순환부전, 쇼크, 파종성혈관내응고 등을 일으키는 심각한 질환이다. 발병빈도는 전체 분만의 0.03%로 드물지만, 모체사망률은 60~80%로 대단히 높다.

1. 양막파수 후에 잘 일어나며

2. 갑자기 호흡곤란, 흉통 등을 호소하고,

3. 몇 분 이내에 경련, 호흡 정지 등을 일으키며,

4. 쇼크 상태, DIC를 합병할 때, '양수색전증'을 의심한다.

초기대응이 매우 중요하다.

1. 산소투여

2. 항 쇼크요법: 수액, 수혈, 강압제 투여 등

4. 항 DIC 요법: 동결혈장, 혈소판 보충, 헤파린, AT-III 등의 투여 등

예방 및 조기치료(초급성으로 진행한다)

• 분만 중에 갑작스럽게 발병하는 경우가 많으며, 예방 및 조기치료가 중요하다.

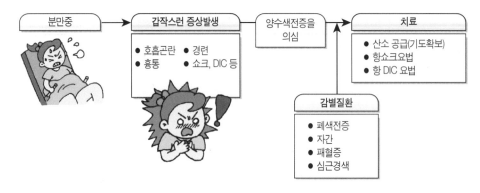

발생기전(다양한 물질을 포함한 양수의 유입)

· 자궁내압의 상승, 난막·자궁내막의 열상 등이 있었던 경우, 비교적 많은 양의 양수가 자궁
내막에 노출되어 있는 혈관으로 들어와 모체혈액에 유입되어 발생한다.

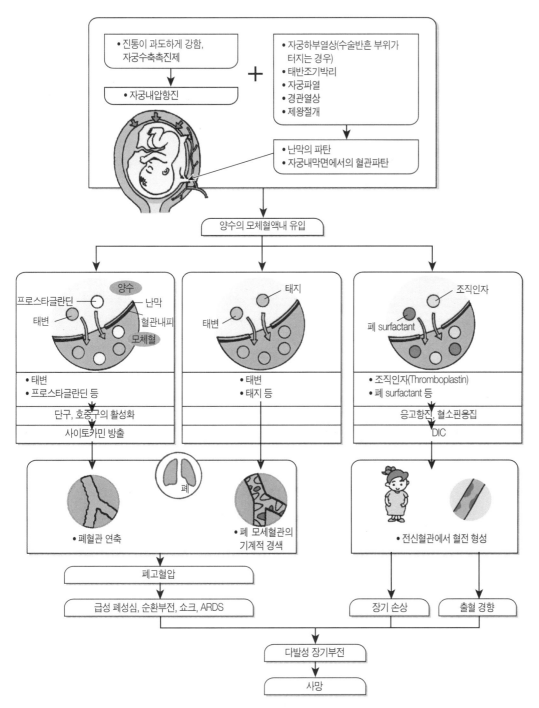

· 기타 양수 물질에 대한 모체의 아나필락틱 쇼크도 이 질환의 병태생리로 여기고 있다.

ARDS : adult respiratory distress syndrome

사례 ①

1. 급속분만, LGA, 다산부

2. thrombus:혈전(비정상적인 응고, 예; 혈우병, DIC)
tone:긴장도(과도하게 팽만된 자궁, 예; 다태임신, 자궁근육피로, 예; 급속분만)
tissue:조직(태반조각이나 부산물의 잔류)

3. 가득찬 방광은 자궁무력증을 초래할 수 있기 때문에 배뇨해야 한다. 방광이 팽만되지 않았다면 자궁을 마사지하여 응고물을 배출시킨다. 마사지는 태반부위의 혈관에 압박을 가해 과도한 출혈을 멈추도록 수축을 돕는다. 간호사는 계속적으로 자궁저부, 오로, 활력징후를 사정해야 한다. 만약 자궁이 마사지로 단단해지지 않으면 1차 건강관리자에게 보고해야 한다.

4. 맥박과 혈압
출혈로 저혈량 속에 빠질 위험이 있기 때문이다.

5. 혈액의 손실과 저혈량 속의 위험성 때문에 조작관류를 평가하는 것이 필수적이다. 소변배설량은 신장의 관류와 체액균형의 좋은 지표이다. 배뇨를 위해 침대 밖으로 나오는 것이 어려울 정도로 약해져 있을 것이다.

사례 ②

1.

간호중재	우선순위
자궁의 강도, 수축정도, 위치를 사정한다.	2
소변배설량을 모니터한다. 정확하게 섭취량과 배설량을 사정한다.	5
오로의 양과 특성을 메모한다.	3
호흡음을 사정한다.	4
활력징후를 측정한다.	6
임상검사 수치를 확인한다.	7
여성과 가족에 대한 간호계획을 설명한다.	1

2.

문제	1. 잠재적인 저혈량 속 2. 관련된 혈액손실
간호중재	정맥주입로를 확보하고 유지한다. 섭취량과 배설량을 측정한다. 피부의 창백함, 관류와 냉감을 사정한다. 활력징후를 재고 오로와 자궁저부의 긴장도를 모니터링한다. 적절한 임상검사 결과를 얻는다.

3. • BP와 vital sign이 안정적일 것 • Hb과 Hct의 상승 • 혈괴가 없는 소량의 오로
• 단단한 자궁 • 유치도뇨관 제거 • IV제거

4. 출산 4일 후에 밝은 선홍색이나 짙은 붉은색의 혈액이 다시 보이면 보고할 것을 알린다.
38도 이상의 열을 보고한다.
통증이 있는 배뇨를 보고한다.
철분저장을 위해 휴식과 영양섭취를 교육한다.

05 산후감염 산모 간호

Key Point

✓ 일반적인 증상: 첫 24시간 이후와 2일 이상 연속적으로 지속되는 38℃ 이상의 열, 오한, 감기 같은 증상, WBC 상승과 자궁복구부전

✓ 감염 부위에 따라 다양한 기타 증상들이 나타난다.

✓ 가장 흔한 산후 감염은 생식기관의 감염, 상처감염, 요로감염, 유선염이다.

✓ 합병증은 패혈증, 복막염, 장폐색이다.

✓ 간호중재는 항생제 투여와 농승경감이나.

비판적 사고 훈련 ◤

미영씨는 비만 임신부로 제왕절개술 후 산욕기 병동에 입원하였다. 제왕절개술은 16시간의 진통 후 태아가사로 인해 시행되었다. 미영씨의 산과력은 2회의 유산과 이번 출산 시 조기양수파막(PROM)을 포함하고 있다. 출산 후 이틀째에 미영씨의 복부절개부위 가장자리가 2cm가량 벌어져 있고 아물지 않고 있다. 절개부위 주변의 피부가 발적되어 있고, 상처에서 소량의 농성분비물이 나오고 있다. 체온은 38.5℃이며, 상처는 통증이 있으며 촉진 시 압통이 있었다. 또한 오로에서는 악취가 있었으며, 양은 적고 암적색이라는 것을 간호사가 발견하였다.

1. 감염의 위험인자는 무엇인가?

2. 감염의 증상은 무엇인가?

3. 간호사는 감염과 관련해서 다른 어떤 사정을 더 첨가하여야 하는가?

4. 간호사는 어떤 중재를 시작할 것인가?

5. 산욕부인 미영씨에게 필요한 다른 치료책들은 무엇이 있는가?

비판적 사고중심 학습

학습목표

- 산욕기 감염의 정의, 원인, 증상과 징후, 치료방법 및 합병증을 설명한다.
- 산욕기 감염을 가진 여성을 위한 간호과정을 적용한다.
- 유방염의 원인, 증상, 징후, 치료방법을 설명한다.
- 유방염을 가진 여성을 위한 간호과정을 적용한다.

개요

산후감염은 출산이나 유산 후 28일 이내에 발생하는 생식기관의 감염증상이다. 첫 증상은 일반적으로 고열이다. 산후 감염의 흔한 원인은 자궁내막염, 유선염, 회음절개나 열상 부위의 감염, 요로감염과 호흡기계 감염이다. 자궁감염은 일반적으로 태반부착 부위에서 시작된다. 이는 가장 흔한 산욕기 감염이다.

생식기계 감염

형태/원인	징후/증상	치료법
외음부, 질에 국한된 감염 회음부 절개술, 열상봉합 부위; 회음부 열상, 질 또는 복부절개 부위의 감염	열(⟨38.3℃), 국한된 통증, 부종, 발적, 고름 분비 후기: 피부변색, 쇼크, 농양, 고열, 한기	경구 항생제, 배액 촉진을 위해 봉합실 제거, 상처 부위를 통풍시키기 위해 생리식염수 적신 거즈사용, 좌욕, 진통제를 이용
자궁내막염(자궁염), 자궁 내막전체 또는 태반 부착 부위의 감염	급격히 열이 오르다 떨어지는 들쑥날쑥한 열패턴(39.4℃), 오한, 빠른 맥박, 요통과 쥐남, 물렁거리는 자궁, 양이 적거나 많은 어두운 갈색, 악취 나는 분비물 β용혈성 감염 시는 양이 적고 냄새 없는 오로	항생제(IV), 수축과 오로 배출을 자극하는 자궁수축제, 혈괴 배출을 촉진하는 반좌위, 보행, 혈액과 오로의 배양 검사, 수분공급 및 섭취
자궁주위조직염 (골반 봉와직염)	두드러진 고열(38.9-40℃), 한기, 불쾌감, 기면, 빈맥, 한쪽 또는 양쪽 복부의 압통. 골반 검사 중 반동통증 질, 직장, 복부의 농양	광범위 항생제(IV), 수분 공급(2,000mL/일), 수혈, 휴식, 진통제.

산후요로감염(UTI)

- 요로감염은 방광염이 흔하며 대장균과 같은 그램 음성의 유기체에 의해 발생된다. 방광내 세균은 수일 후 신우신염을 일으키며, 배뇨 중 소변역류로 인해 신장으로 올라갈 수 있다.
- 산욕부는 열상, 외상 그리고 잔뇨로 인한 방광 민감도 저하 때문에 위험성이 높아진다 (도뇨로 인한 세균감염 그리고 출산 중 방광 외상).
- 산욕부는 배뇨통, 소변급박증, 빈뇨, 치골 상부 또는 하복부 통증, 요통, 혈뇨가 있을 수 있다.
- 신우신염은 방광염 증상 외에 뿌연 소변과 전신 고열, 오한, 메스꺼움, 구토, 불쾌감, 피로, 심각한 요통 그리고 늑골 척추 압통(CVAT) 등이 나타난다. 방광염 관리는 증상들이 사라진 이후에도 다시 발생하는 경향이 있으므로 계속되어야 한다.

관리

- 소변검사: 소변검사는 도뇨에 의해 채취되고 분석된다. 증가된 WBC(> 1,000,000mL 유기체), 단백질 또는 혈액을 보유한 소변은 비뇨기 감염을 나타낸다. 소변 배양물과 민감도 검사로 특정 세균과 그에 따른 항생제 사용 지침이 내려진다.
- 수분 공급과 약물 관리: 수분 섭취는 소변을 묽게 하고 감염된 소변을 배출하도록 하루 3~4L까지 증가한다. 치료상 비타민 C 또는 크랜베리 쥬스의 복용은 소변을 산성화 시키는데 사용된다. 소변의 산성화는 세균 성장을 낮추고 비뇨계를 청결히 한다. 설파메톡사졸 또는 트리메토프림(Septra-DS, BACTRIM-DS)이 투여된다. 니트로퓨란토인(마크로비드)과 같은 짧게 작용하는 설폰아마이드는 임신의 경우를 제외하고 투여할 수 있다. 설파 알레르기의 경우, 암피실린 또는 아목실린을 7~10일 동안 사용한다. 페나조피리딘 하이드로클로라이드(피리디움)과 같은 진경제 또는 비뇨기계 진통제가 불편감을 경감시키기 위해 투여된다.
- 신우신염 관리: 산욕기에 신우신염이 나타나면, 적극적 치료와 영구적 신장 손상을 예방하기 위해 입원할 수 있다. 정맥주사를 통한 항생제 사용, 유치 도뇨관이 삽입되며 증상의 경감은 보통 24~48시간 이내에 가능하다.

위험요소

- 혈관이 많이 분포되어 있는 자궁내막과 태반부착 부위의 상처
- 지연분만
- 당뇨
- 물질남용

- 영양불량
- 만삭전 조기양막파수(PPROM)
- 제왕절개술
- 태반용수박리
- 태반조각의 잔류
- 빈혈
- 비만
- 혈종
- 경막외마취
- 융모양막염
- 감염원의 접촉

진단검사

- 질 검사와 오로 배양
- CBC(백혈구는 정상적으로 분만과 출산 후 짧은기간 동안 20,000~30,000/mm³으로 높아짐)

증상과 징후

- 2일 이상 연속적으로 지속되는 첫 24시간 이후의 38℃ 이상의 고열
- 오한
- 빈맥
- 자궁복구부전
- 백혈구 상승
- 감기증상: 열, 오한, 오심, 구토, 식욕부진, 피로감, 두통
- 생식기관 감염: 허리통증, 복통/압통, 냄새나는 오로, 농성분비물
- 상처 감염: 발적, 온감, 부종, 압통, 농성분비물
- 요로감염: 통증, 작열감, 긴박뇨 또는 빈뇨
- 유선염: 감기증상을 동반한 유방의 통증, 발적, 온감

치료적 간호관리

- 매 근무시간마다 활력증상을 평가한다.
- 회음이나 제왕절개 부위를 점검한다.
- 오로를 사정한다.
- 자궁복구 상태를 사정한다.
- 통증의 호소나 배뇨곤란, 오심/구토, 설사 등에 주의한다.
- 적절한 수액과 영양섭취를 한다.
- 안위대책으로 오한에는 따뜻한 담요를 주고 냉요법, 부분 목욕, 회음부간호 및 열패드 적용 등이 있다.
- 처방에 따라 검사물을 채취한다(예: 소변, 혈액, 자궁으로부터의 배양물).
- 항생제에 대한 반응을 관찰한다.
- 임상증상은 48~72시간 이내에 호전된다.
- 자궁염 대상자는 오로의 배액을 증진하기 위하여 Fowler's position을 취해준다
- 손씻기에 관하여 대상자에게 교육한다.
- 산모에게 아기의 아구창을 확인하도록 교육한다(혀와 볼점막의 하얀물질).

약물 관리

- 국소부위 감염은 Acetaminophen(tylenol)이나 통증 경감을 위해서 점적 스프레이를 사용한다.
- 처방대로 항생제를 정맥주사한다.

합병증

- 패혈증, 패혈성 쇼크
- 복막염
- 장폐색

비판적 사고중심 간호실무

생식기계 감염

사 정

- 혈압, 맥박, 호흡을 매 2~4시간마다 사정한다. 빈맥이 자궁 내막염과 골반 봉와직염과 연관되어 있다
- 체온이 상승되지 않으면 매 4시간마다, 그 후 2시간마다 사정한다.
  주의: 출산 후 처음 24시간 동안은 경도의 상승된 열이 일반적이다. 24시간 이후의 체온 상승을 주의한다(38℃ 보다 훨씬 높음).
- 자궁 저부 높이, 상태와 강직도를 사정한다. 예상보다 심한 통증이나 어떤 불편함이든 기록하고 지속적인 산후통을 기록한다.
- 매 8시간마다 회음부를 사정한다. 성능이 좋은 pen light를 사용하여 회음부를 검사한다. 사정 기술: 여성을 옆으로 눕게 하여 위쪽 다리는 아래쪽 다리의 앞쪽으로 높게 한다. 일회용장갑을 착용한 후에 회음부와 항문이 보이도록 엉덩이를 든다. 회음 절개술 또는 열상부위의 발적, 부종, 반상 출혈, 분비물, 압통 여부를 사정한다.
- 오로의 형태, 양, 냄새를 사정한다.
- 정상 산후 검사결과, 특히 백혈구 수치를 사정한다.
  주의: 정상적으로 산후에는 백혈구 수치(15,000~30,000/mm³)가 증가하므로> 30,000 /mm³의 경우 주의한다.
- 수분 상태를 사정한다.
- 농양 형성을 사정한다(종종 덩어리가 촉지되거나 열이 난다).

진 단

- 열상이나 외상 조직과 관련된 감염의 위험성
- 감염과 관련된 극심한 통증
- 산모의 불편감(다른 감염 증상)과 관련된 모유수유장애 위험성

중 재

- 4시간마다 체온을 관찰하고 변동 추이를 확인한다. 국소 감염증상과 체온상승(38.3℃)을 주의한다. 불규칙한 체온(들쑥날쑥한 패턴), 38.3~39.4℃의 변화는 자궁내막염을 나타낸다. 계속되는 고열(38.9~40℃)과 오한은 자궁주위 조직염을 나타낸다.
- 자궁 퇴축부전의 증상인 오로 변화들을 관찰한다.

- 산모의 회음부 패드를 교체한 후, 매번 손을 자주 씻고 회음부 간호와 회음부 오염을 예방하기 위한 위생법을 교육하고 자가간호를 하도록 한다. 단백질과 비타민 C가 풍부한 식사를 하도록 한다.
- 오로, 상처, 소변의 배양물(무증후성 요로 감염을 배제하기 위해)을 채취한다.
  주의: 자궁내막염의 경우, 오로는 냄새가 나고 노란빛을 띤다.
- 처방에 따른 항생제, 자궁수축제(옥시토신, 메틸에르고노빈 말레이트), 스프레이 진통제를 투여한다.
- 오로 배출을 촉진하기 위해 반좌위 체위를 취하고 걷도록 한다(자궁내막염).
- 자궁주위 조직염이 발생하면, 안정을 취하게 하고 IV용액을 유지한다. 섭취와 배설을 관찰한다.
- 분비물이 있는 상처와 화농성 오로가 있는 산모는 상처 치료와 오염된 드레싱과 속옷의 적절한 관리에 대해서 교육한다.
- 산모-아기 상호작용을 유지한다. 산모의 안정시간에 아기와 함께하는 시간과의 균형을 맞출 수 있도록 도와준다.

평 가

- 감염은 조기에 발견되고 합병증 없이 성공적으로 치료된다.
- 산욕부는 감염과 치료의 목적을 이해한다. 이상이 있는 분비물을 조기에 발견하고 항생제 치료를 한다.
- 산모-아기의 애착이 유지된다.

산후 요로감염

사 정

- 방광 기능을 사정한다. 색, 냄새, 양, 횟수, 긴박감 그리고 외견상 보이는 뇨의 농축도에 대해 검사를 한다.
- 고통스럽거나 찌릿한 배뇨에 대해 사정한다.
- 치골 상부 또는 하복부 불편감, 요통 또는 극심한 옆구리 통증에 대해 사정한다.
- 섭취와 배출을 8시간마다 사정한다.

진 단

- 요도 감염과 관련된 배뇨 양상의 변화

- 방광팽만과 관련된 뇨정체 위험성
- 요로 감염에 대한 정보 부족과 관련된 건강 불이행

중 재

- 소변검사를 위한 깨끗한 중간뇨의 샘플을 채취한다.
- 산욕부에게 2~4시간마다 배뇨하고 방광을 완전히 비우도록 한다. 출산 이후 배뇨를 용이하게 하고, 부종을 예방하기 위해 회음부에 얼음 주머니를 제공한다.
- 산욕부는 적어도 8회의 300cc의 물을 매일 마셔야 한다. 또한 여성의 뇨 산성도를 높이기 위해 달지 않은 크랜베리, 자두, 살구 그리고 푸른색 야채쥬스를 마시는 것을 장려한다.
- 등마사지와 등과 허리 통증을 위한 진통제, 배뇨통과 압통을 위한 진경제, 구토와 메스꺼움을 위한 구토 방지제 그리고 편안함을 위한 구강 청결제를 제공한다.
- 설폰아마이드 사용을 주의한다. 이 약물들은 모유로 분비되기 때문에 신생아 황달을 유발한다. 산모가 약을 복용하는 동안은 모유수유를 중단한다.
- 산모가 암피실린을 복용하는 동안 이스트 감염과 설사가 있는지 아기를 관찰한다.
- 처방된 약으로 소변 색이 변화할 수 있다는 것을 산모에게 알려준다.
  - 아조 갠트리신은 소변을 붉게 또는 붉은 오렌지색으로 변화시킬 수 있다.
  - 니트로푸란토인은 갈색뇨를 생성하고, 구토와 메스꺼움, 설사를 일으킬 수 있다.
  - 위의 자극을 줄이기 위해 음식 또는 우유와 함께 섭취하여야 한다.
- 예방적 교육을 강화한다.
  - 앞쪽에서 뒤로 씻기
  - 구토가 급하게 느껴지면 구토하기
  - 면 속옷을 착용하기
  - 성관계 후에 배뇨하기
  - 요도 감염원을 배출하기 위해 성관계 직후 두 잔의 물을 마실 것을 장려한다.

평 가

- 여성은 약 복용에 대한 특별한 지도와 뇨 검사의 필요성에 대해 이해한다.
- 여성은 위생, 영양 그리고 요로감염을 피하기 위해 수분 섭취의 필요성과 보고해야 할 증상들에 대해 이해한다.

1. 분만 5일된 산모가 다량의 냄새나는 오로와 함께 체온 39℃, 맥박 110회/분 호흡 24회/분, 혈압 110/70mmHg를 나타내었다. 이 산모에게 수행해야 할 간호중재로 옳은 것은?

   ① 반좌위　　　　　　② 모아격리　　　　　　③ 수분섭취 제한
   ④ 자궁저부 마사지　　⑤ 자궁이완제 투여

2. 산후감염의 우려가 적은 산모의 경우는?

   ① 임신성 당뇨병　　　　　　　② 총 분만시간이 25시간
   ③ 헤모글로빈치가 10g/dl　　　④ 출산 48시간 전에 양막이 파열
   ⑤ 분만 8시간 후 도뇨로 첫 소변을 배출

3. 산욕기 감염을 의심할 수 있는 산모의 증상은?

   ① 불면　　　　　　　　② 회음절개부의 통증
   ③ 분만 5일째 적색 오로　④ 혈압 150/100mmHg
   ⑤ 분만 4일째 38℃의 체온

4. 정상분만 후 4시간에 요의를 느끼지 못하여 촉진하니 공처럼 둥근 방광이 촉진되고 배뇨되지 않아 단순도뇨한 산모에게 비뇨기 감염을 방지하기 위해 사정해야 할 사항은?

   ① 오로 사정　　　　　　② 혈압 사정　　　　　　③ 산후통 정도 사정
   ④ 섭취량과 배설량 측정　⑤ 양성 호만스 징후 사정

5. 출산한 지 2주된 초산모 윤아씨가 한 쪽 유방에 열감, 발적, 동통, 겨드랑이 압통을 호소하고 있다. 김씨를 위한 간호중재는?

   ① 모유수유 중단　　　② 유축기 사용중단
   ③ 수분섭취 제한　　　④ 얼음주머니 적용
   ⑤ 진통제 사용금지

정답　　1. ①　　2. ③　　3. ⑤　　4. ④　　5. ④

관련정보

산욕기 유선염

- 산욕기에 나타나는 유선의 염증을 산욕기 유선염이라고 한다.
- 산욕기 유선염에는 울혈성 유방(breast engorgement), 화농성 유선염(mastitis)이 있으나, 울혈성 유방은 유즙이 어떠한 생리적 원인에 의해 유선내에 축적되어 발생하는 생리적 현상으로 엄밀한 의미에서의 염증은 아니다.

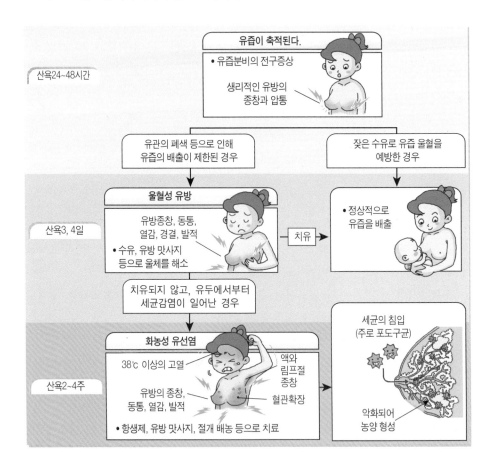

1. 비만, 지연분만, 제왕절개술, 조기양수파막

2. 복부 절개부위가 서로 아물지 않고 있다.
   절개부위 주변의 피부가 발적된 상태
   농성 상처분비물

3. 감염이 국소부위 상처감염인지 생식기관이나 복부의 다른 부분이 관련되어 있는지 사정한다. 간호사는 체온, 자궁내번, 오로의 냄새, 피로감, 오심, 감기와 같은 증상을 사정한다.

4. 통증관리, 상처관리, 체온과 상처를 자주 사정

5. 분비물의 배양
   분비물의 배액을 고려한 봉합부위의 제거
   상처부위에 iodoform gauze packing
   배양보고가 들어오면 광범위 항생제
   상처에 대한 온팩적용
   진통제

06 혈전성 정맥염 산모 간호

Key Point

✓ 예방: 조기이상과 적절한 수분공급

✓ 사정: 혈전 상태에 대한 관찰(예: 양다리의 둘레 측정과 결과 비교), 통증 정도, 폐색전의 증상

✓ 치료는 항응고요법, 침상안정, 다리거상, 탄력스타킹, 다리의 온찜질 적용 등이다.

✓ Heparin 치료를 받는 대상자에게는 임상검사 결과와 출혈의 징후를 관찰한다.

✓ Protamine Sulfate는 Heparin의 길항제이며 Vitamin K는 Warfarin의 길항제이다.

비판적 사고 훈련

사 례

산욕부인 정민씨와 수민씨는 정맥혈전을 가지고 있다.

정민씨는 정맥류의 과거력을 가지고 있다. 현재 정민씨의 왼쪽다리는 온감이 있고, 압통이 있으며 종아리의 중앙을 따라서 발적이 나타나고 있다. 그 부위의 정맥은 비대해지고 딱딱하게 촉진된다. 정민씨는 걸으면 종아리가 아프다고 호소한다.

수민씨는 걸을 때 왼쪽다리에 심한 통증이 있으며 '뻣뻣한 느낌'이 있다고 한다. 수민씨의 종아리에는 부종이 있으며 발에도 부종이 있다. 다리는 창백하고 촉진 시 냉감이 있고 발바닥과 후면 경골맥박이 감소하고 있다.

1. 정민씨와 수민씨 중 누가 표재성혈전성 정맥염인가?

2. 이 두 명의 대상자의 간호중재시 유사점은 무엇인가?

3. 어떤 대상자가 폐색전의 위험성이 큰가?

4. 대상자 정민씨에게는 필요하지 않은데 수민씨에게 필요한 간호중재는 무엇이며, 이유는 무엇인가?

5. 만약 수민씨가 현재 임신중이라면 치료는 어떻게 달라질까? 이유는 무엇인가?

비판적 사고중심 학습

학습목표

- 혈전성 정맥염의 정의, 원인, 증상과 징후, 치료방법 및 합병증을 설명한다.
- 혈전성 정맥염을 가진 여성을 위한 간호과정을 적용한다.
- 폐색전증의 원인, 증상, 징후를 설명한다.

개요

혈전성 정맥염은 혈전과 관련된 혈관벽의 염증으로 산욕기 1~7일 후에 잘 생기고 해부학적 이유로 왼쪽 하지에 호발한다. 혈전은 혈액의 과응고성과 정맥혈 정체로 인한 혈류속도의 감소, 혈관벽의 손상이나 염증에 의해 초래되는 혈관벽 내부의 혈액응고 물질의 형성에 의해 초래된다.

현재 임상적으로 혈전의 발생 부위에 따라 표재성혈전성 정맥염과 심부정맥혈전증(DVT)으로 분류되고 임신·산욕기에는 표재성혈전성 정맥염이 많다. 이 질환의 예방은 분만 중혹은 제왕절개술 후 하지거상과 탄력스타킹 착용, 분만 후 조기보행 등이다.

혈전형성의 기전(혈액응고와 혈관장애)

- 산욕기에 비임신시와 비교해서 혈전이 생기기 쉽다.
- 혈액응고능력 항진, 혈류정체, 혈관내피 손상을 혈전형성 3대 징후라 한다. 임신·분만, 산욕기에는 이들 모두가 해당됨으로 비임신시에 비해, 이 질환의 위험이 높다.

혈전의 호발부위(왼쪽 하지에 생기기 쉽다)

- 좌장골정맥의 전면(복측)에 우장골동맥이 주행하고 있으므로, 앙와위에서는 좌장골정맥이 압박되기 쉽다. 따라서, 혈전은 좌측에 호발한다.

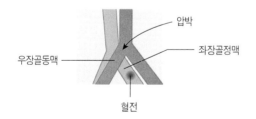

혈전색전증

- 표재성혈전성 정맥염(염증으로 인한 혈전)은 복재정맥 내에 형성되어, 산후 3~4일 이후 나타나고, 치료 48시간 이내에 나아진다.
- 표재성혈전성 정맥염은 종종 침범 부위에 열감과 발적, 경미한 종아리 통증, 눈에 보이고 촉진 가능한 정맥 그리고 정상 체온 또는 경도의 열로써 나타난다.
- 심부정맥혈전(DVT)은 혈전의 과거력 있는 여성에게 잘 나타나며 폐색전증 발병의 가능성을 높인다. 심부정맥혈전증은 갑작스런 다리 통증 시작(다리가 기대어진 자세 그리고 압력이 종아리에 가해진다면 통증은 악화될 수 있다), 부종 그리고 영향 받은 다리의 창백함, 전신에 나타나는 상승된 체온, 맥박, 한기 그리고 양성 호만스 징후들이 나타난다. 격렬한 증후들이 치료되는 시기는 4~6주가 소요될 수 있다.

관리

- **표재성혈전성 정맥염**; 다리를 올린 채 안정을 취한다. 배출을 용이하게 하고 정맥혈 정체를 줄이기 위해 수증기 열 치료가 실시된다. 탄력 있게 받쳐주는 탄력성 붕대를 염증이 가라앉은 후에 착용한다.
- **심부정맥혈전**; 표재성혈전성정맥염의 치료 외에 항응고 치료가 처방된다. 계속적으로 IV를 통한 헤파린. 프로트롬빈(응고기전) 수치가 1.5~1.7에 도달하면 비수용성 나트륨(쿠마딘) 치료가 시작된다. 아스피린 또는 이부프로펜은 항응고 치료 중인 여성에게 사용해서는 안된다.

    주의 사항: 1%의 프로타민 설페이트를 항응고제 해독제로 사용한다.

위험요소

- 산후 부동성
- 임신성 고혈압
- 흡연
- 과도한 수분 손실과 탈수
- 40세 이상의 여성
- 빈혈
- 제왕절개술
- 정맥류
- 당뇨 및 비만
- 양수과다증
- 경산부
- 심장질환

진단검사

- 호만증상: 발을 발등 쪽으로 굽히면 종아리에 통증이 발생
- 혈전을 시각화하기 위한 초음파나 단층촬영(CT scan), MRI

- 정맥 조영술
- 혈액응고시간(항응고요법을 조절하기 위하여)

증상과 징후

- 표재성혈전성 정맥염은 산후 3~4일에 발생한다. 응고부위의 발적, 온감, 부종이 있다. 다리는 만지면 압통이 있으나 혈전은 정맥에 단단히 부착되어 있다.
- 심부정맥혈전증은 대정맥에 발생한다. 혈전은 부서져서 색전을 형성하게 된다.
- 심부색전증의 증상은 통증, 미열, 오한, 부종과 해당 다리의 창백함과 호만증상이 양성 반응을 나타낸다.

치료적 간호관리

- 다리를 거상하고 침상안정을 취하도록 한다. 자주 체위를 변경한다.
- 대상자는 수직으로 무릎을 구부려서는 안된다.
- 해당 부위는 문질러서는 안된다는 것을 교육한다.
- 오랫동안 앉아있는 것을 피하도록 한다.
- 종아리와 허벅지둘레를 매일 측정한다.
- 탄력 스타킹을 착용한다.
- 습열을 적용한다.
- 예방대책: 조기이상, 적절한 수분 공급(매일 최소한 2,500mL 이상)
- 헤파린 치료를 받는 대상자에게는 출혈의 징후를 모니터한다(예: 멍, 점상출혈, 소변의 혈액, 잇몸출혈, 질 출혈의 증가, 빈맥과 혈압 저하).
- 항응고제를 복용하는 대상자의 가정관리를 교육한다.
- 아스피린과 비스테로이드성 항소염제를 피한다(출혈의 위험을 증가시킨다).
- 맨발로 다니지 않는다.
- 부드러운 칫솔로 부드럽게 양치한다.
- 다리와 겨드랑이에 면도기를 사용하지 않는다.
- 알콜섭취를 피한다(Warfarin의 대사를 억제한다).
- 원인을 알 수 없는 열, 인후통, 피로와 같은 부작용을 보고한다.
- 무과립구증의 징후를 관찰한다.

심부정맥혈전증의 위험도와 예방법

- 심부정맥혈전증의 예방은 분만 후의 폐색전증 예방으로 이어진다.
- 고위험임신에서는 장기침상안정, 탈수상태, 각종 염증성질환, 명백한 하지정맥류 등이 포함된다.

	위험요인	심부정맥혈전증, 폐색전증의 예방법
저위험임신	• 질식분만	• 조기보행 • 적극적인 운동
중등도위험임신	• 제왕절개 후	• 압박 스타킹 • 간헐적공기압박법
고위험임신	• 고령비만임신의 제왕절개 후 • 정맥혈전색전증의 기왕력 혹은 혈전성소인이 있는 질식분만	• 간헐적공기압박법 • 저용량헤파린
최고위험임신	• 정맥혈전색전증의 기왕력 혹은 혈전성소인이 있는 제왕절개 후	• 저용량 헤파린과 간헐적인 공기압박법의 병용 • 저용량헤파린과 압박 스타킹의 병용

약물 관리

- 진통제
- 항응고제(intravenous heparin, oral warfarin).
  protamine sulfate는 헤파린의 길항제이다; Vitamin K는 warfarin의 길항제이다.

합병증

- 색전증은 심부정맥의 혈전이 잘게 부서져 폐순환을 통하여 돌아다닐 때 발생한다.
- 폐색전의 증상과 징후는 다음과 같다; 기절, 호흡기계 발작, 날카로운 자상 같은 흉통, 호흡곤란, 악설음의 청진, 저혈압, 빈맥, 발한, 창백함, 청색증, 객혈과 불안

심부정맥혈전증과 폐색전증

- 심부정맥혈전증(DVT)은 최근 증가하고 있으며, 그에 이어 발생하는 폐색전증(PE)은 임신부 사망의 주요 원인이 되고 있다.
- 폐색전증은 DVT의 3~12.5%에서 발생하고, 폐색전의 85~90%는 DVT에서 기인한다.
- 임신 중에 수술 등의 인자 없이 DVT가 발생한 경우는 선천성 혈전형성소인과 항인지 질항체의 존재 등을 검색해 볼 필요가 있다.

비판적 사고중심 간호실무

사 정

- 활력징후, 특히 구강으로 체온을 매 4시간 마다 사정한다. 체온이 >38℃시 주의하고 보고한다.
- 종아리, 허벅지 그리고 사타구니 부위(특히 왼쪽)의 양쪽 크기 증가, 피부색, 온기, 말초의 맥박 그리고 양성 호만스 징후를 사정한다.
- 호만스 징후의 사정 기술: 무릎을 쫙 펴고 발등을 구부림. 통증이 발 또는 발등과 함께 다리에 나타나면 호만스의 징후가 양성이다.
- CBC, 혈소판 수치, 응고 기전을 사정한다.
- 헤파린 치료와 연관된 출혈의 증거를 사정한다.

진 단

- 정맥혈의 정체와 관련된 말초 조직 관류의 변화
- 심부 정맥혈전에 따른 폐색전과 관련된 조직 관류의 변화

중 재

- 활력징후를 관찰하고, 상승된 체온을 주의한다. 염증과 연관될 수 있다.
- 종아리, 허벅지, 매일 사타구니 부위 열, 피부색, 압통 그리고 말초의 맥박을 검사한다. 증가되는 발적, 부종 또는 통증을 주의한다.
- 심부정맥혈전증의 징후들을 관찰한다.: 극심한 다리와 허벅지 통증, 상승된 체온 또는 오한이 갑작스럽게 발현되는 것을 말한다. 이러한 징후들은 즉시 의사에게 보고한다.
- 부종의 정도를 사정하기 위해 신축성 없는 줄자로 환부 다리 둘레를 측정한다.
- 산모가 다리를 베개에 충분히 높이고 쉴 수 있도록 지지한다. 침대에서 무릎을 구부리지 말고 다리 사이에(혈액의 골반 울혈과 순환 방해를 막기 위해) 압력을 피한다.
- 산모가 안정을 취하는 동안에 발판을 사용하고 수동적 운동을 하고 자세를 자주 바꿔 주도록 한다.
- 따뜻한 습윤팩을 환부 다리 위에 올려놓는다(혈관 확장이 혈류를 용이하게 하고 통증을 가라앉힌다). 화상을 예방하기 위해 팩을 감싸고 매 시간 10분 동안은 제거한다.
- 처방에 따라 항생제를 주입한다.
- 프로트롬빈 결과를 사정한 후에 지시대로 헤파린을 주입한다. 출혈의 정도와 헤파린 사용량을 평가하기 위해서는 프로트롬빈과 Hct를 관찰한다. 1% 프로타민 설페이트를 헤파린 과용의 경우를 위해 준비한다.

- 급성 염증이 가라앉은 후 단계적 보행을 시작한다.
- 탄력 스타킹을 신는다(표재성 정맥을 압박하고 심부정맥혈의 흐름을 늘린다).
- 폐색전의 징후를 관찰하고 보고한다. 막연한 가슴 통증, 불안, 호흡 16회/분 이상, 창백, 빈호흡, 폐의 수포음, 마찰음과 같은 징후들을 주의한다.
- 산모에게 정맥 정체를 예방할 수 있는 방법들을 교육한다.
  ① 앉아 있는 동안 무릎위에 다리를 꼬는 자세를 피한다.
  ② 가능하면 앉아 있는 동안 발을 높게 한다.
  ③ 오랫동안 서있거나 앉아 있는 것을 피한다.
  ④ 하루 동안 걷는 운동을 자주 한다.
  ⑤ 적어도 하루에 1800cc의 물을 마신다.
- 산모에게 항응고제 치료에 관해 알려준다.
  ① 매일 같은 시간에 약을 복용한다.
  ② 진료약속을 이행한다. 그래서 응고되는 시간을 관찰할 수 있고 약을 조절할 수 있다.
  ③ 현재의 식습관(초록 채소를 포함하라)과 생활양식을 유지한다.
  ④ 몸을 부딪치는 스포츠, 뻣뻣한 칫솔 사용 또는 직선 면도기로 다리를 면도하기와 같은 출혈을 일으킬 수 있는 행동들을 피한다.
  ⑤ 반상 출혈, 코피, 혈뇨 그리고 하혈과 같은 헤파린 과용의 징후를 주의한다.
  ⑥ 배뇨, 배변시의 출혈도 주의한다. 발견 시 의사에게 보고하여야 한다.
  ⑦ 항응고제 사용을 나타내는 의료주의 팔찌를 착용한다.
  ⑧ 항응고 활동을 늘리는 아스피린과 비스테로이드성 항염증제 같은 약물을 피한다.
  ⑨ 마늘, 생강 그리고 은행과 같은 식물을 피한다. 이는 응고 기전을 연장시킨다. 그리고 응고에 영향을 주는 과도한 비타민 K, C, E를 피한다.
- 여성이 모유수유를 원한다면, 적은 양의 피하 헤파린의 사용을 권장한다.
- 당신이 제공해 온 간호 중 다음과 같은 중요한 점들을 다시 살펴본다.
  - 혈액응고 검사결과를 확인한 후 지정된 시간에 적절한 양의 헤파린을 주사했는가?
  - 헤파린의 과용의 어떤 징후라도 주의해 왔는가?
  - 산모가 침대에서 안정을 유지하도록 무엇을 도와주었는가?
  - 산모에게 응고 상태를 연장시킬 수 있는 음식을 피하도록 하였는가?
  - 산모의 혈전 상태에 대한 이해를 사정했는가? 산모의 질문에 답해왔는가?
  - 예방 방법을 실행할 수 있는 기회를 제공해 왔는가?

- 혈전성정맥염의 징후와 증상들이 퇴원 이후까지도 나타나지 않을 수 있기 때문에 증상이 있을시 보고 할 필요성을 교육한다.

  주의: 영향 받는 다리를 마사지하지 말아라.

평 가

- 혈전증 또는 혈전성정맥염 발생 시 가능한 빨리 발견하고 심각한 합병증이 나타나지 않도록 관리한다.
- 퇴원 시 산모는 항응고제 투약과 관련된 위험증상을 설명할 수 있다.
- 대상자는 자가간호와 치료에 대해 이야기 할 수 있다(지시된 탄력 스타킹 사용).
- 산모는 아기와 성공적으로 결속되어 있고 효과적으로 아기를 돌볼 수 있다.

1. 오랜 시간 동안 쇄석위로 질식분만한 산모의 혈전성 정맥염 예방을 위해 산모에게 수행할 간호중재는?

   ① 침상 안정
   ② 정맥수액 주입 중단
   ③ 무릎아래 베개로 고이기
   ④ 다리를 내린 자세 취하기
   ⑤ 다리꼬지 않게 하기

2. 제왕절개로 분만한 산모의 혈전성 정맥염을 예방하기 위한 간호중재는?

   ① 다리를 마사지 한다.
   ② 냉찜질을 적용한다.
   ③ 조기 이상하도록 한다.
   ④ 무릎을 구부린 자세를 취한다.
   ⑤ 취침 시에만 탄력스타킹 적용

3. 호흡곤란, 빈맥, 흉통, 발한을 호소로 산후 폐색전증이 발생한 산모에게 가능한 간호중재가 <u>아닌</u> 것은?

   ① 마사지
   ② 반좌위
   ③ 산소투여
   ④ 진통제 투여
   ⑤ 항응고제 투여

4. 표재성혈전성 정맥염의 증상으로 옳은 것은?

   ① 다리 피부의 발적
   ② 호만스 징후 양성
   ③ 희고 부어있는 다리
   ④ 족배동맥 맥박의 소실
   ⑤ 차갑게 촉진되는 다리

5. 산욕기 산모에게 혈전증 발생의 촉진요소는?

   ① 모유수유
   ② 조기이상
   ③ 피임제 복용
   ④ 항생제 복용
   ⑤ 다량의 수분섭취

정답　1.⑤　2.③　3.①　4.①　5.③

관련정보

혈전형성의 기전(혈액응고와 혈관장애)

- 산욕기에 비임신시와 비교해서 혈전이 생기기 쉽다.
- 혈전형성의 메커니즘으로 아래와 같은 기전이 생각되고 있다.

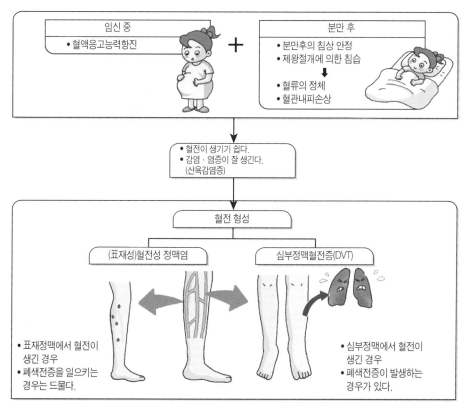

- 혈액응고능력 항진, 혈류정체, 혈관내피 손상을 혈전형성 3대 징후라 한다. 임신, 분만, 산욕기에는 이들 모두가 해당됨으로 비임신시에 비해, 이 질환의 위험이 높다.

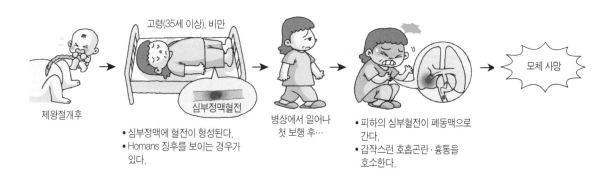

1. 정민씨

2. 초기에 침상안정을 해야 한다.
다리는 거상되어야 한다.
진통제가 필요하다.
증상이 가라앉으면 탄력지지스타킹이 필수적이다.

3. 수민씨

4. 출혈의 징후에 대해 모니터링한다.
아스피린과 NSAID 계열 항생제를 피하도록 한다.
퇴원시 계속적인 와파린 요법의 필요성을 교육한다.
퇴원시 장시간 서있는 것을 피하고 정맥의 정체를 예방하기 위해 탄력스타킹을 신는다.
심부정맥 혈전으로 장기간의 항응고요법이 필요하다.
심부정맥혈전은 재발가능성과 만성 가능성이 높아 예방적 대책에 보다 중요하다.

5. 와파린이 태아기형을 유발하므로 장기간 혈전관리를 위한 항응고제로 헤파린을 피하주사한다.

07 산후우울증 산모 간호

Key Point

✓ 산후우울(Postpartum blues)은 나타날 수 있다. 여성의 80%까지 경험한다.

✓ 산후우울의 증상은 산후 약 5일에 최고조를 이루고, 2주 이내에 가라앉는다.

✓ 산후우울의 원인은 확실치 않으며, 병인은 생화학적, 심리학적, 사회문화적 요인을 포함할 수 있다.

✓ 우울의 증상은 엄마로서의 역할달성에 방해가 될 수도 있다.

✓ 간호사는 산모에게 산후우울보다 더 심각한 산후우울증과의 치이를 구별하는 방법을 교육해야 한다.

비판적 사고 훈련 ▼

임부 진아씨는 다소 힘든 임신기를 보내고 건강한 만삭의 여자아이를 출산했다. 진아씨는 임신 당시 동거 중이어서 재태연령 10주에 유산을 고려했었다. 진아씨의 부모는 임신을 유지해서 아기의 아버지와 결혼하기를 원했고 결국 진아씨는 받아들였다. 그렇지만 마지막 산전방문에서 조차 여전히 아기가 생김으로서 생기는 제약에 대해 불안해했다. 출산 전 진아씨의 동거자는 절도 행위로 투옥되었다. 진아씨는 실직상태이고 생활보호로 살아가고 있다. 진아씨의 부모도 경제적으로 여유가 없기 때문에 진아씨와 아기를 위한 여유가 없다.

아기 출산 5일째에 가정간호사가 정씨를 방문 중이다. 머리는 빗질이 되어 있지 않았고 오랫동안 목욕을 하지 않아 냄새가 나고, 단칸방은 지저분하다. 간호사가 어떻게 지내는지 질문을 하니, 진아씨는 울기 시작했다. "너무 피곤해요. 도와줄 사람이 아무도 없어요. 이렇게 내버려둔 부모님에게 정말 화가 나요." 간호사인 당신은 어떻게 해야 하나?

1. 진아씨의 과거력에서 어떤 자료들이 그녀가 산후우울증의 위험에 처할 수 있다는 것을 알게 해 주는가?

2. 그녀에게 나타난 산후우울 증상은? 어떤 증상이 산후우울증의 증상으로 생각되는가? 차이를 구별해 보시오.

3. 진아씨의 증상이 정상인지 또는 그녀가 산후우울이 있는지를 판단하기 위해서 다른 어떤 정보
가 더 필요한가?

4. 이 시기에 어떻게 진아씨를 도울 수 있을까?

비판적 사고 중심 학습

학습목표

- 산후우울의 정의와 원인을 설명한다.
- 산후우울을 가진 여성을 위한 간호과정을 적용한다.

개요

80% 정도의 여성이 아기의 출산 직후 첫 2주 동안 우울기를 겪는다. 산후우울은 일반적으로 경증이며 금방 끝난다. 15%의 여성들은 보다 심각한 산후우울증을 겪게 되며 그들은 죄책감, 실패감, 고독감과 낮은 자존감을 나타낸다.

위험요소

산후우울(Postpartum Blues)의 위험요소

- 산후우울의 원인은 확실치 않으나 생화학적, 심리적, 사회문화적 요인들 모두가 포함된다.
- 신체적 요인으로 순환 glucocorticoids 저하와 산후초기에 존재하는 일시적 갑상선 기능저하증을 포함할 수 있다. 출산의 피로감과 신생아 요구 증가로 오는 피로감도 원인이 될 수도 있다.
- 심리적으로, 초보엄마는 부모의 책임에 압도되는 경우가 많으며, 아기와 자아의 분리에 대한 상실감을 느낄 수 있다. 임신기 동안 존재했던 지지와 관심의 결핍으로 오기도 한다.

산후우울증(Postpartum Depression)의 위험요소

- 임신 중 높은 수준의 불안
- 임신을 종결할지 혹은 유지할지에 대한 양가감정
- 모아관계의 불일치
- 산후우울증의 기왕력
- 부적절한 지지체계(예: 확장된 가족, 친구들)
- 학대, 방임과 알콜중독의 가족력
- 낮은 수입
- 월경전 증후군

진단검사

- The Beck Postpartum Depression Checklist와 the Edinburg Postnatal Depression Scale

증상과 징후(산후우울)

- 정서적 불안정성(예: 특별한 이유 없이 쉽게 운다)
- 우울
- 무기력한 느낌
- 불안
- 피로감, 수면장애
- 두통
- 불안
- 분노
- 슬픔
- 산후 5일쯤 최고조의 증상을 보이며, 10일째 증상이 가라앉는다.
- 증상은 약하다.

치료적 간호관리

- 산후 방문 시 산후우울증에 대한 모든 위험인자를 확인한다.
- 여성들에게 산후우울은 정상이라는 것을 확신시켜 준다.
- 산모가 쉴 수 있는 계획을 돕는다(예: 아기가 잘 때 낮잠을 자도록 한다. 일찍 잠자리에 든다. 가사노동을 쉬도록 한다).
- 산모에게 그녀 자신을 돌볼 수 있도록 교육한다(예: 아기를 가족 구성원이 돌보는 동안 산책을 하거나 책을 읽도록 한다).
- 산모에게 외출에 대한 일상을 계획하도록 제안한다(예: 친구들과의 점심이나 쇼핑을 위해 아기를 유모차에 태워 데려간다).
- 산모에게 그녀가 느끼는 감정을 배우자에게 말하도록 격려한다.
- 산모에게 산후우울을 인정할 수 있도록 교육한다.

- 출산 2주 후에도 증상이 호전되지 않거나 산후 2주 후에 시작되는 증상은 심각한 것이다.
  - 우울, 슬픔, 충동적으로 일어나는 울음
  - 위축, 배우자나 다른 사람들로부터의 지지의 부족을 호소하는 경우
  - 수면장애(예: 아기 수유 후에도 다시 잠들 수 없다).
  - 극단적인 피로, 일상적인 기능에 방해가 되는 경우
  - 식욕의 변화; 체중의 증가나 감소
  - 집중하기 어려움
  - 아기에 대한 두려움
  - 자살에 대한 생각

약물 관리
- 항우울제 요법

합병증
- 산후우울증
- 지연된 모성 역할
- 지연된 모아 유대감

1. 산후우울에 관한 설명은?

  ① 산욕기의 자살충동   ② 지속적 우울증 상태

  ③ 불면과 극도의 피로감   ④ 항우울제가 필요한 상태

  ⑤ 출산에 의한 일시적 적응장애

2. 분만 후 3일째 산모가 울고 있다. 적절한 간호중재는?

  ① 그대로 둔다.   ② 정신과 의뢰

  ③ 항우울제 복용   ④ 산모와 아기의 격리

  ⑤ 자신의 감정을 표현하도록 돕는다.

3. 분만 후 산후우울을 보이고 있는 산모에게 적절한 간호중재는?

  ① 산모의 말을 들어준다.

  ② 지속적 현상임을 알려준다.

  ③ 모유수유를 잠시 중단한다.

  ④ 출산은 누구나 겪는 일이라 충고한다.

  ⑤ 프로락틴의 증가 때문이라고 말한다.

4. 분만 후 5일째 산모가 '아이를 돌볼 자신이 없고 의욕도 안 생겨요' 라고 호소한다. 간호시의 반응은?

  ① 종교인을 연결해 드릴께요

  ② 모유수유를 중단해 보세요.

  ③ 신경정신과에 의뢰할께요.

  ④ 시간이 지나면 해결될 거예요.

  ⑤ 힘드시죠? 같이 해결방안을 의논해 보아요.

정답   1.⑤   2.⑤   3.①   4.⑤

관련정보

산욕기에 발생하는 정신장애

- 산욕기에는 임신과 분만에 의한 호르몬의 변화와 모체생리기능의 변화, 모성 역할에 따른 환경 변화, 육아에 따르는 피로 등의 요인이 연관되어 정신적으로도 불안정해지기 쉬워 정신장애가 발생하기 쉽다.
- 산욕기에 문제가 되는 정신장애에는, 산후우울과 산후우울증, 산욕기 정신병이 있다.

산후우울(postpartum blues)

- 산욕 3~10일에 발병한다. 일과성의 경과를 보이는 우울상태를 말한다.
- 증상은 경도로 보통 2주 정도만에 소실된다.

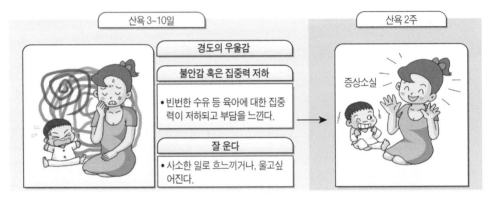

- 산후우울은 생리적인 것이므로 치료가 필요하지 않고, 소위 질병으로 취급되는 산욕기정신병과는 구별된다.
- 산후우울의 증상이 중증화되면, 산욕기 정신병의 하나인 산후우울증으로 이행되는 경우가 있다.

산욕기 정신병(puerperal psychosis)

- 대부분은 산욕기 1개월 이내에 발병한다.
- 불면, 불안, 기분변동, 식욕저하 등의 전구증상을 보이고 연이어 발병하는 경우가 많다.
- 산욕기 정신병은 크게 아래의 3가지로 분류된다.

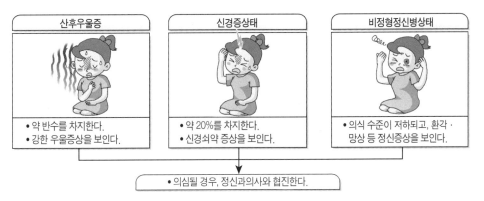

- 산후 우울증이 중증화하면, 비정형정신병상태로 이행한다.
- Sheehan 증후군 등의 분만 · 산욕기의 출혈에 의한 뇌순환부전이, 산욕증상의 발현의 원인이 되는 경우가 있다.

1. • 임신기간 내내 양가감정과 불안
 • 사회적 지지의 부족
 • 낮은 수입수준

2. • 산후우울의 증상: 울음, 피로감
 • 산후우울증의 증상: 개인적 위생과 환경관리에 신경을 쓰지 않음, 분노, 탈진, 지지 부족

3. • 간호사는 진아씨의 개인위생 결핍과 불량한 가사처리가 산후에 나타난 것인지 이전에는 어떠했는지 판단한다.
 • 간호사는 모아애착을 사정한다. 진아씨가 아기의 요구에 얼마나 관심을 기울이는지 사정한다(아기는 청결한가, 수유를 잘 하는가).
 • 간호사는 진아씨에게 감정(죄책감, 슬픔 등)을 묻고 아기에 대한 감정을 묻는다.
 • 간호사는 진아씨의 식욕이 변했는지 여부와 먹고 있는 것이 무엇인지 묻는다.
 • 간호사는 진아씨가 자주 우는 지 묻는다.

4. • 간호사는 진아씨가 목욕하고 개인위생을 돌보는 동안 아기를 돌본다.
 • 간호사는 집안을 청소하거나 방문해서 도와줄 지역사회 자원을 요청한다.
 • 간호사는 정서적지지와 아기 관리를 도와줄 지역공동체 자원과 연락한다.
 • 간호사는 산후우울증의 징후가 있을 때 1차 건강관리 제공자에게 전화하도록 징후의 목록을 서면으로 남겨둔다.
 • 간호사는 진아씨가 마음을 터놓을 수 있는 친구 역할을 할 사람을 찾아본다.
 • 간호사는 진아씨 부모가 지지를 해 줄 수 있는지 판단한다(예: 쇼핑, 가사, 정서적지지)

찾아보기